國家古籍整理出版專項經費資助項目

栖芬室

栖芬室藏中醫典籍精選·第三輯

新刻太乙仙製本草藥性大全 貳

【明】王文潔　輯
中國中醫科學院中醫藥信息研究所組織編纂
牛亞華◎主編　　張瑞賢◎提要

北京科學技術出版社

圖書在版編目（CIP）數據

栖芬室藏中醫典籍精選・第三輯．新刻太乙仙製本草藥性大全　貳/牛亞華主編．—北京：北京科學技術出版社，2018.1

ISBN 978－7－5304－9244－4

Ⅰ．①栖…　Ⅱ．①牛…　Ⅲ．①中國醫藥學—古籍—匯編②中藥性味　Ⅳ．①R2-52②R285.1

中國版本圖書館CIP數據核字（2017）第213668號

栖芬室藏中醫典籍精選・第三輯．新刻太乙仙製本草藥性大全　貳

主　　編： 牛亞華
策劃編輯： 章　健　侍　偉　白世敬
責任編輯： 張　潔　周　珊
責任印製： 張　良
出 版 人： 曾慶宇
出版發行： 北京科學技術出版社
社　　址： 北京西直門南大街16號
郵政編碼： 100035
電話傳真： 0086-10-66135495（總編室）
0086-10-66113227（發行部）　0086-10-66161952（發行部傳真）
電子信箱： bjkj@bjkjpress.com
網　　址： www.bkydw.cn
經　　銷： 新華書店
印　　刷： 虎彩印藝股份有限公司
開　　本： 787mm×1092mm　1/16
字　　數： 251千字
印　　張： 21.5
版　　次： 2018年1月第1版
印　　次： 2018年1月第1次印刷
ISBN 978－7－5304－9244－4/R・2412

定　　價：550.00元

栖芬室藏中醫典籍精選·第三輯

新刻太乙仙製本草藥性大全　貳

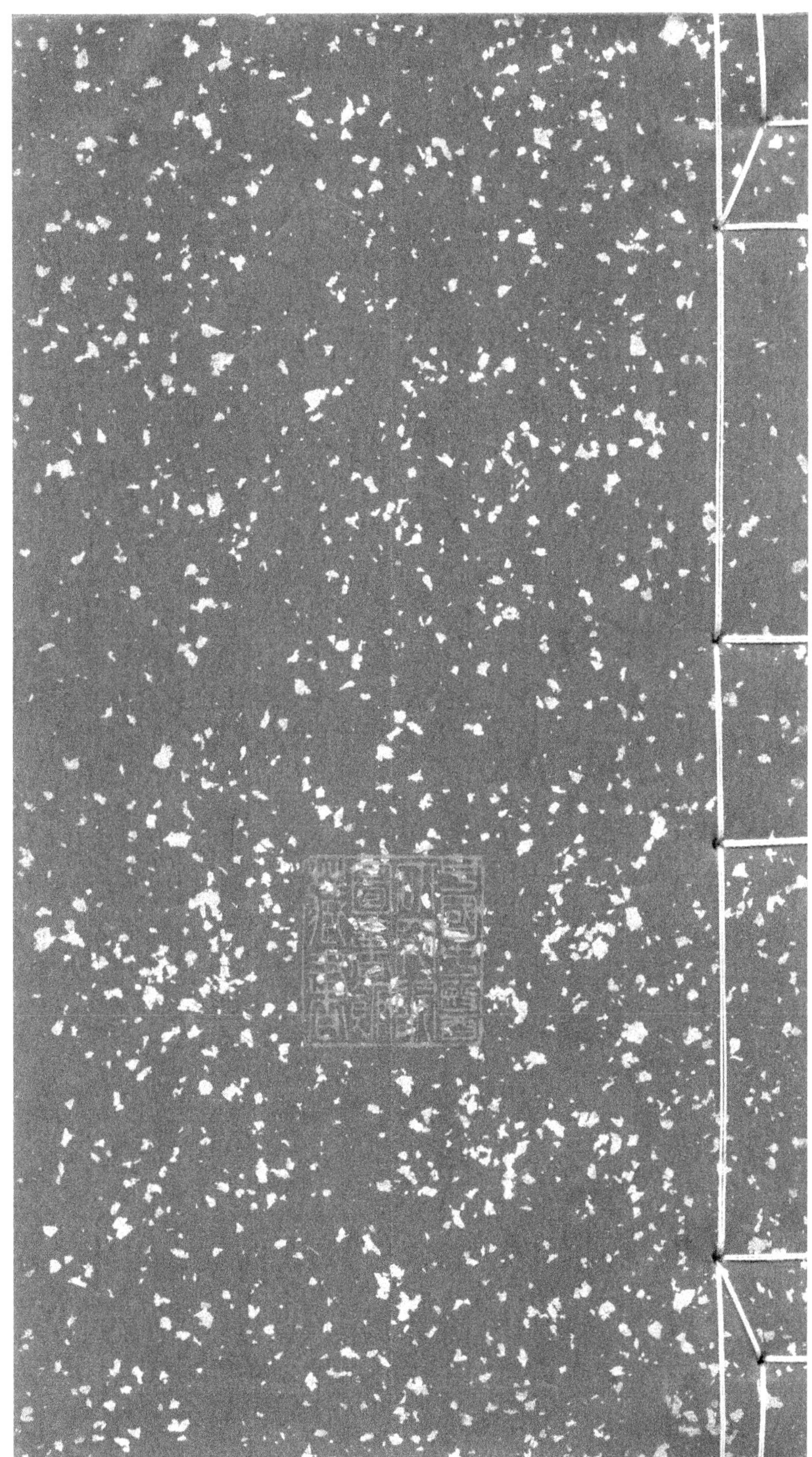

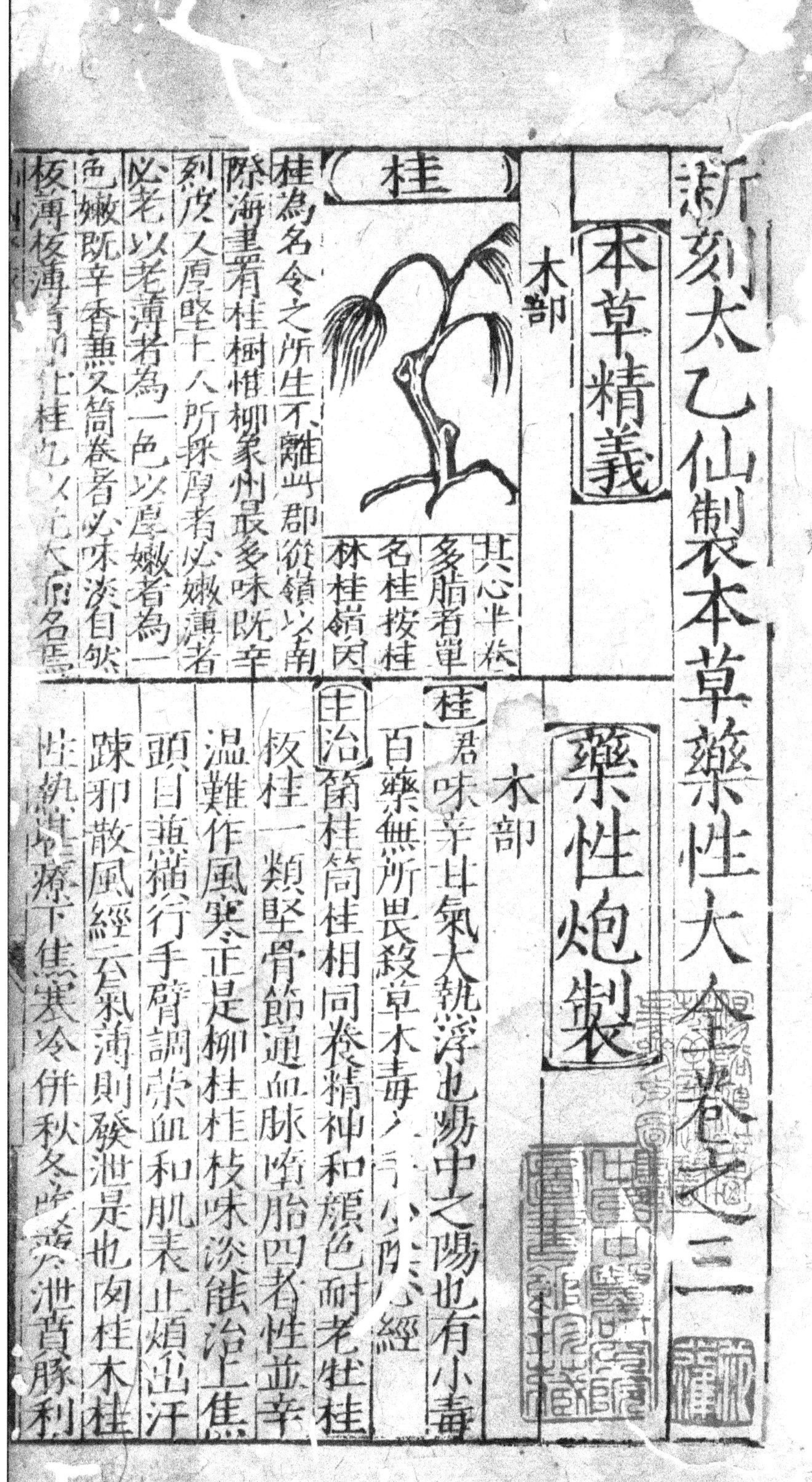

新刻太乙仙製本草藥性大全卷之三

本草精義

木部

桂

其心半卷多脂者單名桂按桂林桂嶺因桂為名今之所生不離此郡從嶺以南際海盡有桂樹惟柳象州最多味既辛烈皮又厚堅土人所採厚者必嫩薄者必老以老薄者為一色以厚嫩者為一色嫩既辛香兼又筒卷者必味淡自然板薄板薄者[illegible]北桂亦以[illegible]名焉

藥性炮製

木部

桂　君　味辛甘氣大熱浮也陽中之陽也有小毒百藥無所畏殺草木毒入手少陰經

主治　菌桂筒桂相同卷精神和顏色耐老壯桂枝桂一類堅骨節通血脉喧胎四者性並辛温難作風寒正是柳桂桂枝味淡能治上焦頭目兼猶行手臂調榮血和肌表止煩出汗疎邪散風經云氣薄則發泄是也肉桂木桂性熱[illegible]療下焦寒冷併秋冬[illegible]瀉奔豚利

筒卷者即菌桂也以嫩而易卷揀皮官

冬至同餌忌生葱收必陰乾用旋咀片

餘剩須密紙重裹免風免辛氣泄陽種

類多般地產各處菌桂正圓無骨形類

竹生交趾桂林牡桂匾廣薄皮產南海

山谷官桂品極高而堪充進貢却出觀

賓木桂皮極厚而肉理麁虛乃發從鎮

筒桂因皮嫩如筒卷束板桂謂皮老若

板坦平柳桂係至軟枝梢肉桂指至厚

脂肉桂枝枝梗小條非身幹麁厚之處

桂心近木黃肉但去外甲錯麁皮品分

既明歟同雖入又各主治亦宜詳知氣

之薄者桂枝也氣之厚者肉桂也氣薄

則發泄桂枝上行而發表氣厚則發熱

肉桂下行而補腎此天地親上親下之

水道溫筋煖臟破血通紅經[illegible]氣厚則發熱

是也桂心美之之義性好守治多在中宮桂

貴之之辭味甚辛治易解表如此之異蓋緣

本乎天者親上本乎地者親下理之自然性

分所不可移也然柳桂桂枝入足太陽之腑

桂心紫桂入心在手少陰之經本經註云桂

有小毒亦從類化與黃芩[illegible]小毒何

施與烏頭附子為使全得熱性與人參麥門

冬甘草同用能調中益氣實衛護榮與柴胡

紫石英乾地黃同用却主吐逆[illegible]砂

乾漆穿山甲水蛭虻蟲如此[illegible]同用

則小毒化為大毒矣春夏禁服秋冬宜煎

○補註 治陰受病發[illegible]內熨方用醇酒二十斤蜀椒一斤乾薑一斤桂一斤㕮咀著

道也

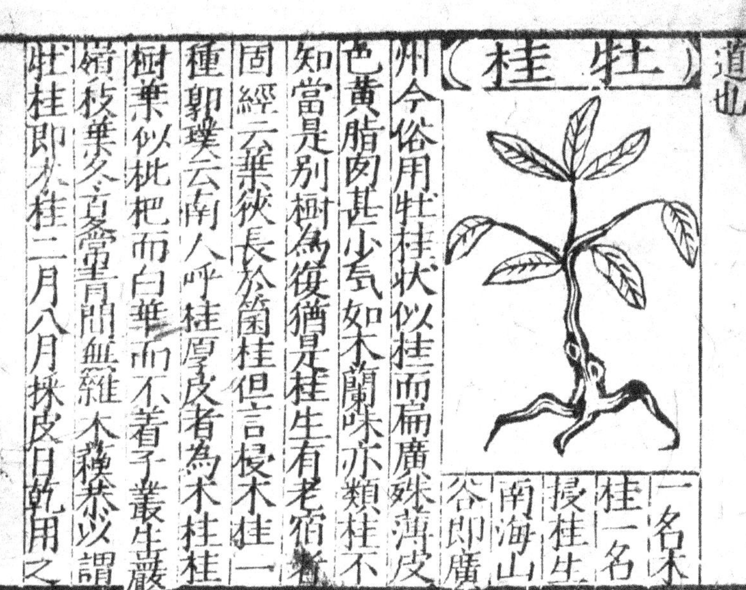

一名木桂一名梫桂生南海山谷即廣州今俗用牡桂狀似桂而扁廣殊薄皮色黃脂肉甚少氣如木蘭味亦類桂不知當是別樹為復猶是桂生有老宿者圖經云葉狹長於箘桂但言梫木桂一種郭璞云南人呼桂厚皮者為木桂桂樹葉似枇杷而白華而不着子叢生巖嶺枝葉冬夏常青間無雜木爾雅以謂梫桂即木桂二月八月採皮日乾用之

清酒中綿絮一斤細白布四丈并入酒中置馬矢煴中善封冷勿使泄氣五日五夜出而綿絮暴乾復漬之以盡其汁每漬必晬其日乃出布絮乾之并用滓與絮為巾其布長六七尺為六七巾即用生桑炭炙巾以熨寒痺所刺之處令熱入至病所寒復炙巾以熨之三十徧而止汗出以巾拭身亦三十徧而止起布內無見風每刺以熨如此病已矣○治覺筋急亦以白酒和桂塗之甚者枝法夏月飲之解煩渴益氣消瘀桂末一兩白蜜一升以水二斗先煎取一斗末令入新甕瓶中後下二物攪二三百轉令勻先以油單一重覆上加紙七重以甎封之毋日去紙一重七日開之藥成氣香味美格節絕高○失音桂末著舌下漸嚥汁○小兒睡中遺尿不自覺桂末雄雞肝作等分擣丸如小豆大每服溫水下○心腹俱脹痛短氣欲絕或已絕桂二兩切以水一升二合煮取八合去滓頓服無桂用乾薑亦得治中風四肢逆冷吐清水宛轉啼呼者取二兩㕮咀以水三升煮取二升去滓適寒溫盡服○反腰有血痛桂節三升許以苦酒和塗痛上乾復塗○卒吐血桂屑方寸匕晝夜含一二十許服亦療下血大神驗○產後腹中瘕痛末桂溫酒服方寸匕日三服○蜀椒閉口者有毒誤食之便氣欲絕或下白沫身體冷者急煎桂汁服之多飲冷

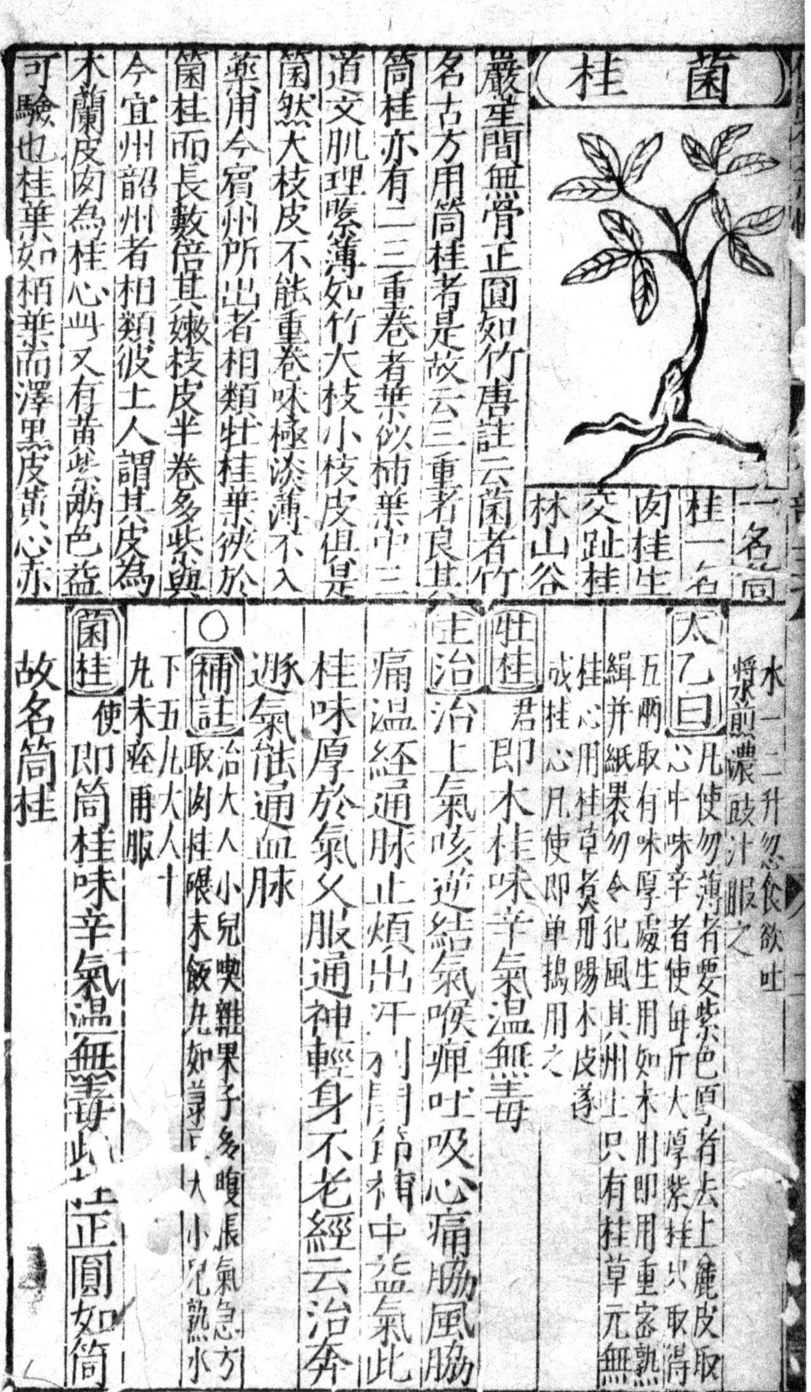

一名筒桂一名肉桂生交趾桂林山谷巖崖間無骨正圓如竹唐註云箘者竹名古方用筒桂者是故云三重者良其筒桂亦有二三重卷者葉似柿葉中三道文肌理緊薄如竹大枝小枝皮俱是箘然大枝皮不能重卷味極淡薄不入藥用今賓州所出者相類牡桂葉狹於箘桂而長數倍其嫩枝皮半卷多紫與今宜州韶州者相類彼土人謂其皮為木蘭皮肉為桂心此又有黃紫兩色益可驗也桂葉如柏葉而澤黑皮黃心赤

水一二升忽食欲吐將水煎濃豉汁服之

【太乙曰】凡使勿薄者要紫色厚者去上麁皮取心中味辛者使每斤大厚紫桂只取得五兩取有味厚處生用如末則即用重密熟絹并紙裹勿令犯風其州土只有桂草元無桂心用桂草煮丹陽木皮遂成桂心凡使即单擣用之

【牡桂】君 即木桂味辛氣溫無毒

【主治】治上氣咳逆結氣喉痺吐吸心痛脇風脇痛溫經通脉止煩出汗利關節補中益氣此桂味厚於氣久服通神輕身不老經云治奔豚氣能通血脉

○【補註】治大人小兒喫雜果子多腹脹氣急方取肉桂碾末飯丸如菉豆大小兒熟水下五丸大人十丸未瘥再服

【箘桂】使 即筒桂味辛氣溫無毒此桂正圓如筒故名筒桂

今鈐州所出者葉密而細亦恐是其類但不作柳葉形為疑耳皮厚者名木桂則牧桂是也蘇恭以牡桂與菌名桂為一物亦未可據其木俱高三四丈多生深山蠻洞中人家園圃亦有種者移植于嶺北則氣味殊少辛辣固不堪入藥也三月四月生花全類茱萸九月結實今人多以裝綴花果作筵其葉甚香可用作飲香尤佳二月八月採皮九月採花並陰乾不可近火中品又有大些桂云生西胡国功用似桂不过烈今亦有

柳桂

一名桂枝又謂之官桂然本經

【主治】主百病養精神和顏色為諸藥先聘通使久服輕身不老面生光華媚好常如童子

○【補註】抱朴子云桂可以合葱涕[illegible]亦可以竹瀝合餌之亦可以[illegible]和[illegible]服之[illegible]七年能步行水上長生不[illegible]桂二十年足下毛生日行五百里力舉千斤劉仙傳云范蠡好生桂飲水討藥人世世見之又曰桂父象林人常服桂皮葉以龜腦和服之○歸終采藥詩云閶河之桂實大如栗得而食之後天而老

【柳桂】使 即桂枝味辛氣温無毒[illegible]云氣味俱輕故能上行發散於表內寒則肉桂補陽則柳桂桂辛熱散經寒引導陽氣若正氣虛者以辛潤之散寒邪治奔豚

【主治】仲景云湯液用桂枝發表用肉桂補腎其氣之清濁上下一定之理也此藥可以久服能護榮氣能實胃氣則在足太陽膀胱經也

只言桂何景文言桂枝者枝條也非身幹也取其輕薄而能發散一種柳桂乃桂之嫩小枝條也又宜入治上焦藥用也蓋亦取其枝上皮其木身麄厚処亦不日用圖經云葉似柿葉而尖狹光淨花白蕊黃四月開花五月結實樹皮青黃淡薄卷若筒亦名筒桂厚硬味薄者名桂枝又云不入藥三七月採皮曝乾

桂心

一名紫桂乃諸桂之心不若一字桂也

出賓州桂州交州者甚良圖經云葉狹長于菌桂之二倍其嫩枝半捲多紫肉

或問湯液發汗用桂枝補腎用肉桂小柴胡止云加桂何也答曰肉桂大辛春夏禁用其治表寒當看時令故只云加桂而已秋冬治下部腹痛非桂不能止也專治奔豚氣痛

【桂心】君 味苦辛性溫無毒桂心入手少陰心經

【主治】殺草木毒專治九種心痛殺三蟲破血通經及胎衣不下除咳逆結氣壅痺止腹冷痛下痢鼻中息肉軟脚痺不仁

○【補註】治風頭痛天陰雨風先發者用一兩為末以酒調高膏用傅頭上并額角○九種心痛妨悶用一分為末以酒一大盞煎半盞去滓熱服效○寒疝心痛四[illegible]不欲食用二兩去皮搗羅為散熱[illegible]下一錢○產後惡血衝心痛氣悶欲絕[illegible]搗末[illegible]擣汁和丸如櫻桃大熱酒吞下○中風面目相引偏僻牙車急舌不可轉以酒煮取汁故布蘸搨病上即止左喎搨右右喎搨左故卒中心痛用八分以水四升煮取一升分三○

一□皺起肌理虛軟謂之桂枝又名肉桂削去上皮名曰桂心藥中以此為善其厚皮者名曰木桂二月八月採皮晒乾去皮留心用按諸桂所治不同无非各因其材而致用也然本經謂桂止煩出汗仲景治傷寒乃云无汗不得服桂枝又云汗過多者桂枝甘草湯是又用其閉汗何特反其經義耶抑一藥而二用耶噫此正所謂殊途而合轍也蓋桂善通血脉本經言桂止煩出汗者非桂能開腠理而發出汗也以之調其榮血則衛氣自和邪无容地遂自汗出而解矣仲景言汗多用桂枝者亦非桂枝能閉腠理而止住汗也以之調和榮衛則邪從汗出邪去而汗自止矣昧者治之濫出

服○治唾血擣作末以水下方寸匕○卒外腎偏腫疼痛擣末和水調方寸匕塗之○治小兒臍腫取灸令熱熨之日□□五度治中風失音用一刃去其麁皮近以□本懷□至刃時辰許為末分為三服每□用□□一盞煎至一盞服之差大妙○按[illegible]所出各異其為治亦稍別世俗所用□枝條輕薄者為桂枝宜入治頭目發表散風寒仲景故表用桂枝者以其能收汗蓋表有風邪故病自汗以桂枝温榮衛而發其邪邪去則表密而汗自止正辛甘發散之義後人用桂止汗失經旨矣身幹□厚者為肉桂宜入治臟補腎气及下焦寒冷秘□□腹痛非此不除刮去麁厚用近裏者為桂心又名嫩小枝條為柳桂味淡尤宜入治上焦及横行手臂桂也

【槐實】臣　味苦酸鹹氣寒無毒景天為之使

【主治】主五內邪熱去五痔腫疼七月七日取擣絞汁銅器內置高如懸二十日以上煎稠硬圓如鼠屎大納穀道內三易之乃愈止涎唾補絕傷凉大腸消乳瘕除男子陰瘡溫痿不歛女人產戶痛痒難當仍理火瘡且墮胎孕

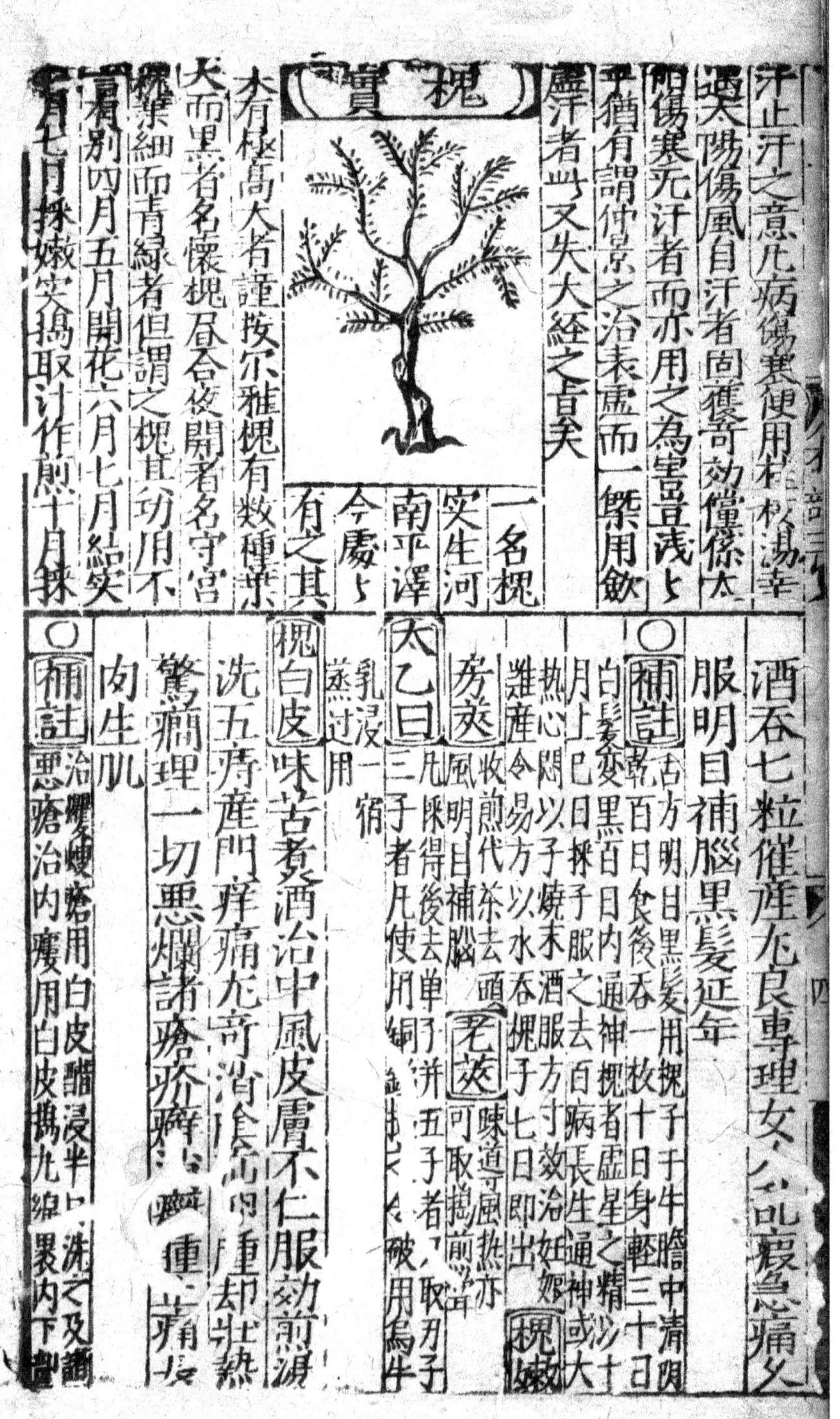

汗止汗之意凡病傷寒使用桂枝湯幸遇太陽傷風自汗者固獲奇効儻係太陽傷寒无汗者而亦用之為害豈淺淺乎猶有謂仲景之治表虛而一槩用斂汗者此又失大經之旨矣

槐實

一名槐實生河南平澤今處處有之其木有極高大者謹按尔雅槐有数種葉大而黒者名櫰槐晝合夜開者名守宮槐葉細而青綠者但謂之槐其功用不言有別四月五月開花六月七月結實七月七日採嫩實搗取汁作煎十月採

酒吞七粒催產尤良專理女人乳瘕急痛久服明目補腦黒髪延年

○補註 古方明目黒髪用槐子于牛膽中漬陰乾百日食後吞一枚十日身輕三十日白髪變黒百日内通神槐者虛星之精以十月上巳日採子服之去百病長生通神或大熱心悶以子燒末酒服方寸匕效治妊娠難產令易方以水吞槐子七日即出

槐嫩芽炙 收煎代茶去頭風明目補腦

老炙 味道可風熱亦可取搗煎汁

太乙曰 凡採得後去單子并五子者只取兩子三子者凡使用銅鎚捶之令破用烏牛乳浸一宿蒸過用

槐白皮 味苦煮酒治中風皮膚不仁服効煎湯洗五痔產門痒痛尤奇消[illegible]腫却壯熱驚癇理一切惡爛諸瘡疥癬癰腫痛長肉生肌

○補註 治[illegible]瘻瘡用白皮醋浸半日洗之及諸惡瘡治内痔用白皮搗丸綿裹内下部

老實入藥今醫家用槐者最多春採嫩枝煅為黑灰以揩齒去蚛燒青枝取瀝以塗癬取花之陳久者篩末飲服以治下血折取嫩房角作湯以當茗主頭風明目補腦煮白皮汁以治口齒及下血水吞黑子以變白髮不上耳取末服方寸亦治大便血及五痔脫肛等皆常用有殊效者葛洪著扁鵲明目使髮不落方十月巳巳日取槐子去皮內新甕中封口三七日初服一枚再二枚至十日十枚還復一九始大良劉禹錫傳信方著硤州王及郎中槐湯灸痔法以槐枝濃煎湯先洗痔便以艾灸其上七壯以知為度及早充西川安撫使判官乘騾入駱谷及宿有痔疾因此大作其狀如

中得效治中風身直不得屈伸反覆者取槐皮黃白者切之以酒或水六升煮取二升去滓適寒溫稍服治痔有蟲咬穀道痒或下膿血多取槐白皮煮濃汁安盆中坐熏之虛其穀道令更暖良久欲大便當蟲出不過三度即愈如用木綿裹內下部○療[illegible]疼痛取槐樹白皮切以醋一升煮去滓[illegible]鹽少許適寒溫含之日三易之

【槐莖葉】味苦平無毒功用總治諸瘡毒浴兒去疥癬疔腫熬膏貼癰疽潰爛煮汁漱口齒風痒治喉痺寒熱理壯熱

○【補註】治鼻氣窒塞以水五升煮槐葉取三升下葱豉調和再煎飲○野雞痔下血腸風明目方嫩葉一斤蒸如造炙法取葉碾作末如茶法煎呷之○療陰瘡及濕痒用槐樹北面不見日處一大握水二升煮取一升洗之三五遍令傷暖若涉遠恐衝風即以米粉撲之即效○主邪氣產難絕傷春初嫩葉亦可食又主瘾疹牙齒諸風疼

【槐枝】味苦氣寒作神燭可燒仍主喉痺寒熱洗瘡住痒煅揩齒殺虫春採枝燒存性為末

胡瓜貫於腸頭熱如煻灰火至僵仆
主郵吏云此病其曾患來須灸節差及
命所使作槐湯洗熱瓜上令用艾灸至
三五壯忽覺一道熱氣入腸中因大轉
瀉先血後穢一時至痛楚瀉後遂失胡
瓜所在登驟而馳
按衍義云槐実止言実今當分為二実
本出夾中若搗夾作煎者當言夾也夾
中子大如豆堅而紫色者実今下條不
析出夾與夾中子蓋其用各別皆味導
風熱又云槐花今染家亦用收時折其
未開花煮一沸出之谷中有所澄下稠
黄滓滲漉為餅染色更鮮明治腸風熱
瀉血甚佳不可过劑日

揩齒去虫
○補註療胎赤眼取槐枝如馬鞭大長二尺作二段齊頭麻油一匙置銅鍪中旦使童子一人以其木研之至暝止令仰卧以塗向眼晝日三度差治野雞痔用槐枝煎湯洗痔上便以艾灸之七壯治九種心痛當太歲上取新生槐枝一握去兩頭水三大升煎取一升頓服治崩中或赤白不問年月遠近取槐枝燒灰食前酒下方寸匕

槐花 味苦平無毒炒黄赤凉大腸去熱眼赤心痛理腸風瀉血及皮膚風[illegible]痔[illegible]來紅併赤白痢去胃脘卒痛殺腹臟蛔蚘
○補註治下血槐花荊芥穗等分為末酒調下一錢○治婦人漏下血不絶槐花燒不以多少燒作灰細研食前温酒服二錢錢

槐膠 主諸風化涎筋脉抽掣并[illegible]治諸藥任作湯散丸煎服治口眼喎斜[illegible]強硬急風破傷風雜諸藥亦可水煮作湯并[illegible]風痺肢難

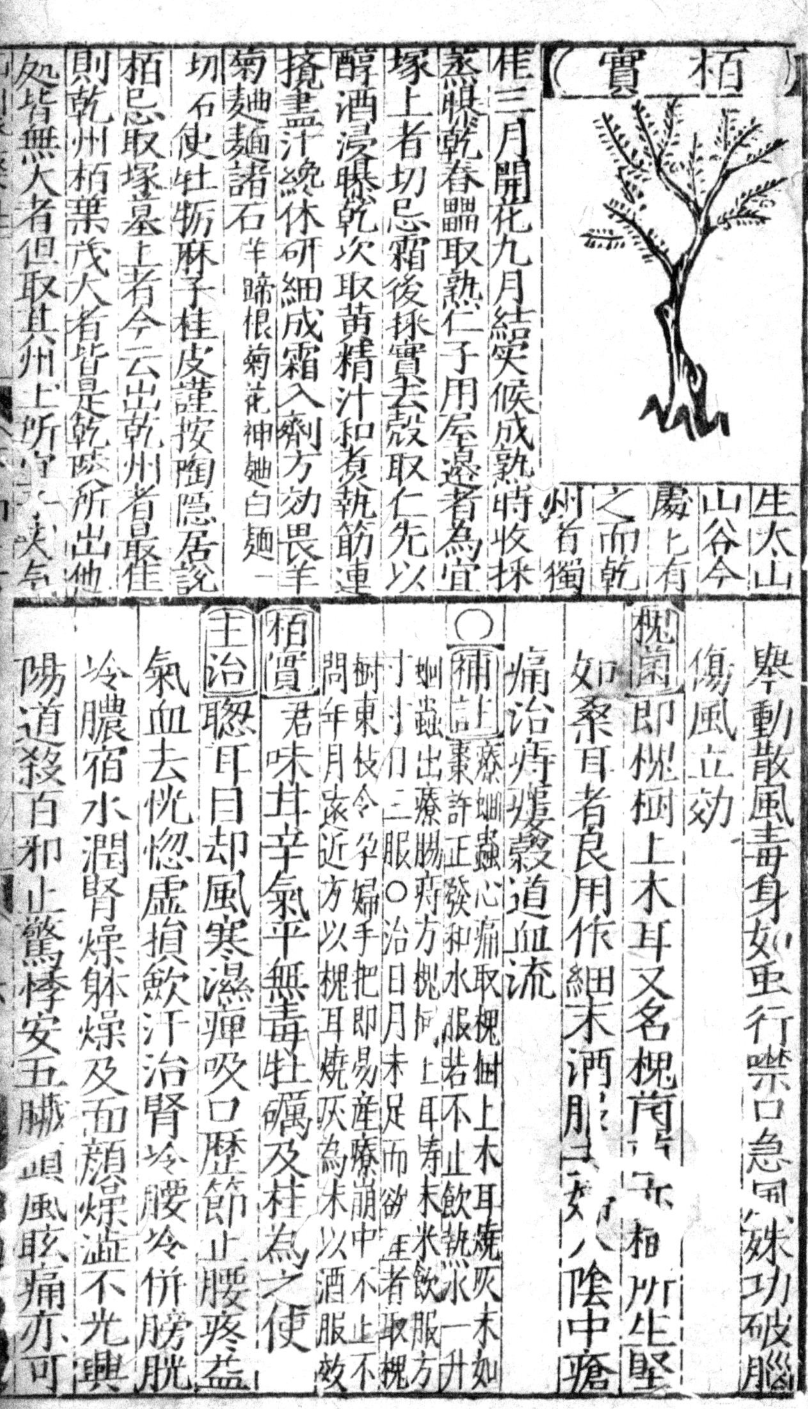

栢實

生太山山谷今處處有之而乾州者獨佳三月開花九月結實候成熟時收採蒸暴乾舂䆊取熟仁子用冢邊者為宜冢上者切忌霜後採實去殼取仁先以醇酒浸暴乾次取黃精汁和煮軟筋連攪盡汁繞休研細成霜入劑方効畏羊菊麴麵諸石羊蹄根菊花神麴白麵一切石使牡蠣麻子桂皮謹按陶隱居說栢忌取冢墓上者今云出乾州者最佳則乾州栢葉茂大者皆是乾陵所出他処皆無大者但取其州上所宜亦快氣

舉動散風毒身如虫行噤口急風殊功破腦傷風立効

槐菌　即槐樹上木耳又名槐茸亦柏所生堅如桑耳者良用作細末酒服二錢入陰中瘡痛治痔腸穀道血流

○補註　療蛔蟲心痛取槐樹上木耳燒灰末如棗許正發和水服若不止飲熱水一升蛔蟲出　療腸痔方槐樹上木耳為末米飲服方寸匕日三服○治日月未足而欲產者取槐樹東枝令孕婦手把即易産　療崩中不止不問年月遠近方以槐耳燒灰為末以酒服效

栢實　君　味甘辛氣平無毒牡蠣及桂為之使

主治　聰耳目却風寒濕痺吸口歷節止腰疼益氣血去恍惚虛損斂汗治腎冷腰冷併膀胱冷膿宿水潤腎燥躰燥及面顏燥澁不光興陽道殺百邪止驚悸安五臟頭風眩痛亦可

味豊美可也乾陵之栢異於他處其木未有無文理者而其大多為菩薩雲氣人物鳥獸狀極分明可觀有盜得一株徑尺者可直萬錢閑陝人家多以為貴宜其子實最佳也又以其枝節燒油膏傅惡瘡久不差有蟲者牛馬畜産有瘡疥名為重病以傅之三五次無不愈也

側栢葉

密州出者尤佳雖與他栢相類而其葉皆側向而生功效殊別收採無時張仲景方療吐血不止者柏葉湯主之青柏葉一把乾薑二片阿膠一挺炙三味以

煎調久服不飢不老增壽輕身〇

〇補注 小兒驅啼驚癇腹滿不乳食大便青白色用栢子仁末溫水調下一錢〇松脂者老人虛必栢子仁大麻子松子仁等分同研落白蠟丸桐子大以少黃丹湯服二十或三十丸食前

太乙曰 凡使先以酒浸一宿至明漉出曬乾再用黃精自然汁於日中煎手不住攪若天久陰即於鐺中著水用瓶器盛栢子仁著火緩緩煮成煎為度每煎三兩栢子仁用酒五兩浸乾為度

側栢葉 君 味苦澁氣寒又曰微溫無毒須用嫩葉良翠脇者收採務向月令建方春採東夏採南秋採倣此緣得節候生氣

主治 即止吐衄崩痢重生鬚髮[illegible]烏爆濕仙

用係補陰要藥若合黃連煎[illegible]小兒垂痢真

痒久服輕身益氣耐冷止飢與酒相宜止尿

水二升煑取一升去滓白蜜馬通汁一升
相和合煎取一升綿濾一服盡之山東
醫工亦多用側栢經云性寒止痛其方
採藥入臼中濕搗令極爛如泥冷水調
作膏以治大人及小兒被湯火燒熱傳
於傷處用帛子繫定三兩日瘡當斂仍
滅瘢又取葉焙乾為末與川黃連二味
同煎為汁服之以療男子婦人小兒大
腹下黑血茶脚色或膿血如靛色所謂
蟲痢者治之有殊方又能殺五臟蟲道
家多作栢葉湯常盛人古栢葉尤奇今
益州諸葛孔明廟中有大栢不相傳是
蜀世所植故人多採收以作藥其味甘
香於常栢也
【孫真人枕中記】採松栢滓汁以三月四

血又治冷風歷節疼痛
○【補註】治大風疾眉髮脫落用葉心蒸九曝搗
為末煉蜜和丸如梧桐子大日三服
夜一服熟水下五丸或十丸[illegible]生治憂
恚嘔血煩滿少氣胸中疼痛[illegible]搗雜為散
不計時候以粥飲調下二錢[illegible]下先洞下
痢者煮葉服之治鼠瘻瘰核痛未成膿以葉傅
腫上熬鹽着腫上熨令熱氣下即消○生髮
方○蔡瘡用葉炙啓效難取汁塗頭濶鬢髮
【太乙曰】凡使勿用花栢葉并叢栢葉有子圓葉
其有子圓葉成片如大片雲母葉七皆
側葉上有微赤毛若芒面葉其側濃葉成孕
無了叢栢葉其側綠色不入藥中用若修事
一斤先揀去兩畔并心枝了用糯泔浸七日
漉出用酒拌蒸一服時却用黃精自然汁浸
了焙乾又浸又焙待黃精汁乾盡然後用之
如修事一斤用黃精自然汁十二两
【栢白皮】無毒燒灰敷火灼爛瘡長毛髮亦驗【陵】
【飽】釀酒主歷節風痺瘡瘍疥尤靈凡患疥瘡癩瘡及件
馬畜瘡有疥並燒敷二三次無不愈
○【補註】治中熱油及火燒瘡以栢白皮猪脂煎
塗瘡上出道方同治霍亂轉筋先以煖

月採新生松葉可長二四寸許并花蕊取陰乾細擣為末其栢葉取深山巖谷中採當年新生可長二三寸者陰乾細擣為末用白蜜丸如小豆大常以月一十五日日未出時燒香東向手持藥八十一丸以酒下服一年延十年命服二年延二十年命欲得長肌肉加大麻巨勝欲心力多壯健者加茯苓人參此藥除百病益元氣添五臟六腑清明耳目強壯不衰老延年益壽神驗用七月七日露水丸之更佳服時乃呪曰神仙真藥體合自然服藥入腹天地同年呪訖服藥斷食雜肉五辛最切忌慎之

物裏脚然後以柏樹木細判煮汁淋之○按抱朴子云漢成帝時獵者於鍾南山見一人無衣服身皆生黑毛跳坑越澗如飛乃密伺其所在合圍取得乃是一婦人問之言我是秦之宮人關東賊至秦王出降驚走入山飢無所食泊欲餓死有一老公教我喫松栢葉實初時苦澀後稍便喫遂不復飢冬不寒夏不熱此女是秦人至成帝時三百餘載也

【松脂】使　味苦甘氣溫無毒六月採通明如乳香者佳黃白色者良黑色者不用

【主治】療癰疽惡瘡頭瘍治白禿風氣疥瘙逐諸風安五臟除伏熱胃脘消渴咽喉輕身通神延年耐老熬膏貼瘡毒長肉作散治齒痛殺蟲久服益氣

○【補註】治一切瘻煉成松脂末[illegible]孔令滿日三四度川之治疥癬松[illegible]細紛酌入炒輕粉各令匀凡疥癬上[illegible]油塗了[illegible]不一日便乾頑者三兩度洽[illegible]風疾松脂煉投冷水中二十遍蜜丸服二兩飢即服之日三鼻柱斷離者二百日差斷鹽及房室療癧

松脂

一名松香　一名松膏　一名松肪　一名白

膠香生泰山山谷普天下植泰州土不拘大木中流來瀝清松脂別名便是採取媒利聚多般可資貧心鍊餌延年待自流易奏捷效擇通明成塊分向背陰陽向南日月照者為陽脂向北日月背者為陰脂陽脂補陽陰脂補陰倦經亦云不見日月者皆可取服以人多陰虛欲其專補陰爾製鍊有方依式勿錯水盛釜內甑安水傍白茅藉甑底兩層黃沙蓋茅上寸許松脂任布[illegible]炊湯

節諸風百節酸痛不可忍松脂三十斤煉五十遍不能五十遍亦可二十遍亦以煉酥三升溫和松脂三升熟攪令極[illegible]空腹以酒服方寸匕日三數食麪粥為[illegible]忌冷物果子一百日差○松節[illegible]節風四肢疼痛如解落松脂二十斤[illegible]浸三七日服一合日五六服治[illegible]三兩煉巴豆一兩相和熟搗可丸通過以薄綿裹內耳孔中塞之日一度易○療刺入肉疼悶百理不差方松脂流出如細乳頭香者傅瘡上以綿裹三五日當有根出不痛不痒不覺自落○集驗療蟲齒取松脂銳如錐紙鋪孔內須臾蟲緣松脂出[illegible]閑話伏虎尊師篇煉松脂法十斤松脂五度以水煮過令苦味盡取消後每一斤煉了松脂入四兩茯苓末每晨水下一刀圭即終年不食而復延齡身輕清爽

松實　味甘苦氣溫無毒主小氣虛羸瘦風痺寒氣能補不足久服延年

○補註　神仙餌松實用七月收松實過時即落難收去木皮搗如膏每服如雞子大日三服服及百日身輕三百日日行五百里絕穀久服昇仙渴即飲水亦可以煉了松脂同

蠟少旋添脂流盡方止新盆貯[illegible]投冷水沉盆底者勿用候凝結復炒如前過畢三廻色白如玉研和群藥加白茯苓栢子仁甘菊花共劑亦可单服為丸酒吞

○按抱朴子云趙瞿病癩歷年醫不差家乃賫粮棄送於山穴中瞿自悲不幸悲嘆涕泣經月有仙人經穴見之哀之具問其詳瞿知其異人也叩頭自陳乞命於是仙人取囊中藥賜之教其服百餘日瘡愈顏色悅肌膚潤仙人再過視之瞿謝活命之恩乞還其方仙人曰此是松脂彼处極多汝可求服之長服身轉輕力百倍登危涉險終日不困年百歲齒不墮髮不白夜卧常見有光大如

服之列仙傳云偓佺好食松子能飛行健走及馬以松子遺堯堯不暇服松者蒲松也

松黄 即松花 主治 雖輕身益氣能發上焦山人及時拂取作湯點之甚佳 普 普 花底收曬乾研末羅細雞清 清雞弹 丸成豆粒暑痢止溢如神

○補註 衍義曰松黄一如蒲但其味差淡ゝ產後壯熱頭痛頰赤口乾唇焦多煩燥渴昏悶不爽松花川芎當歸石膏蒲黄五物等同為末每服二錢水二合紅花二捻同煎七分去滓粥後溫溫細呷松子多海東來今關右亦有但細小味薄與栢子仁同治虛秘

松根白皮 味苦氣溫無毒

主治 主辟穀腹內不飢補虛損五勞益氣

松節 味苦氣溫無毒

主治 燥血中之溫卻脚痺軟疼亦醫久風治風虛軟痛

○補註 脚轉筋疼痛攣急者松節一兩細剉如米粒乳香一錢右件藥用銀石器内慢

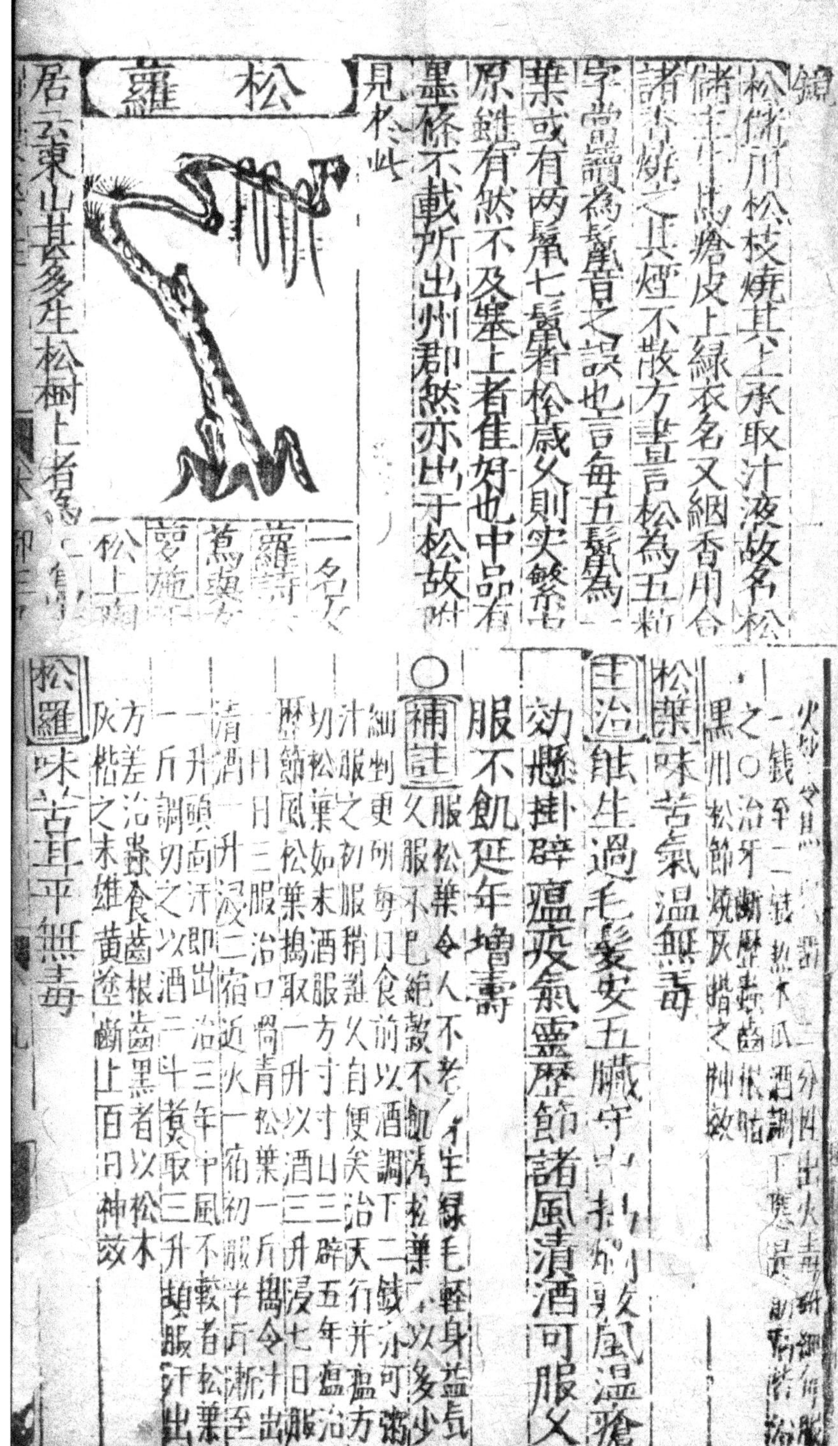
錄
松脂用松枝燒其上承取汁液故名松脂其汁能塗皮上綠衣名又細香用合諸香燒之其煙不散方書言松為五粒字當讀為鬣音之誤也言每五鬣為一葉或有兩鬣七鬣者松歲久則實繁中原雖有然不及塞上者佳好也中品有毘陵不載所出州郡然亦出于松故附見於此

松蘿

一名女蘿　蘿詩　蔦與女　菟施　松上寄

居云東山甚多生松樹上者為

火炒令黑研細每服一錢至二錢熱木瓜酒調下　之○治牙斷歷齒根牢黑川松節燒灰揩之神效

松葉　味苦氣溫無毒

主治　能生毛髮安五臟守中不飢延年灸凍瘡風濕瘡效懸掛辟瘟疫氣靈歷節諸風漬酒可服久服不飢延年增壽

○補註　久服松葉令人不老身生綠毛輕身益氣久服不已絕穀不飢渴松葉任以多少細剉更研每日食前以酒調下二錢亦可煮汁服之初服稍難久自便矣治天行并溫方切松葉如末酒服方寸匕日三辟五年瘟治歷節風松葉搗取一升以酒三升浸七日服一日三服治口喎青松葉一斤搗令汁出清酒一升浸二宿近火一宿初服半升漸至一升頭面汗即出治三年中風不較者松葉一斤調切之以酒二斗煮取三升頓服汗出方差治蟲食齒根齒黑者以松木灰揩之末雄黃塗斷上百日神效

松蘿　味苦甘平無毒

仙製藥性

寄生當用桑上者女貞當用冬

茯苓

一名[illegible] 魂[illegible] 俱有[illegible] 雲[illegible] 州[illegible]

住産深山谷中在枯松根底由木被斧斤砍伐或老遭風雹折摧枝葉不復升津氣旋向下泄凝結成塊乃名茯苓因其本体相离故取附之之義小如[illegible]卵大若瓠瓜猶類龜鱉人形並向[illegible]結實四五斤一塊者愈佳久藏留自枵蛀物收採須陰地阻片水焦[illegible]淨削研末九服赤筋盡淘方心脾不損眼目忌醋物惡白斂仍畏牡蒙地榆

主治 煎濃可作吐湯湧客痰截瘧[illegible]惟利水道驅頭風掃頂上瘡痍去項間瘤癭盛汗堪止嗔怒能消治陰寒疰痛理邪氣寒痰

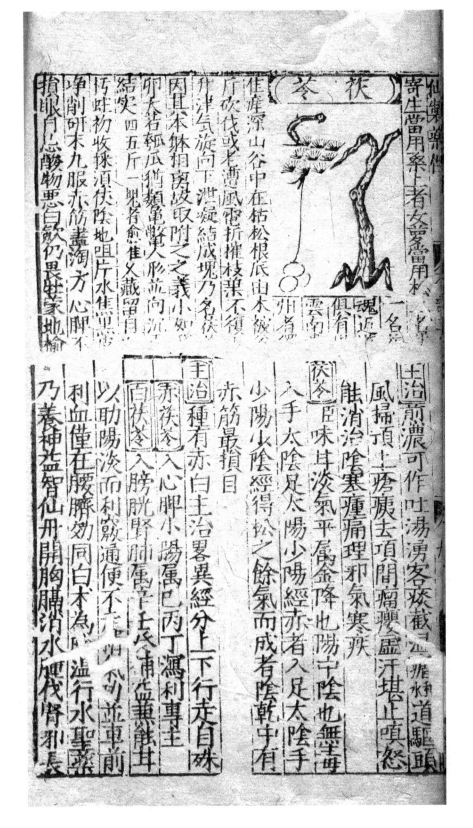

茯苓 臣 味甘淡氣平屬金降也陽中陰也無毒 入手太陰足太陽少陽經赤者入足太陰手少陽少陰經得松之餘氣而成者陰乾中有赤筋最損目

主治 種有赤白主治畧異經分上下行走自殊

赤茯苓 入心脾小腸屬巳丙丁瀉利專主

白茯苓 入膀胱腎肺屬辛壬癸補益兼能其以助陽淡而利竅通便不走精[illegible]功並車前利血僅在腰臍効同白术為[illegible]滲行水聖藥乃養神益智仙丹開胸膈消水腫伐腎邪長

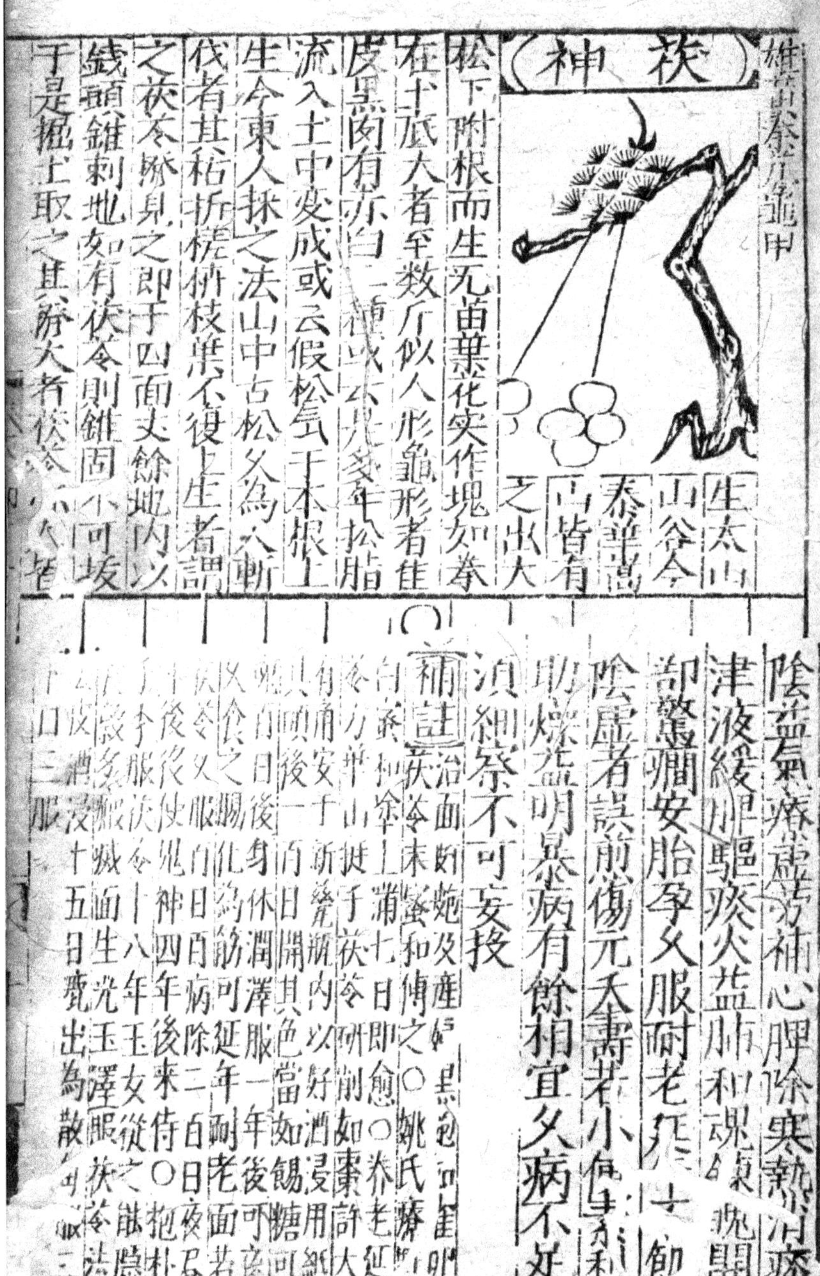

雄黃秦艽龜甲

茯神

生太山山谷今泰華嵩山皆有之出大

松下附根而生无苗葉花实作塊如拳在土底大者至数斤似人形龜形者佳皮黑肉有赤白二種或云是多年松脂流入土中変成或云假松氣于本根上生今東人採之法山中古松久為人斬伐者其枯折槎枿枝葉不復上生者謂之茯苓撥與之即于四面丈餘地内以鐵頭錐刺地如有茯苓則錐固不可拔于是掘土取之其撥大者茯苓亦大皆[illegible]

陰益氣療虛勞補心脾除寒熱消痰止渴生津液緩脾驅痰火益肺和魂鎮魄開胃厚腸部驚癇安胎孕久服耐老延年[illegible]飢[illegible]浮多陰虛者誤煎傷元夭壽若小便不利者過服助燥益明尽病有餘相宜久病不足切禁凡須細察不可妄投

補註　治面黯[illegible]及産婦黑皰如雀卵色用白茯苓末蜜和傅之○姚氏療[illegible]茯苓末白蜜和塗上滿七日即愈○養老延年服茯苓方并山挺子茯苓斫削如棗許大令四方有角安于新瓷瓶内以好酒浸用紙一重封其頭後一百日開其色當如餳糖可日食一塊百日後身休潤澤服一年後可夜視物久久食之腸化為筋可延年耐老面若童顏○茯苓久服百日百病除二百日夜晝不眠二年後後使鬼神四年後来侍○抱朴子云壬子季服茯苓十八年玉女從之能隱能彰不[illegible]穀多瘢痕面生光玉澤服茯苓法白茯苓[illegible]酒浸十五日漉出為散每服三錢水調[illegible]日三服

自作塊不附著根上其抱根而[illegible]為茯神然則假気而生者其說勝矣二月八月採者良皆陰乾史記龜策傳云茯苓在兎絲之下狀如飛鳥之形新雨已天清静无風以夜捎或作燒兎絲去之即篝燭此地篝音溝籠也蓋燃火而篝罩其上也火滅即記其処以新布四丈環置之明乃掘取入地四尺至七尺得矣此類今固不聞有之

○按經註有曰松木既樵根尚能生物者何也盖因精英未淪沾其生気不能不為物不正猶馬勃菌蕈五芝木耳石耳之類多生枯木潤石糞土之上則可知焉其上兎絲下有茯苓之說其[illegible]信者矣又曰茯苓為在天之陽也當[illegible]

〇曰凡採得後去皮心神了擣令細于水盆中攪令濁浮者去之是茯苓筋若誤服之令人眼中童子并黑睛點小兼盲目甚記之

神味甘氣平無毒去木用〇即茯苓抱根而生者每年[illegible]止一二枚因津泄少謂既不離其本故此為名

[illegible]殊比苓畧鬆皮與木須去所忌畏悉倣於前專理心經善補心氣止恍惚驚悸除恚怒健忘

黃松節載經偏風致口喎僻治驗

謨曰茯苓乃樵所出多年松根之気所生此蓋根之氣味噎鬱未絕故是物然亦[illegible]上此地所宜与不宜其津気盛[illegible]發泄于外結為茯苓故不抱根而成既[illegible]體則有茯苓之義茯神者其根但有津気而不甚[illegible]伏結于本根既不離其木故曰茯神此物行水之功多益心脾不可闕也或曰苓既樵矣而根尚能生物乎答曰如馬勃菌[illegible]

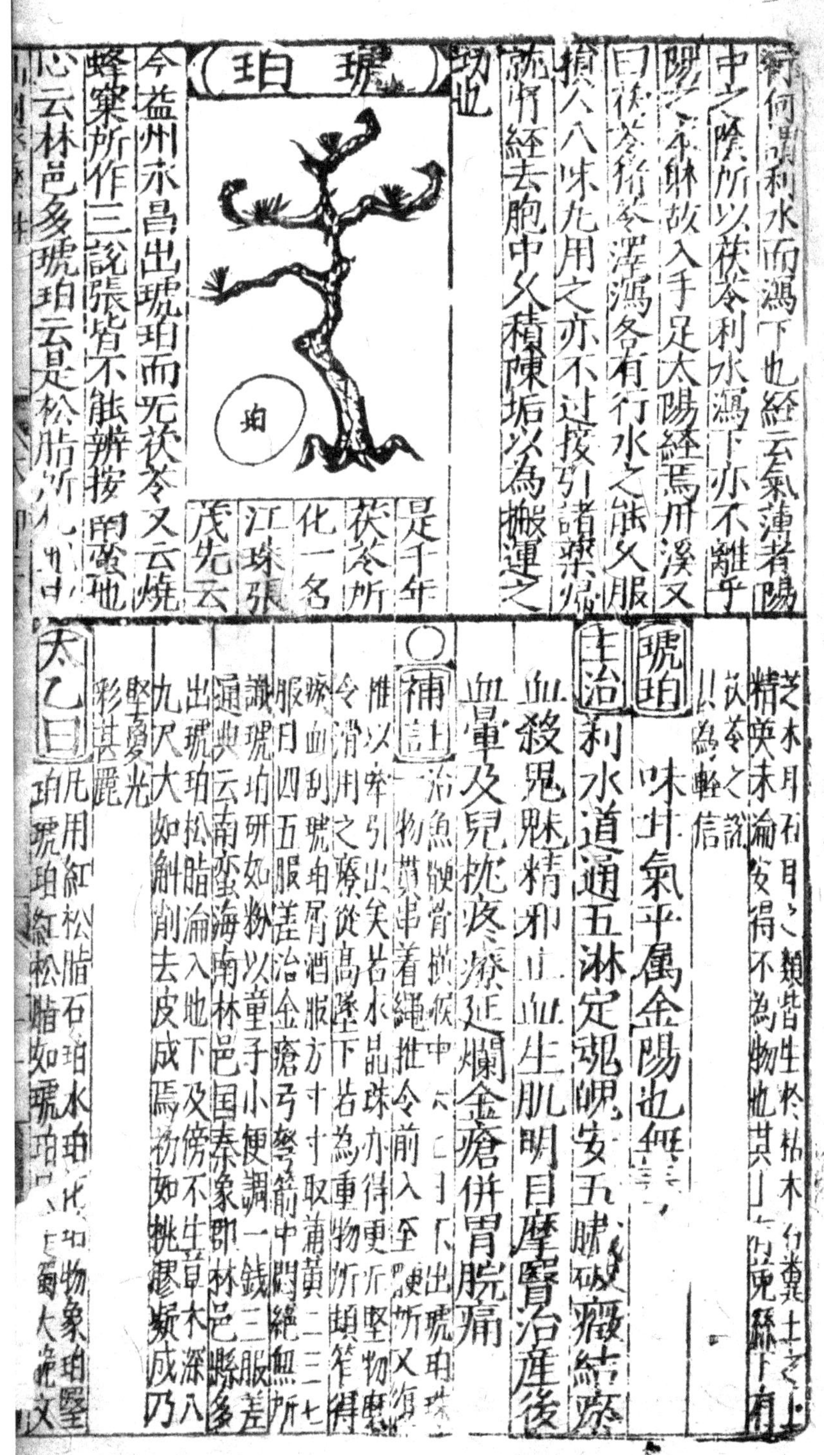

滲何以利水而瀉下也經云氣薄者陽中之陰所以茯苓利水瀉下亦不離乎陽之體故入手足太陽經焉丹溪又曰茯苓豬苓澤瀉各有行水之能久服損人八味丸用之亦不過接引諸藥歸就腎經去脆中久積陳垢以為搬運之功也

琥珀

是千年茯苓所化一名江珠張茂先云今益州永昌出琥珀而無茯苓又云燒蜂窠所作三說張皆不能辨按留黃地心云林邑多琥珀云是松脂所化

芝木耳石耳之類皆生於枯木石糞土之上精英未淪安得不為物也其上有兔絲下有茯苓之說以為輕信

琥珀 味甘氣平屬金陽也無毒

主治 利水道通五淋定魂魄安五臟破癥結瘀血殺鬼魅精邪止血生肌明目磨翳治產後血暈及兒枕疼痛延爛金瘡併胃脘痛

○**補註** 治魚鯁骨鯁在喉中六七日不出琥珀珠一物貫串着繩推令前入至鯁所又復推以牽引出矣若水晶珠亦得更以堅物磨令滑用之療從高墜下若為重物所頓笮得瘀血刮琥珀屑酒服方寸匕取蒲黃二三匕服日四五服差治金瘡弓弩箭中悶絕無所識琥珀研如粉以童子小便調一錢三服差通典云南蠻海南林邑国泰象郡林邑縣多出琥珀松脂淪入地下及傍不生草木深八九尺大如斛削去皮成焉初如桃膠凝成乃堅多光彩甚麗

太乙曰 凡用紅松脂石珀水珀花珀物象珀瑿珀琥珀紅松脂如琥珀只是濁大脆文

有琥珀則傍近草木入于淺者[illegible]
者或八九尺大者如斛削去皮初如桃
膠乃堅凝其旁人以為枕宋高祖時
寧州貢琥珀枕碎以賜軍士傳金瘡漢
書云出罽賓國初如桃膠凝乃成焉臣
禹錫等謹按蜀本注云又據一說楓脂
入地千年變為琥珀乃知非因燒蜂窠
成也蜂窠既燒安有蜂形在其間不獨
自松脂變也松脂獨變安有楓脂所成
者覈其事而言則琥珀之為物乃是木
脂入地千年者之所化也但餘木不及
楓松有脂而多歷年歲故不自其下掘
得也西戎多產色淡徹光南郡亦生色
深重濁嵌首飾徹光為尚入藥劑重濁
不許手摩熱可拾草芥湯煮軟觸若餳

橫水珀多赤紅色如淺黃多[illegible]皺紋石珀如
石重色黃不堪用花珀文似新馬尾松新文
一路赤一路黃物象珀其內自有物命動此
使有神妙翳珀其珀是衆珀之長故號曰翳
珀琥珀如血色熟于布上拭及得芥子者真
地夫入藥中用水調側柏子末安於甆鍋子
中安琥珀下末中了下火煑從巳至申別有
異光別搗如粉重篩用

【瑿】味甘平無毒與琥珀名異產同狀如玄
玉而輕

【主治】安神補心益精生肌破血止痛名醫所錄不堪造器
見風折開小兒帶之謂能辟惡磨滴目翳赤
瘴等病

○【補註】太平廣記梁四公子曰交河之間平磧中掘深一丈下有瑿珀黑逾純漆或大如車輪末服之攻婦人小腸癥瘕諸疾

【墨】味辛無毒擣係松烟造成陳久入藥劑主治
煙細緻刻煙麁不靈質其桐油煙石油煙併粟

糠泥物同粉如是方妙今市家多資雜彈孫窩熬係造成不可不細察辨

○按丹溪云古方用琥珀利小便以燥脾土有功蓋脾能運化肺得下降故小便可通也若血少而小便不利者用之反致燥急之患不可不謹別說又云茯苓琥珀皆自松出而所稟各異茯苓生成俱陰琥珀生於陽而成於陰故皆治宗而安心利水其効同也

堅珀古相傳云松柏千年為茯苓又千年為琥珀又千年為堅珀然二物燒之皆有松氣為用出西戎來而有茯苓処見無此物今西州南三百里磧中得者大則方尺黑潤而輕燒之腥臭高昌人名為木堅謂玄玉為石堅洪州土中得

草灰偽為者俱不可以治病也

【主治】止血果捷因黑勝紅故天行熱毒鼻衄不血數升水磨滴入若產後血暈崩中卒暴來紅磨醋服之遊絲纏眼中磨點速點眼中腹內磨地漿頓吞下死胎而逐胞衣合金瘡以生膚肉

【枸杞子】臣　味苦耳性寒　子微寒無毒　子多入九

【主治】主五內邪氣止熱消渴補內傷大勞周痺治腎家風眼赤痛脹膜聰耳目安神耐寒暑延壽添精固髓健骨強筋滋陰不致陰衰興陽常使陽舉諺云離家千里勿服枸杞亦以其能功陽也更止消渴尤補勞傷久服壯筋明目輕身不老

得者燒作松氣破血生肌與琥珀……
風折破不堪為器量此二種及琥珀或
非松脂所為也有此差舛今略論也

枸杞子

一名杞
枸檵一
名苟杞
一名苟
杞一名
羊乳一名却暑一名盈九一名天精一
名托盧一名却老近道田側俱有甘肅
州春生嫩苗葉如石榴而軟薄作蔬茹
爽口俗呼之為甜菜莖幹高三五尺作
叢六月七月生小紅紫花隨便結紅實
形微長如棗核樣依時採收曝乾選用
紫熟味甜粗小膏潤者有力赤黯味淡

〔補註〕治肝虛或當風眼淚取子□眼者二斤擣
破絹袋置罐中以酒一斗浸密封勿
泄氣三七日每日飲之勿醉○補虛長肌肉
益顏色肌健人能去勞熱用生子五升好酒
二斗研搗勿碎浸七日去滓初飲三合後任
性飲之○變白輕身取子二升十月壬癸日
面東摘生地黃汁三升以好酒二升入
瓶內浸二十一日開封添地黃汁同浸攪
之却以紙三重封候至立春前三十日空心
飲一盃至立春後髭鬢却黑勿食蕪荑葱
服之耐老輕身無比療目熱生膚赤白眼取
子搗汁洗目日五七度○犬食馬肉生狂方忽
鼻頭燥眼赤不食避人藏身皆欲發狂便宜
枸杞子汁煮粥飼之即愈若不肯食以盞
灌其鼻既砥之中欲食矣治虛勞客熱用
杞根末調服有瘡眼人不得喫治蒲蓋口有
血枸杞和根苗煎食後喫又治骨槽風經年
後方○陝西枸杞長一二丈其圍數寸無刺
根皮如厚朴甘美異於諸處生子如
櫻桃全少核暴乾如餅極潤□□
〔太乙曰〕凡使根掘得後使東流水浸以物刷上
士了然後待乾破去心用熱湯浸
一宿然後焙乾用其根若似物形狀
者上春食葉夏食子秋冬食根并子也
〔枸杞葉〕味微苦搗汁注目中能除風痒去膜若

顆大佐煉者无餘今市家多以蒸拌欺以不可不細認爾去淨梗帝任作丸散今人相傳謂枸杞身枸棘二種相類其實形長而枝无刺者直枸杞也圓而有刺者枸棘也枸棘不堪入藥而下品溲李云子似枸杞冬月熟色赤味甘苦蘇云形似空疏木高丈許白皮其子七月八月熟似枸杞子味甘而两ヒ相並別說云枸棘亦非甘物今按諸文所說名極多故使人疑然此物用甚衆花小而紅紫色採時七月上申日圖経所說实形長而枝无刺者真枸杞也此別是一種類必多根而致疑又有根去上浮麄皮一重近白者一重色微紫裁薄陰乾治金瘡有神驗

作茶醱喉内亦解消渴強陰諸毒煩悶蓋驢麵毒發熱立御【槩上蟲窠子】收貯可同乾地黃作丸不厭酒吞甚益陽事

○【補註】治五勞七傷陽事衰弱用葉半斤切細米二合以豉汁中相和煮作粥以五味木葱白湯調和食之

【金髓煎】枸杞子不拘多少逐日旋採摘紅熟者去嫩帶子揀令潔淨使以无灰酒于淨器浸之須是瓮用酒浸以两月為限用蠟封閉紧密无令透氣候日數足漉出於新竹器内盛貯旋於沙盆中研令爛細然後以細布濾过候研濾皆畢去滓不用即并前漬藥酒及濾过藥汁攪勻量銀鍋内多少升斗作番次慢火熬成膏切須不住手用物攪恐粘底不勻候稀稠得所持爲用净瓶器盛之勿令泄氣每早晨溫酒下二大匙頭夜卧服之百日中身輕氣壯積年不癈可以羽化

【地骨皮】味苦平性寒無毒入足少陰脅臟手少陽三焦升也陰也即枸杞子苗也洗去土

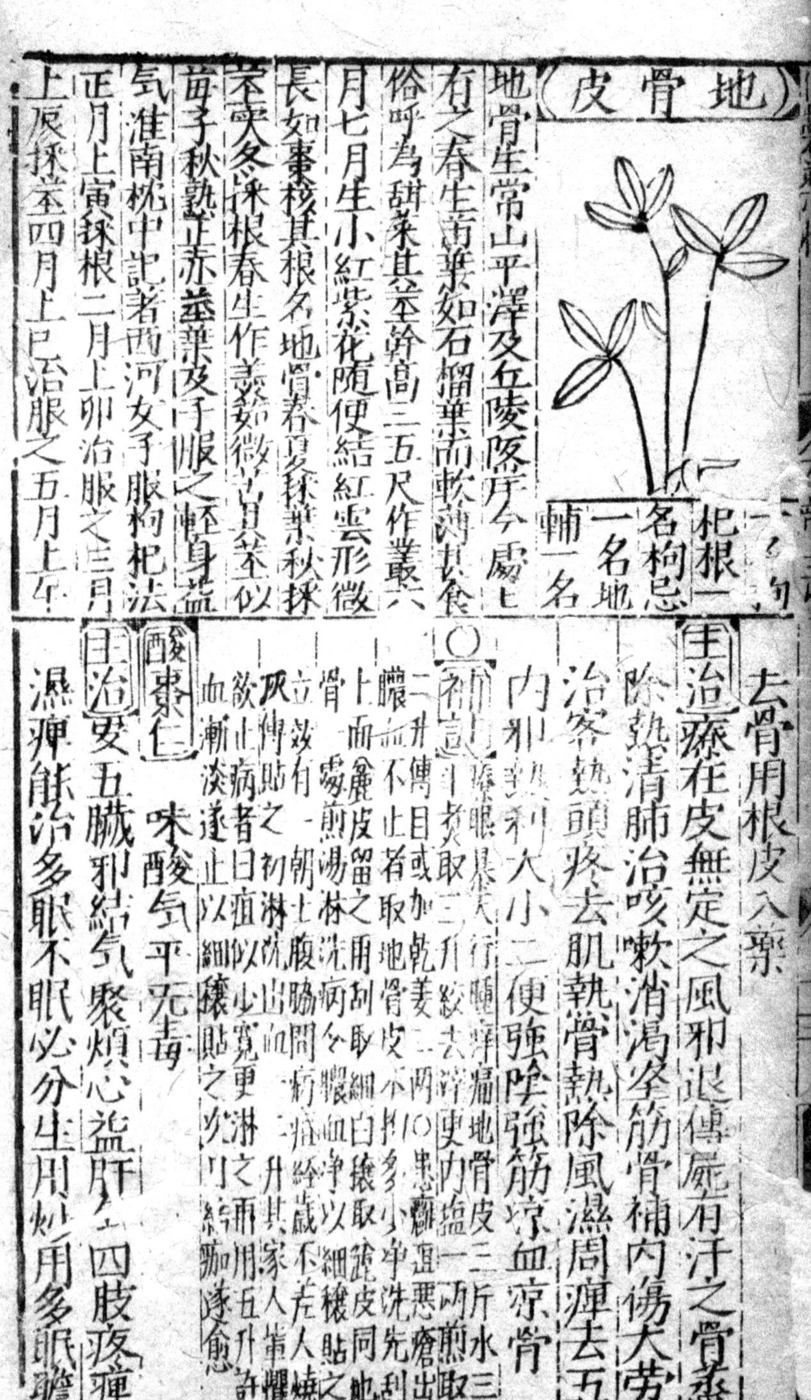

地骨皮

一名枸杞根一名枸忌一名地輔一名

地骨生常山平澤及丘陵阪岸今處處有之春生苗葉如石榴葉而軟薄堪食俗呼為甜菜其莖幹高三五尺作叢六月七月生小紅紫花隨便結紅實形微長如棗核其根名地骨春夏採葉秋採莖實冬採根春生作羹茹微苦其莖似苺子秋熟正赤莖葉及子服之輕身益氣淮南枕中記著西河女子服枸杞法正月上寅採根二月上卯治服之三月上辰採莖四月上巳治服之五月上午

去骨用根皮入藥

【主治】療在皮無定之風邪退傳屍有汗之骨蒸除熱清肺治咳嗽消渴堅筋骨補內傷大勞治客熱頭疼去肌熱骨熱除風濕周痹去五內邪熱利大小二便強陰強筋涼血涼骨

○【補遺】療眼暴赤天行腫痒痛地骨皮三斤水三斗煮取三升絞去滓更內鹽一兩煎取二升傅目或加乾姜二兩○患癰疽惡瘡出膿血不止者取地骨皮不拘多少淨洗先刮上面麤皮留之用刮取細白穰取麤皮同地骨一面煎湯淋洗病令膿血淨以細穰貼之立效有一朝士腹脇間病疽經歲不差人燒灰傳貼之初淋洗出血一二升其家人當懼欲止病者曰但以少寬更淋之再用五升許血漸淡遂止以細穰貼之次日結痂遂愈

【酸棗仁】味酸氣平无毒

【主治】安五臟邪結氣聚煩心益肝氣四肢疼痺濕痺能治多眠不眠必分生用炒用多眠膽

採藥六月上未治服之七月上申採花八月上酉治服之九月上戌採子十月上亥治服之十一月上子採根十二月上丑治服之又有井花实根莖葉作煎又单擣手汁煎嘗服之其功並等

草名仙人杖

一名西王母杖味甘其形似苺子杖塾

正赤葉莖及子服之輕身益氣須識皮膚骨節風能追熱毒兼消瘡腫可散

[補註]按本草叙中行笋立死者既名仙人杖此枸杞苗莖又名仙人杖菰蔬洛遺篇內一種菜類亦名仙人杖[illegible]

實有熱生研末取茶葉姜汁調吞不眠膽虛有寒炒作散採竹葉煎湯送下常和諸藥共劑却惡防已須知寧心志益肝補中氣虛汗驅煩止渴去心腹寒熱瘀手足酸疼筋骨堪健久服長壽且令人肥健[核殼]燒末水調刺入肉中敷効

○[補註]治膽虛睡卧不安心多驚悸用仁一兩炒香熟搗末每服二錢竹葉湯調下○夜不得眠睡仁半兩炒黃研末以酒三合浸汁先以粳米三合煮作粥臨熟下枣仁汁更煮三五沸空心服之治骨蒸勞心煩不得眠用仁一兩水二大盞半研絞取汁下米二合煮粥候熟下地黃汁一合更漸煮過後食也療齒䘌爛棘鍼二百枚即是棗樹棘朽者也者以水二升煎一升含之即差治刺在肉中不出以仁核燒末水服之立便得出治膽風毒氣虛实不調昏沉睡多仁一兩生用金挺臈茶二两以生姜汁塗炙令微焦擣罗為散每服二錢水七分煎六分溫服治振悸不得眠有酸棗仁湯酸棗仁二升茯苓白术人

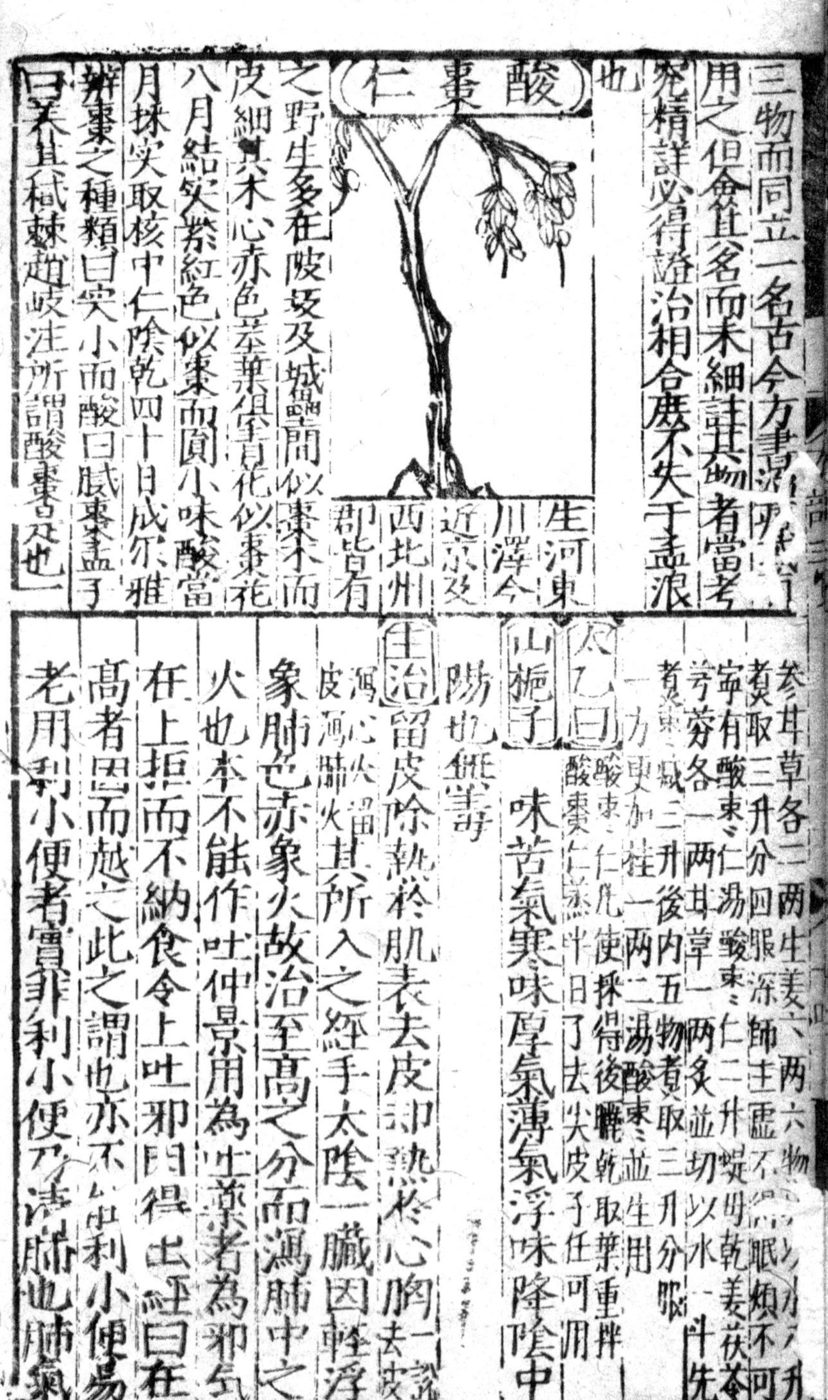

三物而同立一名古今方書混而言用之但舍其名而未細註其功者當考究精詳必得證治相合庶不失于孟浪也

酸棗仁

生河東川澤今近京及西北州郡皆有之野生多在陂坂及城壘間似棗木而皮細其木心赤色莖葉俱青花似棗花八月結實紫紅色似棗而圓小味酸當月採實取核中仁陰乾四十日成爾雅辨棗之種類曰實小而酸曰樲棗孟子曰養其樲棘趙岐注所謂酸棗是也

參甘草各二兩生姜六兩六物以水八升煮取三升分四服深師主虛不得眠煩不可寧有酸棗仁湯酸棗仁二升蝭母乾姜茯苓芎藭各二兩甘草一兩炙並切以水一斗先煮酸棗減三升後內五物煮取三升分服一方更加桂一兩二湯酸棗並生用

太乙曰 酸棗仁凡使採得後曬乾取葉重拌酸棗仁蒸半日了去尖皮了任可用

山梔子 味苦氣寒味厚氣薄氣浮味降陰中陽也無毒

主治 留皮除熱於肌表去皮却熱於心胸一說去皮瀉心火留皮瀉肺火其所入之經手太陰一臟因輕浮象肺色赤象火故治至高之分而瀉肺中之火也本不能作吐仲景用為吐藥者為邪氣在上拒而不納食令上吐邪因得出經曰在高者因而越之此之謂也亦不能利小便易老用利小便者實非利小便乃清肺也肺氣

[illegible]縣出者為真其木高數丈徑圖一二尺木理極細堅而且重亳人用為算軸多兆筋其皮亦細文似蛇鱗其核仁稍長而色亦如丹亦不易得今市之貨者皆棘實耳用之尤宜詳办也

山梔子

一名木丹一名越桃生南陽川谷今南方及西蜀川郡皆有之木高七八尺葉似李而厚硬又似樗蒲子二三月生白花七皆六出甚芬香俗說即西域薝蔔也夏秋結實如訶子狀生青熟黃中仁深紅九月採實曝乾又云經霜[illegible]

清而化則小便從此氣化而出經曰膀胱為津液之府氣化則能出者此之謂也本經又謂治大小腸熱及胃中熱者何也與黄芩合又與丙合又能泄戊其先於中州故焉加生姜橘皮治嘔噦不止加厚朴枳實除腹滿而煩加茵陳治溫熱發黄加甘草治少氣虛滿儻除煩燥於心內須加香豉而建功蓋煩者氣也燥者（懊憹不眠之謂）血也氣主肺血主腎故用梔子治肺煩用香豉治腎燥也若加生姜絞汁尤治心腹久疼上焦客熱善歐五種黄病竟解去赤目作脹止霍亂轉筋赤白癩瘡酒皰皶鼻五內邪氣悉能除之丹溪又曰解熱鬱行結氣其性屈曲下行大能降火從小便

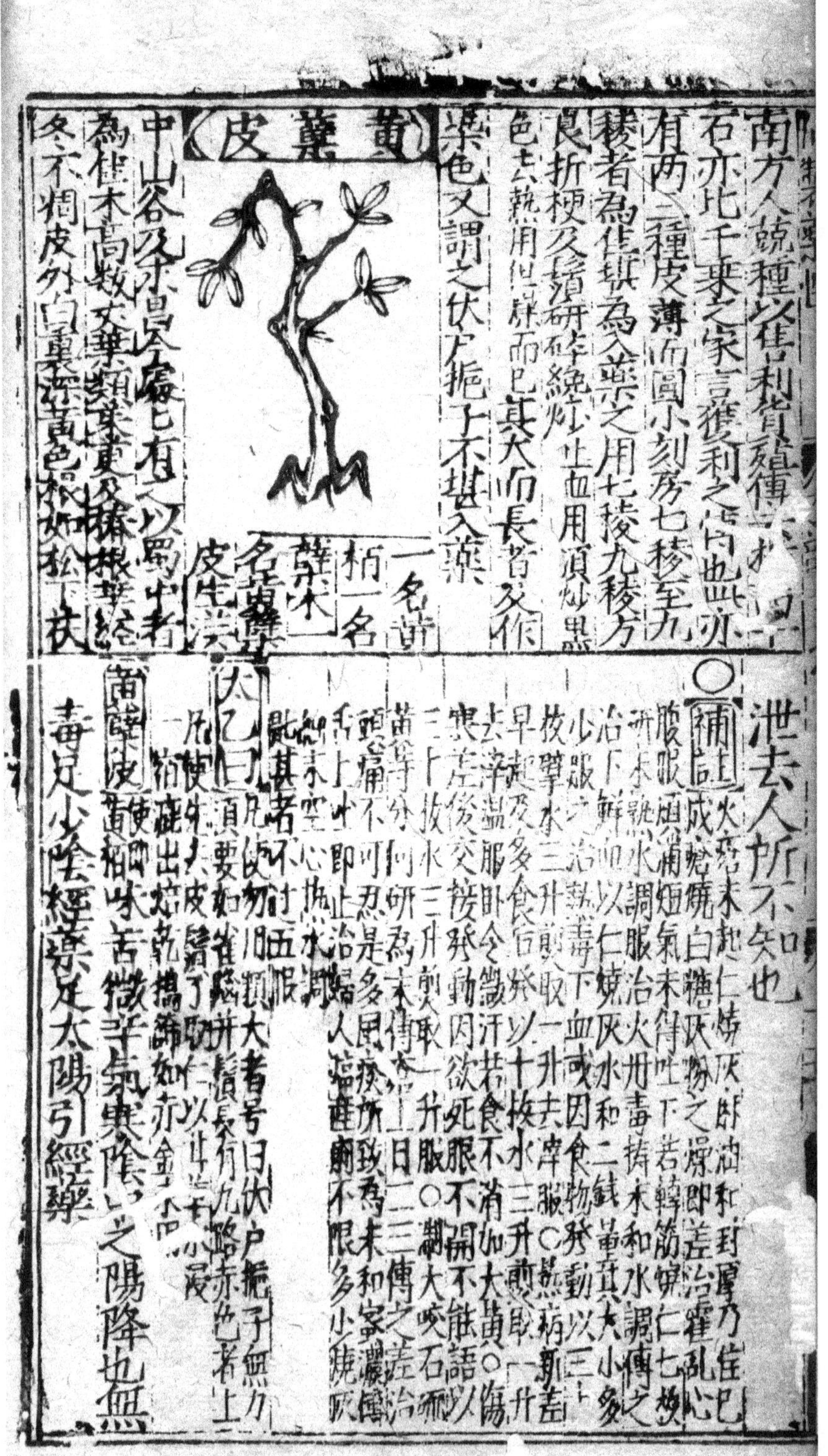

南方人競種以售利貨殖傳云千畝梔
石亦比千乘之家言獲利之倍也此亦
有兩三種皮薄而圓小刻房七稜至九
稜者為佳其為入藥之用七稜九稜方
良折梗及蒂須研碎細炒止血用須炒黑
色去熱用但燥而已其大而長者名伏
梁色又謂之伏尸梔子不堪入藥

黃蘗皮

一名黃柏一名蘗木一名黃蘗生漢
中山谷及永昌今處處有之以蜀中者
為佳木高數丈葉類茱萸及椿楸葉經
冬不凋皮外白裏深黃色根如松下茯

泄去人所不知也

○補注 火瘡未起梔子仁燒灰麻油和封厚乃佳已成燒白糖灰粉之燥即差治霍亂心
腹脹頭痛煩氣未得吐下若轉筋嘔梔仁七枚
研末熟湯水調服治火丹毒梔子末和水調傳之
治下鮮血以梔子仁燒灰水和一錢匕服量其大小多
少服之治熱毒下血或因食物發動以梔
子擘水三升煎取一升去滓服○熱病新差
早起及多食復發以梔子十枚水三升煎取一升
去滓溫服卧令微汗若食不消加大黃○傷
寒差後交接發動困欲死眼不開不能語以
三十枚水三升煎取一升服○瘋犬咬石礦
梔子等分同研為末傳之日二三傳之差治
頭痛不可忍是多風痰所致為末和蜜濃傳
舌上此即止治婦人産後腹痛不限多少燒灰
細末空心熱水調
既甚者不過五服

凡使勿用顆大者號曰伏尸梔子無力

〔太乙曰〕須要如雀腦并鬚長有九路赤色者上
凡使先去皮鬚了取仁以甘草水浸
一伏時漉出焙乾搗篩如赤金色用

〔黃蘗皮〕黃柏味苦微辛氣寒陰中之陽降也無
毒足少陰經藥足太陽引經藥

蒼作結塊五月六月採皮去皴麁曝乾
用擣內黃深厚為優去外褐麁皴繞製
漬蜜水日際曝乾炙令蜜糖火邊炙燥
要乾涤治三焦三製各則治上焦單製則
治中焦不製則治下焦也乃足少陰本
藥足太陽引經其根名檀桓淮南方
異術曰蘗令面悅取蘗三寸土瓜三枚
大棗七枚和膏湯洗面乃益四五日光
澤矣唐常甫傳行方治卒消渴小便多
黃蘗一斤水一升煮三五沸渴即飲之
恣意飲數日便止別有一種多刺而小
細葉者名刺蘗不入藥用又下品有小
蘗條木如石榴皮黃子赤如枸杞兩頭
尖人剉以染黃今医家亦稀用
○按內經云腎苦燥故腎停急食辛以潤之

【主治】主二臟腸胃中結熱主瀉痢治黃疸腸痔
加黃耆湯中使足膝氣力湧出長痿蹷即差和
蒼朮散內（即二妙散）俾下焦溫熱散行（腫脹易退）
佐澤瀉利小便赤澁配細辛擦舌瘡紅瘡（方一）
（同青黛研細入冰片少許擦之亦効）安虛蛕蚘蟲瀉痢伏九火
解消渴除骨蒸補腎強陰洗汗明目腸風連
下血者立効熱痢先見血者殊功去臍腹內
虛疼逐膀胱中結熱女人帶漏亦可治之

○【補註】卒喉痺取黃蘗片切含之又一斤㕮咀酒一斗煮二沸去滓恣飲便愈○口中
又舌生瘡爛剉黃蘗含之○食自死六畜肉
中毒黃蘗末服方寸匕未解再服之治小兒
重舌以黃蘗苦竹瀝浸點舌上○咽喉卒
腫食飲不通黃蘗擣傅腫上冷復易之用苦
酒和末佳○男子陰瘡損爛水煮黃蘗洗白
蜜塗之○傷寒時氣溫病毒攻手足腫疼痛
欲斷亦治盲漏攻陰腫細剉黃蘗五兩以水三
升煮漬之傷寒類要同治嘔血[illegible]

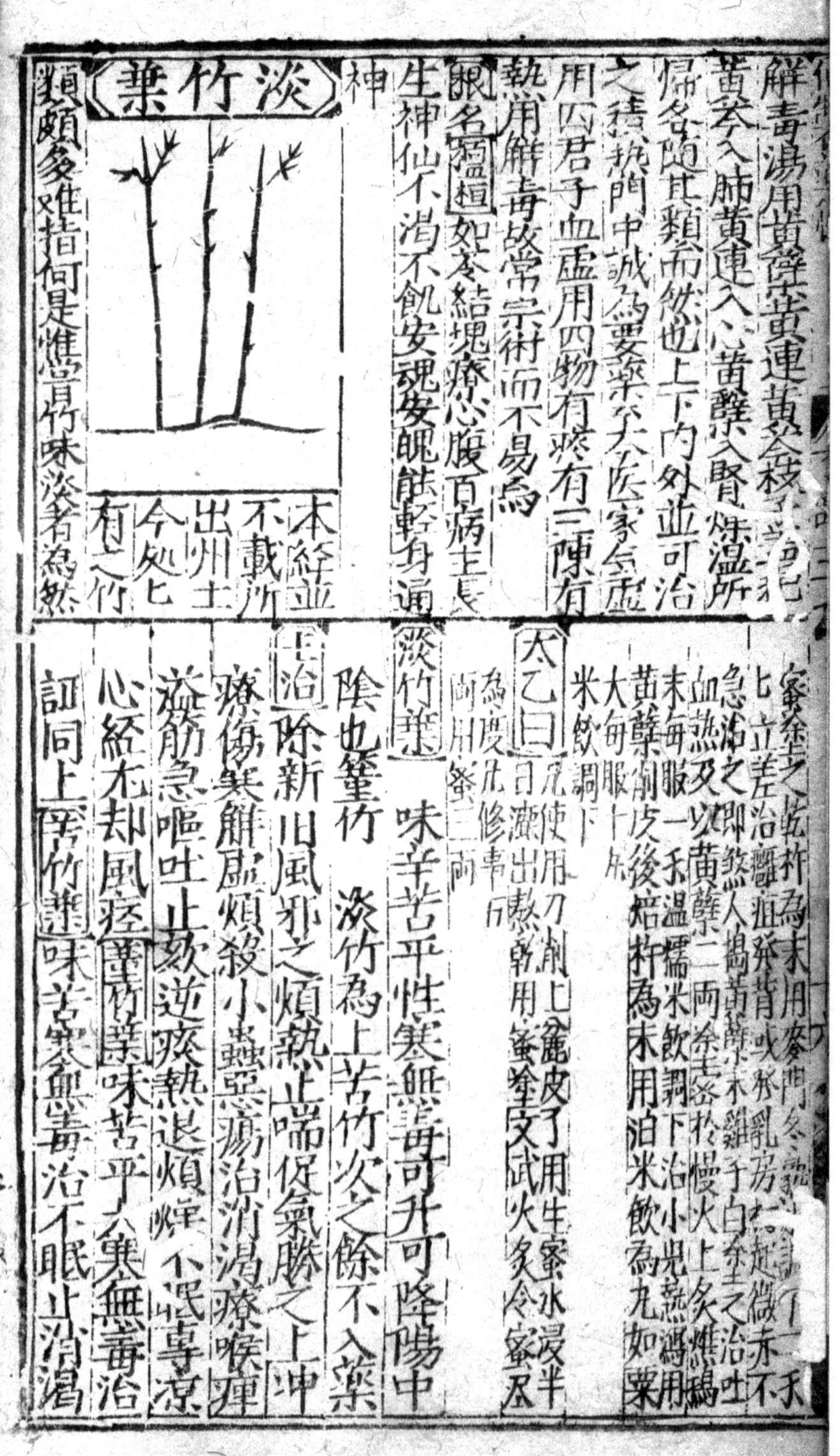

解毒湯用黄蘗黄連黄芩梔子名曰
黄芩入肺黄連入心黄蘗入腎燥濕所
歸各隨其類而然也上下内外並可治
之藉熱門中誠爲要藥今太医家氣虚
用四君子血虚用四物有痰有二陳有
熱用解毒故常宗術而不易爲
【眼名[illegible]】如冬結塊療心腹百病主長
生神仙不渴不飢安魂安魄能輕身通
神

淡竹葉

本經並不載所出州土今処処有之竹類頗多惟指何是惟當竹味淡者爲然

家傳之乾杵爲末用麥門冬湯調下一禾七立差治癰疽發背或發乳房初起微赤不急治之即煞人搗黄蘗末雞子白傳之治吐血熱及以黄蘗二兩塗蜜於慢火上炙燋搗末每服一禾温糯米飲調下治小児熱瀉用黄蘗削皮後焙杵爲末用泊米飲爲丸如粟大每服十丸米飲調下

【太乙曰】凡使用刀削上麁皮了用生蜜水浸半日漉出熱乾用蜜塗文武火炙令蜜盡爲度凡修事斤兩用蜜三兩

【淡竹葉】味辛苦平性寒無毒可升可降陽中陰也　篁竹　淡竹爲上苦竹次之餘不入藥

【主治】除新旧風邪之煩熱止喘促氣勝之上冲療傷寒解虚煩殺小蟲惡瘍治消渴療喉痺益筋急嘔吐止欬逆痰熱退煩熱不眠專涼心經去却風痙【篁竹葉】味苦平大寒無毒治証同上【苦竹葉】味苦寒無毒治不眠止消渴

淡竹葉水竹味淡兼甜治病第一筆
竹筍竹味皆純淡採用亦宜甘竹紫竹
苦竹筍不堪入藥東坡蘇公云淡竹
者對苦竹為名除苦竹之外皆淡竹也
據此觀之足可徵矣更有一種草類形
以缺綠全似嫩櫻葉長尺餘亦名淡竹
葉俗多採利小水治喉痺等証並神效
董按竹笋字音尺其竹堅而促節体
圓而質勁皮白如霜大者宜刺船細者
可為笛苦竹有白有紫甘竹似篁而茂
即淡者也然今之刺船者多用桂竹作
笛者有一種亦不名篁竹苦竹亦有二
種一種出江西及閩中本極麄大笋味
殊苦不可噉一種出江浙近地小時有
肉厚而葉長闊笋微有苦味俗呼甜苦

解酒毒煩熱餘與淡竹同功

○【補註】療瘡亦燒竹葉為末以雞子白和之塗上不過三四次立差治小兒頭瘡耳上生瘡以葉燒末和豬脂塗上又以[illegible]白傅之妙治齒間血出以葉濃煮與少許鹽寒得所含之治嘔磨用大笋竹葉燒為灰量多大小用天調生油傅入少膩粉佳○卒得惡瘡不識者燒苦竹葉和雞子黄傅治霍亂轉筋心腹脹痛濃煮竹葉湯五六升令灼已轉筋處○卒失聲聲噎不出者濃煮苦竹葉服之

【竹根】作湯益氣止渴補虛下氣消毒【實】通神明輕身益氣出渊

○【補註】療胎動安胎方甜竹根煮取濃汁飲之苦竹根亦可○小兒身中惡瘡煮取竹汁日澡洗○董按舊稱竹实者鳳凰所食今近道竹間時見開花小白如棗花亦結如小麥子無氣味而澀江浙人号為竹米以為荒年之兆及其竹即死信非鳳凰之所食也近有江南餘干人來言彼有竹實大如雞子竹葉層層包裹味甘勝蜜食之令人心膈清涼生深竹林茂盛蒙密處頃因得之但日久汁枯乾而味尚存乃因知鳳凰之所食非常物也

笋食品所最嘉者亦不聞入藥用[illegible]竹
內泊節間有粉南人以燒竹瀝者醫家
只用此一品與竹譜所說大同而小異
也竹實今不復用亦稀有之
○按衍義云凡諸竹葉與笋性皆微寒
故知葉其用一致本經不言笋及苦取
瀝作油亦不必強擇也張仲景竹葉湯
用淡竹笋雖化不益脾鄰家一小兒方
二歲偶失照管壯熱喘粗不食多睡仰
頭呻吟微嘔逆瞑目多驚凡三五日醫
作慢驚治之治不對病不愈忽然其母
誤將有巴豆丸藥作驚藥化五丸如麻
子大灌之食久大吐有物噎於喉中乳
媼以指摘出約長三寸餘如小指乃
三日前所喫笋脈者然前後是也諸證皆

竹皮茹 一名竹青 味苦平性寒無毒取苦竹削去青
色惟取向裏黃皮餘竹次之炒枯入藥
【主治】療傷寒勞復發熱治嘔逆吐衄崩中益筋
溫氣去熱除煩主胃熱飩逆殊功療噎膈嘔
噦神効 ○**散船茹** 原亦竹皮刮下大艑艑用
補漏處椓多取乾者煮之亦止諸血
○【補註】凡飲酒頭痛以竹茹二三兩以水五升煑取三升去滓令冷內破雞子三枚攪投更煑三沸飲之治齒斷間津液血出不止苦竹茹四兩以醋漬一宿含之治妊娠誤有失墜忽然築痛新青竹茹一合以好酒一升煑茹三五沸分作二度服治妊娠八月九月若墮樹或牛馬驚傷得心痛青竹茹五兩切以酒一升煎取五合頓服不差再服治交接勞復卵腫腹中絞痛便欲死刮竹皮一升以水三升煑五沸絞去滓頓服[illegible]治齒血不止刮生竹皮醋漬之令其人[illegible]衣乃刻令一人含噀其背上二吋并取茗草濃煮汁過寒溫令嗽之差治小兒癇以竹青茹三兩醋三升煎取一升去滓溫服一合兼治小

定次日但以和气藥調治遂安其雜症如此經月間而知之者謂之工小兒不能言故為難治医者當審慎也

僊人杖

味鹹是笋成竹時立死色黑如漆收宜夏初惟苦堇竹多生專主噦氣嘔逆大人翻胃及食以水煮嚼小兒驚癎夜啼安身伴睡嘔吻去面䵟末衣湯又一種仙人杖味甘小温無毒久服長生堅筋骨令人不老作茹食之去痰癖除風冷生劍南平澤葉似苦苣叢生云子昂覌玉篇序云夏四月次於張掖[illegible]

兒口噤体熱病

燒取竹瀝味甘性大寒無毒燒法與荊瀝同法鋸截尺餘直劈作数塊兩磚架起火中焙瀝從兩頭流水少加薑汁調服每瀝一盃加姜汁二匙

主治却陰虛發熱理中風禁牙小兒天吊驚癎入口便定婦人胎産悶暈下咽即甦衍義云胎前不損子産後不得虛止驚悸却痰涎痰在手足四肢非此不達痰在皮裏膜外有此可驅但世俗反以大寒置疑不用殊不知係火煅出又佐薑汁有何寒乎

○補註傷寒五六日已上者作青竹瀝小煎分減數飲之厚覆取汗○療消渴小便多作竹瀝恣飲數日愈治時氣五六日心神煩燥不解用竹瀝半盞新水半盞合勻非時服治中風口禁服淡竹瀝一升治產後身或強直口禁面青手作強反張飲竹瀝一二升

無他異者昔仙人扶往上叢[illegible]迹
代服食者昔嘗餌之及出行亦有意滋
味成人有為加疏者此物存焉豈非待
欲扶吾寿也新補見陳藏器日華子
竹肉 狀如肉節每生苦竹枝上雞卵般
大生吹毒多戟人喉類茅紅且令瓜汁
變黑湞灰汁煮鍊三度然後依常菜食
之發三重破老血白有功效人未盡知
竹蓐 雖盛夏開狀類麂角色白係絲竹
逢雨滋潤毋滴汁若地發生同發痼者
堅刺赤白治痢
雜竹 黃水戟医方治活蟲入腹為病狀
如癥瘕者煮服即除

醒○小孩夜後狂語竹瀝每一合服二
合服冷沢之治目赤肯痛如刺不得開用實
熟所致或生障翳苦竹瀝五合黃連二分綿
裹入竹瀝內浸一宿以点目中数度令熱淚
出治妊娠常苦煩悶此名子煩竹瀝湯茯苓
三兩竹瀝一升水四升合竹瀝煎取式升分
三服不差重作亦得七服竹瀝治金瘡中風
口噤欲死竹瀝半大升微七煖服之治妊娠
因大所動困絕以竹瀝飲一升立愈○卒齒
痛取苦竹燒一頭一頭得汁多揩齒上差治
産後血氣暴虛汗出淡竹瀝三合微煖服之
須臾再服治小兒大人欬逆短氣胸中吸吸
欬出涕唾欬出臭膿涕粘淡竹
瀝一合服日三五服大人一升
竹筍 味甘無毒主消渴
主治 發氣托瘡痘更止消渴利小水益氣可久
食○桃竹筍 苦有毒懶筍不成竹者俗謂頑筍是也用搗成
膏入畜皮肉生蛆納入盡出灰汁煮綫可食
不爾亦戟人喉
○
補註 理心煩悶益氣力止渴苦竹筍熟煮任性食之又苦竹筍主消渴利水道下氣化[illegible]

楮實子

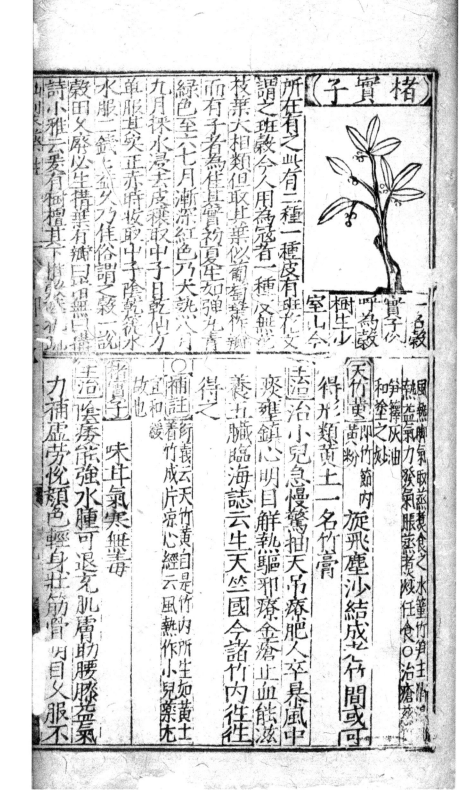

一名穀實子似呼為穀樹生少室山今所在有之此有二種一種皮有斑花文謂之斑穀今人用為冠者一種皮無斑枝葉大相類但取其葉似葡萄葉作瓣而有子者為佳其實初夏生如彈丸青綠色至六七月漸深紅色乃成熟八月九月採水浸去皮穰取中子日乾仙方單服其實正赤時收取中子陰乾篩末水服二錢匕益久乃佳俗謂之穀一說穀田久廢必生構葉有瓣曰楮無曰構詩小雅云爰有樹檀其下維穀陸璣疏

風熱喇氣取蒸煮食之水筆竹筍主消渴熱益氣力發氣脹蒸煮炒任食○治瘡疹筍籜灰油和塗之妙

【天竹黃】黃粉即竹節內旋飛塵沙結成者竹間或可得形類黃土一名竹膏

【主治】治小兒急慢驚搐天弔瘰肥人卒暴風中痰壅鎮心明目解熱驅邪療金瘡止血能滋養五臟臨海誌云生天竺國今諸竹內往往得之

○【補註】衍義云天竹黃自是竹內所生如黃土著竹成片涼心經云風熱作小兒藥尤宜和緩故也

【楮實子】味甘氣寒無毒

【主治】陰痿能強水腫可退充肌膚助腰膝益氣力補虛勞悅顏色輕身壯筋骨明目久服不

云幽州謂之穀桑或曰楮桑荆楊交廣謂之穀江南人績其皮以爲布又擣以爲紙長數丈光澤甚好又食其嫩芽以當菜葉主四肢風痺赤白下痢其葉主鼻洪小品云鼻衄數升不斷者取楮葉擣取汁飲三升不止再三飲待良久衄亦差紙亦入藥見刘禹錫傳信方如女子月經不勻來無時者取箬紙三十張燒灰以清酒半升和調服之頓定如冬月即煖酒服產中血暈服之立驗已甦者三枚齒灌之經一日亦活今楮紙用之最博或用其灰止金瘡出血甚効楮布不見有之医方但貴楮實餘亦稀用俚俗或取其木枝中白汁塗癬甚効楊炎南行方治暉痢無問老小無復百餘

飢不老亦可長生

○〔補註〕煉穀子煎法取穀子五升六月六日採以水二石煮取五升去滓微火煎如餳即堪用之按抱朴子云楮實赤者服之老者成少令人復甦徹視見鬼神道士梁須年七十乃服之更少壯到百四十歲能夜行及走馬

〔[illegible]曰〕凡使採得後用水浸三日將物攪旋投水浮者去之然後曬去卻用酒浸一伏時了便蒸從巳至亥出焙令乾用

〔楮葉〕味甘無毒

〔主治〕主小兒身熱食不生肌可作浴湯又主惡瘡生肉

〔楮樹皮〕煎湯逐水利便浸爛亦堪作紙

○〔補註〕治癬濕痒用楮葉半斤細切搗爛傅癬上。治少小鼻衄小勞輒出楮葉取汁飲三升不止四五飲良又方久衄亦差治天行後兩脇脹滿膝下如水腫以穀枝汁隨意服愈治卒風不得語判穀枝葉酒煑熟皮中沫出隨多少飲之○有人虛肥積年氣上如

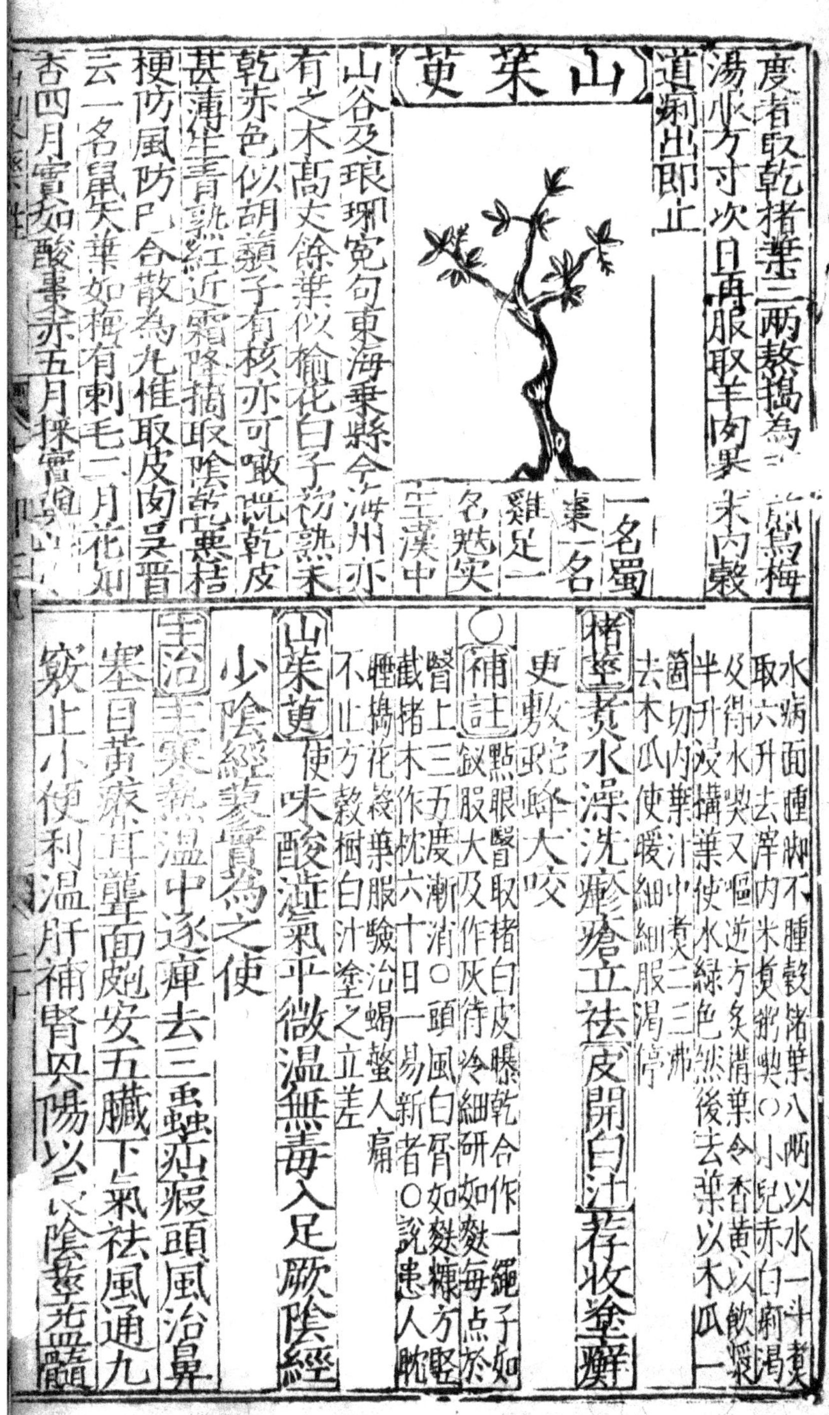

度者取乾猪蹄三兩熬搗為□煎烏梅湯服方寸次日再服取羊肉果米內穀道瀉出即止

山茱萸

一名蜀棗一名雞足一名魃實生漢中山谷及琅琊宛句東海承縣今海州亦有之木高丈餘葉似榆花白子初熟未乾赤色似胡頹子有核亦可噉既乾皮甚薄生青熟紅近霜降摘取陰乾惡桔梗防風防己合散為丸惟取皮肉吳普云一名鼠矢葉如梅有刺毛二月花如杏四月實如酸棗赤五月採實陰[illegible]

水病面腫脚不腫穀豬葉八兩以水一斗煮取六升去滓內米煮粥喫○小兒赤白痢渴及得水喫又嘔逆方炙猪葉令香黃以飲漿半升浸搗葉使水綠色然後去葉以木瓜一箇切內葉汁中煮三二沸去木瓜使暖細細服渴停

【楮莖】煮水淋洗癮疹立祛【皮開白汁】存收塗癬更敷蛇蜂犬咬

○【補註】點眼瞖取楮白皮曝乾合作一繩子如釵股大及作灰待冷細研如麪每点於瞖上三五度漸消○頭風白屑如麩糠方堅截楮木作枕六十日一易新者○說患人癧搗花幷葉服驗治蝎螫人痛不止方穀樹白汁塗之立差

【山茱萸】使味酸澁氣平微温無毒入足厥陰經少陰經蓼實為之使

【主治】主寒熱温中逐痺去三蟲治瘕頭風治鼻塞目黃痳耳聾面皰安五臟下氣祛風通九竅止小便利温肝補腎興陽以長陰莖益髓

異也舊說當合核為用而雷斅炮炙論云予一斤去核取肉皮用只秤成四兩半其核八稜者名雀兒蘇別是一物不可用也

○按經云滑則氣脫山茱萸之澁以收其滑八味丸用之無非取其澁腎而固精也本經謂其九竅通是又盡信書則不如無書矣

吳茱萸

一名藙生上谷川谷及宛句今處處有之江浙蜀漢尤多惟吳地產者獨妙故以吳字為名木高丈餘皮青綠色葉似

固精煖腰膝而助水臟女人可令經候老者能節小便除一切風邪卻諸般氣證強力延年輕身明目其核勿用滑精難收

太乙曰 凡使勿用雀兒蘇真以山茱萸只是核八稜不入藥用使山茱萸須去內核每修事去核了一斤取肉皮用只秤成四兩已來緩火熬之方用能壯元氣秘精核能滑精

吳茱萸 味辛苦氣溫大熱氣味俱厚陽中陰也有毒入足太陰少陰厥陰經黃芩實為之使

主治 主咽嗌寒寒氣噎塞不通散胸膈冷氣窒塞不利驅脾胃停寒臍腹成陣絞痛逐膀胱受濕陰囊作疝剜疼開腠理解風邪止嘔逆除霍乱仍順折肝木之性治吞吐酸水如神厥陰頭疼引經必用氣猛不宜多食令人目瞪口開若久服之亦損元氣腸虛泄者尤忌

椿有開紫色三月開花紅紫色七月八月結實似椒子嫩時微黃至成熟則深紫九月九日陽採收依法精製湯泡苦汁七次烘乾杵碎纔可入藥○白及惡丹參消石風土記曰俗尚九月九日謂為上九茱萸到此日氣烈熟色赤可折其房以插頭云辟惡氣御冬入續齊諧記曰汝南桓景隨費長房學長房謂曰九月九日汝家有災厄宜令急去家各作絳囊盛茱萸以繫臂上登高飲菊花酒此禍可消景如言舉家登高山夕還見雞犬牛羊一時暴死長房聞之曰此代之矣故時人每至此日登高飲酒戴茱萸囊由此耳世傳茱萸氣好上言其衝觸不可為服食之藥也

沾唇為速下氣故尔○補曰治陰毒傷寒四肢逆冷宜熨以茱萸一升酒和勻濕絹袋盛蒸令極熱熨腳心候氣通暢勻煖即停熨累用換治心痛內外痛茱萸一升酒三升煎取半升空心頓服之○集驗方療癥法茱萸三升碎之以酒和煑熟布裹熨癥上冷更炒更番用之癥移走逐熨之候消乃止○治后虛羸盜汗時嗇嗇惡寒茱萸雞子大以酒三升浸半日煑服治霍痛腹背交發亂方茱萸一升搗之以好酒和帖灑十粽中惡心痛茱萸五合以酒三升煑三沸分三服○陰下濕痒茱萸一升水三升煑三沸去滓洗痒差○治大人小兒風瘮茱萸一升酒五升煑取一升帛染拭之治中風瘮痛或子腸脫出茱萸三升酒五升酒五升煎取二升分溫三服○赤痢臍下痛茱萸合黑豆湯吞之下○小兒火灼瘡一名熛漿瘡一名火爛瘡用酒煑茱萸拭上治頭風沐頭痛茱萸二升水五升煑取三升以綿染拭髮根白皮治下風不能語吱茱萸各一升水五升煑取二升稍稍服之○補水氣藥赤茱萸二兩末醋煑爛細研為膏丸如梧桐子大鹽湯下七丸空心服

太乙曰凡使先去葉核并雜物子用大盆一口使鹽水洗一百轉自然無涎曰乾任入

○按衍義云山茱萸與吳茱萸甚不同
類山茱萸色紅大如枸杞子吳茱萸若
川椒初結子時其大小亦不过椒色正
青得名則一治療又不同未審當日何
緣如此命名然山茱萸補養腎臟無
不宜經与注所說備矣又云吳茱萸須
深湯中浸去苦烈汁凡六七遍始可用
今文與注又注中藥法皆不言亦漏落
也此物下气最速腸虛人服之愈甚

〖食茱萸〗

舊不載所出州土云功用與吳茱萸同

圖經云食茱萸中顆粒大經久色黃黑堪

凡散中用修事十兩用鹽二兩投東流水四斗中分作一百度洗別有大効若用醋煮即先沸醋三十餘沸后入茱萸沸醋盡熬乾每用十兩使醋一溢為度

〖根白皮〗殺三蟲寸白治喉痺欬逆止洩注食不消女子經產餘血療白癬風癬〖枝〗療二便關格喞口立通並擇向東南取之方獲効驗截斷如手指半節長含

○〖補註〗治寸白蟲茱萸根洗去土四兩切以水酒各一升漬一宿平旦分再服凡茱萸皆引細根東北陰者良若稍大如指已上者皆不任用

〖食茱萸〗味辛苦大熱無毒功用與吳茱萸同少為劣耳

〖主治〗主心腹冷氣痛中惡除欬逆去臟腑冷能溫中甚良療水氣用之乃佳

○〖補註〗齒痛酒熱含之又殺鬼毒中風口噤不語者取子一升美豉三升以酒漬五

嗽者少。南北皆有之，其木亦甚高大，有長及百尺者。枝莖青黃，上有小白點，葉正類油麻，花黃。蜀人呼其子為艾子，蓋禮記所謂藙者。藙艾聲訛，故云耳。宜入食羹中，去禁辛香，然不可多食，多食衝眼，兼又脫髮。採無時。

《五加皮》

一名豺漆，一名豺節。生漢中及冤句，今江淮湖南州郡皆有之。春生苗，莖葉俱青，作叢。赤莖又似藤葛，高三五尺，上有黑刺。葉生五叉，作簇者良。四葉三葉者最多，為次。每一葉下生一刺。三四月開

汁，和煮四五沸，冷，服半升，日三四服，得汗便差。若皮肉痒痛，酒二升，水五升，煮茱萸子半升，煎取三升，去滓，微煖洗之，立止。又魚骨在喉中，刺痛，煮汁飲之。又魚骨刺入肉不出者，搗封之，其骨自爛而出。又閉目者，名椒，子不堪食。治蜒蚰毒，茱萸一兩為末，以冷水調分為二服，立差。

【五加皮】味辛苦，氣溫微寒，無毒。遠志為之使。

【主治】主心腹腰脊疼痛，腳痺風弱，治五勞七傷，虛弱，健骨強筋，男子陰痿囊濕，小便遺瀝，女人陰痒蟲蝕，小腹刺氣，堅瘡能補中益精，明目強志，治多年瘀血下刺，皮膚下氣，釀酒飲，治風痺四肢攣急。若久服即輕身耐老延年，誠不死仙經藥也。【藥】治皮風，可作蔬食。

○【補遺】治服諸藥石后或熱盛，多向冷地臥，又不得食諸熱麪酒等，方：五加皮三兩，以水四升，煮取二升半，候石發之時便服。未定更服。療羊卅從兩腳亦如火燒，五加皮根燒

白花結細青子至六月漸黑色根若荆根皮黄黑肉白骨堅硬五月七月採莖十月採根陰乾用惡蛇皮玄參蘄州人呼為木骨一說今所用乃有數種京師北地者大片類秦皮黄蘗輩平直如板而色白絕無氣味療風痛頗効餘不入用吳中乃剝野椿皮為五加皮柔韌而無味殊為乖失今江淮間所生乃為真者類地骨輕脆芬香是也其苗茎有刺類薔薇長者至丈餘葉五出如桃花香氣如橄欖春時結實如豆粒而扁青得霜乃紫黑吳中亦多稱名為追風使亦可剝取酒漬以療風乃不知其為五加皮也江淮吳中往往以為藩籬正似薔薇金櫻輩亦如上所說但此間作火五兩取煅鐵家糟中水和令之五加皮花者治眼瞜睡人搗末酒調服白疼

〔太乙曰〕今五加皮其蜀本是白蘞摘其上有葉如蒲葉者其葉三花是雄五葉花是雌剝皮陰乾陽人使陰七人使陽

〔東華真人煮石經〕舜常登蒼梧山曰厥金玉之香草服用偃息正道此乃五加也又與名曰金鹽昔西域真人王屋山人王常言何以得長久何不食石蓄金鹽用何以得長壽何不食石用玉豉七七者即地榆也五加地榆皆是煮石而餌得長生之藥也昔尹公度聞孟綽子董士固共相與言曰寧得一把五加不用金玉滿車寧得一斤地榆安用明月寶珠

〔制〕剉

味辛苦氣平溫氣味俱薄降也陽也無毒

〔主治〕補中強志益腎添精腰痛不能屈者神功足疼不欲踐者立効除陰囊濕癢止小水淋瀝遺瀝使堅筋健骨久服不老輕身

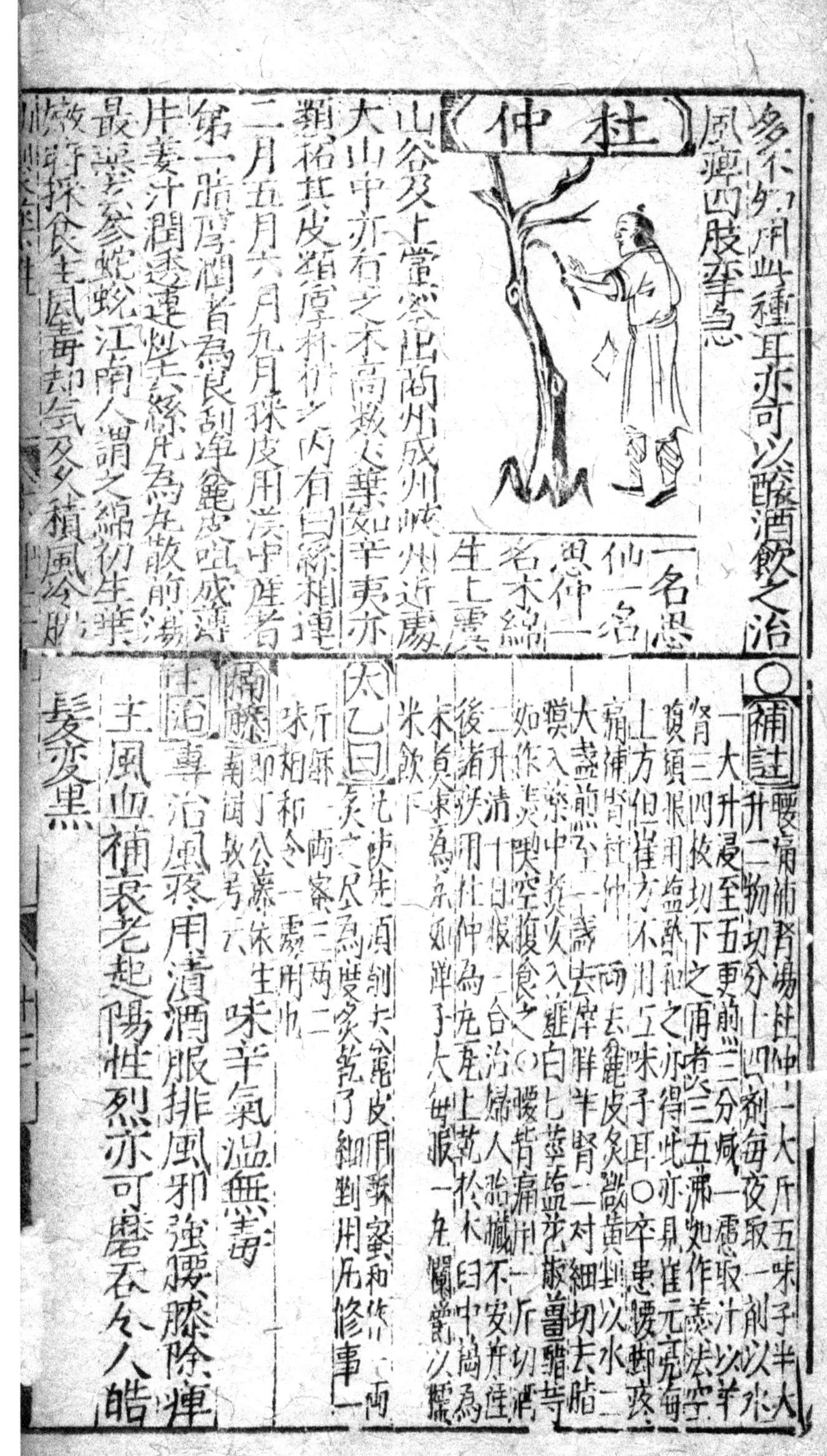

多不如用此種耳亦可以釀酒飲之治風痺四肢攣急

杜仲

一名思仙一名思仲一名木綿生上虞山谷及上黨并出商州成州峽州近處大山中亦有之木高數丈葉如辛夷亦類柘其皮類厚朴折之內有白絲相連二月五月六月九月採皮用淡中產者第一脂厚潤者為良刮淨麤皮咀成薄片姜汁潤透連炒去絲為存散前湯最畏玄參蛇蛻江南人謂之綿初生嫩芽採食主風毒腳氣及久積風冷腸

○【補註】腰痛補腎湯杜仲一大斤五味子半大升二物切分十四劑每夜取一劑以水一大升浸至五更煎三分減一停取汁以羊腎三四枚切下之再煮三五沸如作羮法空腹頓服用鹽醋和之亦得此亦見崔元亮海上方但崔方不用五味子耳○卒患腰脚疼痛補腎杜仲一兩去麤皮炙微黃剉以水二大盞煎至一盞去滓用羊腎一對細切去脂膜入藥中煮次入薤白七莖鹽花韭菌蒔等如作羮以空腹食之○腰背痛用杜仲一斤切酒二升漬十日服二三合治婦人胎臟不安杜仲不計多少去麤皮細剉瓦上乾於木臼中擣為末煮棗肉和丸如彈子大每服一丸爛嚼以糯米飲下

【太乙曰】凡使先須削去麤皮用酥蜜和作一處炙之凡為度炙乾了細剉用凡修事一斤用酥一兩蜜三兩二味相和令一處用也

【畏惡】即丁公藤依生南閣敍號六　味辛氣溫無毒

【主治】專治風痿用漬酒服排風邪強腰膝除陣主風血補衰老起陽性烈亦可磨吞令人皓髮變黑

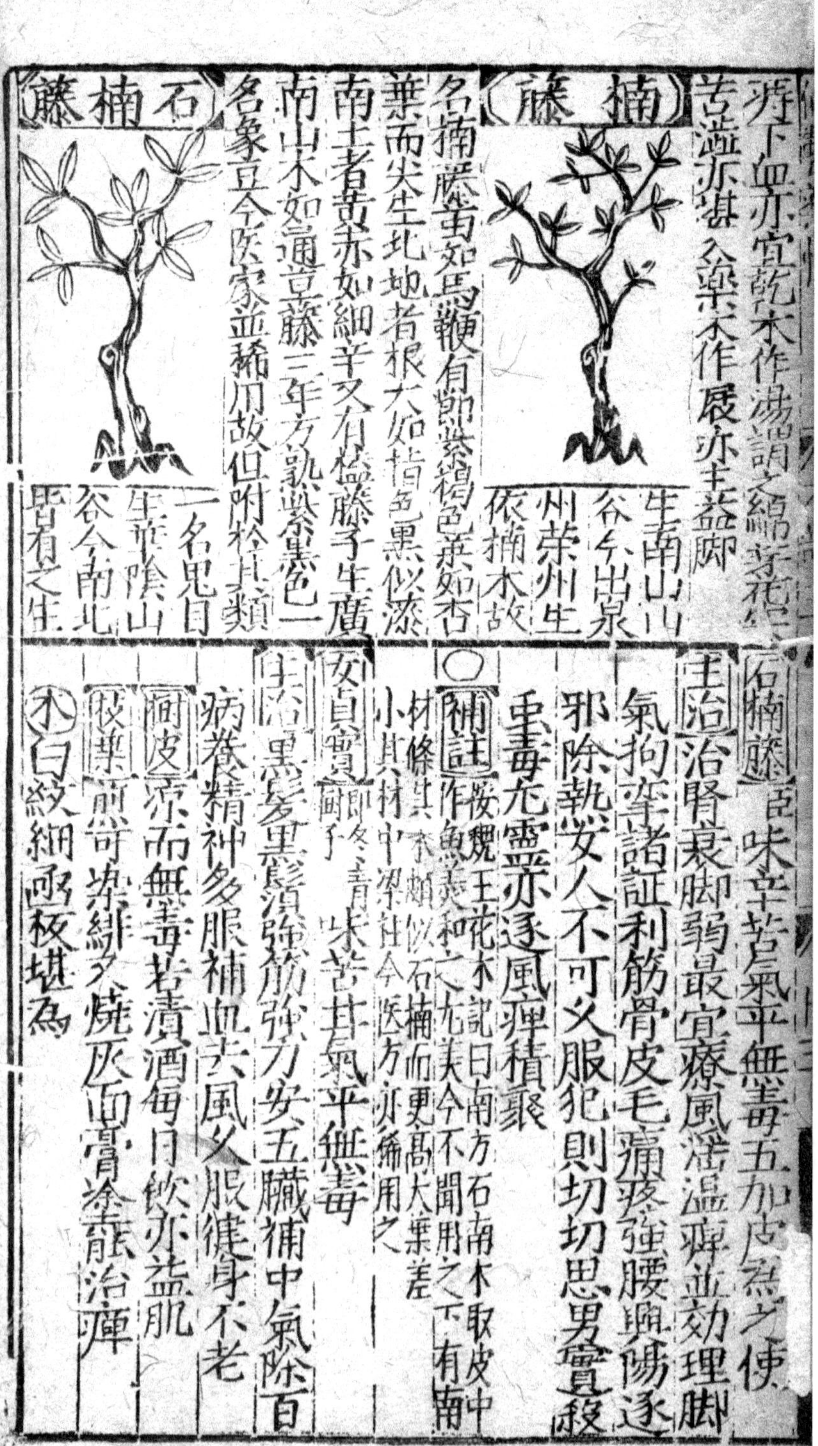

痔下血亦宜乾末作湯謂之綿芽花[illegible]
苦澁亦堪入藥不作屐亦去益脚

楠藤

名楠藤苗如馬鞭有節紫褐色葉如杏葉而尖生北地者根大如指色黑似漆南土者黃赤如細辛又有檔藤子生廣南山木如通草藤三年方熟紫黑色一名象豆今医家並稀用故但附於其類

生南山山谷今出泉州榮州生依楠木故

石楠藤

一名鬼目生華陰山谷今南北皆有之生

【石楠藤】氣味辛苦氣平無毒五加皮為之使

【主治】治腎衰脚弱最宜療風濕痛痹並效理脚氣拘攣諸證利筋骨皮毛瘍痿強腰興陽逐邪除熱安人不可久服犯則切切思男實殺蟲毒尤靈亦逐風痹積聚

○【補註】按魏王花木記曰南方石南木取皮中作魚羨和之尤美今不聞用之下有南材條其木類似石楠而更高大葉差小其材中梁柱今医方亦稀用之

【女貞實】即冬青附子 味苦甘氣平無毒

【主治】黑髮黑鬚強筋強力安五臟補中氣除百病養精神多服補血去風久服健身不老

【葉皮】涼而無毒若漬酒每日飲亦益肌

【枝葉】煎苛擦緋久燒灰面膏塗能治痺

【木】白紋細堅极堪為

於石上秫及有高大者江湖間出者葉如枇杷葉有小刺凌冬不凋春生白花似椿樹花細碎成簇秋結細紅實逕尖小薊闕旒間出者葉似每節上有黃色指有紫點兩多且併生長及一二三寸根植細紫色不堪矣藥至茂密南北人多接以植浮勻間閉翳可愛不畏且氣入藥以閩中葉細者良一月採葉四月採實並陰乾用

女真實

一名冬青一名蝀生生武陵川谷今處

北有之山海經云泰山多植木是草之

【白蠟】附樹枝結成係小蟲食樹汁化者虫類虮蟲有白有黑每食冬青樹汁久而化為白脂粘則成蠟人謂虫屎着樹而然非也方有不及蠟者則結苞枝上初如黍米漸圓大青紫宛若樹之結實土人呼為蠟種未年春深則苞折而虫出延樹矣欲留蓄者候苞將折背之枝採繫他樹其虫亦應候而出逢秋刮取以水煮溶濾置冷器之中或擲冷水內亦可但以首滓淨為美自然凝聚成塊文理若徹不亞石膏本經原脫漏未書用漢稀珍重幾用嘗考戴原禮簡云白蠟者稟受收斂堅凝誠為外科要藥生肌止血定痛接骨續筋補虛與合歡皮同煎入長肉膏神効但未試可服否且合歡皮膏之驗矣蠟有二種蜜白蠟人可服蝕木經石蜜款內魯已載詳其虫口蠟本經未載后因丹溪此簡有未試可服否一句迺知言此虫蠟也故採之以補脫漏

【白蠟塵】取能治療蟲

也其葉似枸骨冬青木及茂盛敢凌
雪故名冬青凌冬不凋花細青白色九
月而實成似牛李子黑冬至日採收
木皮將布袋擦淨酒浸一宿曬乾為丸
用旱蓮草熬膏同搗碎漬酒同生地
黃浸飲煮食服之甘實亦浸酒去風補
血其葉燒灰為膏貼之治瘴瘡殊效熏
滅瘢痕又李邕云五臺山冬青葉似椿
子如郁李微酸性熱與此小有同異當
是別有一種耳又嶺南有一種女貞花
及繁茂而深紅色與此殊異不聞中藥
品也枸骨木多生江浙間木肌白似骨
故以名南人取以旋作合器甚佳詩小
雅云南山有枸陸璣云山木其狀如杞
一名枸骨理白可為函板者是此也皮

桑白皮根

味甘而辛甘厚辛薄氣寒可升可
降陽中陰也入手太陰肺經續斷桂心麻子為
之使桑皮煮汁可染褐色永不落

主治 甘助元氣補勞怯虛羸瀉火邪止喘嗽
唾血利水消腫解渴驅痰止腹滿殺腹蟲胃
冷開胃進食止喘息霍乱吐瀉去風治勞傷
癰瘡吐血熱渴去肺中水氣殺寸白諸蟲刀
刃傷作線縫熱血塗即合

○備註 [illegible]髮長[illegible]令髮潤生桑白皮二升以水淹浸煮五六沸去滓洗沐鬢髮
自不落○亦治小便多出消渴入地三尺取桑根
剝取白皮炙令黃黑剉以水煮之令濃隨意
飲之亦可內少米勿入鹽治產後下血不止
炙桑白皮煮水飲之治金瘡取新桑白皮燒
灰和馬糞塗瘡上數易之○墜馬拗損以桑
根白皮五斤為末水一升煎成膏傅於損處
便止已後亦無宿血終不發動治咳嗽甘台
或有吐血殷鮮桑根白皮一斤米泔浸三宿

亦煖腰滑補腹膝燒其枝葉為灰淋汁塗狗齩風亦可作煎傅之

桑根白皮

本經不載所出州土今處處有之山谷出山家園植多山桑質堅未堪作檀家桑氣厚葉可飼蠶蟲只入劑中須覓家者近冬收採知其製精根出土外者殺人根向東行者得氣皮取近木洗淨當日去青片用銅刀咀成惡鉛忌鐵稀密拌透文火燒乾其皮中青涎勿使刮去藥刀都在其上惡鐵及鉛不可近之其葉以夏秋再生者為上霜后採之煮湯洗眼

淨刮上黃皮剉細入糯米四兩焙乾一處搗為末每服米飲調下一兩

【太乙曰】凡使十年已上向東畔嫩根採得後銅刀剝上青黃薄皮一重只取第二重白嫩青涎者於槐砧上用銅刀剉了焙令乾勿使皮上涎落涎是藥力

【桑皮中白汁】取依四時春夏取向上者從升枝幹皮汁也秋冬取向下者因降根汁皮汁敷金瘡血止敷蛇咬毒消點唇裂及易差塗褐色不落釜中煎如糖糖老燦肝血並推

○【補註】治蜈蚣咬取桑白皮汁傅之效治小兒鵝口桑白皮汁和胡粉傅之治小兒舌上生瘡病桑白皮汁傅之三兩度若治小兒重舌取桑白皮煮汁塗之治口瘡白漫漫取汁塗之以髮拭口以汁傅之

【緊藥】味苦甘寒有小毒採經霜者佳葉煮湯洗眼

【主治】去風淚殊勝搗敷蛇蟲蜈蚣咬毒搗

十五

常洗手足殊勝神仙服食方以四月桑茂盛時採葉又十月霜後三分二分已落時一分在者名神仙葉即採取與前葉同陰乾搗為末散任服或煎以代茶飲又採椹曝乾和蜜食之亦令人聰明安魂鎮神又多葉令微乾和桑衣煎服治痢亦主金瘡及諸損傷止血方書稱桑之功最神在人資用尤多桑條但煎見近效方云桑煎療水氣脚氣肺氣癰腫兼風氣桑條二兩用大秤七兩一物細切如豆以水一大升煎取三大合如欲得多造準此增加先熬令香然後煎每服肚空時喫或茶湯或羹粥每服亦大升亦無禁忌也

【陰肯宜法】當依而用之視物如鷹鶻看

胃撲損瘀血滯凝煎代茶消水腫腹浮下氣令關節利研作散湯調止霍亂吐瀉出汗除痺炙和桑衣煎濃治痢諸傷止血

○【補註】肺毒瘡治如大風疾錄云散以葉好者洗寸熟蒸一宿候日乾為末水調二錢服治小兒渴用桑葉不拘多少用生蜜逐葉上傅過將線係葉蒂上繃陰乾切細用水煎汁服

之差

【桑枝】性平不冷不熱家園者爲無毒煎可常飲

【主治】主耳目聰明去手足拘攣脚氣兼散潤皮毛枯槁風癢宜毆陰管通便眼眶退暈利喘嗽逆氣消癥腫毒癰

○【補註】治偏風及一切風桑枝剉一大升用今年新嫩枝以水一大斗煎取二大升夏用井中沉恐酸壞每日服一盞空心服盡又煎服終身不患偏風若預防風能服一大升佳八月九月中剝手足犯惡露腫多殺人以桑枝三條內糖灰中炮令及熱破斷以頭柱

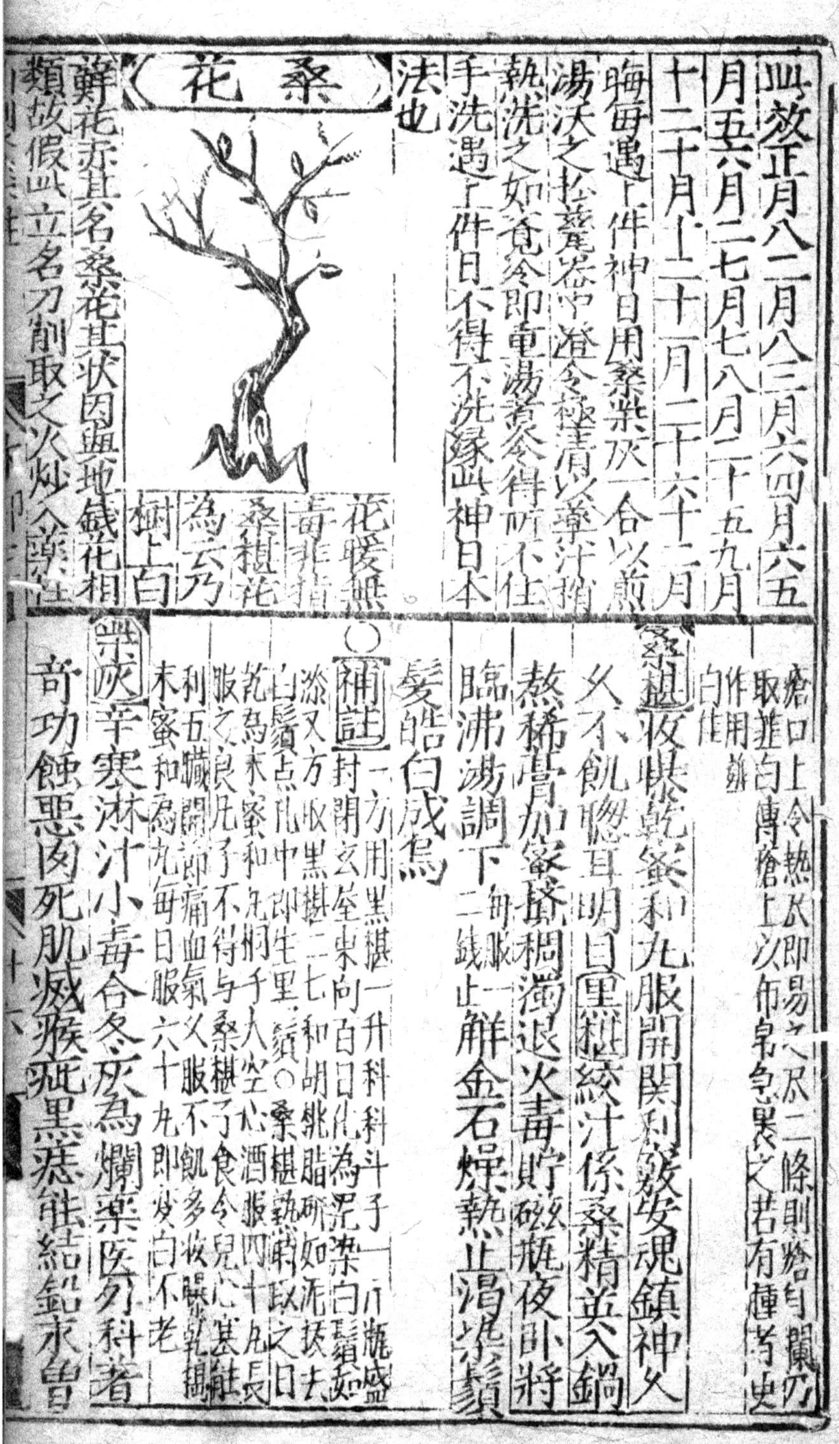

此數正月八二月八三月六四月六五
月五六月二七月七八月二十五九月
十二十月十一十一月二十六十二月
晦每遇上件神日用桑柴灰一合以煎
湯沃之於瓷器中澄令極清以藥汁揩
熱洗之如冷即重湯煮令得所不住
手洗遇上件日不得不洗緣此神日本
法也

桑花

花暖無毒非指桑椹花為云乃樹上白
蘚花亦其名桑花其狀因與地錢花相
類故假此立名刀削取之火炒入藥

瘡口上令熱灰即易之不二條則瘡自潰乃
取蘿白傳瘡上次布帛急裹之若有虫者史
作用辨
白作

【桑椹】收曝乾蜜和丸服開關利竅安魂鎮神久
久不飢聰耳明目【黑椹】絞汁係桑精英入鍋
熬稀膏加蜜攪稠濁退火毒貯磁瓶夜臥將
臨沸湯調下每服一二錢止解金石燥熱止渴生鬚
髮皓白成烏

○一方用黑椹一升科斗子一斤瓶盛
【補註】封閉玄至東向百日化為泥染白鬚如
漆又方取黑椹二七和胡桃脂研如泥拔去
白鬚點孔中即生黑鬚○桑椹熟時取之日
乾為末蜜和丸桐子大空心酒服四十丸長
服之良凡子不得與桑椹子食令兒心寒蛀
利五臟關節痛血氣久服不飢多收曝乾搗
末蜜和為丸每日服六十丸即變白不老

【柴灰】辛寒淋汁小毒合冬灰為爛藥醫外科著
奇功蝕惡肉死肌滅瘢疵黑痣能結鉛汞曾

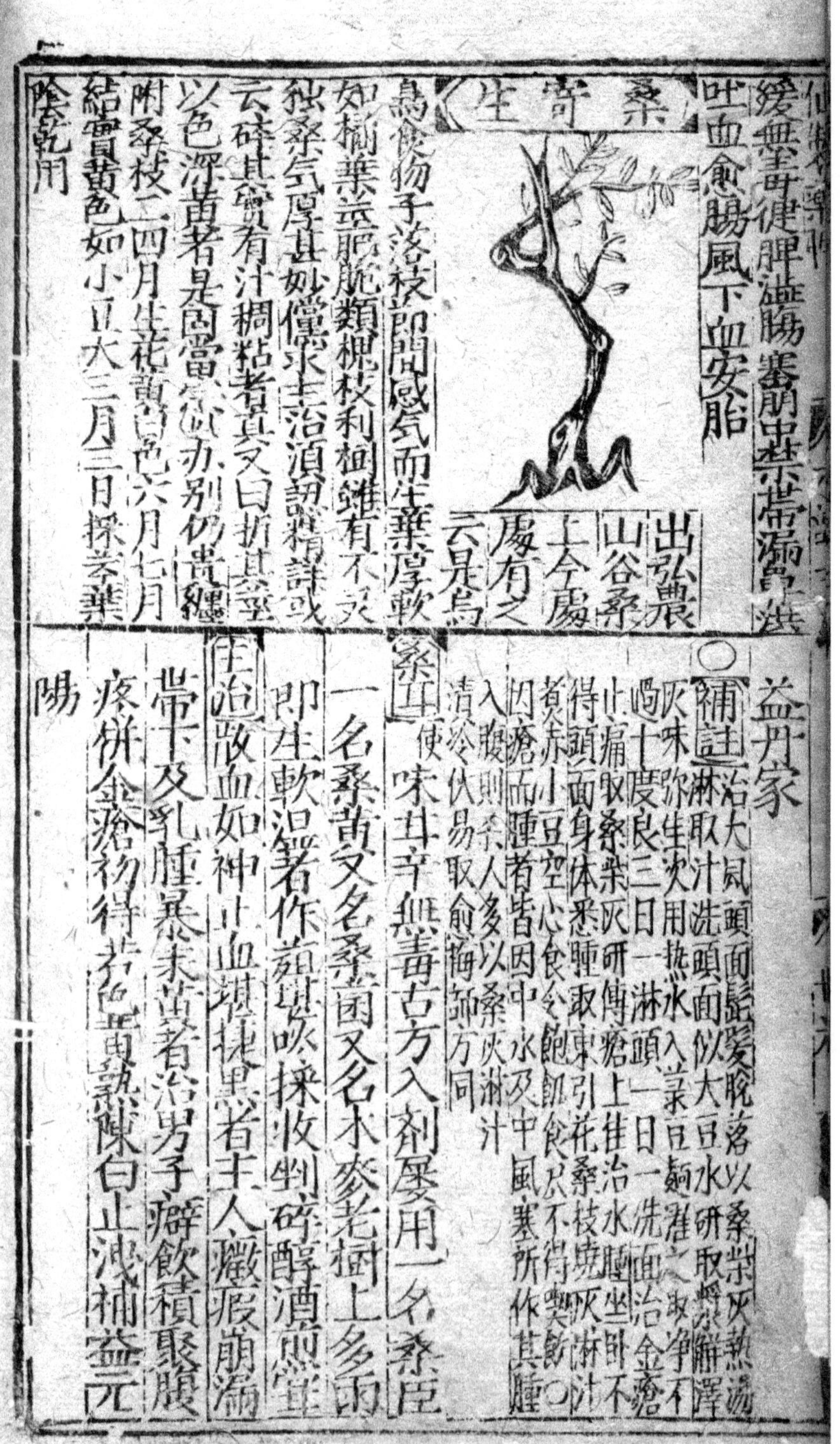

緩無毒健脾澁腸塞崩中禁帶漏胃淡
吐血愈腸風下血安胎

桑寄生

出弘農山谷桑上今處處有之云是烏

烏使物子落枝節間感氣而生葉厚軟如橘葉莖肥脆類槐枝利樹雖有不獨桑氣厚且妙償求去治須認精詳或云碎其莖有汁稠粘者真又曰折其莖以色深黃者是因當從功別仍嵩纒附桑枝二四月生花黃白色六月七月結實黃色如小豆大三月三日採莖葉陰乾用

益丹家

○補註治大風頭面髭髮脫落以桑柴灰熱湯淋取汁洗頭面似大豆水研取漿澄潷灰味弥生次用热水入菉豆麵濯之取淨不過十度良三日一淋頭一日一洗面治金瘡止痛取桑柴灰研傅瘡上佳治水腫坐臥不得頭面身体悉腫取東引花桑枝燒灰淋汁煑赤小豆空心食令飽飢食之不得吃飲○因瘡而腫者皆因中水及中風寒所作其腫入腹則殺人多以桑灰淋汁清冷伏易取愈梅師方同

桑耳 使 味甘辛無毒古方入劑屢用一名桑臣一名桑黃又名桑菌又名木麥老樹上多而即生軟温著作菌堪啖採收剉碎醇酒煎宜主治散血如神止血堪捷黒者主人癥瘕崩漏帶下及乳腫暴赤黃者治男子癖飲積聚腹疼并金瘡初得若色黃白熟陳白止泄補益元陽

○按仁剂之中惟桑寄生最難得其眞者必須近海桑樹生意稍濃地暖不蚕葉无採捋節間自然生出纏附桑枝採得陰乾乃可入藥其諸桃梅榆柳梓檞松楓等上間或亦有寄生不似桑木氣厚假桑之気以為佳尔故凡風濕作痛之証古方每用独活寄生湯煎調百発百中惟人服之者无奏其功者豈非藥不得眞之故欤望下明医用藥立方必以主病者為君所用川独滑桑寄生湏能去風勝濕以為主藥誠為合宜奈今賣藥之家因難得眞徃徃收採雜木寄生指為桑寄生攙利種雜同其気味大殊且川独活亦未辨認分明每用土當歸假代両俱燥性耗衛敗榮無益不虧

○【附註】五痔以桑耳作羹空心下節飽食之日一食之待孔卒痛如鳥啄取大小豆各一升合搗作両囊蒸之及熱更互坐之即瘥治人小小鼻衄小劳輙出桑耳無多少熬令焦搗末每衄發輙以杏仁大塞鼻数度即可断深治瀉血不止桑耳一大両熬令黑以水一大升三合煎取六大合去滓空心分温二服

【桑上蠹虫】主卒心痛金瘡潰爛亦可生肌

○【補註】治落胎下血不止以桑木中蝎蟲燒末酒服方寸匕日二服○桑樹根旁行出地者名為伏蛇治心痛一絶本經云桑根出上者杀人此用治心痛宜更可妨○飲食中蠱毒令人腹内堅痛面黄青淋露骨立病变無常取桑木心剉得一斛者釜中以水淹之令上有三斗煑取二斗澄取清微火煎得五升宿勿食旦服五合則吐蠱毒出○血露不絶鋸截桑根取屑五指撮取醇酒服之日三

【桑寄生】臣　味苦甘性平無毒桑木氣厚生意濃無採捋者自然而生採莖葉陰乾諸木皆有惟桑木上生者佳

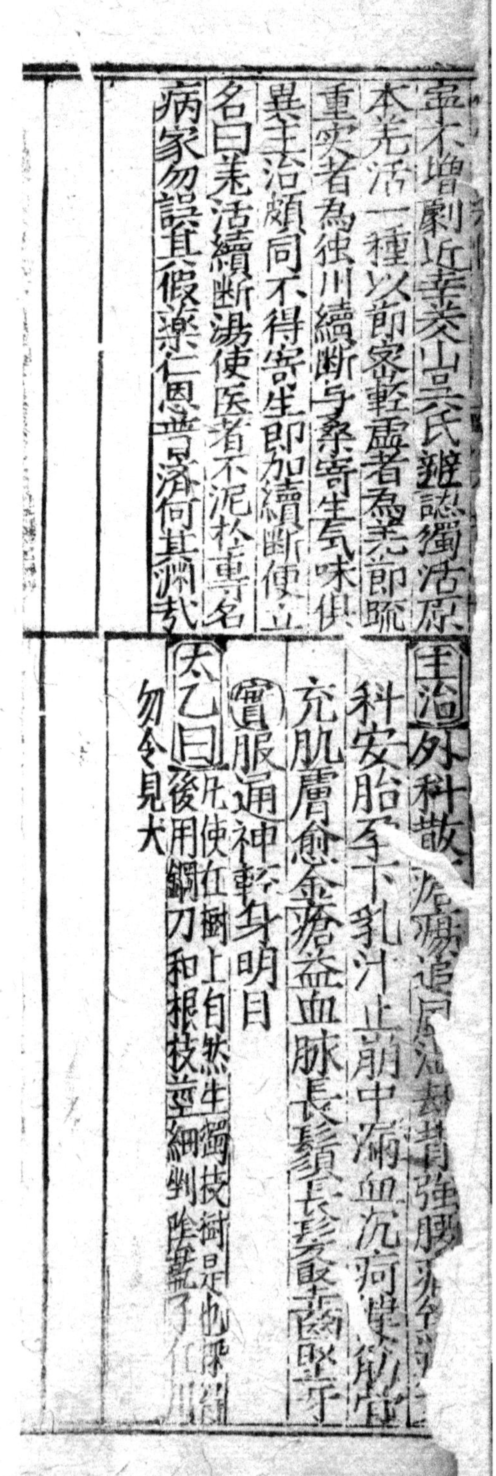

辛不增劇近幸癸山吳氏辨證獨活原
本羌活一種以節密輕虛者為羌節疏
重實者為独川續斷与桑寄生氣味俱
異主治頗同不得寄生即加續斷便立
名曰羌活續斷湯使医者不泥於專名
病家勿誤其假藥仁恩普及濟何其淵哉

主治 外科散瘡瘍追風治毒背強腰腳各[illegible]
科安胎孕下乳汁止崩中漏血沉疴覺效當
充肌膚愈金瘡益血脉長鬚長髮壯齒堅牙

實 服通神輕身明目

太乙曰 凡使在樹上自然生獨枝樹是也採得
後用銅刀和根枝並細剉陰乾了任用
勿令見犬

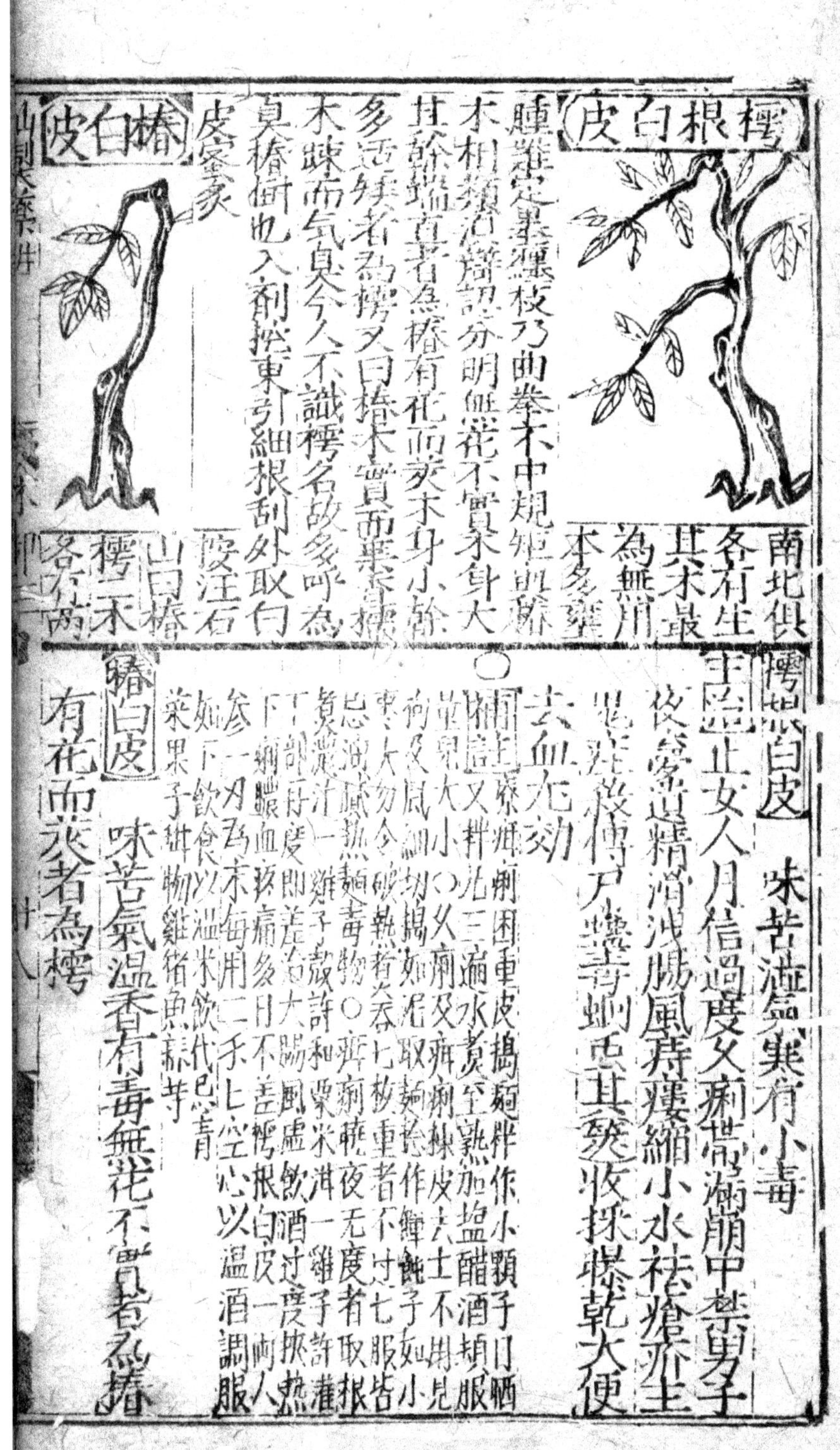

腫難定聚癭枝乃曲拳不中規矩與椿木相類治劑認分明無花不實葉針大其幹端直者為椿有花而莢木身小幹多遷矮者為樗又曰椿木實而葉香樗木踈而氣臭今人不識樗名故多呼為臭椿樹也入劑採東引細根刮外取白皮蜜炙

南北俱各有生其木最為無用本多變

按汪石山曰椿樗二木各有兩

樗根白皮　味苦澀氣寒有小毒

主治　止女人月信過度又痢帶崩中禁男子夜夢遺精滑泄腸風痔瘻縮小水袪瘡疥生蟲疰殺傳尸蠱毒蛔虫其殼收採曝乾大便去血尤効

○**補遺**　瘵痢困重皮搗麵拌作小顆子日晒又拌泡三遍水煮至熟加鹽醋酒頓服量兒大小○久痢及痔痢樗皮去土不用見荷及風細切搗如泥取麵捻作餛飩子如小棗大勿令破熟煮吞七枚重者不過七服皆忌油膩熱麵毒物○臍痢晝夜無度者取根剪碎汁一雞子殼許和粟米泔一雞子許灌下部再度即差治大腸風虛飲酒過度挾熱下痢膿血疼痛多日不差樗根白皮一兩人參一兩為末每用二錢匕空心以溫酒調服如不飲食以溫米飲代忌油膩青菜果子甜物雞猪魚蒜等

椿白皮　味苦氣溫香有毒無花不實者為椿有花而莢者為樗

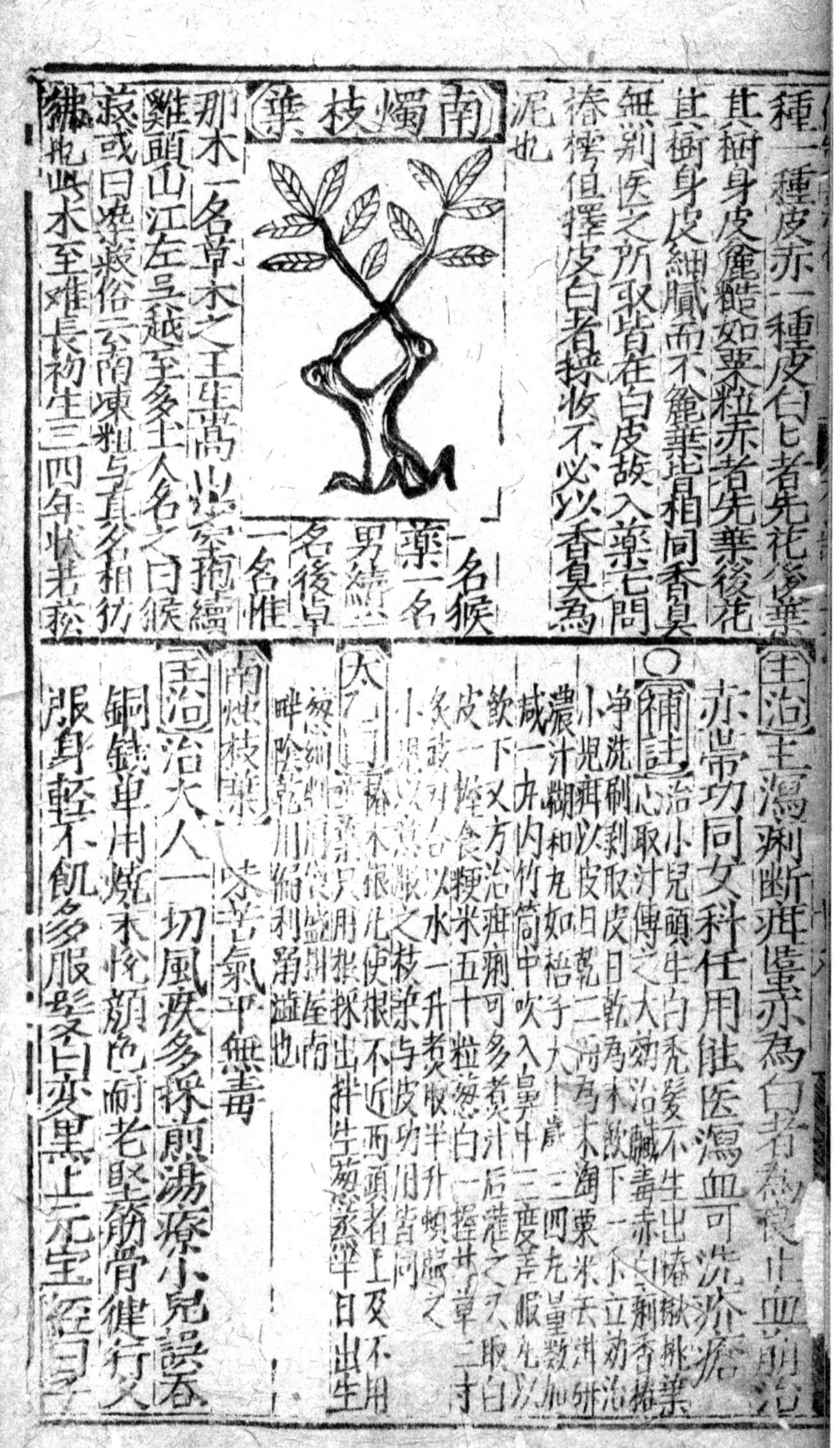

種一種皮赤一種皮白白者先花後葉
其樹身皮麁糙如粟粒赤者先葉後花
其樹身皮細膩而不麁葉皆相同香臭
無別医之所取皆在白皮故入藥亡問
椿樗但擇皮白者採收不必以香臭為
泥也

南燭枝葉

一名猴藥一名男續一名後卓一名惟
那木一名草木之王生高山嵓穹拖續
雞頭山江左吳越至多土人名之曰猴
菽或曰染菽俗云南燭粗與其名相彷
彿也此木至難長初生三四年狀若菘

【主治】主瀉痢斷瘕疊赤為白者為後止血崩治
赤帶功同女科任用能医瀉血可洗浴瘡

○【補註】治小兒頭生白禿髮不生出椿樹桃葉
心取汁傅之大効治鹹毒赤白痢香椿
淨洗刷剝取皮日乾為末飲下一下立効治
小兒疳以皮日乾二兩為末淘粟米去泔研
濃汁糊和丸如梧子大一歲三四丸量數加
減一丸內竹筒中吹入鼻中三度差服丸以
飲下又方治疳痢可多煮汁后灌之又取白
皮一握倉粳米五十粒葱白一握甘草二寸
炙豉一合以水一升煮取半升頓服之
小兒以意服之枝葉與皮功用皆同

【太乙曰】樗木根凡使根不近西頭者上及不用
出土者只用根撥出拌生葱蒸半日出生
葱細剉用袋盛掛屋南
畔陰乾用偏利溺澀也

【南燭枝葉】味苦氣平無毒

【主治】治大人一切風疾多採煎湯療小兒諸瘡
銅鐵單用燒末悅顏色耐老堅筋骨健行久
服身輕不飢多服髮白變黑上元寶經曰子

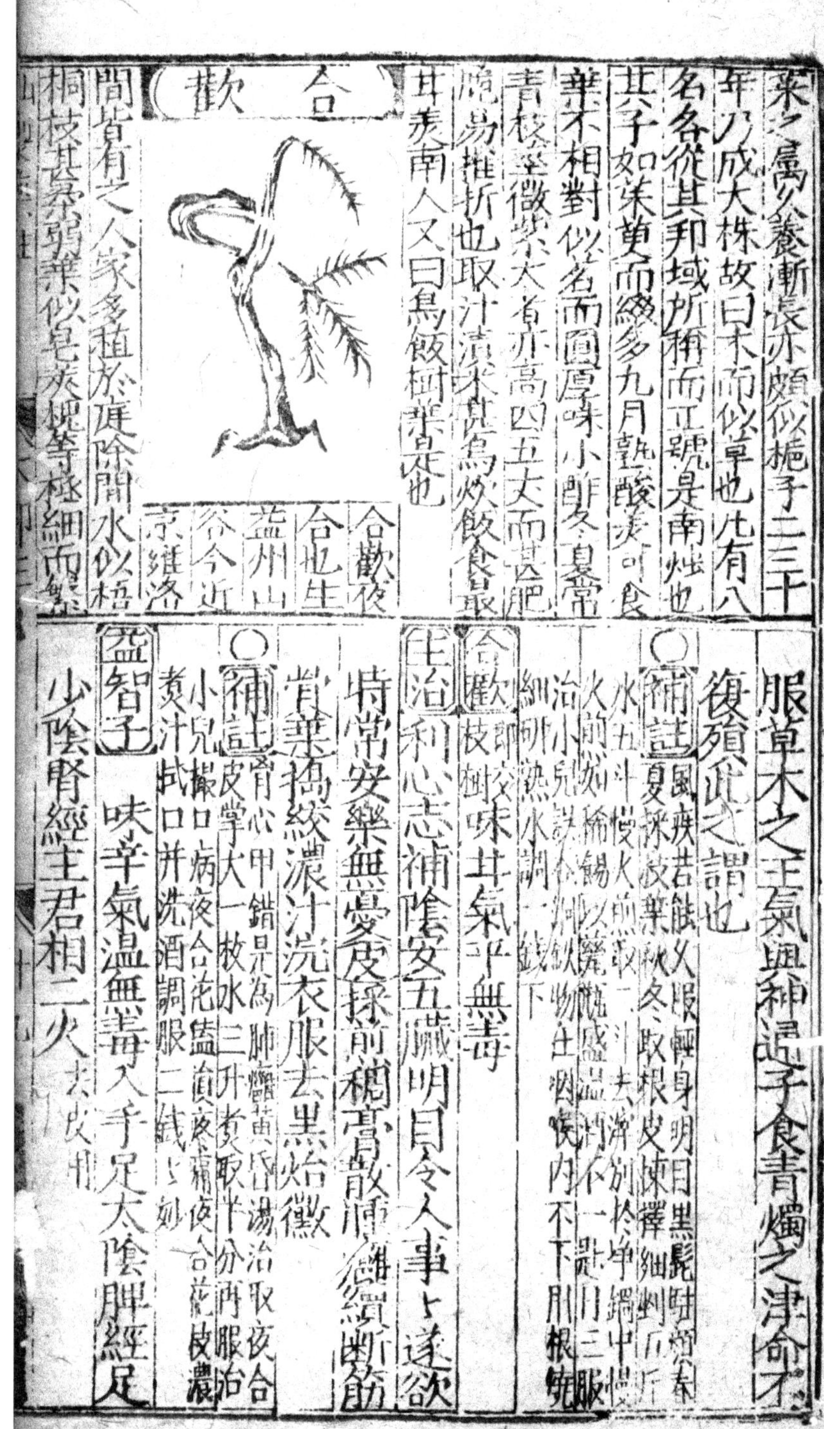

菜之屬以養漸長亦頗似梔子二三十年乃成大株故曰木而似草也凡有八名各從其邦域所稱而立號是南燭也其子如茱萸而緣多九月熟酸美可食葉不相對似茗而圓厚味小酢冬夏常青枝莖微紫大者亦高四五丈而甚肥脆易摧折也取汁漬米飯為烏飯食最其美南人又曰烏飯樹葉是也

合歡夜合也生益州山谷今近京雒洛間皆有之人家多植於庭除間木似梧桐枝甚柔弱葉似皂莢槐等極細而繁

服草木之王氣與神通子食青燭之津命不復殞此之謂也

〇補註 風痹若餓久服輕身明目黑髭駐顏春夏採皮葉秋冬取根皮揀擇細剉五斤水五斗慢火煎取一斗去滓別於淨鍋中慢火煎如稀餳以磁瓶盛溫酒下一匙日三服治小兒誤吞鐵物出咽喉內不下用根皮細研熟水調一錢下

合歡 即夜合 枝樹 味甘氣平無毒

主治 利心志補陰安五臟明目令人事事遂欲時常安樂無憂皮採煎稠膏散腫續斷筋骨葉搗絞濃汁洗衣服去黑焙黴

〇補註 背心甲錯是為肺癰黃昏湯治取夜合皮掌大一枚水三升煮取半分兩服治小兒撮口病夜合花盬煎夜合花枝濃煮汁拭口并洗酒調服二錢匕効

益智子 味辛氣溫無毒入手足太陰脾經足少陰腎經主君相二火 去皮用

聚互相交結每一風來輙似相解了不相牽綴其葉至暮而合故一名合昏五月花發紅白色瓣上若絲茸然至秋而實作莢子極薄細採皮及葉用不拘時月崔豹古今注曰欲蠲人之憂則贈以丹棘丹棘一名忘憂欲蠲人之忿則贈以青裳青裳合歡也

益智子

生崑崙國今嶺南州郡往往有之葉似蘘荷長丈餘其根傍生小枝高七八寸无葉花蕚作穗生其上如棗許大皮白中瓤黑皮白核小者名益智含之攝涎

【主治】主遺精虛漏小便遺瀝益氣安神補不足安三焦調諸氣治脾胃中受寒邪止嘔噦攝涎唾當於補中藥內兼用之

○【補註】夜多小便者取二十四枚碎入鹽同煎服有奇驗經云益智葉如蘘荷莖如竹箭子從心出一枝有十子子肉白滑四破去之或外皮蜜煮爲粽

榆皮

味甘氣平性滑利降也無毒

【主治】利水道除五淋壓丹石利關節搗和釅醋凡赤腫薄敷熬成膏飴但異氣逆服老人服即多睡孕婦服即滑胎剝剝搗爛如糊用粘瓦石甚固

○【補註】小兒白禿瘡搗皮末醋和塗之蟲當出妊娠滑胎易産皮搗末臨月日三服方寸匕令産極易治渴小便利非淋方榆皮二斤去黑皮以水一斗煮取五升一服三合日三服○五色丹俗名油腫犯多致死不可輕之以榆白皮末和雞子白傅之治火灼爛

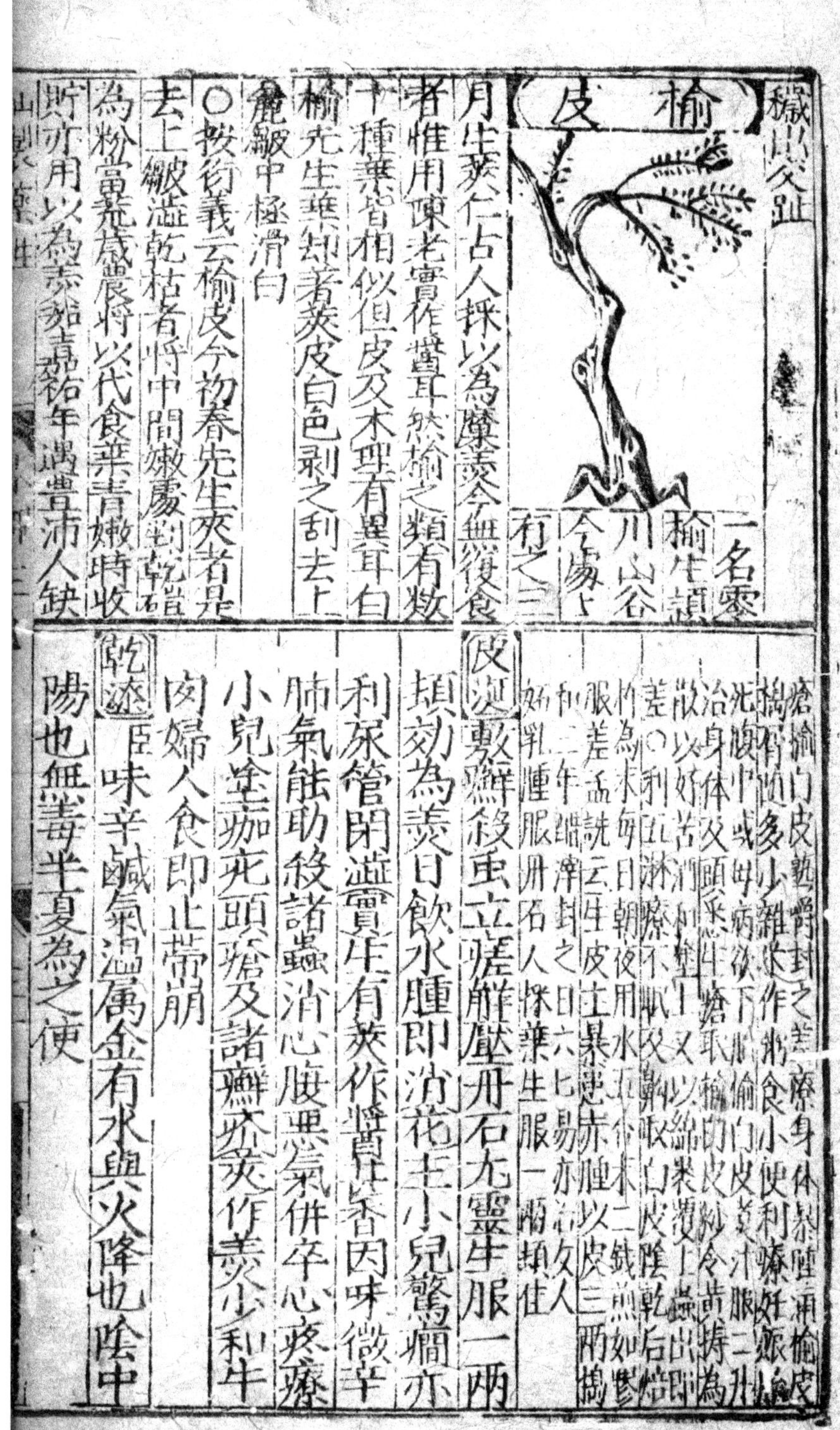

穢以爻証

榆皮

一名零榆，生顛川山谷，今處處有之。三月生莢仁古人採以為糜羹今無復食者惟用陳老實作醬耳然榆之類有數十種葉皆相似但皮及木理有異耳白榆先生葉却著莢皮白色剝之刮去上麁皺中極滑白

○按衍義云榆皮今初春先生莢者是去上皺澁乾枯者將中間嫩處剉乾磑為粉當荒歲農將以代食葉青嫩時收貯亦用以為羹茹嘉祐年過豊沛人缺

瘡榆白皮熟搗封之差○療身体暴腫滿榆皮搗屑隨多少雜米作粥食小便利○療妊娠小兆腹中或母病欲下胎榆白皮煑汁服二升治身体及頭忽生瘡取榆白皮細末令黃搗為散以好苦酒和塗上又以綿裹覆上蟲出即差○利小淋澀不利取榆白皮陰乾焙杵為末每日朝夜用水五合末二錢煎如膠服差孟詵云生皮主暴患赤腫以皮三兩搗和三年醋滓封之日六七易亦治女人妬乳腫服冊石人採葉生服一兩頓佳

皮涎　敷癬殺蟲立瘥解壓冊石尤靈生服一兩頓効為羹日飲水腫即消花主小兒驚癇亦利尿管閉澁實生有莢作醬能香因味微辛肺氣能助殺諸蟲消心腹惡氣併卒心疼療小兒塗痂疥頭瘡及諸癬疥莢作羹少和牛肉婦人食即止帶崩

乾漆　臣　味辛鹹氣溫屬金有水與火降也陰中陽也無毒半夏為之使

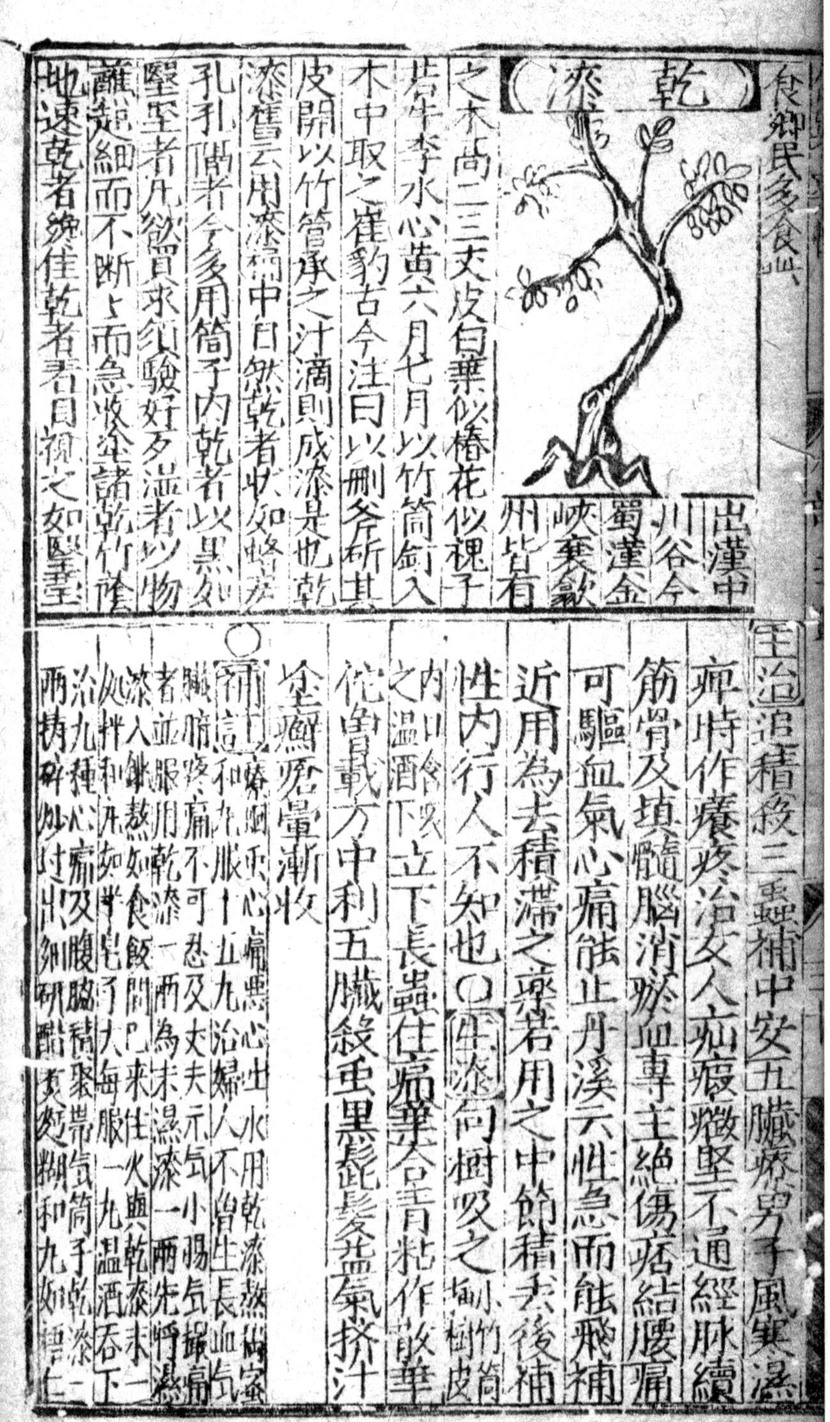

食禦民多食此

乾漆

出漢中川谷今蜀漢金峽襄歙州皆有

之木高二三丈皮白葉似椿花似槐子若牛李水心黄六月七月以竹筒釘入木中取之崔豹古今注曰以刪斧斫其皮開以竹管承之汁滴則成漆是也乾漆舊云用漆桶中自然乾者狀如蜂房孔孔隔者今多用筒子内乾者以黑如堅至者凡鑑貨求須驗好歹溢者以物蘸起細而不斷斷而急收又塗諸乾竹上陰地速乾者爲佳乾者看目視之如堅重

主治 追積殺三蟲補中安五臟療男子風寒濕痹時作癢疼治女人疝瘕癥堅不通經脈續筋骨及填髓腦消瘀血專主絶傷痞結腰痛可驅血氣心痛能止丹溪云性急而能飛補近用爲去積滯之藥若用之中節積去後補性内行人不知也○生漆向樹取之竹筒釘小樹皮内以盛汁之温酒下立下長蟲住痛舉大合呈青粘作散華佗曾載方中利五臟殺虫黑髭髮益氣搽汁塗癬瘡暈漸收

○補註 孩子心痛患心蟲出水用乾漆熬搗蜜和丸服十五丸治婦人不曾生長血氣臟痛疼痛不可忍及丈夫元氣小腸氣撮痛者並服用乾漆一兩爲末濕漆一兩先將濕漆入銚熬如食飯間已來住火與乾漆末一處拌和丸如梧子大每服一丸温酒吞下治九種心痛及腹脇積聚滞氣筒子乾漆二兩搗碎炒烟出細研醋煮麪糊和丸如梧子

黑者，堅剛，狀類蜂房，孔孔相隔者方美。須擇淨，飽器皿乾，懂入医方，搗作碎砂，炒以文火，畏長雞，弹忌油脂，又畏甜者，見則化水。漆瘡塗即愈。資半夏為使，令湯使隨宜。

蔓荊實

舊不載所出州土，今沂、京及秦、隴、胡、越州多有之。苗莖高四尺，对節生枝，初春因舊枝而生葉，類小楝，至夏盛茂，有花作穗，淺紅色，華黃白色，花下有青萼，至秋結实，班黑，如梧子許大而輕虛。八月依時採，陰乾，炒，研去衣，純用，惡烏頭、石

大，每服五丸，熱酒下，醋湯无時服。治小兒寒熱上諸證，危惡与癎相似，搗，炒煙盡，白湯

萬等分，為細末，米飲調下。治女人經血不行及癥瘕等病，以乾漆一兩，為麓末，炒令煙盡，牛膝末一兩，生地黃汁一升，入銀器中熬，候熬為丸，如梧子大，每服一丸，加至三五丸，酒飲下，以利為度。

蔓荊實　氣味苦辛甘，氣微寒，溫，陽中之陰，無毒。

太陽脾經藥。

主治　主筋骨寒熱，濕痺拘攣，理本經頭痛頭沉，昏悶，利關節，長鬚髮，通九竅，去白蟲，散風淫，明目，腦鳴，仍止齒動尤堅，久服耐老，輕身，令人光澤，脂緻。胃虛者禁服，恐作禍生痰。

太乙曰　凡使，去蒂子下白膜一重，用酒浸一伏時，後蒸，從巳至未，出，熬乾用。

牡荊實　味苦，氣溫，無毒。

主治　下肺氣，止欬逆，咽喉，通胃氣，除寒熱，骨節

蒸

牡荊實

一名黃荊生河澗南陽宛句山谷或平壽都鄉高岸田野蜀川湖襄閩廣江浙俱各叢生並非藤蔓有青黃二色惟取青者為上因莖堅勁欲以牡稱鄉人只呼黃荊法司用作箠杖葉似蓖麻更疎花紅帶白作穗實細而黃如麻子大或云即小荊也八月九月採實曝乾凡入藥中必炒研用惡石膏陶云荊木之華葉通神見鬼精葉香亦有花子子不入藥方衝則用牡荊牡荊子入藥北方人

通神見鬼又載仙方得枯實青葙療頭風甚驗（葉）主脚氣腫滿濕䘌溫瘡仍治霍亂轉筋血淋血痢（根）觧肌發汗煎服為宜頭肢體諸風敺逐悉效

荊瀝 多截莖條磚架火上炙熏瀝取兩頭流滴加姜汁傳送每瀝一盃加姜汁二茶匙

主治 消痰沫如神治老人中風失音昏危療小兒發熱驚癇抽搐氣實能食者宜服氣虛少食者忌之故丹溪云虛痰用竹瀝實痰用荊瀝二味俱開經絡行血氣要藥也

○補註 治濕瘑瘡方用荊枝燒瀝塗之效治小兒通耳方取蟲食荊子中白粉和油滴耳中日再之○頭風頭痛取荊瀝不限多少服集驗方同治痰腫方取荊瀝粉匕熱之療九竅出血方荊葉搗取汁酒和服二合治上卒痛燒荊木出黃汁傾之治心虛驚悸不定

略無識其本者六甲陰符說一名羊桭一名空疏理白而中虛斷植即生今羊桭斫植亦生而花實細神仙論云牡荊白即荊花白多子子麁大歷歷疎生不过三兩莖多不能圓或褊或異或多似竹節葉與餘荊不殊蜂多採牡荊牡荊汁冷而甜餘荊被燒則煙火氣苦牡荊躰慢汁實煙火不入燒法與竹瀝法同

【欒荊】

舊不載所出州郡生東山及淄州汾州葉都似石南乾亦白及經冬不凋葉上有細黑點者眞也今諸郡所出者枝莖白葉小圓而青色頗似榆葉

羸瘦方以荊瀝二升以火煎至一升六合分四服日三夜一集驗方同○姚氏下赤白痢五六年者燒大荊如臂取瀝服五六合即得差○蛇毒荊葉袋盛傳瘡腫上療瘡方荊木燒取汁傳之差

【栾荊葉】味辛苦氣溫有小毒決明為之使但有栾花功用又別非此花也

【主治】苗葉主大風頭面手足治諸風癩癎狂痙療濕寒疾理寒冷疼痛

【子實】味甘辛無毒

【主治】治四肢不遂主疏通血脉大能明目又益精光

【臣使】臣　味辛氣溫無毒苦[illegible]為之使

【主治】主五臟溫中利九竅解肌止頭痛風疼面腫引齒痛眩冒除身躰寒熱鼻塞有香臭不

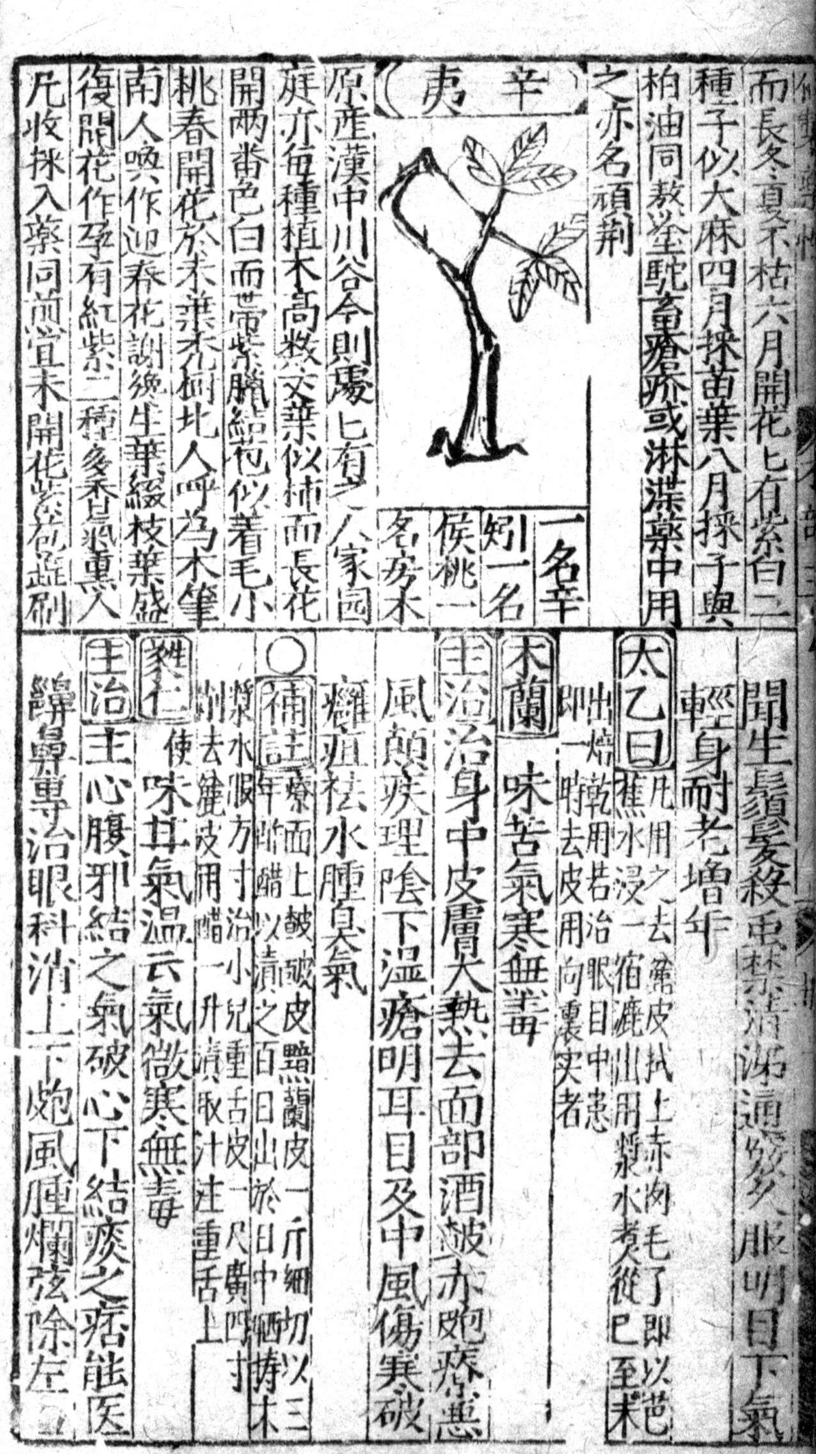
而長冬夏不枯六月開花七有紫白二種子似大麻四月採苗葉八月採子與柏油同熬塗駝畜瘡疥或淋渫藥中用之亦名頑荊

辛夷

一名辛矧 一名侯桃 一名房木

原產漢中川谷今則處處有之人家園庭亦每種植木高數丈葉似柿而長花開兩瓣色白而帶紫朧結苞似着毛小桃春開花於未葉之先樹北人呼為木筆南人喚作迎春花謝後生葉綴枝葉盛復開花作花有紅紫二種多香氣熏入凡收採入藥同前宜未開花紫花苞正剛

開生鬚髮殺蟲禁泄痢適發多服明目下氣輕身耐老增年

太乙曰 凡用之去麄皮拭上赤肉毛了即以芭蕉水浸一宿漉出用漿水煮從巳至未出焙乾用治眼目中患即一時去皮用向裏實者

木蘭 味苦氣寒無毒

主治 治身中皮膚大熱去面部酒皶赤皰瘡惡風癲疾理陰下癢瘡明耳目及中風傷寒破癰疽去水腫臭氣

○補註 療面上皶破皮黯䵟用木蘭皮一斤細切以三年醋漬之百日出於日中曬搗末漿水服方寸匕治小兒重舌皮一尺廣四寸削去麄皮用醋一升漬取汁注重舌上

辛夷 使 味辛氣溫云氣微寒無毒

主治 主心腹邪結之氣破心下結痰之痞能醫鼽齆鼻塞治眼科消上下炮風腫爛弦除左

夫非癸射人肺摘去心不致人煩悶
蒿蒲黃黃連石膏四藥惡石脂

木蘭

一名林蘭一名杜蘭生零陵山谷及泰山今湖嶺蜀川諸州皆有之木高數丈葉似菌桂亦有三道縱文皮如板桂有縱橫文香味劣於桂此與桂枝全別而韶州所生乃云與桂同是一種取外皮為木蘭中肉為桂心蓋是桂中之一種耳十一月十二月採陰乾用任昉述異記云木蘭川在潯陽江中多木蘭又七里洲中有魯班刻木蘭舟至今在洲中今詩家云木蘭舟出於此

背熱障努肉退火止淚益水生光【雞子】咳之

小兒鼻衄又服輕身益氣不飢

〇【補註】眼風痒生翳赤眥黃連為末蕤仁去皮研為膏與連末各等分和合收不蛀乾棗三枚截去頭少許去核以二物填滿却取所割下棗頭合定以薄綿裹之用大茶碗量水於銀器中文武火煎取一雞子以綿濾過待冷點眼極妙

【太乙曰】凡使先湯浸去皮尖擘作兩片用芒硝木通草二味和蕤仁同水煮一伏時後漉出去諸般藥取蕤仁研成膏任加減入藥中使每修事四兩用芒硝一兩木通草七兩

【釣藤】味甘苦氣微寒無毒

【主】治專醫稚幼不理別科寒熱驚癇手足瘈瘲者煮覓胎風客忤口眼抽搐者宜求因莖長中虛可鑽隙盜酒小人每取蔵置甕中口含暑吸引之酒出涓涓不斷

〇【補註】治小兒卒得癇病用二分甘草炙二分水五合煮取二合服或如小棗大日五

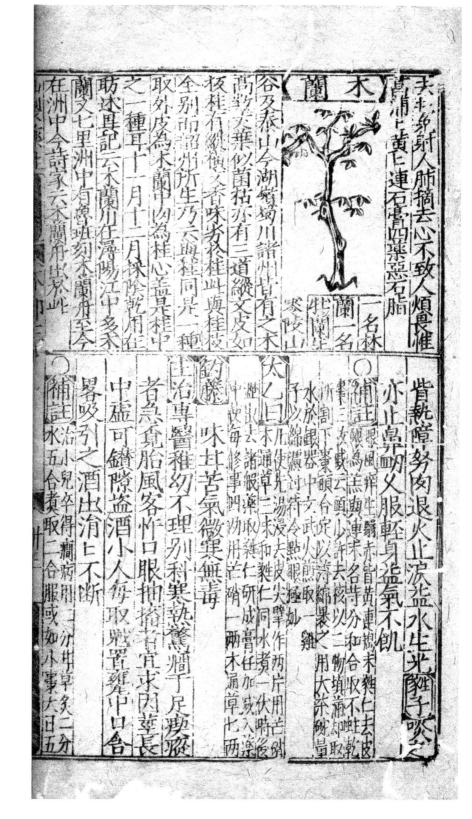

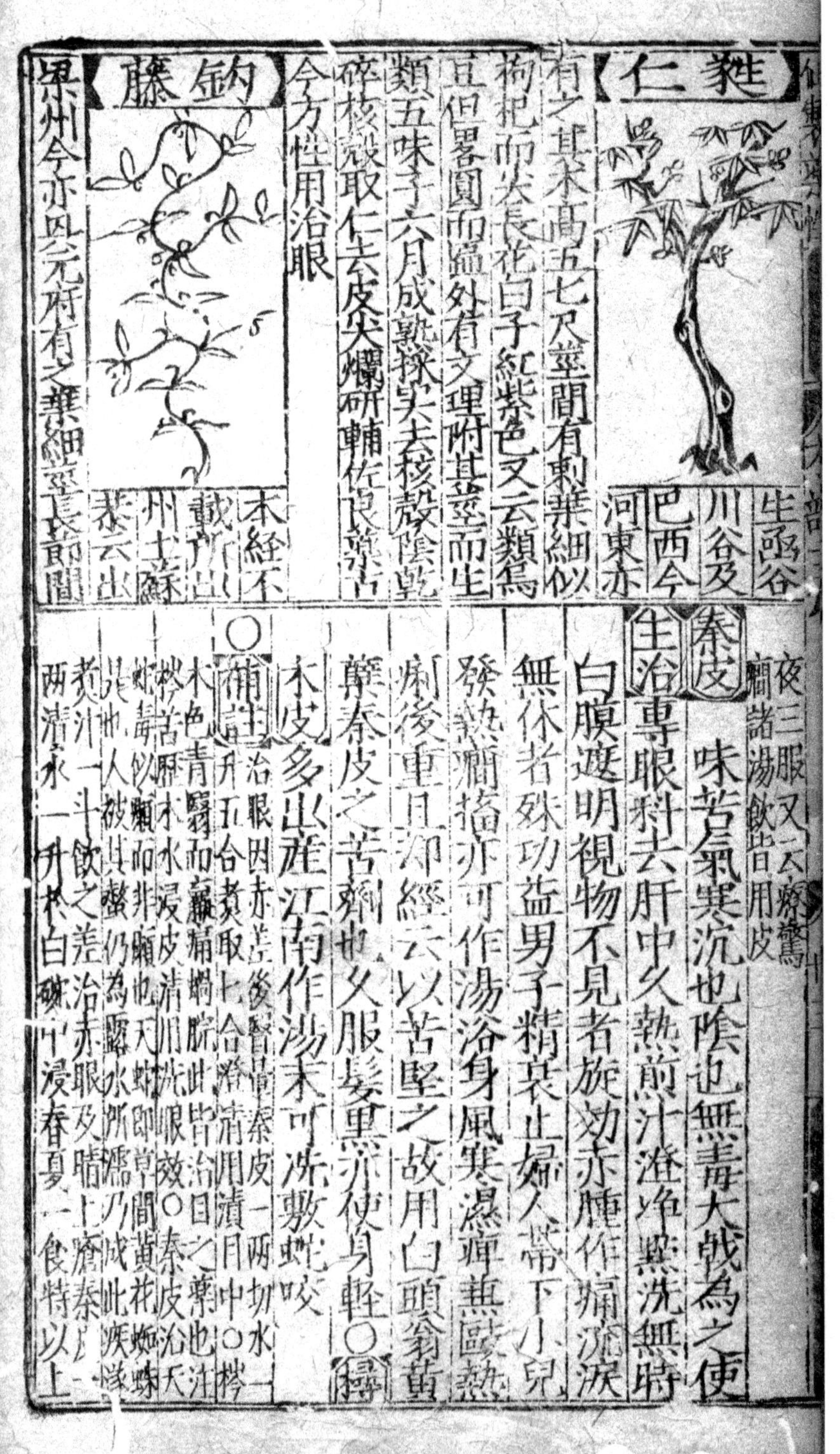

蕤仁

生函谷川谷及巴西今河東亦

有之其木高五七尺莖間有刺葉細似枸杞而尖長花白子紅紫色又云類鷰薁但畧圓而扁外有文理附其莖而生類五味子六月成熟採實去核殼陰乾碎核殼取仁去皮尖爛研輔佐良藥古今方性用治眼

鈎藤

本經不載所出州土蘇恭云出

梁州今亦出完府有之葉細莖長節間

夜三服又云療驚癇諸湯飲皆用皮

秦皮 味苦氣寒沉也陰也無毒大戟為之使

生治 專眼科去肝中久熱煎汁澄净點洗無時白膜遮明視物不見者旋効赤腫作痛流淚無休者殊功益男子精衰止婦人帶下小兒發熱癇搐亦可作湯浴身風寒濕痺兼毆熱痢後重日華經云以苦堅之故用白頭翁黃蘗秦皮之苦劑也久服髮重黑亦使身輕○

[illegible] 木皮多出江南作湯末可洗數蛇咬

○補註 治眼因赤差後昬暗秦皮一兩切水一升五合煮取七合澄清用漬目中○梣木色青翳而羸痛蝸脘此皆治目之藥也汁梣苦歷木水浸皮清用洗眼效○秦皮治天蛇毒似癩而非癩也天蛇即草間黃花蜘蛛是也人被其螫仍為露水所濡乃成此疾以煮汁一斗飲之差治赤眼及睛上瘡秦皮一兩清水一升於白碗中浸春夏一食時以上

有刺因類釣鉤故名釣藤二月採收取皮日曬

秦皮

一名岑皮一名石檀一名盆桂

生庐江川谷及冤句今陝西州郡及河陽亦有之木類檀木根同槐根葉如匙頭小光皮多白點不糙俗因呼為白樳木又呼石檀樹苦樹咸取像焉秋末採皮陰乾待用漬水色侵碧書紙上面暑青此驗綫真凡求勿悞使大戟惡吴茱萸苦瓠防葵

着碧色出即以筋頭蘸綿仰卧點所患眼仍先從大眥中滿眼著微痛不畏良久三五錠間即側卧瀝去熱汁每日十度已上着不過

密蒙花

味甘氣平微寒無毒

主治　專治眼科去青盲膚翳止眵淚赤澀消赤脈貫睛內障除疳毒侵眥外遮理小兒麩豆及瘡氣攻眼

太乙曰　凡使先揀令淨用酒浸一宿漉出候乾却拌蜜令潤蒸從卯至酉出日乾如此拌蒸三度又却日乾用每修事一兩用酒八兩浸待色變用蜜半兩蒸為度此元名水綿花

欒華

味苦氣寒無毒決明為之使

主治　主目痛淚出傷眥消目腫南人取以合黃連作煎療目赤爛甚效

○按衍義云欒華今長安山中亦有其子即謂之木欒子攜至京都為數珠未見其入藥

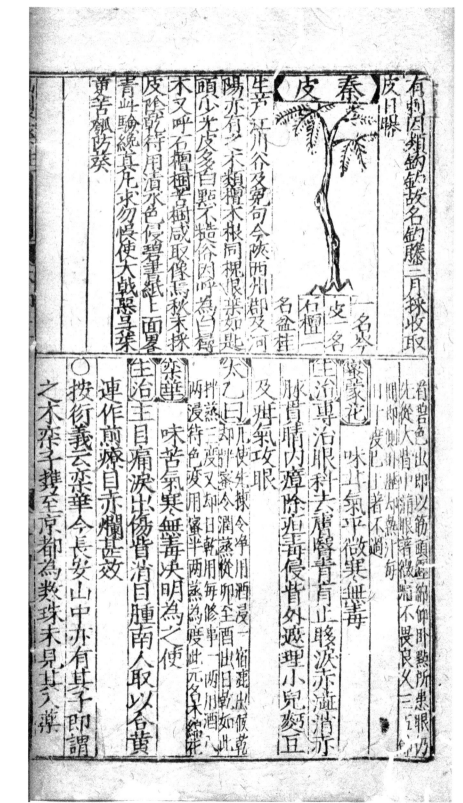

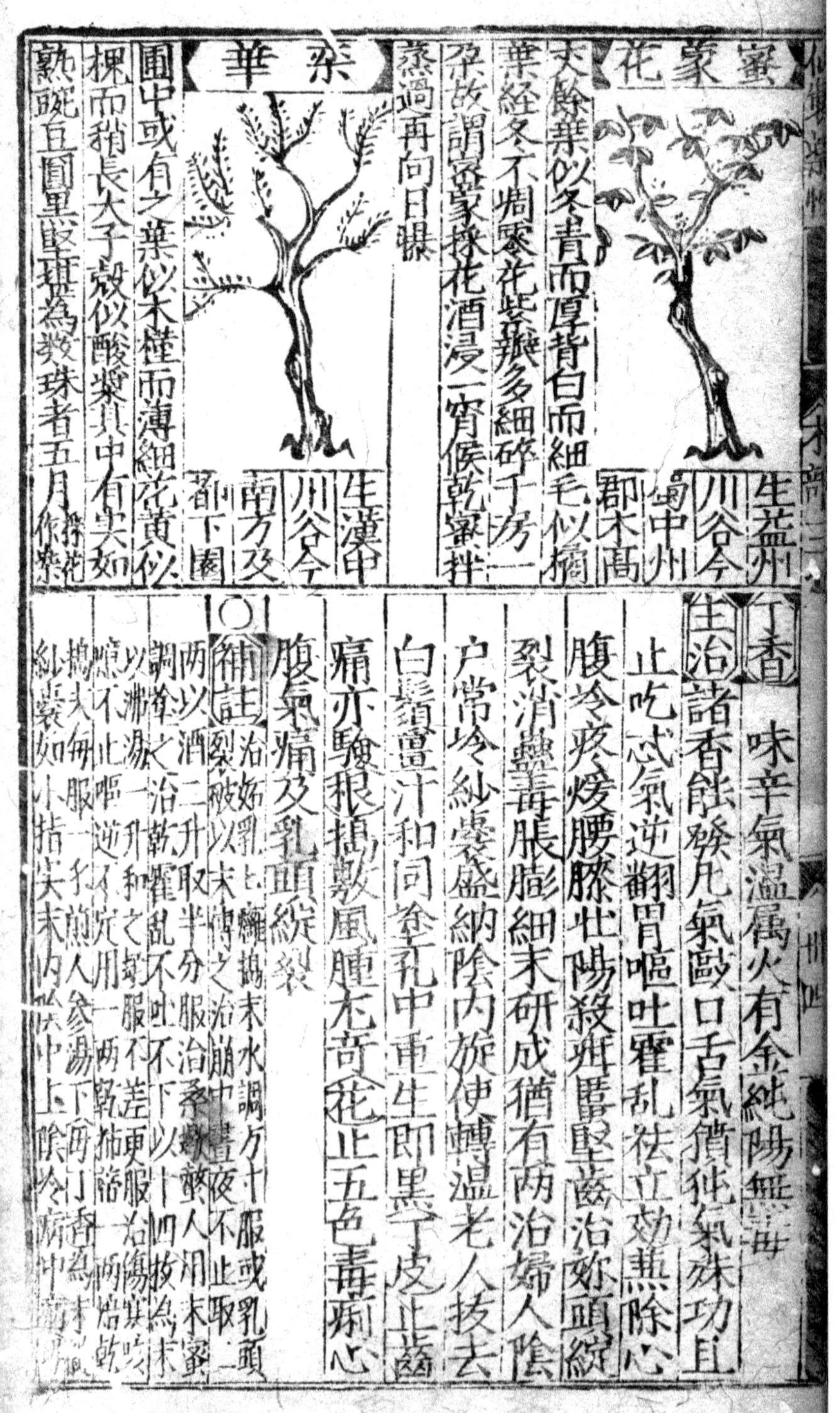

蜜蒙花

生益州川谷今蜀中州郡木高丈餘葉似冬青而厚背白而細毛似橘葉經冬不凋零花紫蕊多細碎子房一孕故謂蜜蒙採花酒浸一宿候乾蜜拌蒸過再向日曝

栾華

生漢中川谷今南方及都下園圃中或有之葉似木槿而薄細花黃似槐而稍長大子殼似酸漿其中有實如熟豌豆圓黑堅硬為數珠者五月採花作染

丁香　味辛氣溫屬火有金純陽無毒

生治　諸香能發凡氣毆口舌氣積結氣殊功且止吐忒心氣逆翻胃嘔吐霍乱袪立効兼除心腹冷疼煖腰膝壯陽殺疳䘌堅齒治嬭頭綻裂消蠱毒脹膨細末研成猶有兩治婦人陰户常冷紗囊盛納陰内旋使轉溫老人拔去白鬚薑汁和同塗孔中重生即黑丁皮止齒痛亦驗根搗敷風腫木奇花止五色毒痢心腹氣痛及乳頭綻裂

○補註　治嬭乳上癰搗末水調方寸服或乳頭裂破以末傅之治崩中晝夜不止取一兩以酒二升取半分服治產[illegible]敷人用末蜜調塗之治乾霍乱不吐不下以十四枚為末以沸湯一升和之頓服不差更服治傷寒咳噦不止嘔逆不定用一兩乾柿蒂一兩焙乾搗末每服一錢煎人參湯下每丁香為末[illegible]紗囊如小指尖末内喉中上喉冷病中[illegible]

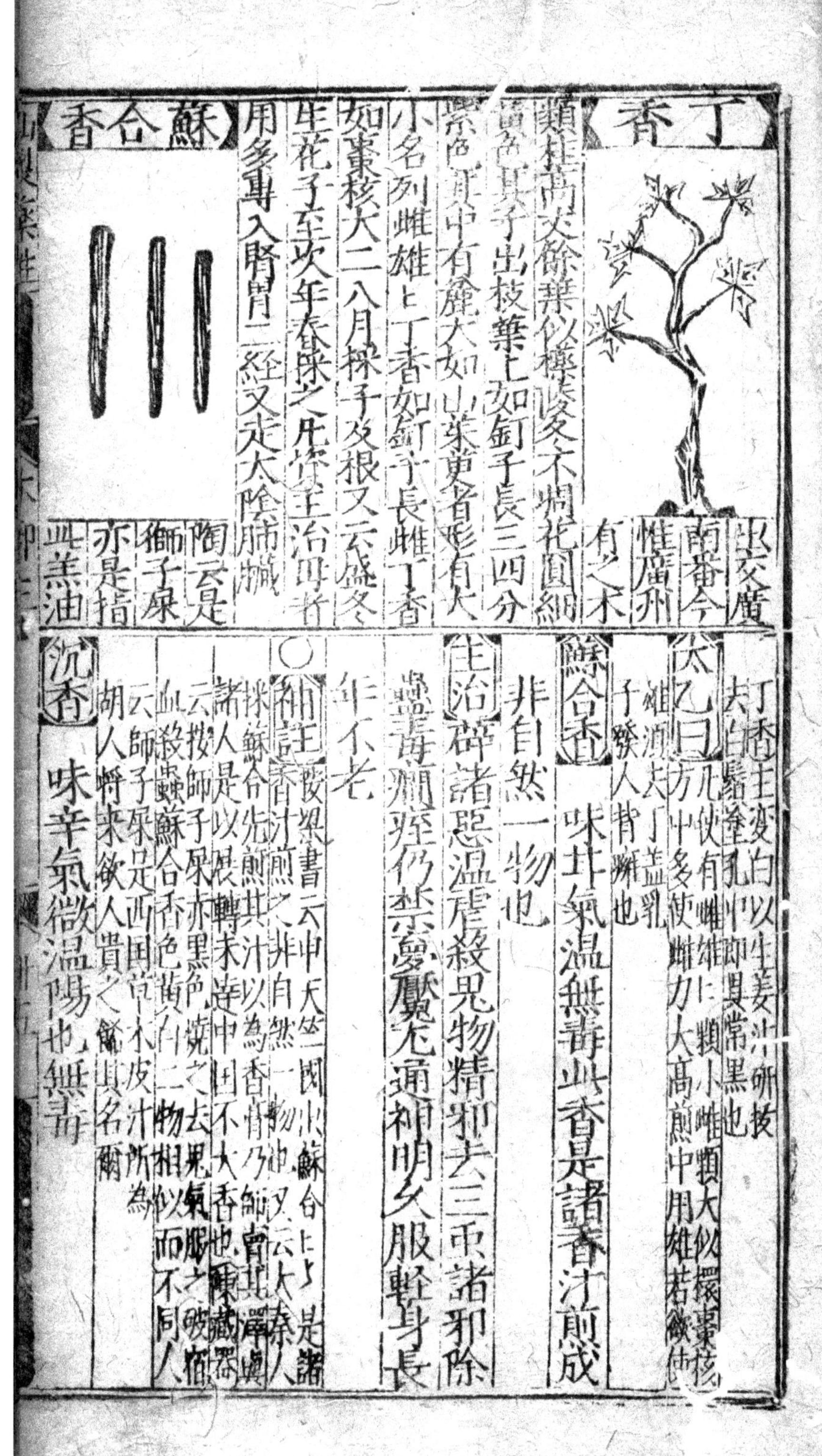

丁香

類桂高丈餘葉似櫟淩冬不凋花圓細黃色其子出枝蘂上如釘子長三四分紫色其中有麄大如山茱萸者俗有大小名列雌雄々丁香如釘子長雌丁香如棗核大二八月採子及根又云盛冬生花子至次年春採之凡使宜治母者用多專入腎胃二經又走太陰肺臟

出交廣南番今惟廣州有之木

蘇合香

陶云是獅子屎亦是指此羔油

丁香主變白以生姜汁研按去白鬚塗孔中即異常黑也

【太乙曰】凡使有雌雄々顆小雌顆大似棗核方中多使雌力大高煎中用雄若欲使雄須去丁盖乳子發人背癰也

【蘇合香】味甘氣溫無毒此香是諸香汁煎成非自然一物也

【主治】辟諸惡溫瘧殺鬼物精邪去三虫諸邪除蠱毒癇痓仍禁夢魘尤通神明久服輕身長年不老

○【補註】按梁書云中天竺國出蘇合々是諸香汁煎之非自然一物也又云大秦人採蘇合先煎其汁以為香膏乃賣其滓與諸人是以展轉來達中國不大香也陳藏器云按師子屎赤黑色燒之去鬼氣服之破宿血殺蟲蘇合香色黃白二物相似而不同人云師子屎是西國草木皮汁所為胡人將來欲人貴之飾其名爾

【沈香】味辛氣微溫陽也無毒

者亦言之耳然獅子屎極臭燒之可辟邪
固知非此也蘇云從西域及崑崙來紫
赤色與紫真檀相似堅實極芬香惟重
如石燒之灰白者好云是獅子屎此是
胡人誑言陶不悟之猶以為疑也

沉香

青桂香 雞骨香 馬蹄香 牛頭香

棧香同是一本舊不著所出州土今惟
海南諸國及交廣崖州有之其木類椿
櫸多節葉似橘花白子似檳榔大如桑
椹紫色而味辛交州人謂之蜜香欲取
之先斷其積年老木根經年其外皮幹
俱朽爛其木心與枝節不壞者即香也

【主治】補相火益陰助陽養諸氣通天徹地轉筋
吐瀉能止禁口痢痛可敺○又浮而不沉水
者名【棧香】此品最麄半浮半沉與水面平者
名【煎香】此品畧次煎香中形如雞骨者名【雞
骨香】凡入藥劑惟沉而不空心者為上若雞沉水而有空心則是雞骨謂中空而有
朽路若雞骨中血眼而軟嫩也形如馬蹄者名【馬蹄香】形如
牛頭者名【牛頭香】並與沉香種同亦皆品之粗者有粗用入劑惟發熏衣

○【補註】沉香按正經生南海山谷味苦溫無毒
主心腹痛霍亂中惡邪鬼疰清人神並
宜酒煮服之諸瘡腫宜入膏中當以水試乃
知子細沉者為沉香浮者為檀似雞骨為雞
骨香似馬蹄者為馬蹄香似牛頭者為牛頭
香枝條細實者為青桂麄重者為棧香已上
七件並同一樹梵
云波津亦此香也

【太乙曰】沉香凡使須要不枯者如觜角硬重沉
於水下為上也半沉者次也夫入丸散

細枝緊實未爛者為青桂香堅黑沉水燔極清烈故名沉香但種類有精粗先買須當選擇黃沉結鷓鴣斑者方是角沉似牛角黑者為然二種雖精尚未及善價貴主治亦可取功若咀軟氣誠削自卷此又名黃蠟沉也品極精亦得者罕稀燻病如神入藥甚捷堪為丸作散忌日曝火炙又有半浮半沉與水面平者為雞骨最麄者為棧香又為棧香中形如雞骨者為雞骨香形如馬蹄者為馬蹄香然今人有得沉香奇好者往上亦作雞骨形不必獨是棧香也其又雜不堪藥用者為生結黃熟香其實一種有精麄之異耳近採無時嶺表錄異云廣管羅州多棧香如柏柳其花白而繁

中用須候煎藥出乃入拌和用之

○衍義云沉香保固衛氣為上品藥今人多與烏藥摩服走散滯氣獨行則勢弱與他藥相佐當緩取効有益無損餘藥不可方也

檀香　味辛氣溫陽中微陰無毒

主治　專入肺腎臟通行陽明經醋摩敷惡毒止疼水煎升胃氣進食腹痛霍乱可却中惡鬼氣能祛治腎氣諸痛腹痛消風熱腫毒殺虫

○補註　諸痛霍乱腎氣腹痛濃煎汁服○外腎腰痛水磨傅效

紫真檀香　味鹹氣微寒無毒

主治　主諸腫惡毒風毒醋磨塗效療金瘡止血止痛為末傅亦治淋心腹痛霍乱祛中惡鬼氣殺蟲

皮堪作紙名為香皮紙灰白色有文如魚子牋其理慢而弱沾水即爛不及諸紙亦無香氣又云與沉香雞骨黃熟雖同是一木而根幹枝節各有分別者是也然此香之奇異最多品故相丁謂在海南作天香傳言之尽矣云四香凡四十二狀皆出於一本木体如白楊葉如冬青而小又叙所出之地云真化高雷中國出香之地也比海南者優劣不侔甚矣既所禀不同復售者多而取者速是以黃熟不待其稍成是盖趨利伐賊之深也

檀香

不如檀有數種黃白紫之異蘇

白檀 消熱腫

○補註 止血止痛至妙凡裹縛瘡用故布帛不寬不急如繫衣帶即好一切腫以末及米醋和傅腫上治金瘡止血急刮末傅之

○按東垣云檀能調氣而清香引芳香之物上行至於極高之分最宜橙橘之屬佐以薑棗併葛根豆蔻縮砂益智通行陽明之經在胸膈之上處咽嗌之中同為理氣之劑也

降真香 味甘辛氣溫平無毒熱烟直上天召鶴成群盤旋於上

主治 主天行時疫狂熱毆宅舍怪異燒熏小兒帶之辟惡邪氣

乳香 味辛苦氣溫陽也無毒

主治 補腰膝益精下氣止霍乱邪惡諸疼痛癮

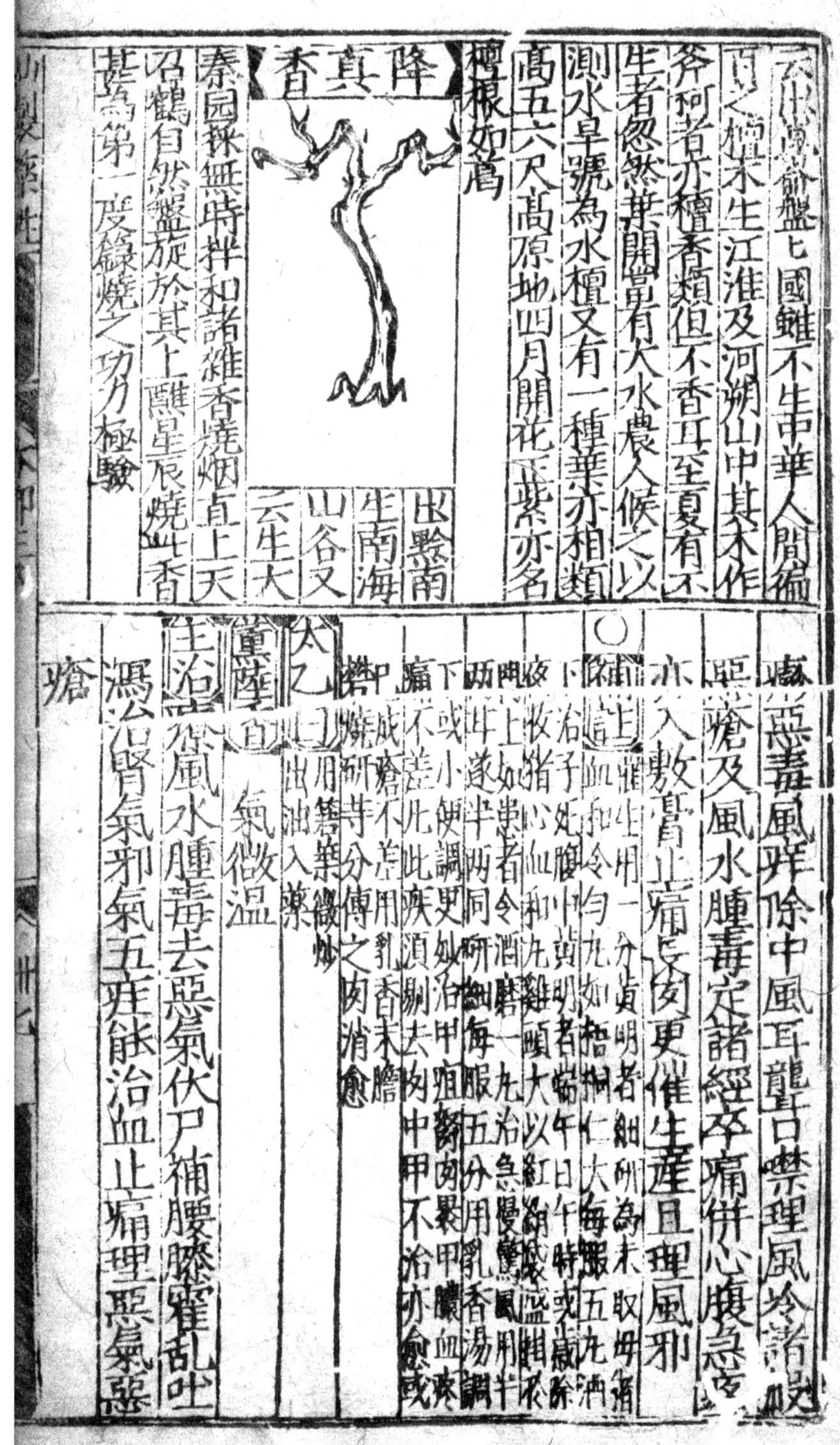

云出崑崙盤盤國雖不生中華人間徧有之檀木生江淮及河朔山中其木作斧柯者亦檀香類但不香耳至夏有不生者忽然葉開當有大水農人候之以測水旱號為水檀又有一種葉亦相類高五六尺高原地四月開花正紫亦名檀根如鳥

降真香

出黔南生南海山谷又云生大秦國採無時拌和諸雜香燒烟直上天召鶴自然盤旋於其上醮星辰燒此香甚為第一度籙燒之功力極驗

療惡毒風瘡除中風耳聾舌噤理風冷諸氣腫瘡及風水腫毒定諸經卒痛併心腹急痛亦入敷膏止痛長肉更催生產且理風邪

○治吐雜生用一分真明者細研為末取母猪血和令均丸如指頭大每服五丸酒下治子死腹中黃明者當午日午時或歲除夜收豬心血和丸雞頭大以紅絹袋盛掛於門上如患者令酒磨一丸治急慢驚風用半兩乳香遂半兩同研細每服五分用乳香湯調下或小便調更妙治甲疽弩肉裹甲膿血疼痛不差此此疾須剔去肉中甲不治亦愈或中成瘡不差用乳香末膽礬燒研等分傅之肉消愈

太乙曰用箸藥微炒出油入藥

薰陸香　氣微溫

主治惡瘡風水腫毒去惡氣伏尸補腰膝霍亂吐瀉治腎氣邪氣五疳能治血止痛理惡氣惡瘡

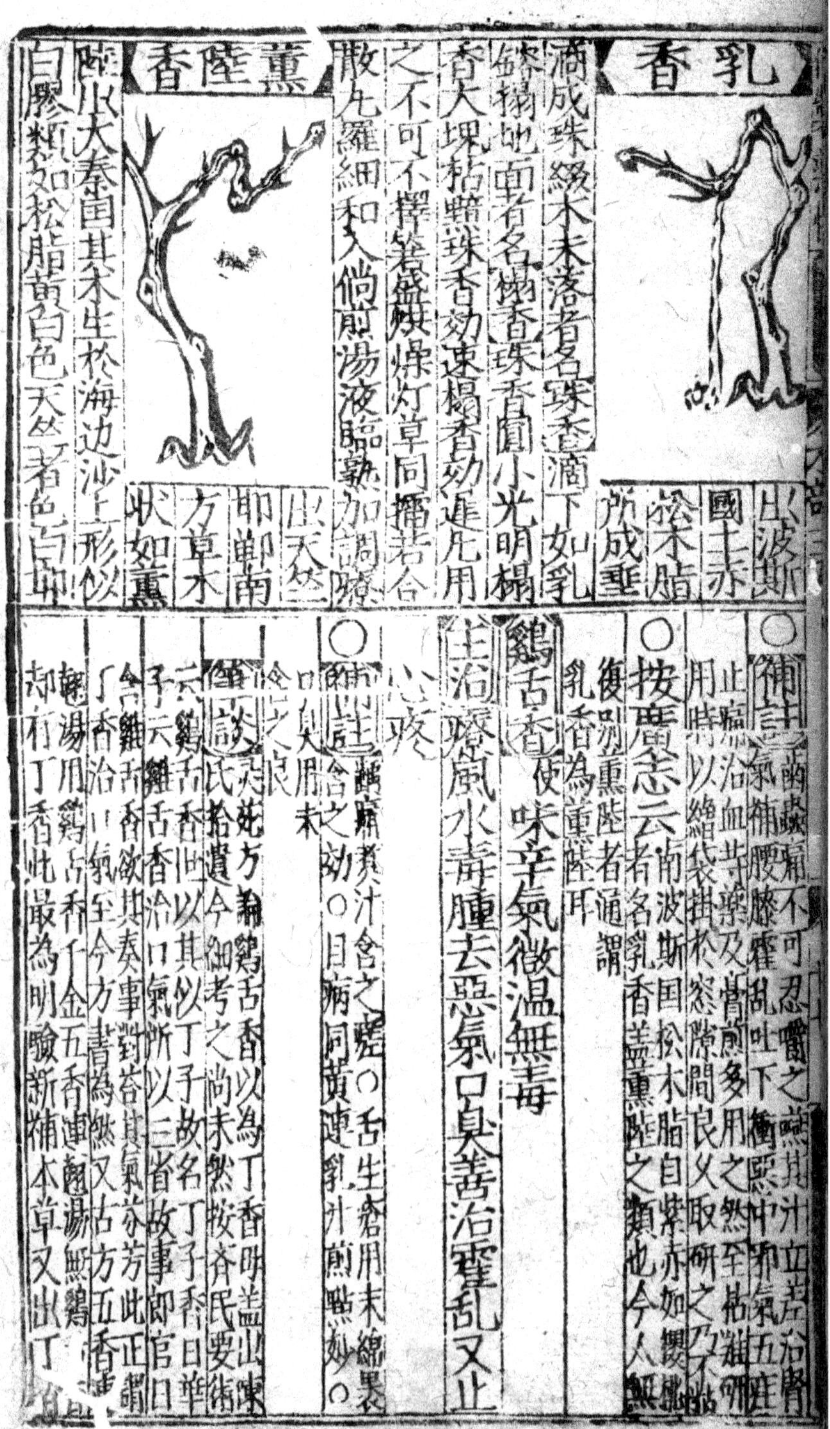

乳香

出波斯國土赤松木脂所成垂滴成珠綴木未落者名珠香滴下如乳鎔搨地面者名搨香珠香圓小光明搨香大塊粘雜珠香劾速搨香劾遲凡用之不可不擇箸焼燥灯草同擂若合散先羅細和入倘煎湯液臨熟加調隨

薰陸香

出天竺即鄭南方草木状如薰陸出大秦国其木生於海边沙上形似白膠類如松脂黄白色天竺者色白如

○補註齒蟲痛不可忍嚼之熱其汁立差治腎氣補腰膝霍亂吐下衝惡中邪氣五疰止痛治血并藥及膏煎多用之然至粘難研用時以繒袋掛於窓隙間良久取研之乃不粘

○按廣志云南波斯国松木脂自紫赤如櫻桃者名乳香蓋薰陸之類也今人無復别薰陸者通謂乳香為薰陸耳

鷄舌香 使 味辛氣微温無毒

主治 療風水毒腫去惡氣口臭善治霍乱又止心疼

○附註齲齒痛煮汁含之瘥○舌生瘡用末綿裹含之効○目病同黄連乳汁煎點妙○口臭用末含之良

衍義曰氏究苑方稱鷄舌香以為丁香母盖出陳氏拾遺今細考之尚未然按齊民要術云鷄舌香世以其似丁子故名丁子香日華子云雞舌香治口氣所以三省故事郎官日含雞舌香欲其奏事對荅其氣芬芳此正謂丁香治口氣至今方書為然又古方五香連翹湯用鷄舌香千金五香連翹湯無鷄舌却有丁香此最為明驗新補本草又出丁香

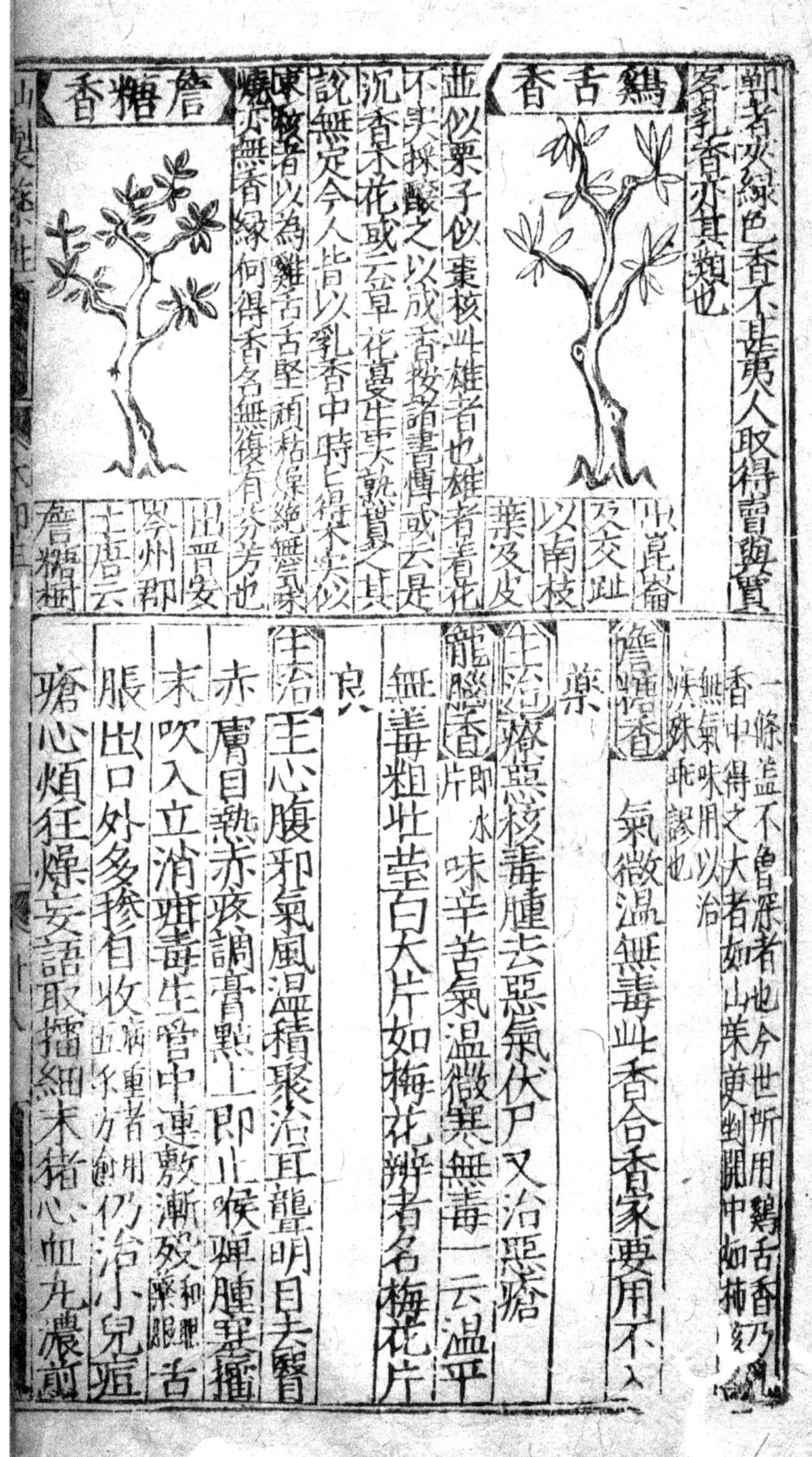
郎者次綠色香不甚黃人取得賣與賈
客乳香亦其類也

鷄舌香

出崑崙
及交趾
以南枝
葉及皮

並似栗子似棗核此雄者也雄者着花
不實採花釀之以成香按諸書傳或云是
沉香木花或云草花蔓生實大熟貫之其
說無定今人皆以乳香中時乞得木實似
東棗核者以為雞舌香堅頑枯燥絕無氣
爍亦無香緣何得香名無復有芬芳也

詹糖香

出晉安
岑州郡
吉唐云
詹糖樹

一條盖不曾深者也今世所用鷄舌香乃
香中得之大者如山茱萸剉開中如柿核無氣味用以治疾殊非謬也

詹糖香　氣微溫無毒此香合香家要用不入
藥

主治　療惡核毒腫去惡氣伏尸又治惡瘡

龍腦香即水片　味辛苦氣溫微寒無毒一云溫平
無毒粗壯瑩白大片如梅花瓣者名梅花片
良

主治　主心腹邪氣風濕積聚治耳聾明目去瞖
赤膚目熱赤疼調膏點上即止喉痺腫塞擂
末吹入立消班毒生管中連數漸殺和胆嚥服舌
脹出口外多挫自收病重者用五分勻仍治小兒痘
瘡心煩狂燥妄語取擂細末豬心血丸濃煎

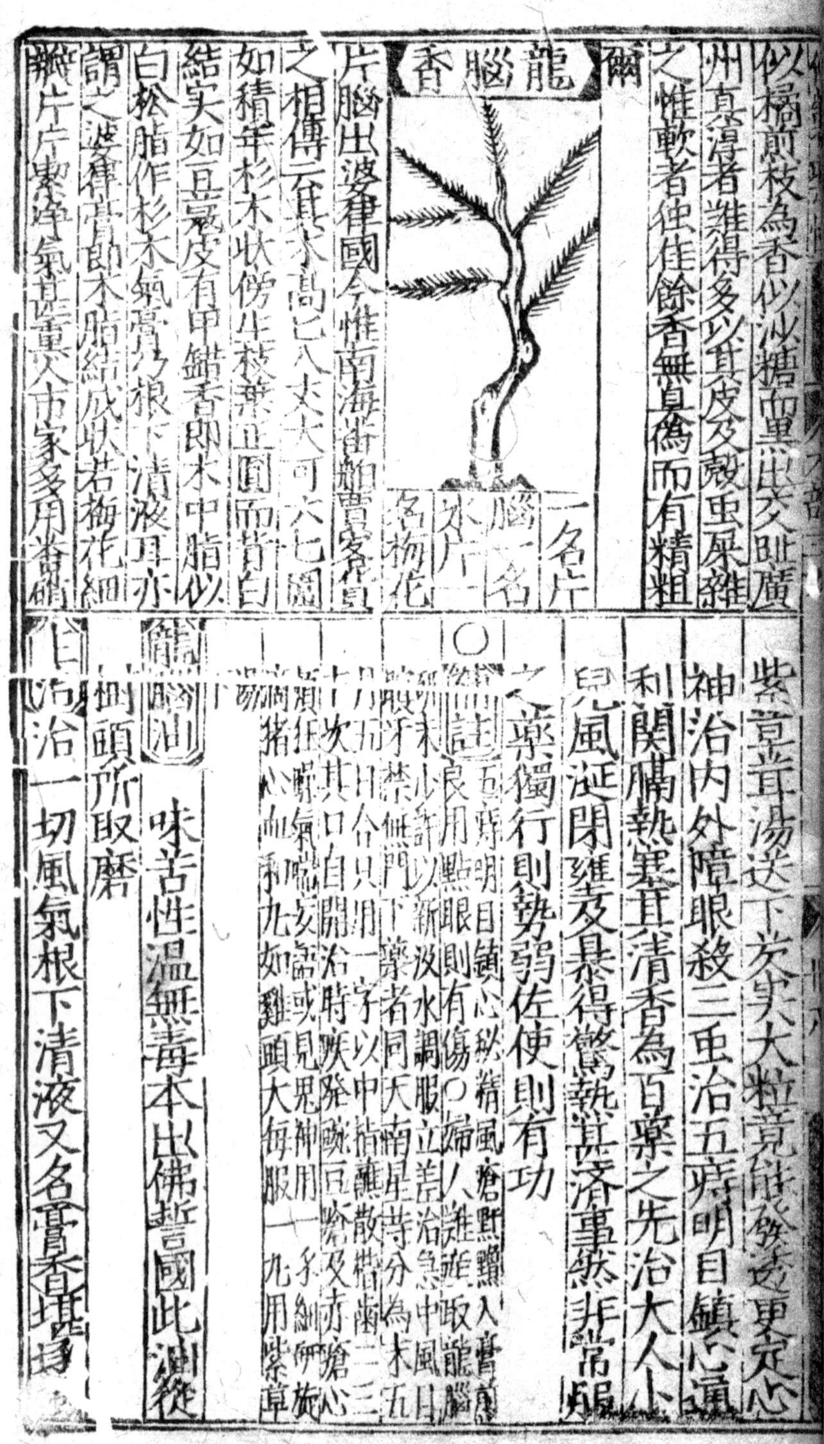
似橘煎枝為香似沙糖而黑出交趾廣州真滑者難得多以其皮及殼蛀屎雜之惟軟者佳餘香無臭偽而有精粗

圖

龍腦香

一名片腦一名冰片一名梅花

片腦出婆律國今惟南海番舶賈客貨之相傳云其木高七八丈大可六七圍如積年杉木狀傍生枝葉正圓而背白結實如豆蔻皮有甲錯香即木中脂似白松脂作杉木氣膏乃根下清液耳亦謂之婆律膏即木脂結成狀若梅花細瓣片片爽淨氣甚香重入市家多用番硝

紫菀茸湯送下若果大粒竟能發透更定心神治内外障眼殺三虫治五痔明目鎮心氣利關膈熱塞耳清香為百藥之先治大人小兒風涎閉壅及暴得驚熱甚濟事然非常服之藥獨行則勢弱佐使則有功

○治五痔明目鎮心秘精風瘡點䁾入膏煎良用點眼則有傷○婦人難産取龍腦研末少許以新汲水調服立差治急中風目瞑牙禁無門下藥者同天南星等分為末五月五日午時只用一字以中指蘸散揩齒二三十次其口自開治時疾發豌豆瘡及赤瘡心煩狂躁氣喘妄語或見鬼神用一錢細研旋滴猪心血和丸如雞頭大每服一丸用紫草湯下

龍腦油　味苦性温無毒本出佛誓國此油從樹頭所取磨

主治　治一切風氣根下清液又名膏香堪塌

者碎者貴重色蒼如砂細碎龍腦輕浮索白片上相併細認自別磁缸藏貯灯草務加不致耗蝕○陽雜俎說此木有肥瘦瘦者出龍腦香其香在木心波斯斷其木剪取之肥者出婆律膏其膏於木端流出斫木作坎而承之與說大同而小異耳又云南海山中亦有此木唐天寶中交趾貢龍腦皆如蟬蠶之形彼人云老根節方有之然極難得禁中呼為瑞龍腦帶之衣襟香聞十餘步外是後不聞有此今海南龍腦多用火煏成片其中亦容雜偽入藥惟貴生者狀若梅花瓣甚佳也

涎可通關竅

○按丹溪云龍腦屬火世知其寒而通利然達其熱而輕浮飛越局方但喜香而貴細動輟與麝同為桂附之助然人身之陽易動陰易虧幸思之節齋又云龍腦大辛善走故能散熱通利結氣醫方目痛喉痺下疳多用之者取辛散也人欲死者吞之氣散盡也世人誤以為寒不知辛散性甚似乎凉耳諸香皆屬陽豈有香之至者而反寒乎

樟腦　味苦辛氣溫有小毒

主治　療齒痛殺三蟲治疥瘡辟汗氣

相思子　氣平有小毒

主治　通九竅治心腹氣令人香止熱悶頭痛風

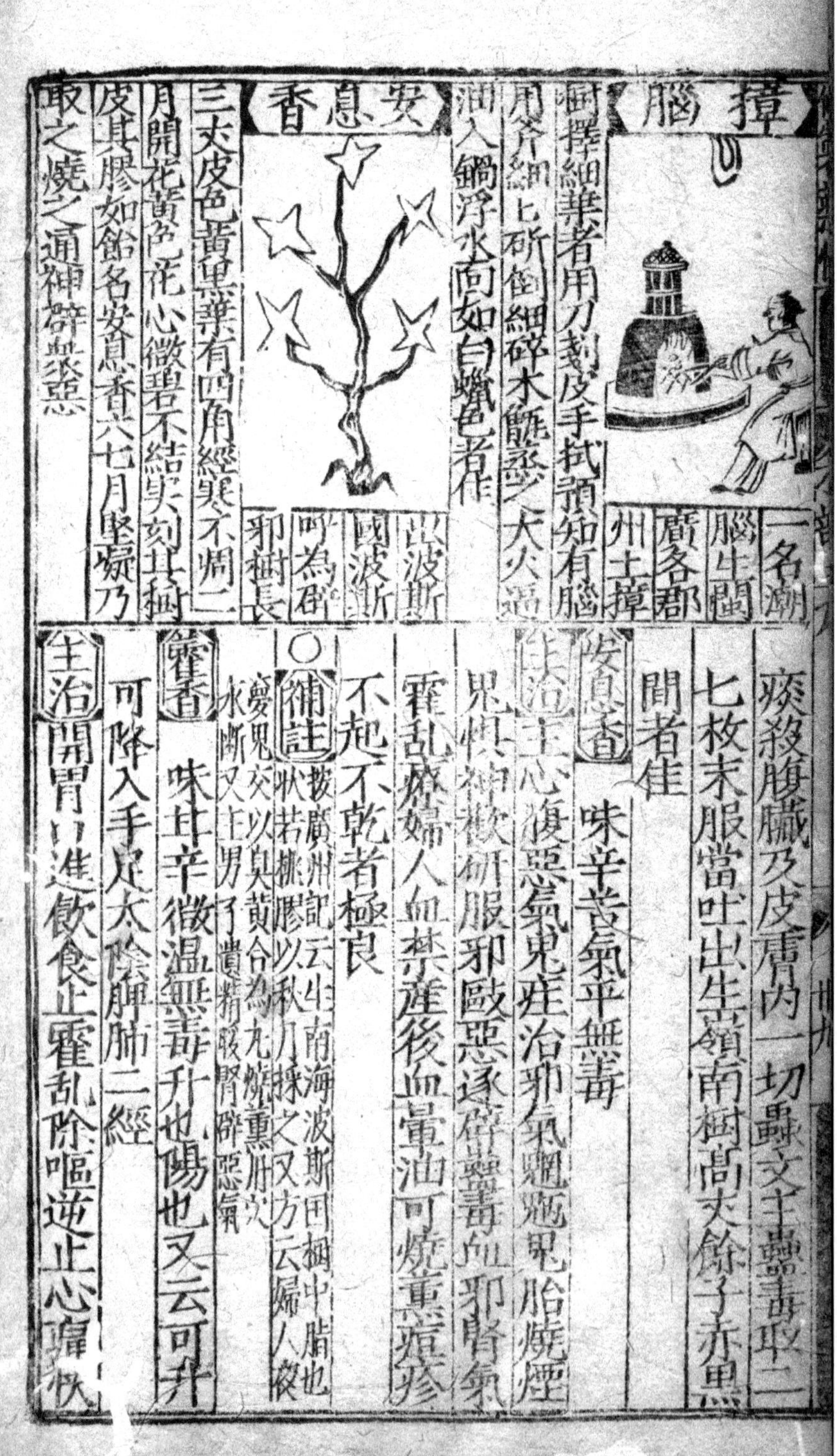

樟腦

一名潮腦生韶廣各郡州土樟樹搾細菓者用刀剗皮手拭預知有腦用斧細細斫碎木甑蒸大火逼潤入鍋浮水面如白蠟色者佳

安息香

出波斯國波斯呼為辟邪樹長三丈皮色黃黑葉有四角經寒不凋二月開花黃色花心微碧不結實刻其樹皮其膠如飴名安息香六七月堅凝乃取之燒之通神辟衆惡

瘀殺腹臟及皮膚内一切蟲文壬蠱毒取二七枚末服當吐出生嶺南樹高丈餘子赤黑聞者佳

【安息香】味辛苦氣平無毒

【主治】主心腹惡氣鬼疰治邪氣魍魎鬼胎燒煙鬼惧神歡研服邪毆惡逐辟蠱毒血邪腎氣霍乱療婦人血禁産後血暈油可燒薰瘡疹不起不乾者極良

○【補註】按廣州記云生南海波斯国樹中脂也狀若桃膠以秋月採之又方云婦人夜夢鬼交以臭黄合為丸燒薰丹穴永断又主男子遺精暖腎辟惡氣

【藿香】味甘辛微温無毒升也陽也又云可升可降入手足太陰脾肺二經

【主治】開胃以進飲食止霍乱除嘔逆止心痺狀

藿香

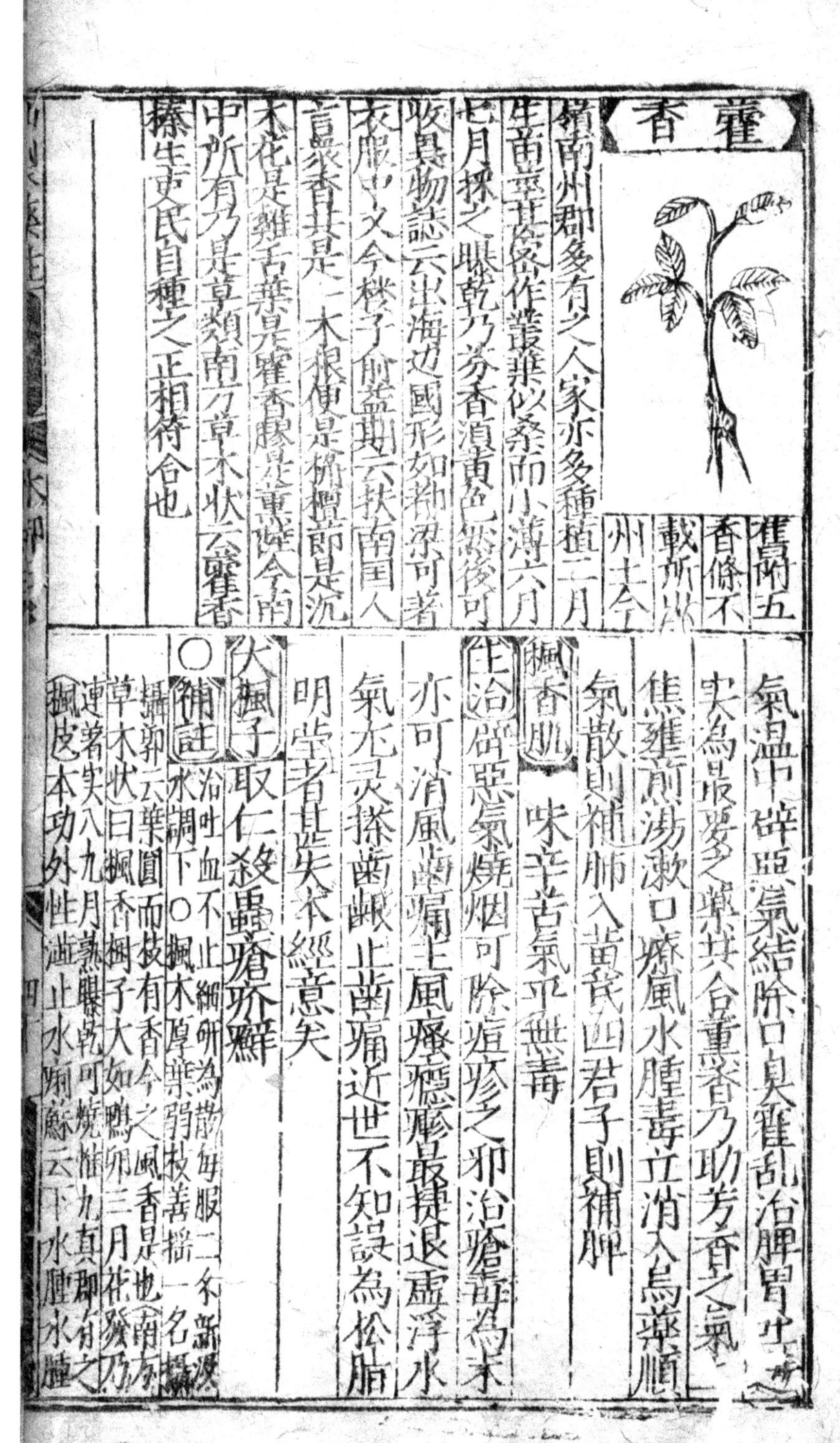

舊附五香條不載所出州土今嶺南州郡多有之人家亦多種植二月生苗莖梗甚密作叢葉似桑而小薄六月七月採之曝乾乃芬香須黃色然後可收異物誌云出海边國形如都梁可著衣服中又今樣子俞益期云扶南國人言衆香共是一木根便是旃檀節是沉木花是雞舌葉是藿香膠是薰陸今南中所有乃是草類南方草木狀云藿香榛生吏民自種之正相符合也

氣溫中辟惡氣結除口臭霍乱治脾胃吐逆實為最要之藥其合薰香乃助芳香之氣焦進煎湯漱口療風水腫毒並消入烏藥順氣散則補肺入黃芪四君子則補脾

楓香脂　味辛苦氣平無毒

主治　辟惡氣燒烟可除疽疹之邪治瘡疥為末亦可消風齒痛上風癢癮疹最捷退虛浮水氣尤灵搽齒齦止齒痛近世不知誤為松脂明堂者甚失本經意矣

大楓子　取仁殺蟲瘡疥癬

○補註　治吐血不止細研為散每服二錢新汲水調下○楓木厚葉弱枝善搖一名攝攝郭云葉圓而岐有香今之楓香是也南方草木狀曰楓香樹子大如鴨卵三月花發乃連著實八九月熟曝乾可燒惟九真郡有之

楓皮　本功外性澁止水痢蘇云下水腫水腫

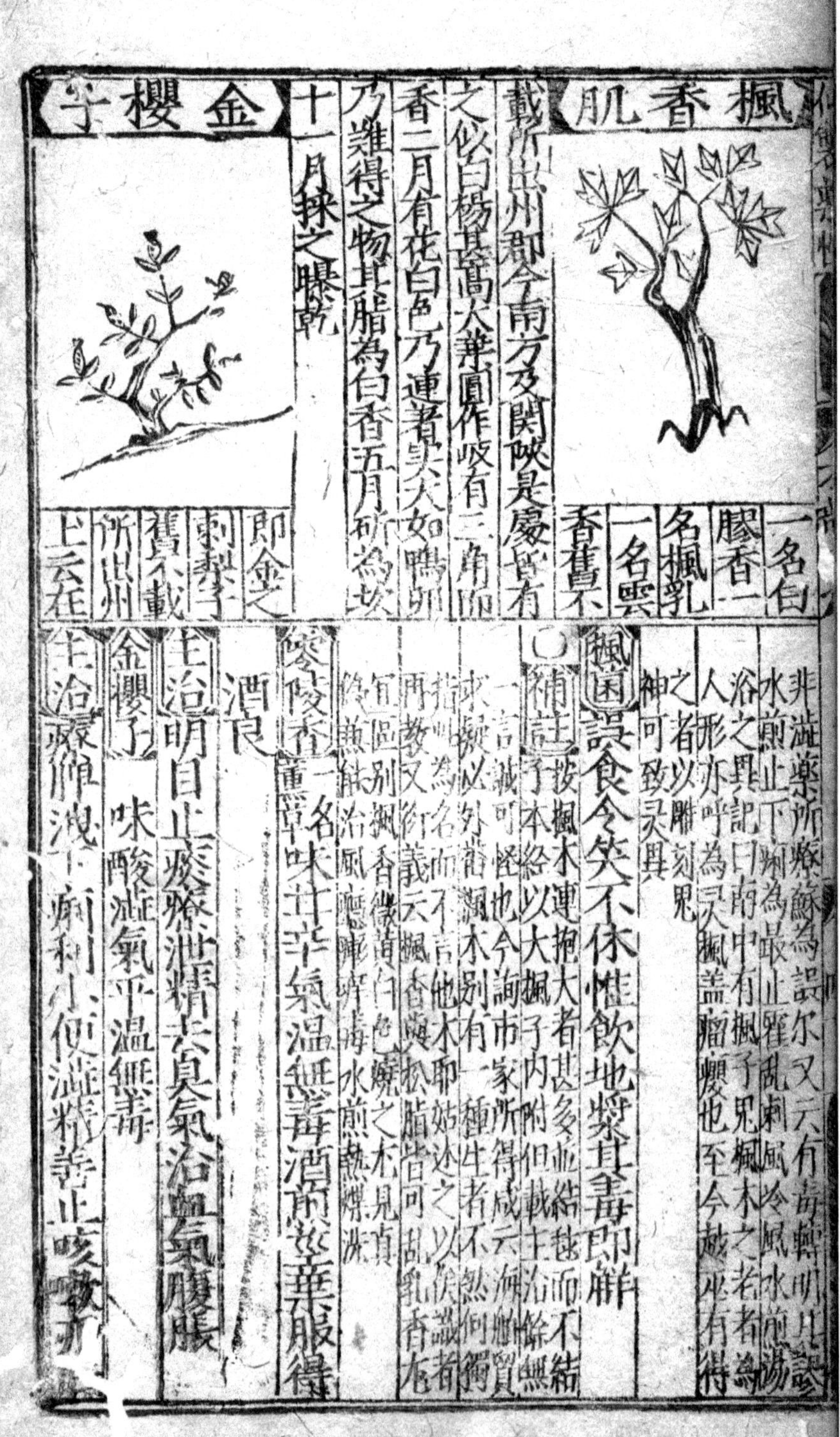

楓香脂

一名白膠香一名楓乳一名䨱香舊不

載所出州郡今南方及閩陜是處皆有
之似白楊其高大葉圓作岐有三角而
香二月有花白色乃連着實大如鴨卵
乃雜得之物其脂為白香五月斫為坎
十一月採之曝乾

金櫻子

即金之刺梨子舊不載所出州土云在

非澁藥所療蘇為誤尔又云有毒轉明其謬
水煎止下痢為最止霍亂刺風冷風水煎湯
浴之異記曰南中有楓子鬼楓木之老者為
人形亦呼為靈楓蓋瘤癭也至今越巫有得
之者以雕刻鬼
神可致靈異

【楓菌】誤食令笑不休惟飲地漿其毒即解

○【補注】按楓木連抱大者甚多並結毬而不結
子本經以大楓子內附但載主治餘無
一言誠可怪也今詢市家所得咸云海舶貿
求擬以外番楓木別有一種生者不熱倒獨
指此為名而不言他木耶姑述之以俟識者
再教又衍義云楓香與松脂皆可亂乳香尤
宜區別楓香微黃白色燒之可見真
偽煎飲治風癮疹痒毒水煎熱熏洗

【零陵香】一名薰草味甘平氣溫無毒酒煎茶服得
酒良

【主治】明目止淚療泄精去臭氣治血氣腹脹

【金櫻子】味酸澁氣平溫無毒

【主治】療脾泄下痢利小便澁精氣止咳嗽

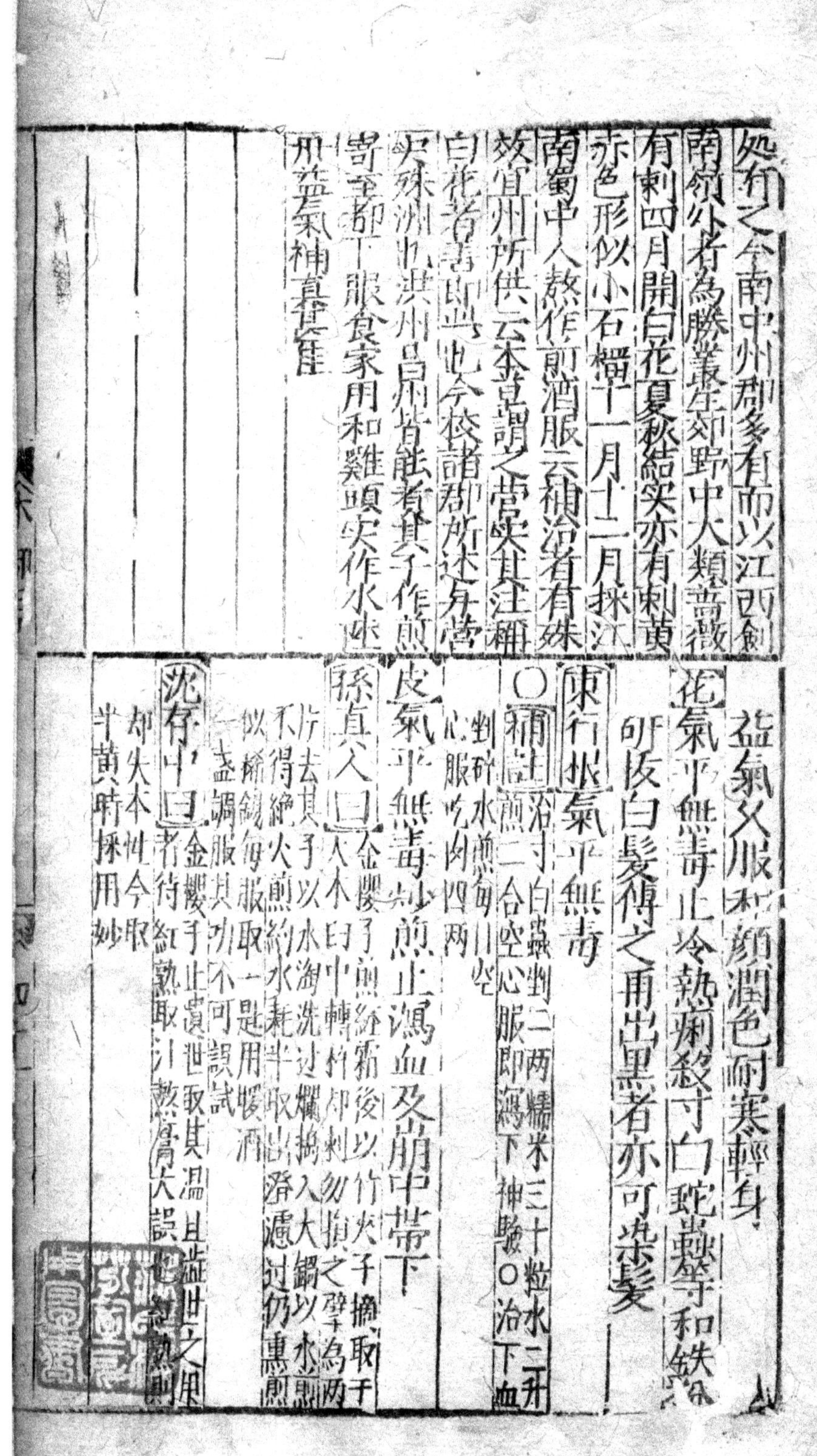

凧行之今南中州郡多有而以江西劍南嶺外者為勝叢生郊野中大類薔薇有刺四月開白花夏秋結實亦有刺黃赤色形似小石榴十一月十二月採江南蜀中人熬作煎酒服云補治有殊效宜州所供云本草謂之營實其注稱白花者善即此也今校諸郡所述牙營實殊洲也洪州昌州皆能煮其子作煎寄至都下服食家用和雞頭實作水陸丹益氣補真甚佳

益氣久服和顏潤色耐寒輕身

【花】氣平無毒止冷熱痢殺寸白蚘蟲等和鉄粉研拔白髮傅之再出黑者亦可染髮

【東行根】氣平無毒

○【補註】治寸白蟲剉二兩糯米三十粒水二升煎二合空心服即瀉下神驗○治下血剉碎水煎每日空心服吃肉四兩

【皮】氣平無毒少煎止瀉血及崩中帶下

【孫真人曰】金櫻子煎經霜後以竹夾子摘取子入木臼中轉杵却刺勿損之擘為兩片去其子以水淘洗過爛搗入大鍋以水煎不得絕火煎約水耗半取出濾過仍熏煎似稀餳每服取一匙用暖酒一盞調服其功不可誤試

【沈存中曰】金櫻子止遺泄取其溫且澁也世之用者待紅熟取汁熬膏大誤也紅熟則却失本性今取半黃時採用妙

00210-3

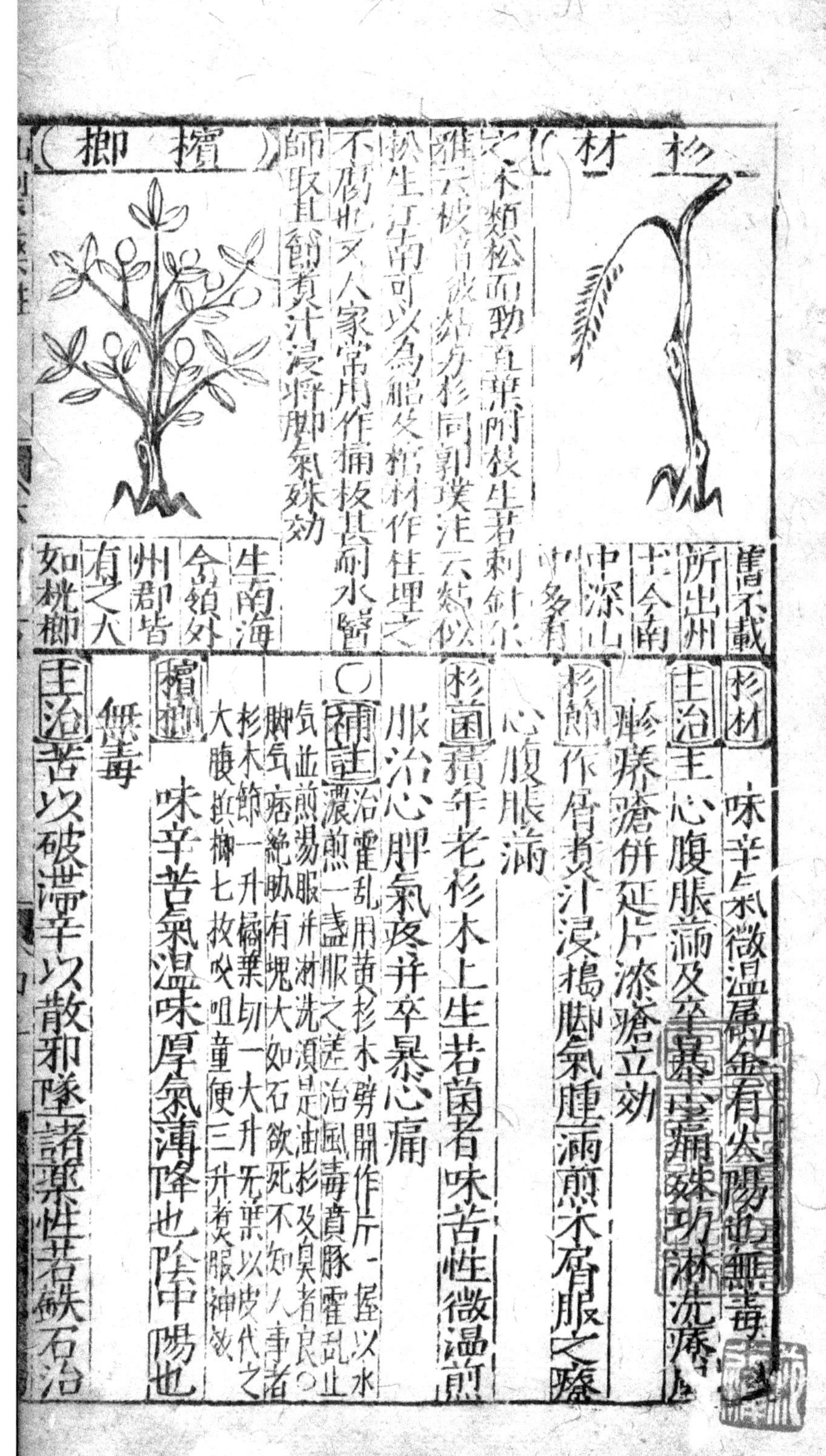

杉材

木類松而勁直葉附枝生若刺針爾雅云被音彼煔音杉同郭璞注云煔似松生江南可以為船及棺材作柱埋之不腐此又人家常用作桶板甚耐水醫師取其節煮汁浸捋腳氣殊效

舊不載所出州土今南中深山中多有

檳榔

生南海今嶺外州郡皆有之大如桄榔

〔杉材〕味辛氣微溫屬金有火與陽也無毒

〔主治〕主心腹脹滿及卒暴心痛殊功淋洗痔瘡

疹瘡并延片漆瘡立效

〔杉節〕作骨煮汁浸擣腳氣腫滿煎不宜服之瘥

心腹脹滿

〔杉菌〕積年老杉木上生若菌者味苦性微溫煎服治心腹氣疼并卒暴心痛

〔補註〕治霍乱用黃杉木劈開作片一握以水濃煎一盞服之差治風毒賁豚霍乱止氣並煎湯服并淋洗須是油杉及臭者良○腳氣痞絕脇有塊大如石欲死不知人事者杉木節一升橘葉切一大升无葉以皮代之大腹檳榔七枚合咀童便三升煮服神效

〔檳榔〕味辛苦氣溫味厚氣薄降也陰中陽也

無毒

〔主治〕苦以破滯辛以散邪墜諸藥性若鐵石治

而高五七丈正直無枝皮似青桐節如桂竹葉生木顛大如楯頭又似芭蕉葉其實作房從葉中出傍有刺若棘針重疊其下一房數百實如雞子狀皆有皮殼肉滿殼中色白味苦澀得扶留藤與瓦屋子灰同咀嚼之則柔滑而甘美嶺南人啖之以當果實其俗云南方地溫不食此無以祛瘴癘其實春生至夏乃熟然其肉極易爛欲收之皆先以灰汁煮熟仍火焙熏乾始堪停久此有三四種有小而味甘者名山檳榔有大而味澀核亦大者名豬檳榔最小者名蒳子其功用不說有別又云尖長而有紫文者名檳圓而矮者名榔檳力小榔力大今醫家不復細分但取作雞心狀存坐

瘴癘氣似撥雲逐水穀除痰澼止心痛殺三蟲治後重如神墜諸氣極下專破滯氣下行若服過多又瀉胸中至高氣也

○補註 口吻生白瘡用二枚燒灰細研傅之如治腰重痛用研為末酒下一錢治胎動腰痛搶心或有血下用一兩為末非時水煎葱白濃汁調下一錢匕治痰涎用檳榔為末白湯點一錢治腳氣非冷非熱若老人脹滿者以仁為末以殼汁或茶飲或豉汁調服方寸匕其利治一本藏氣以雞心檳榔濃磨半个或用熱酒調一錢匕效治諸蟲在臟腑久不差用半兩炮擣為末每服一錢或二錢葱蜜煎湯調下空心服治腳氣衝心白雞心檳榔為末童便薑汁溫酒共半盞調作一服治斷氣衝心致悶亂不識人白檳榔十二分為末分二服空心煖小便半升調服治金瘡及惡心並用白檳榔四兩橘皮一兩細擣為散空心生蜜湯下

太乙曰 凡使好取存坐穩心堅文如流水碎破內文如錦文者妙半白半黑并心虛不入藥用凡使須別檳與榔頭圓身形矮毗者是榔身形尖紫文麁者是檳檳力小榔力

正慝心不虚破之作錦文者為佳其穴六
頑原出与檳榔相似但莖葉根幹小異
并皮收之謂之大腹檳榔或云檳榔难
得真者今賈人貨者多大腹也
○按檳榔服之苦以破滯气辛以散邪
氣久服則損真氣多服則瀉至高之气
較諸枳殼青皮其危甚也大何嶺南煙
瘴之地平居无病之人朝夕如常猛噉
云可辟除山嵐瘴氣之疾習以成俗至
今為然吾儒有仕于彼者亦随其俗而
噉之使一身中和胃气竟常被其耗折
矣正所謂非徒无益而反害之因習之
弊死而无悔者焉罗謙甫曰无病服藥如
如壁裏安鼠誠哉是言也嘗聞用藥如
用兵朝廷不得已而行之以禦寇尔昔

人欲使先以刀刮去底細切勿經火恐无力效若熟使不如不用

【枳實】臣　味苦酸氣寒味薄氣厚陰也陰中微陽

無毒

主治殼大則性詳而緩治高高者主氣治在胸
膈殼小則性酷而速治下下者主血治在心
脾故胸中痞肺氣結也有桔梗枳殼湯之煎
心下痞脾血積也有白朮枳實湯之用白朮補脾
枳實去脾經積血脾无積血則不痞也此高下緩急之分易老
詳究以為準的也除脹滿消宿食削堅積化
稠痰破氣佐牽牛大黄芒硝益氣佐人参乾
薑白朮仲景加承气湯内取疏通破結之功
丹溪入瀉痰藥中有倒壁衝墻之捷治大風
在皮膚中如麻豆苦痒利五臟治小腹内急

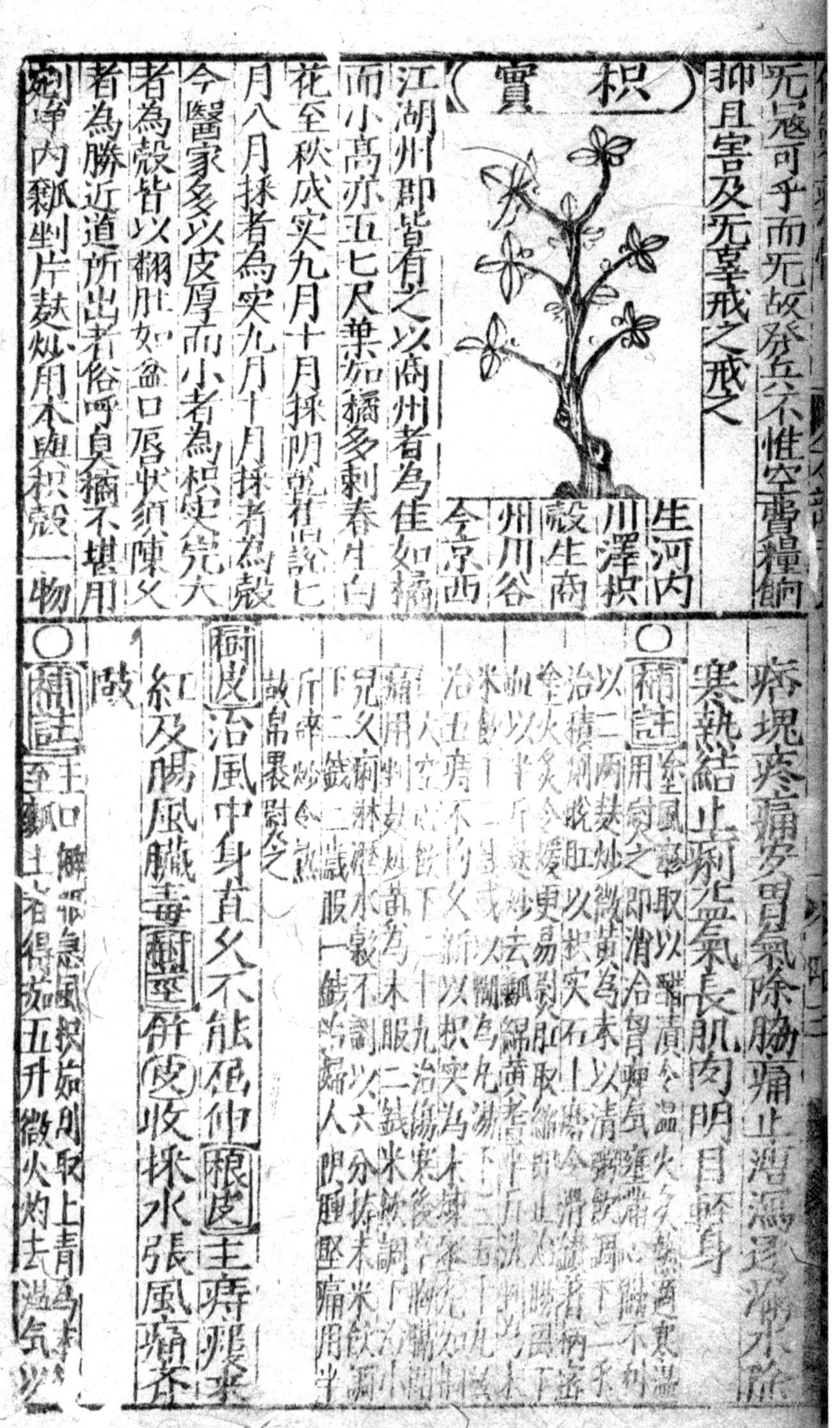

无寇可手而无故發兵不惟空費糧餉
抑且害及无辜戒之戒之

生河内川澤枳殼生商州川谷今京西
江湖州郡皆有之以商州者為佳如橘
而小高亦五七尺葉如橘多刺春生白
花至秋成实九月十月採陰乾舊說七
月八月採者為实九月十月採者為殼
今醫家多以皮厚而小者為枳实完大
者為殼皆以翻肚如盆口唇狀須陳久
者為勝近道所出者俗呼臭橘不堪用
剜淨内瓤剉片麸炒用本與枳殼一物

痞塊疼痛安胃氣除脇痛止泄瀉逐水除
寒熱結止痢益氣長肌肉明目輕身
○[補註]塗風疹取以醋漬令溫火炙熱適寒溫用熨之即消治胸中氣痛心腹不利以二兩麸炒微黄為末以清粥飲調下一錢治積痢脫肛以枳实石上磨令滑澤着納下塗火炙令煖更易熨取縮即止又治腸風下血以半斤麸炒去瓤綿黄者半斤為末米飲下一二錢或以糊為丸湯下二三五十丸治五痔不以久新以枳實為末煉蜜丸如桐子大空心飲下二三十丸治傷寒後胸滿痛用半麸炒黄為末服二錢米飲調下又治小兒久痢淋澀水穀不調以大六分搗末米飲調下二錢三歲服一錢治婦人陰腫堅痛用半斤碎炒令熱故帛裹熨之
[樹皮]治風中身直久不能屈伸[根皮]主痔瘻
紅及腸風臟毒[樹莖]并[皮]收採水張風痛疼
瘢
○[補註]王曰解邪急風枳殼如刖取上青為末至瓤出又名得效如五升微火灼去溼气炒

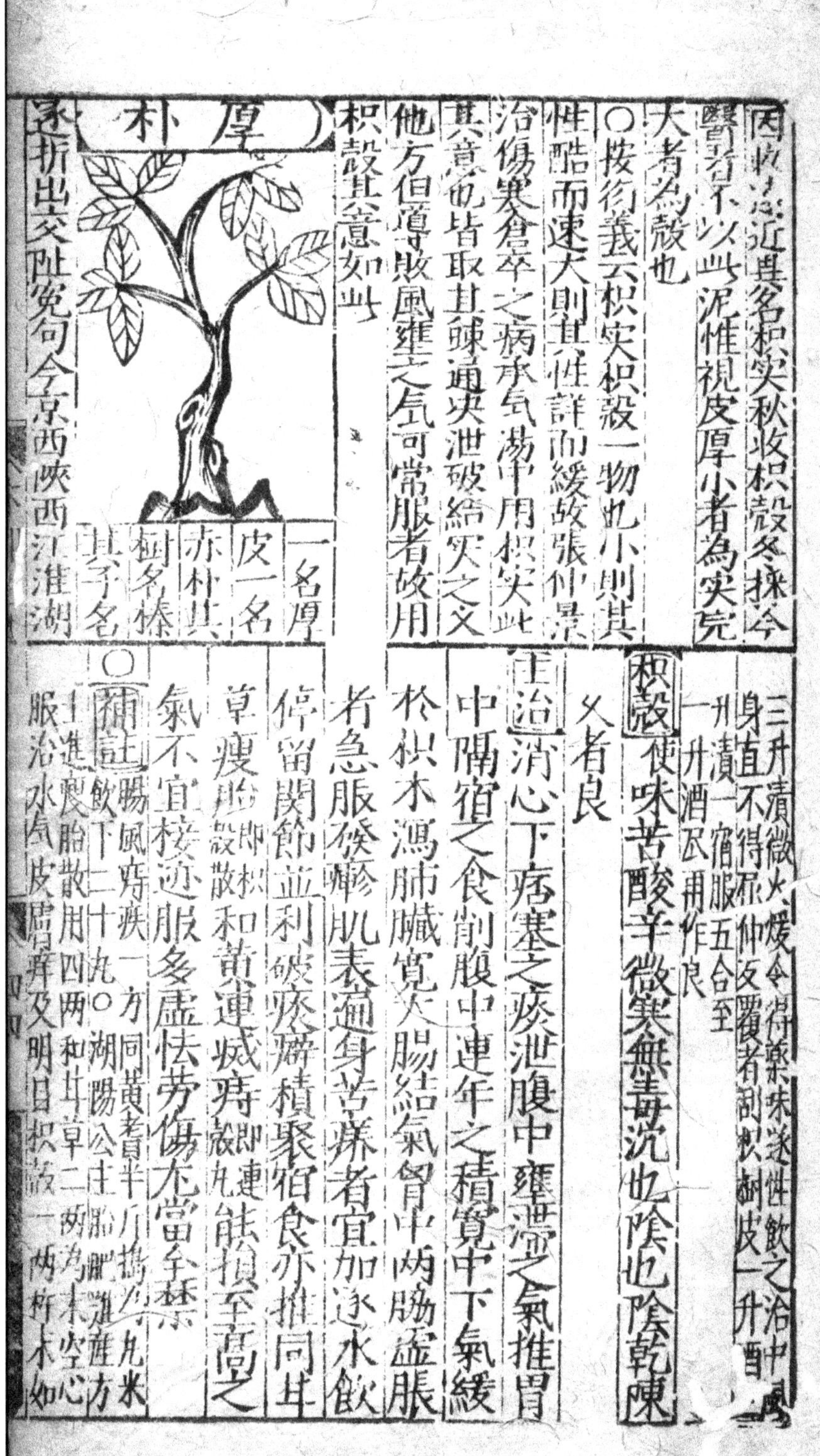

因收采近其名枳实秋收枳殼冬採今醫者不以此泥惟視皮厚小者為实完大者為殼也

○按衍義云枳实枳殼一物也小則其性酷而速大則其性詳而緩故張仲景治傷寒倉卒之病承氣湯中用枳实此其意也皆取其疎通決泄破結实之义他方但導敗風壅之氣可常服者故用枳殼其意如此

厚朴

一名厚皮一名赤朴其樹名榛其子名逐折出交阯冤句今京西陝西江淮湖

三升漬微火煖令得藥味遂性飲之治中風身直不得屈伸反覆者刮枳樹皮一升酒一升漬一宿服五合至一升酒盡再作良

枳殼　使　味苦酸辛微寒無毒沉也陰也陰乾陳久者良

主治　消心下痞塞之痰泄腹中滯濕之氣推胃中隔宿之食削腹中連年之積覓中下氣緩於枳木瀉肺臟寬大腸結氣胃中兩脇虛脹者急脹泄疹肌表遍身苦痒者宜加遂水飲停留関節並利破痰癖積聚宿食亦推同其草瘦胎即枳殼散和黄連滅痔即連殼丸能損至高之氣不宜接迸服多虛怯勞傷不當全禁

○補註　腸風痔疾一方同黄耆半斤搗為丸米飲下二十丸○湖陽公主胎肥難産方主進瘦胎散用四兩和甘草二兩為末空心服治水氣皮膚痒及明目枳殼一兩析木如

南蜀川山谷中往往有之而以梓州龍州者為上木高三四丈徑一二尺春生葉如槲葉四季不凋紅花而青實皮極鱗皺而厚紫色多潤者佳薄而白者不堪三月九月十月採皮陰乾廣雅謂之重皮方書或作厚皮凡資治病秋冬採皮擇厚脂顏色紫者佳去麤皮薑汁炒祖用惡寒水硝澤寒水石硝石澤瀉使炮熟乾姜諸豆忌之食則動氣

○按丹溪云厚朴氣藥溫而能散故泄胃中實也平胃散用佐蒼朮正乃泄去上焦之溫不使胃土太过得復其平致于和而已非謂溫補脾胃焉習以成俗皆謂之補哀哉然治腹脹者因味辛能提其氣故尔

蒸法煎哭呷之治一切瘧以水煮為煎灸塗之乾即又塗之治風瘙癢不止以三兩麩炒微黄為末每服二錢煎六分去滓服○熨灸痔頭出或痛不可忍用枳殼于塘灰中煨熱微熨尽七枚立定癸即熨之治遠年日近腸風下血不止以枳殼燒灰存性羊脛炭為末枳殼末五兩炭末三錢和勻濃米飲一盞調下空心服

【太乙曰】凡使勿使枳實緣性効不同若使枳殼取辛苦腥并有隟油能消一切瘴要塵久年深者為上用時先去瓤一麸炒待麸燋黑遂出用布拭上燋黑然後單擣如粉用

【厚朴】味苦辛氣大温屬土有火陰中之陽可升可降無毒干姜為之使

【主治】主中風寒熱治霍乱轉筋止嘔逆吐酸禁瀉痢淋露消痰下氣與枳實大黄同用實滿則泄溫中益氣與陳皮蒼朮同用濕滿能除與解利藥同用則治傷寒頭疼與泄痢藥用則厚腸胃大抵味苦氣溫故用苦則泄

名苦搽

不名旃
江淮閩
浙俱有
蒙山中
頂徂佳

茶譜云雅州蒙山有五頂〻上各有茶園其四頂茶園採摘不廢惟中頂草木繁密雲霧蔽虧鷙獸時出人跡罕到春分前後多搆人力俟雷發動併手採摘三日而止若獲一兩以本處水煎飲即驅宿疾二兩輕身三兩換骨四兩成地仙予聞此言初未全信近見上人帶有直者欲售其價極昔甘伏与石蘚頗類似非原摘嫩芽炭必製造殊異故爾小取煎飲氣味果奇始知前語不誣无怪

溫則補行義云平胃散中用之最當既溢胃胃又走冷氣再隨證加減妙不可勝言潔古亦曰治腹痛脹滿散結之神藥也儻患者虛弱須斟酌少加對證不具誤服太過則反脫人元氣豈不慎哉若氣實人服多參者致成喘悶者正此泄除不在禁也孕婦忌用女科當知○（子）入医方又名（逐折）散結瘀最益氣明服精

○【補註】治霍乱製之以薑汁火上炙令香為末非時新水調下二錢匕佳治痰壅嘔逆心胸滿悶不下飲食用一兩全生薑汁炙令黃為末非時粥飲調下二錢匕治水穀痢久不差厚朴三兩黃連三兩剉水三升煎取一升空心服治男子女人久患气脹心悶飲食不得因食不調冷熱相繫致令心脹滿厚朴火上炙令乾又蘸薑汁炙直待焦黑為度搗篩如麪以陳米飲調下二錢匕日三服良亦治反胃止瀉甚妙治月水不通厚朴三兩炙

四五

最名而傳遠也早採細者曰茶芽如雀舌麥顆雖甚細嫩統未稱善又種新芽一發便長寸餘微粗如針是為上品其根幹水土力皆有餘故也晚採粗者曰茗茶之粗者多雜木葉不可不擇故經云粗者損人細者益人一說春分已前採者曰茗已後採者曰茶入二經絡手足厥陰

○按茶茗所治本經以清頭目為上後医堅執素問苦以泄之之說乃云其躰下行如何頭目得清也殊不知頭目不清多由熱氣上熏用苦泄之則熱降而上清矣　茶躰輕浮採摘之時芽蘖初萌正得春生之气是以味雖苦而气則薄乃陰中之陽可升可降者也故云清

水三升煎取一升為二服空心服不过三四劑差

太乙曰凡使要用紫色味辛為好或先散便去麁皮用醋炙过每條斤用醋四兩炙了細剉用苦湯飲下使川白然姜汁八兩炙一升為度

名苦搽

味甘苦氣微寒無毒入手足厥陰經

主治專清頭目利小便善逐痰涎解煩渴下氣消宿食除熱治瘻瘡薑連生姜黄連同煎止赤白下痢香油調末敷湯火炮爛眼目疼爵貼兩背暑天濕小茶醋吞熱服宜冷服忌冷則聚痰多服少睡久服消脂令人瘦　唐毋景云釋滞消壅一日之利暫佳瘠氣侵精終身之累斯大損多益少覌此兄微

○補註赤白痢對和黄連半兩生姜一兩点服○熬治諸瘻瘡及湯火瘡細嚼傅貼或ッ末香油調傅妙○目熱赤澁痛嚼爛点目角痛即止○斧頭疼如破是胸膈有痰致

利頭目有何悖乎

烏藥

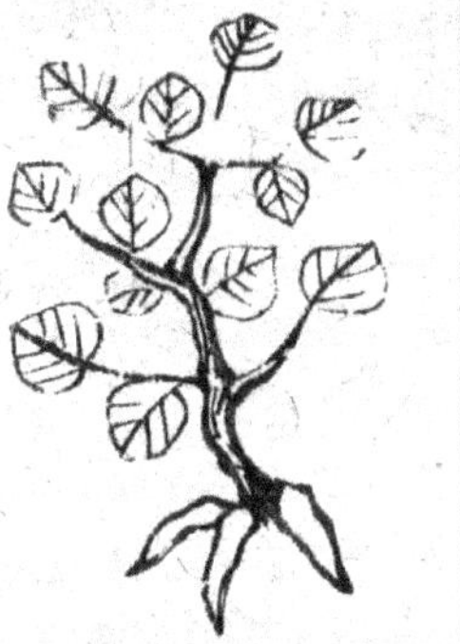

一名旁其生嶺南邕容州及江南今台州雷州衡州亦有之以天台者為勝木似茶檟高五七尺葉微圓而尖作三椏面青背白五月開細花黃白色六月結實如山芍藥而有極麄大者又似釣樟根然根有二種嶺南者黑褐色而堅硬天台者白而虛軟並八月採根以作車轂形如連珠狀者佳或云天台出者香白可愛而不及海南者力大

○謹按本草圖經及世稱以天台者為

上丸所致以之即瘥治陰囊瘡用蠟面茶為末先以甘草煎水洗後用貼妙治心痛不可忍十年五年者煎湖州茶以頭醋和服之良治蠼螋尿人成瘡初如糝粟漸大如豆更大如火烙漿疱疼痛至甚速用草茶并蠟茶俱可以生油調傅上其痛立止

【苦茗搽】氣寒無毒

【主治】主下氣消食下氣加茱萸葱白生姜等分良能破熱氣除瘴

○【補註】利大小腸食之宜熱冷則聚痰搽是名嫩葉搗成餅並得火良久食令人瘦去人脂使不睡唐本先附

【烏藥】味辛氣溫氣厚於味陽也無毒

【主治】主心腹痛疰忤鬼氣治癰癤疥癩腎膀胱攻冲因多走泄不甚剛強諸冷能除凡氣堪順止翻胃消食積作脹縮小便逐氣衝致疼辟疫瘴時行解蠱毒卒中攻女人滞凝血氣去小

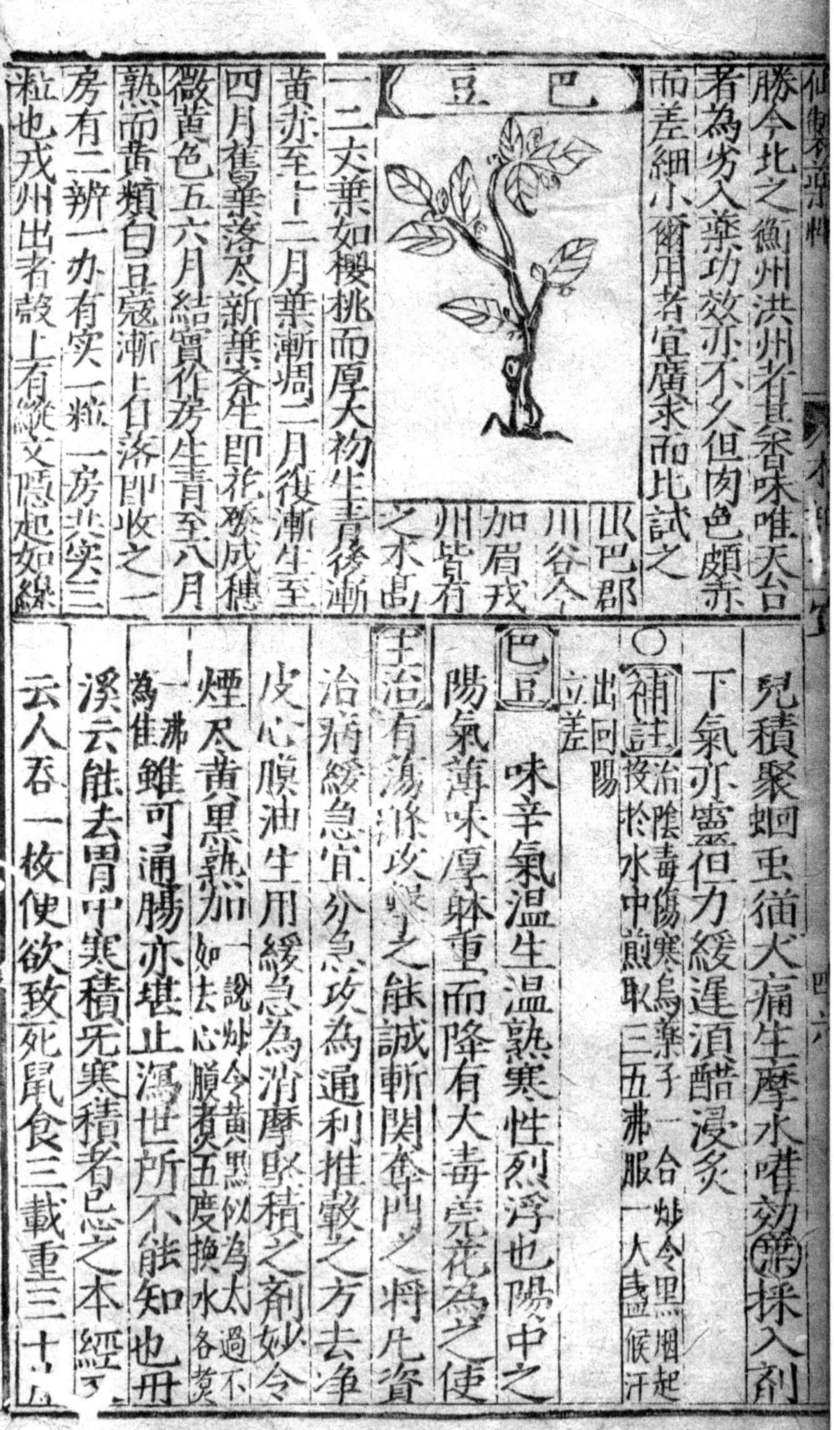

勝今北之衢州洪州者甚香味唯天台者為劣入藥功效亦不多但肉色頗黑而差細小爾用者宜廣求而比試之

巴豆

出巴郡川谷今加眉戎州皆有之木高一二丈葉如櫻桃而厚大初生青後漸黃赤至十二月葉漸凋二月復漸生至四月舊葉落盡新葉齊生即花發成穗微黃色五六月結實作房生青至八月熟而黃類白豆蔻漸漸自落即收之一房有二瓣一瓣有實一粒一房共實三粒也戎州出者殼上有縱文隱起如線

兒積聚蛔虫猫犬痛生磨水嚼効○採入劑下氣亦靈但力緩遲須醋浸炙

○補註 治陰毒傷寒烏藥子一合炒令黑烟起投於水中煎取三五沸服一大盞候汗出回陽立差

巴豆 味辛氣温生温熟寒性烈浮也陽中之陽氣薄味厚體重而降有大毒芫花為之使

主治 有蕩滌攻堅之能誠斬關奪門之將凡資治病緩急宜分急攻為通利推蕩之方去淨皮心膜油生用緩急為消磨堅積之劑炒令煙盡黃黑熟加一說炒令黃黑似為太過不如去心膜煮五度換水各煑一沸為佳雖可通腸亦堪止瀉世所不能知也丹溪云能去胃中寒積無寒積者忌之本經云人吞一枚便欲致死鼠食三載重三十斤

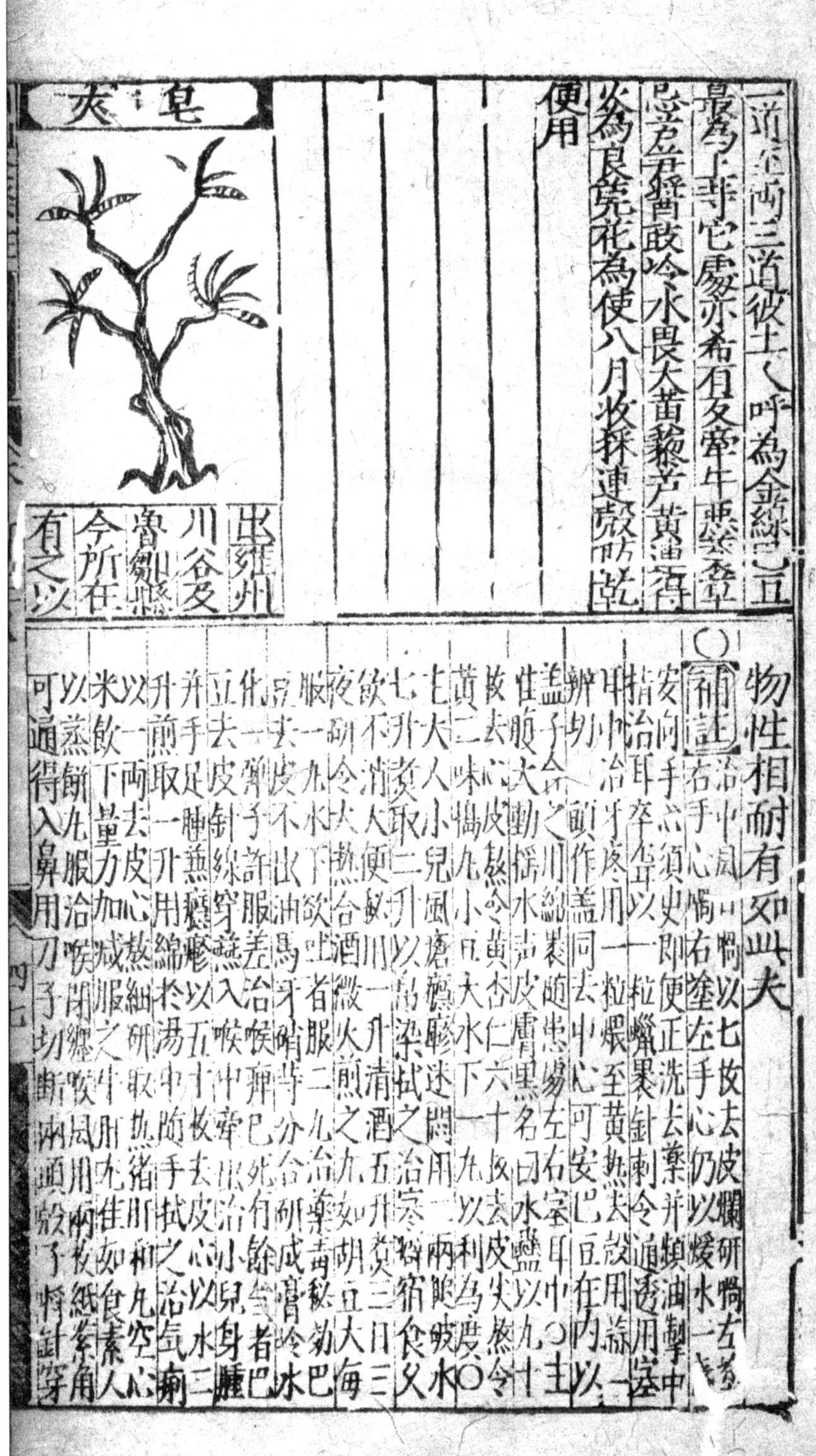

一莖有兩三道彼土人呼為金線巴豆
最為上等它處亦希有芫花牽牛惡蘘草
忌芦笋醬豉冷水畏大黃藜芦黃連得
火為良芫花為使八月收採連殼防乾
便用

出雍州川谷及魯鄒縣今所在有之以

物性相耐有如此夫

〇【補註】治中風口喎以七枚去皮爛研喎左塗
右手心喎右塗左手心仍以煖水一盞
安向手心須臾即便正洗去藥并頻抽掣中
指治耳聾以一粒蠟裹針刺令通透用塞
耳中治牙疼用一粒煨至黃熱去殼用蒜一
瓣切一頭作蓋同去中心可安巴豆在內以
蓋子合之用綿裹隨患處左右塞耳中〇主
性腹大動搖水声皮膚黑名曰水蠱以九十
枚去心皮熬令黃杏仁六十枚去皮尖熬令
黃二味搗丸小豆大水下一丸以利為度〇
主大人小兒風瘡癮疹迷悶用一兩[illegible]水
七升煮取二升以帛沾染拭之〇治寒癖宿食久
飲不消大便秘用一升清酒五升煮三日三
夜研令大熱合酒微火煎之丸如胡豆大每
服一丸水下欲吐者服二丸〇治藥毒秘効巴
豆一去皮不出油馬牙硝等分合研成膏冷水
化一彈子許服差〇治喉痹已死有餘氣者巴
豆去皮針線穿蘸入喉中牽出〇治小兒身瘇
并手足一腫燕癮疹以五十枚去皮心以水三
升煎取一升用綿拈於湯中隨手拭之治氣痢
以一兩去皮心熬細研取熱豬肝和丸空心
米飲下量力加減服之牛肝亦佳如食素人
以蒸餅丸服治喉閉纏喉風用兩枚紙系角
可通得入鼻用刀子切斷兩頭穀了將針穿

怀孟州者為勝木極有高大者此有三種本經云形如豬牙者良陶注云長尺二者良唐注云長六寸圓厚節促直者皮薄多肉味濃大好今医家作疎風氣丸煎多用長皂莢治齒及取積藥多用豬牙皂莢所用雖殊大抵性味不相遠九月十月採莢陰乾用黑參門一味畏空青人参苦参

〔皂莢子〕主治難產腰脚痛并惡水入口疎導五臟風熱

○〔補註〕難產吞皂莢子二枚立差治腰脚不覆地取子一千二百个淨洗令乾少酥熬令香為末蜜丸如梧子大空心以蒺藜子酸棗湯下治皂莢水并惡水入口內熱痛不止以子燒存

作孔子內鼻中文即差

〔太乙曰〕凡使巴之与豆及剛子須仔細認勿誤用殺人巴顆小緊實色黃豆即顆有三稜色黑若剛子顆小似棗核兩頭尖巴与豆即用剛子勿使凡修事巴豆敲碎以麻油并酒等可煮巴豆子研膏後用每修事一兩以酒麻油各七合盡為度

〔皂莢〕味辛鹹氣溫有小毒引入足厥陰肝經柏實為之使形長尺餘者為皂莢如豬牙者而知小者牙皂

〔主治〕種因有二用亦各分理氣疎風〔長板莢〕須取治齒取積〔豬牙莢〕當求去弦去子煨熱俱同蜜炙酥炙燒灰各異製度憑證活法在人堪作散敷膏易為丸煎夜搐鼻噴嚏立至敷腫疼痛即除和生礬吐風痰即稀涎散拌煉蜜為導箭即蜜煎導殺勞蟲精物主風痹死肌利竅

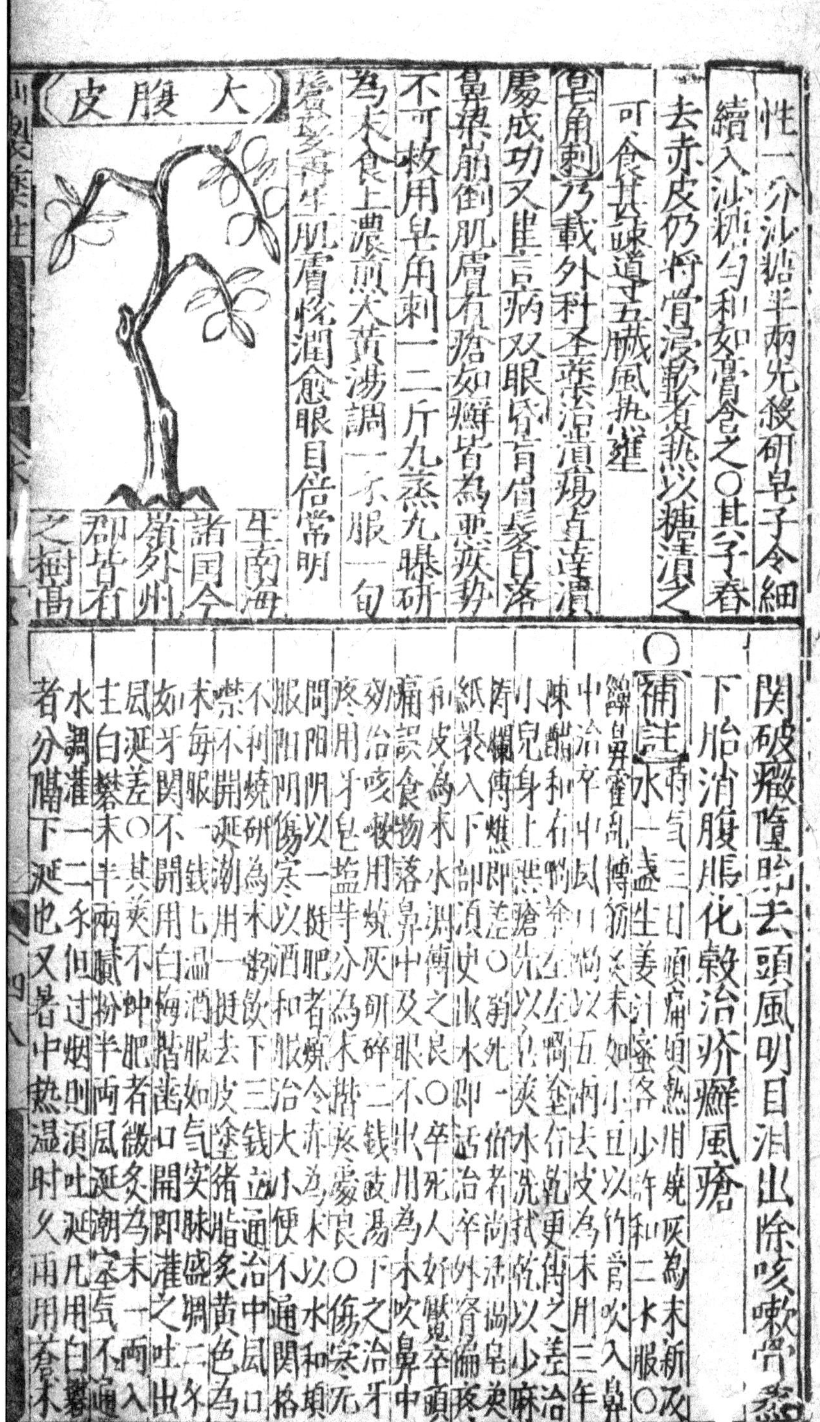

性一分沙糖半兩先後研皂子令細續入沙糖勻和如膏含之○其子舂去赤皮仍將當浸軟煮熟以糖漬之可食其疏導五臟風熱壅

皂角刺 乃載外科圣藥治癰疽瘍瘡潰膓成功又能言病及眼昏盲眉髮自落鼻梁崩倒肌膚有瘡如癬皆為惡疾勢不可救用皂角刺一二斤九蒸九曝研為末食上濃煎大黃湯調一錢服一旬鬚髮再生肌膚悅潤愈眼目倍常明

大腹皮

生南海諸国今嶺外州郡皆有之樹高

関破癥墮胎去頭風明目泪出除咳嗽嘗下胎消腹脹化穀治疥癬風瘡

○**補註** 治時气三日頭痛頭熱用燒灰為末新汲水一盞生姜汁蜜各少許和二水服○齆鼻霍亂轉筋炙末如小豆以竹管吹入鼻中治卒中風口喎以五兩去皮為末用三年陳醋和右喎塗左左喎塗右乾更傳之差治小兒身上惡瘡先以皂莢水洗拭乾以少麻油爛傳燃即差○縊死一宿者尚活揭皂莢紙裹入下部須臾出水即活治卒外腎偏疼和皮為末水調傅之良○卒死人好魘覺卒頭痛誤食物落鼻中及眼不出用為末吹鼻中効治咳嗽用燒灰研碎二錢故湯下之治牙疼用牙皂鹽等分為末擦疼處良○傷寒元問陽以一挺肥者燒令赤為末以水和填服陽門傷寒以酒和服治大小便不通関格不利燒研為末一錢飲下三錢並通治中風口噤不開涎潮用一挺去皮塗豬脂炙黃色為末每服一錢匕溫酒服如气實脈盛調二冬如牙関不開用白梅揩齒口開即灌之吐出風涎差○其莢不蛀肥者微炙為末一兩入主白礬末半兩膩粉半兩風涎潮塞气不通水調灌一二錢但过咽則須吐涎凡用白礬者分膈下涎也又暑中熱濕時久雨用蒼木

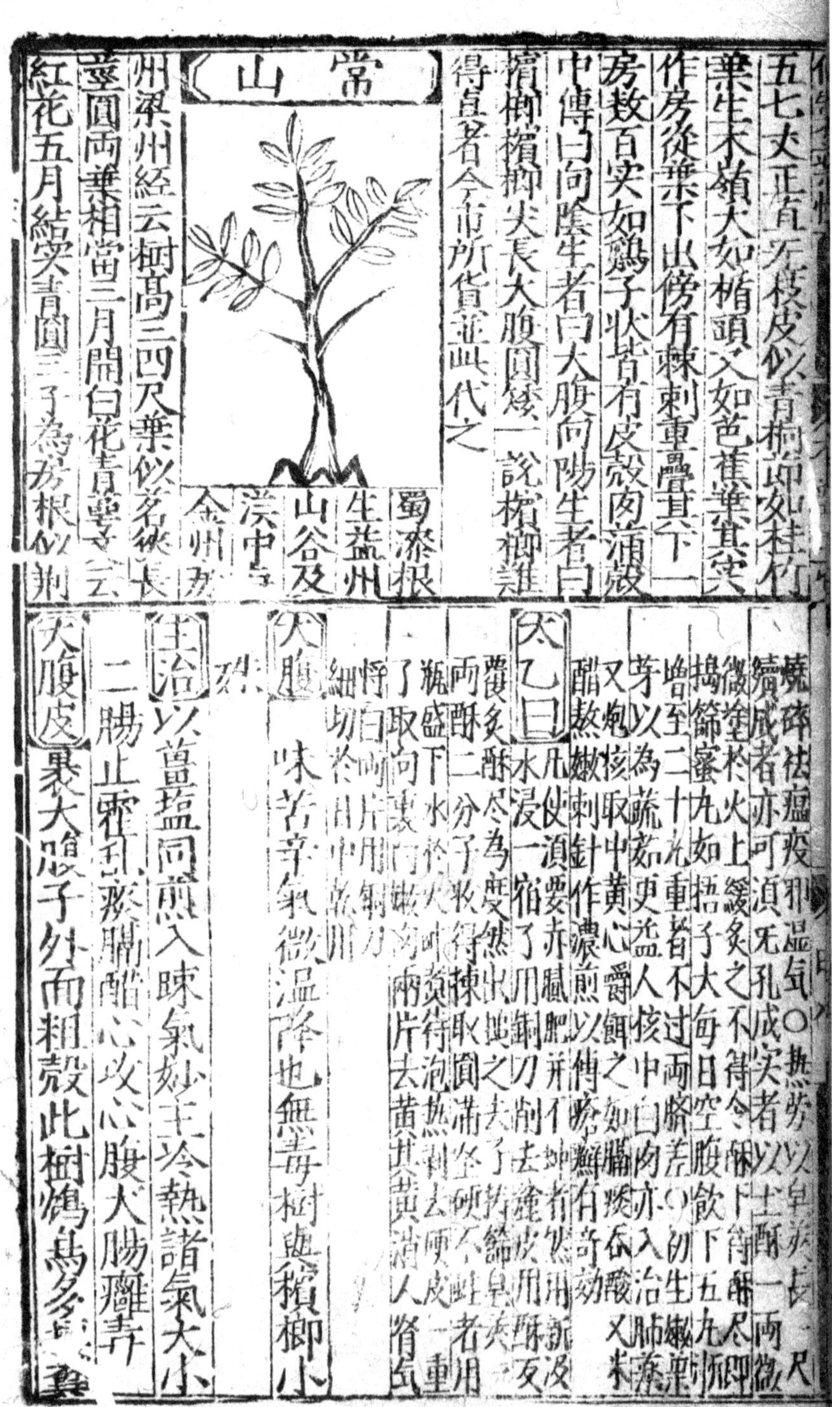
五七丈正直無枝皮似青桐節如桂竹
葉生木巔大如楯頭又如芭蕉葉其實
作房從葉下出傍有棘刺重疊其下一
房數百實如雞子狀皆有皮殼肉滿殼
中傳曰向陰生者曰大腹向陽生者曰
檳榔檳榔尖長大腹圓矮一說檳榔難
得真者今市所貨並此代之

常山

蜀漆根
生益州
山谷及
漢中
金州房
州梁州經云樹高三四尺葉似茗狹長
莖圓兩葉相當三月開白花青萼云
紅花五月結實青圓三子為房根似荆

燒碎袪瘟疫邪溫氣○熱勞以皂莢長一尺
續成者亦可湏无孔成實者以土酥一兩微
微塗於火上緩炙之不得令酥下待酥盡即
擣篩蜜丸如梧子大每日空腹飲下五丸漸
增至二十丸重者不過兩劑差○初生嫩葉
芽以為蔬茹更益人核中白肉亦入治肺痿
又炮核取中黃心爵餌之如臘燒灰醱又米
醋熬嫩刺針作濃煎以傅瘡癬有奇效

【太乙曰】凡使湏要赤膩肥并不蚛者然用新汲
水浸一宿了用銅刀削去麁皮用酥炙
覆炙酥盡為度然出搥之去子捋筋皂莢一
兩酥二分了收得揀取圓滿堅硬不蛀者用
瓶盛下水於火畔煎待泡熱剝去硬皮一重
了取向裏嫩肉兩片去黃其黃消人脊氣
將白肉片用銅刀
細切於日中乾用

【大腹】味苦辛氣微溫降也無毒樹與檳榔小
異

【主治】以薑鹽同煎入脾氣妙主冷熱諸氣大小
二腸止霍亂痰膈醋心攻心腹大腸癰毒

【大腹皮】累大腹子外面粗殼此樹鴆鳥多集

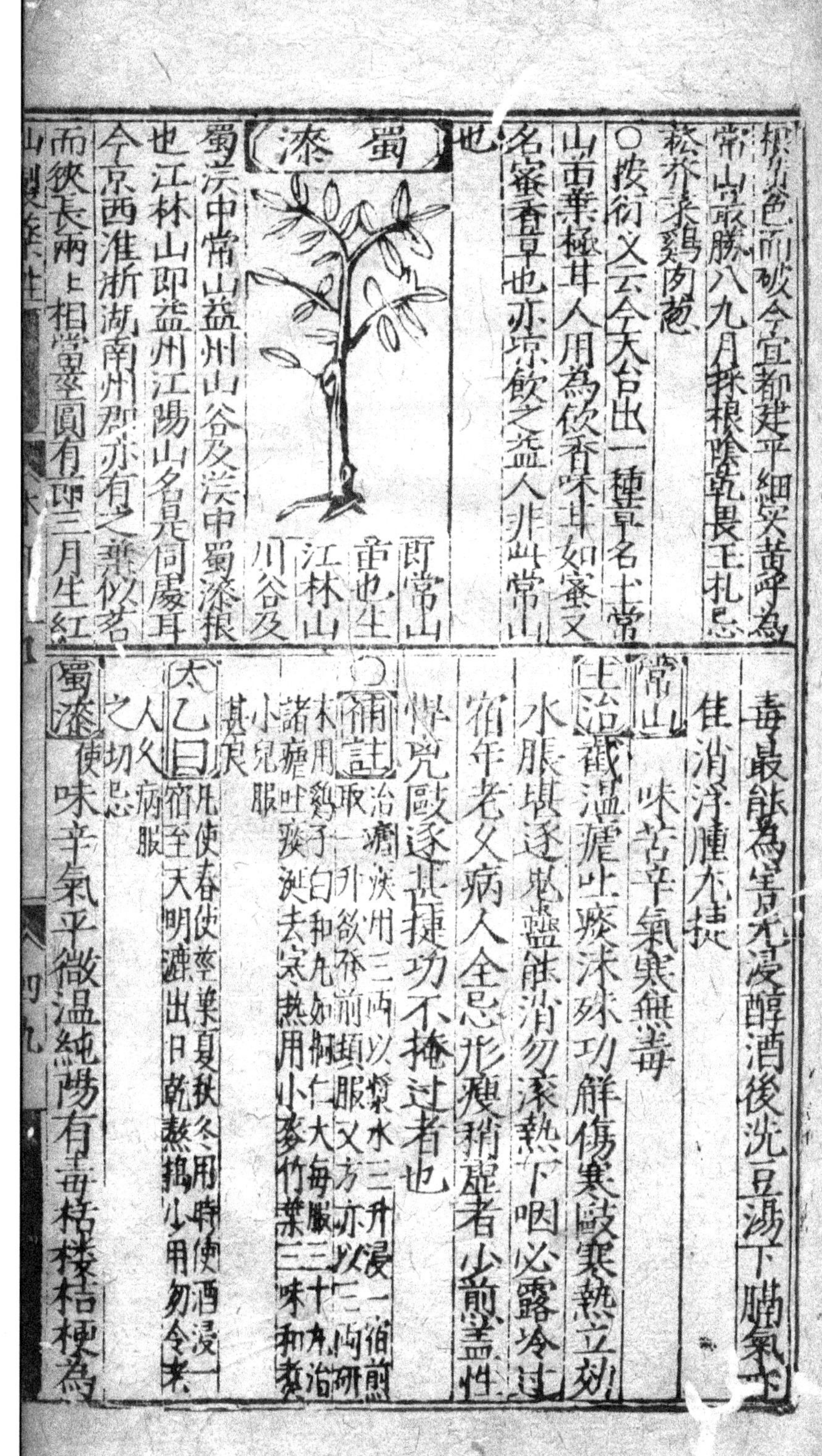
根分色而破今宜都建平細實黃者為常山最勝八九月採根陰乾畏玉札忌菘菜雞肉葱

○按衍义云今天台出一種草名土常山苗葉極甘人用為飲香味甘如蜜又名蜜香草也亦凉飲之益人非此常山也

蜀漆

即常山苗也生江林山川谷及蜀漢中常山益州山谷及漢中蜀漆根也江林山即益州江陽山名是同處耳今京西淮浙湖南州郡亦有之葉似茗而狹長兩兩相當莖圓有節三月生紅

毒最能為害尤忌醇酒後洗豆湯下膽氣下佳消浮腫不捷

常山　味苦辛氣寒無毒

主治　截溫瘧吐痰沫殊功解傷寒敺寒熱立效水脹堪逐鬼蠱能消勿滚熱下咽必露冷过宿年老久病人全忌形瘦稍虛者少煎盡性悍兇敺逐其捷功不掩过者也

○補註　治瘧疾用三兩以漿水三升浸一宿煎取一升欲發前頓服又方亦以三兩研末用雞子白和丸如梧桐子大每服三十丸治諸瘧吐痰涎去寒熱用小麥竹葉三味和煮小兒服甚良

太乙曰　凡使春使莖葉夏秋冬用時使酒浸一宿至天明漉出日乾熬搗少用勿令老人久病服之切忌

蜀漆　使　味辛氣平微溫純陽有毒栝樓桔梗為

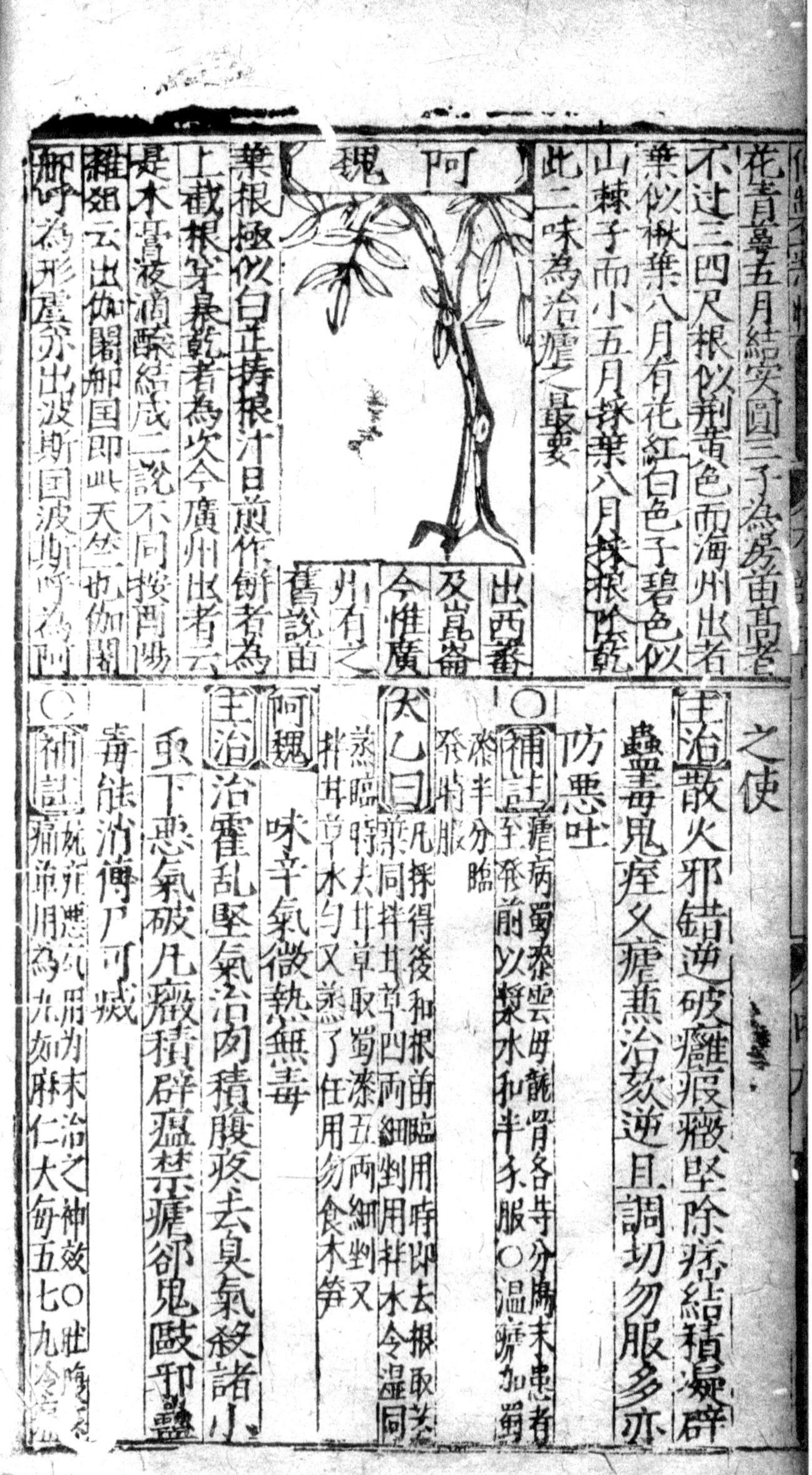

花青白暑五月結實圓三子為房苗高者不过三四尺根似荆黄色而海州出者葉似楸葉八月有花紅白色子碧色似山楝子而小五月採葉八月採根陰乾此二味為治瘧之最要

阿魏

出西蕃及崑崙今惟廣州有之舊說苗葉根極似白芷擣根汁日煎作餅者為上截根穿暴乾者為次今廣州出者云是木膏液滴釀結成二說不同按酉陽雜俎云出伽闍那国即北天竺也伽闍那呼為形虞亦出波斯国波斯呼為阿

之使

主治 散火邪錯逆破癥瘕癥堅除痞結積聚辟蠱毒鬼疰久瘧熱治欬逆且調切勿服多亦防惡吐

○補註 瘧病蜀漆雲母龍骨各等分為末患者至發前以漿水和半錢服○温瘧加蜀漆半分臨發時服

太乙曰 凡採得後和根苗臨用時即去根取莖葉同拌甘草四兩細剉用拌水令濕同蒸臨時去甘草取蜀漆五兩細剉又拌甘草水勻又蒸了任用勿食木笋

阿魏 味辛氣微熱無毒

主治 治霍乱堅氣治肉積腹疼去臭氣殺諸小蟲下惡氣破凡癥積辟瘟禁瘧卻鬼毆邪蠱毒能消傳尸可滅

○補註 疝疰惡氣用為末治之神效○壯脾[illegible]痛常用為丸如䴵仁大每五七丸冷[illegible]

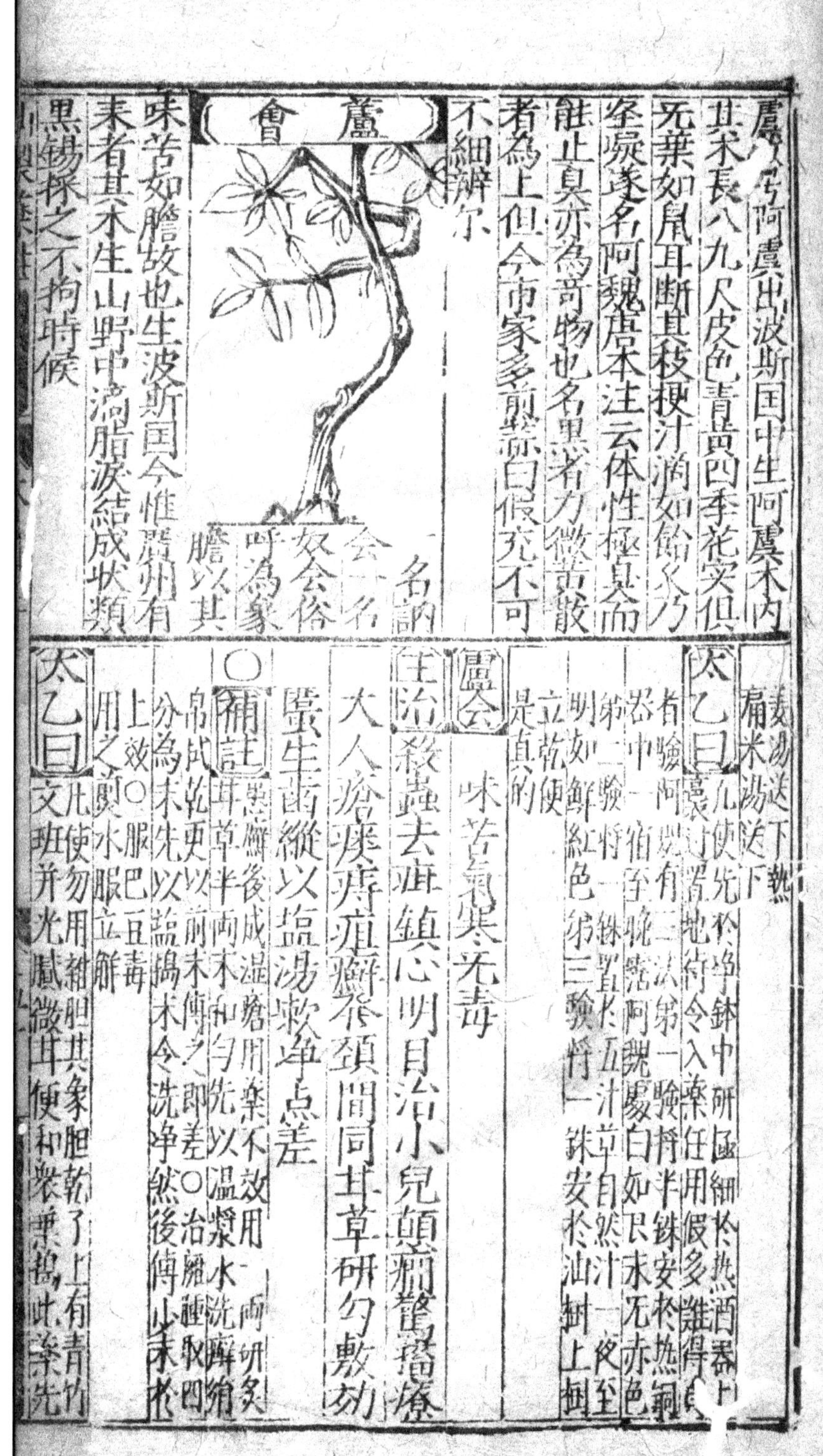

虜人呼阿虞出波斯国中生阿虞木內其木長八九尺皮色青黃四季花实俱无葉如鼠耳斷其枝梗汁滴如飴久乃坚凝遂名阿魏唐本注云体性極臭而能止臭亦為奇物也名黑者力微苦散者為上但今市家多煎蒜白假充不可不細辨尔

蘆會

一名訥会一名奴会俗呼為象膽以其味苦如膽故也生波斯国今惟廣州有来者其木生山野中滴脂淚結成狀類黑餳採之不拘時候

麩湯送下熱扁米湯送下

太乙曰　凡使先於淨鉢中研極細於熱酒器上裛過罯地衔令入藥任用假多難得真者驗阿魏有三法第一驗將半銖安於熱銅器中一宿至曉沾阿魏處白如銀永无赤色第二驗將一銖置於五斗草自然汁中一夜至明如鮮紅色第三驗將一銖安於淔樹上樹立乾便是真的

蘆会　味苦氣寒无毒

主治　殺蟲去疳鎮心明目治小兒顛癇驚搐瘵大人瘡瘍痔疽癬及頸間同甘草研匀敷効䘌生齒縫以鹽湯漱淨点差

○補註　患癬後成濕瘡用藥不效用一兩研炙甘草半兩末和勻先以溫漿水洗癬縮帛拭乾更以前末傅之即差○治[illegible]取四分為末先以鹽搗末令洗淨然後傅少末於上效○服巴豆毒用之煎水服立解

太乙曰　凡使勿用雜胆其象胆乾了上有青竹文班并光膩微甘便和衆藥搗此藥先

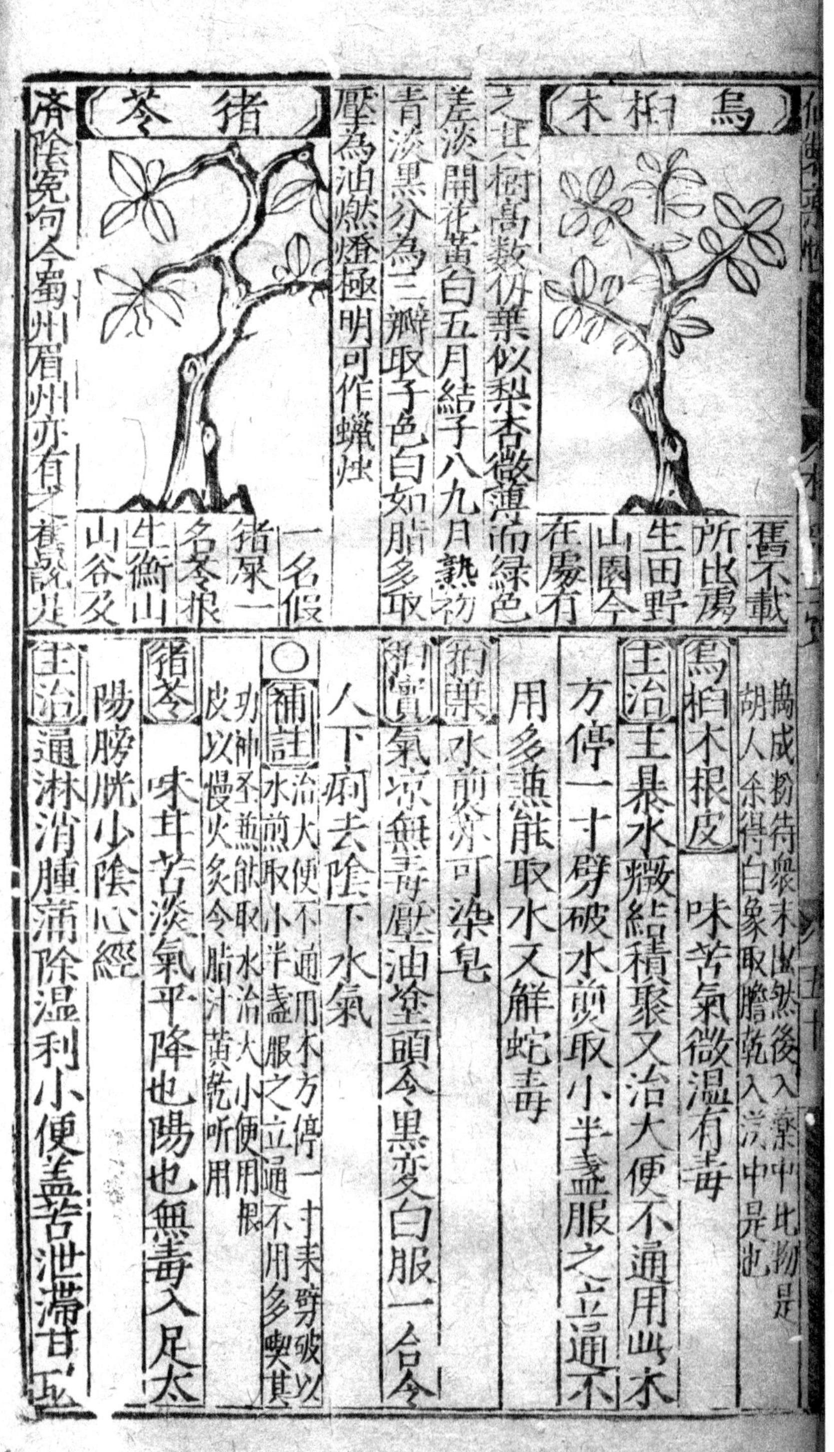

御製本草品彙精要卷之[illegible]

烏桕木

舊不載所出處生田野山園今在處有之其樹高數仞葉似梨杏微薄而綠色差淡開花黄白五月結子八九月熟初青後黑分為三瓣取子色白如脂多取壓為油燃燈極明可作蠟燭

猪苓

一名假猪屎一名冬根生衡山山谷及濟陰宛句今蜀州眉州亦有之舊說是

擣成粉待衆末出然後入藥中此物是胡人殺得白象取膽乾入漿中是也

烏桕木根皮 味苦氣微温有毒

主治 主暴水癥結積聚又治大便不通用此木方停一寸劈破水煎取小半盞服之立通不用多蒸能取水又解蛇毒

桕葉 水煎汁可染皂

附實 氣涼無毒壓油塗頭令黑變白服一合令人下痢去陰下水氣

○補註 治大便不通用木方停一寸劈破以水煎取小半盞服之立通不用多與其功神聖無能取水治大小便用根皮以慢火炙令脂汁黄乾听用

猪苓 味甘苦淡氣平降也陽也無毒入足太陽膀胱少陰心經

主治 通淋消腫滿除温利小便蓋苦泄滯甘[illegible]

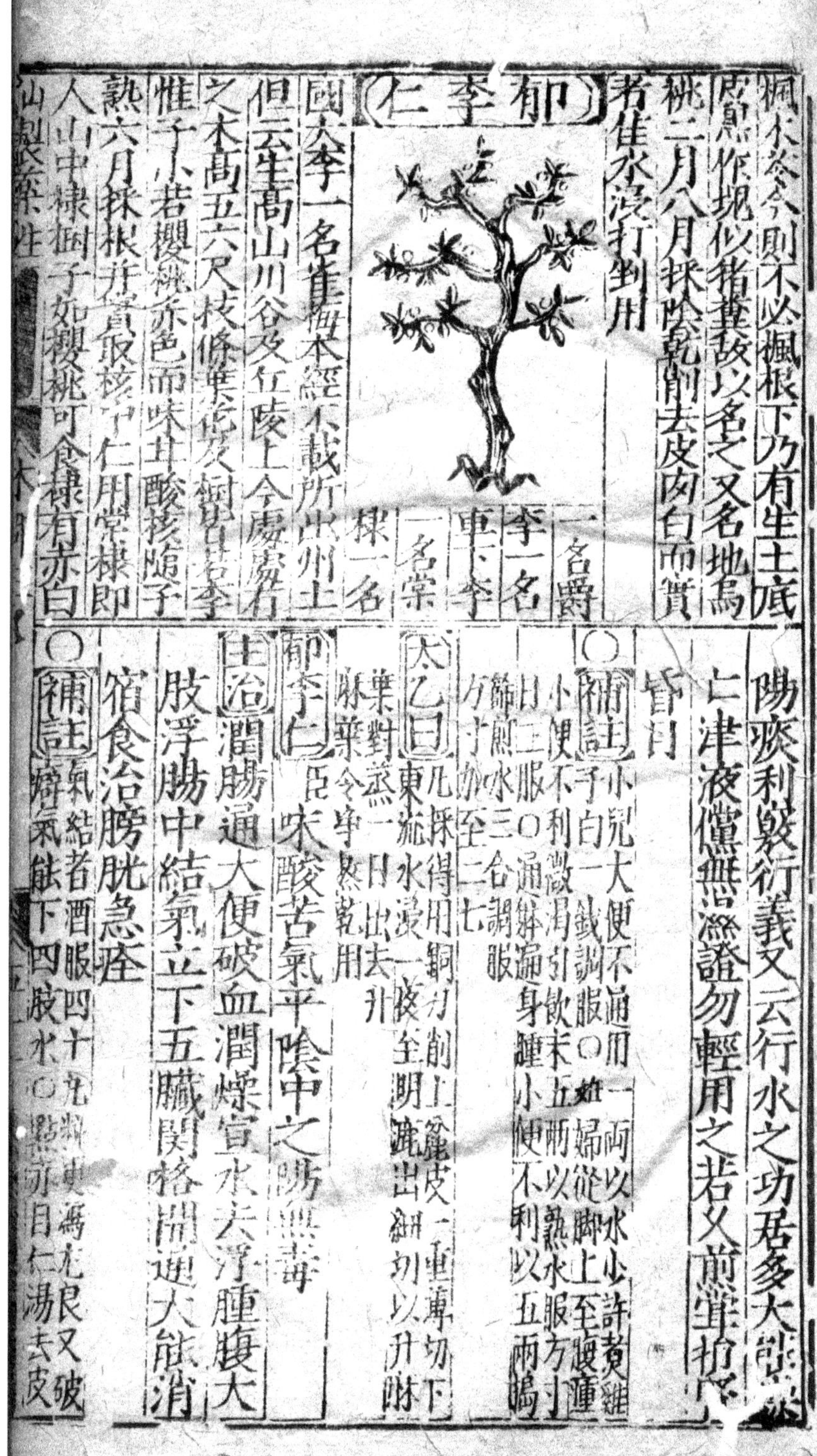

楓木茯令則不以楓根下乃有生土底處熟作塊似豬糞故以名之又名地烏桃二月八月採陰乾削去皮肉白而實者佳水浸打剉用

郁李仁

一名爵李一名車下李一名棠棣一名國木李一名雀梅本經不載所出州土但云生高山川谷及丘陵上今處處有之木高五六尺枝條葉花及樹並若李惟子小若櫻桃赤色而味甘酸核隨子熟六月採根并實取核中仁用棠棣即人山中棣樹子如櫻桃可食棣有赤白

陽痰利穀行義又云行水之功居多大能燥亡津液儻無燥證勿輕用之若又煎堪拘攣皆可

○補註　小兒大便不通用一兩以水少許煮雞子白一錢調服○妊婦從腳上至腹腫小便不利微渴引飲末五兩以熟水服方寸匕日三服○通身遍身腫小便不利以五兩搗篩煎水三合調服分寸加至三七

太乙曰　凡採得用銅刀削上麄皮一重薄切下東流水浸一夜至明漉出細切以升麻葉對蒸一日出去升麻葉令淨曬乾用

郁李仁　臣　味酸苦氣平陰中之陽無毒

主治　潤腸通大便破血潤燥宣水去浮腫腹大肢浮腸中結氣立下五臟關格閉逆大能消宿食治膀胱急痊

○補註　氣結者酒服四十丸粥更瀉丸良又破癖氣能下四肢水○熱亦目仁湯去皮

二種

【根皮】凉無毒主齒斷腫齲齒堅齒殺白蟲或小兒發熱用根白皮煮湯浴身效若齲齒亦以切用水煮濃汁含之冷即易吐出蟲

蜀椒

一名巴椒一名蓎藙一名川椒

生武都川谷及巴郡今歸峽及蜀川陝洛間人家多作園圃種之高四五尺似茱萸而小有針刺葉堅而滑可煮飲食甚辛香四月結子無花但生於葉間如小豆顆而圓皮紫赤色八月採實焙乾此椒江

研極爛入生龍腦點神效○小兒多熱不荃后熟湯研仁如杏酪一日服二合治卒心痛以仁三七枚爛嚼以新汲水下之飲温湯尤妙須臾當吐出薄塩湯熱呷之○身體腫滿水氣急卧不得仁一大合搗為末和麪接作餅子與爽入口即大便通利効治脚氣浮腫心腹滿大小便不通氣急常息者以仁十二分搗碎水研取汁意苡仁搗碎如粟米取三合以汁煮米作粥空腹食之佳○痔瘻取東下仁微湯退去皮及與乾麪相拌搗之為餅如乾和淡水如常溲麪作餅大小一如[illegible]人掌為二餅微炙使黃勿令熟空腹食一枚或數枚熱粥汁以利為度若至午後利不止即以醋飯止之

【太乙曰】凡採得先湯浸然削上尖去皮令净用生絹袋浸一宿漉出陰乾研如膏用

【蜀椒】味辛氣温大熱屬火有金與水浮也陽中之陽有毒杏仁為之使

【主治】開腠理散風邪瘕結乳痃耐寒暑理留食宿食洩精部心腹冷痰及寒濕痺疼並効殺鬼疰蠱毒併蟲魚蛇毒尤靈除骨節皮膚死

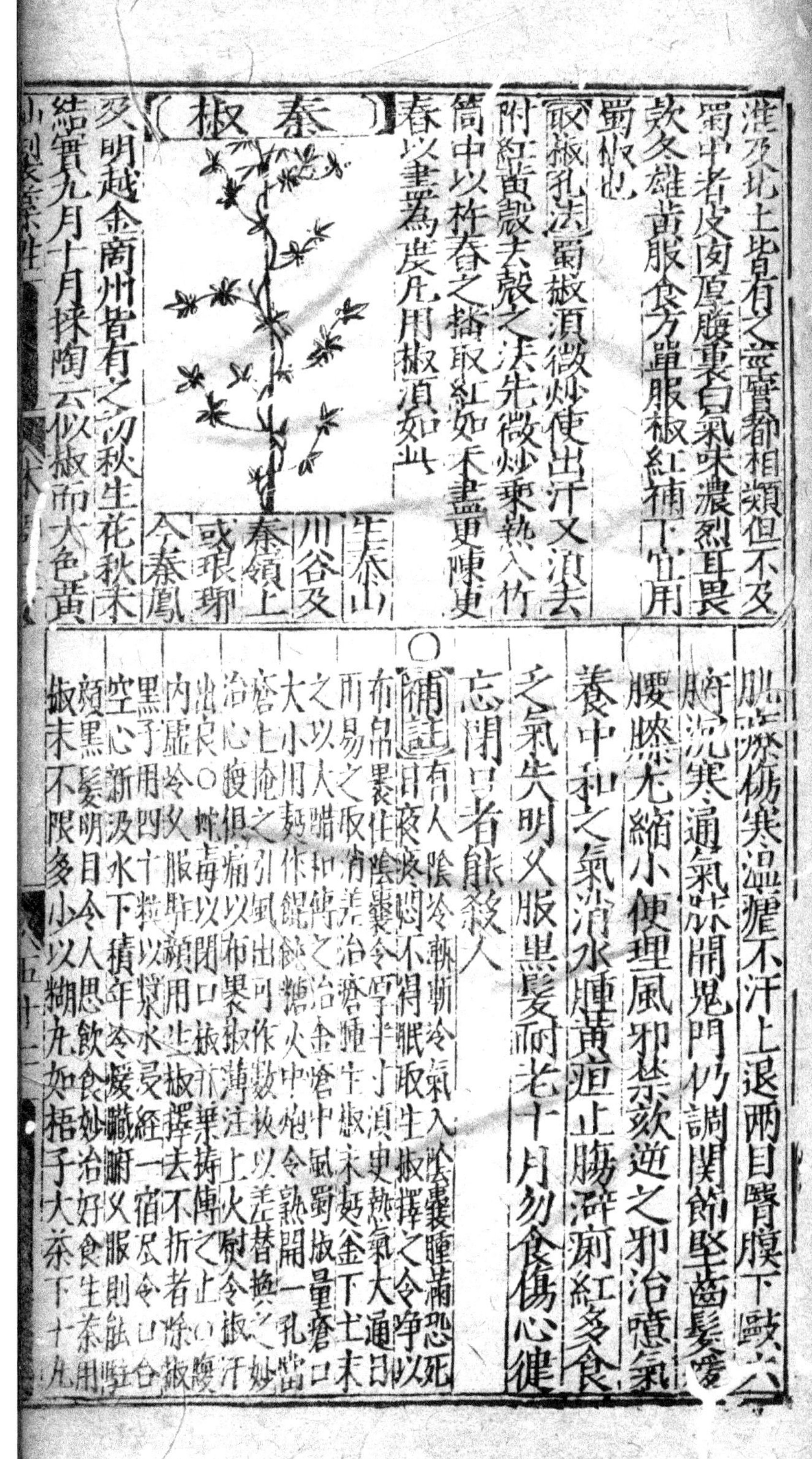

淮及北土皆有之，並實都相類，但不及蜀中者皮肉厚，腹裏白，氣味濃烈耳。畏款冬、雄黃。服食方單服椒紅補下，宜用蜀椒也。

【製】椒孔法：蜀椒須微炒使出汗，又須去附紅黃殼，去殼之法：先微炒乘熱入竹筒中，以杵舂之，播取紅，如不盡，更陳更舂，以盡為度。凡用椒須如此。

【秦椒】

生泰山川谷及秦嶺上，或琅琊，今秦鳳及明越金商州皆有之。初秋生花，秋末結實，九月十月採。陶云：似椒而大，色黃

肌，除傷寒溫瘧不汗，上退兩目瞖膜，下驅六腑沉寒，通氣脉，開鬼門，仍調關節，堅齒髮，暖腰膝，尤縮小便，理風邪，禁欬逆之邪，治噎氣，養中和之氣，消水腫黃疸，止腸澼痢紅，多食乏氣失明，久服黑髮，耐老。十月勿食，傷心，健忘，閉口者能殺人。

○【補註】有人陰冷，漸漸冷氣入陰囊腫滿，恐死，日夜疼悶不得眠，取生椒擇之令淨，以布帛裹住陰囊，令厚半寸，須臾熱氣大通，日再易之，取消差。治瘡腫，生椒末、麪、釜下土末，之以大醋和傅之。治金瘡中風，蜀椒量瘡口大小用麪作餛飩，糖火中炮令熟，開一孔，當瘡上掩之，引氣出，可作數枚以差替換之，妙。治心腹俱痛，以布裹椒薄注上，火熨令椒汗出良。○蜘蛛毒，以閉口椒并葉搗傅之，止。○腰內虛冷，久服駐顏，用此椒擇去不折者，除口椒，黑子用四十粒，以漿水浸經一宿，令口合，空心新汲水下，積年冷凝臟腑，久服則駐顏黑髮明目，令人思飲食，妙。治好食生茶，用椒末不限多少，以糊丸如梧子大，茶下十丸。

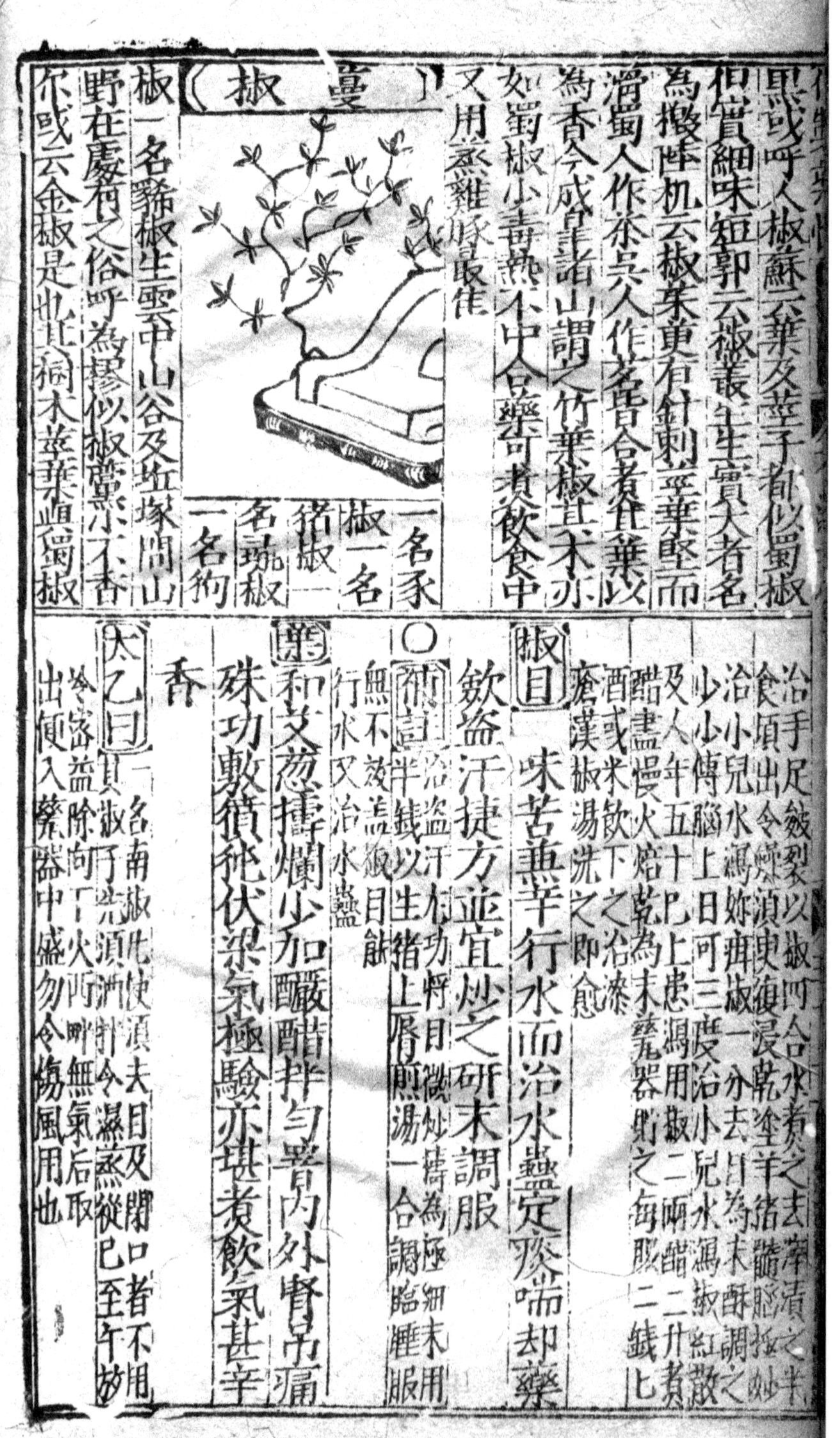

毘或呼人椒蘇云葉及莖子都似蜀椒但實細味短郭云椒樧叢生實大者名為檓陸機云椒葉黄有針刺莖葉堅而滑蜀人作茶吳人作茗皆合煮其葉以為香今成皋諸山謂之竹葉椒其木亦如蜀椒小毒熱不中合藥可煮飲食中又用蒸雞豚最佳

蔓椒

一名豕椒一名豬椒一名彘椒一名狗椒

椒一名豨椒生雲中山谷及丘冢間山野在處有之俗呼為樛似椒𣗳小不香尔或云金椒是也其樹木莖葉似蜀椒

治手足皴裂以椒四合水煮之去滓漬之半食頃出令燥須臾復浸乾塗羊豬髓腦極妙治小兒水瀉妳癖椒一分去目為末酥調之少少傅腦上日可三度治小兒水瀉椒紅散及人年五十已上患瀉用椒二兩醋二升煮醋盡慢火焙乾為末甆器貯之每服二錢匕酒或米飲下之治漆瘡漢椒湯洗之即愈

【椒目】味苦兼辛行水而治水蠱定痰喘却藥歛盜汗捷方並宜炒之研末調服

○【補遺】治盜汗尤功將目微炒擣為極細末用半錢以生豬上唇煎湯一合調臨睡服無不效盖椒目能行水又治水蠱

【丹】和艾葱擣爛少加醶醋拌勻罯內外腎吊痛殊功敷癪秘伏梁氣極驗亦堪煮飲氣甚辛香

【太乙曰】一名南椒凡使須去目及閉口者不用其椒子先須酒拌令濕蒸從巳至午放冷密盖除向下火四畔無氣后取出便入甆器中盛勿令傷風用也

大同小異採根苗煮釀酒妙

○按食療云溫粒大者主上氣咳嗽久風濕痹又患齒痛醋煎含之又傷損成瘡中風以麪裹作餛飩灰中炮之使熱斷開口封其瘡上冷易熱者三五度易之下治傷損成瘡風又去久患口瘡去閉口者以水洗之以麪拌煮作粥空心吞之三五匙飯壓之再服差又椒溫辛有毒主風邪腹痛痺冷溫中大齒痛堅齒髮明目止嘔逆滅瘢生毛髮出汗下氣通神去老益血利五臟治生產後諸疾下乳汁久服令人氣喘促十月勿食及閉口者大忌子細黑者是秦椒白色也

釀子　出閬中江東其木似樗莖間有刺

秦椒　君　味苦辛氣溫有毒

主治　主風邪氣溫中除目翳明目止血痢股中冷痛利五臟出汗開關祛遍身悪風散四肢痛痺滅瘢生髮悦色通神治口齒浮腫動搖併喉痺吐逆調產後腹痛餘疾及經閉不通久服輕身耐老增壽延年世相傳此椒可制水銀凡誤餌成毒者服即愈也

○補註　手足心風腫椒鹽末等分醋和傅之良　治膏卑其人飲少小便多方秦椒二分出汗瓜蒂二分末水服方寸匕日三服治蟲入耳椒末一錢醋半盞浸良久少少灌耳蟲自出

蔓椒　味苦氣溫無毒

主治　主風寒濕痹除歷節痠疼除四肢之厥氣祛賊風之拘攣可蒸病出汗止腳痛膝疼

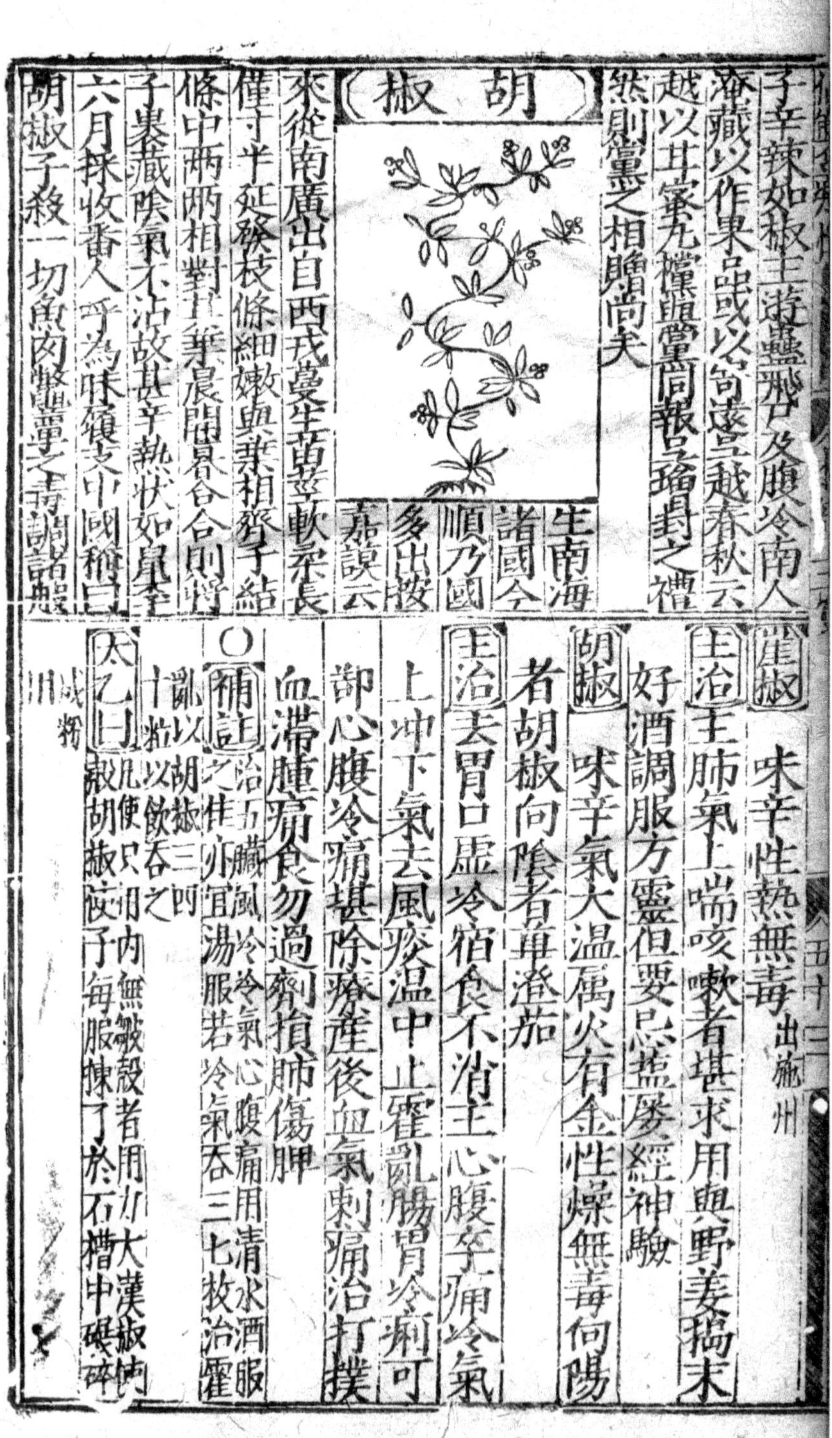

子辛辣如椒主遊蠱飛尸及腹冷南人淹藏以作果品或以寄遠吳越春秋云越以甘蜜丸欓與黨同報吳增封之禮然則黨之相贈尚矣

胡椒

生南海諸國今順乃國多出接嘉設云

來從南廣出自西戎蔓生苗莖軟采長僅寸半延發枝條細嫩與葉相齊子結條中兩兩相對其葉晨開暮合合則將子裹藏陰氣不沾故其辛熱狀如鼠李六月採收番人呼為昧履支中國稱曰胡椒子殺一切魚肉鱉蕈之毒調諸饌

【崖椒】味辛性熱無毒 出施州

【主治】主肺氣上喘咳嗽者甚米用與野姜搗末好酒調服方靈但要忌鹽醫經神驗

【胡椒】味辛氣大溫屬火有金性燥無毒向陽者胡椒向陰者蓽澄茄

【主治】去胃口虛冷宿食不消主心腹卒痛冷氣上冲下氣去風痰溫中止霍亂腸胃冷痢可御心腹冷痛堪除癥瘕產後血氣刺痛治打撲血滯腫痛食勿過劑損肺傷脾

○【補註】治五臟風冷冷氣心腹痛用清水酒服之佳亦宜湯服若冷氣吞三七枚治霍亂以胡椒三四十粒以飲吞之

【太乙曰】凡使只用內無皺殼者用力大漢椒使殺胡椒按子每服揀了於石槽中碾碎成粉川

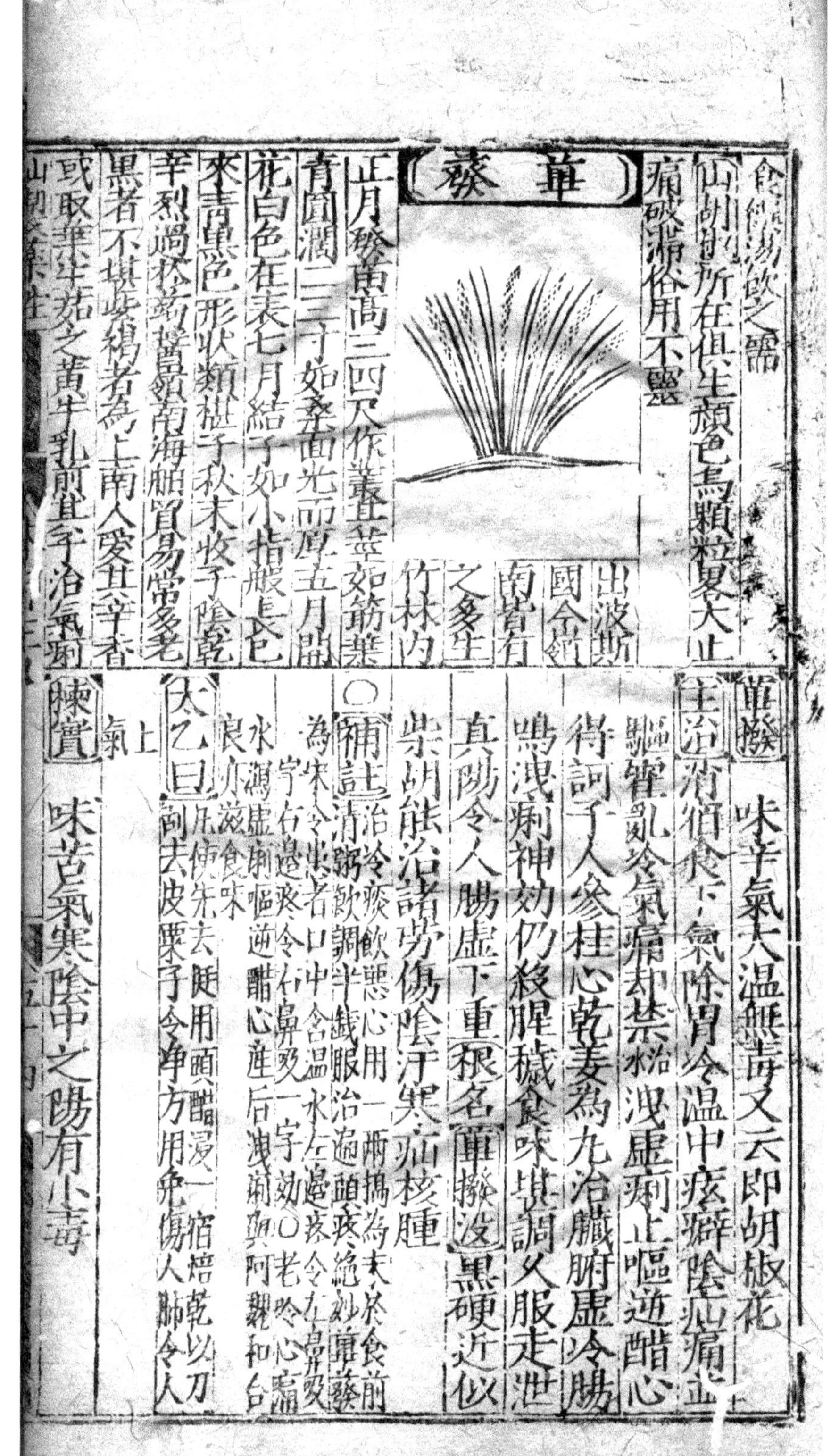

食飲湯飲之需

【山胡椒】所在俱生顏色烏顆粒累大止痛破滯俗用不壘

【蓽茇】

出波斯國今領南皆有之多生竹林内

正月發苗高三四尺作叢莖葉莖如筋葉青圓潤二三寸如桑面光而厚五月開花白色在表七月結子如小指般長色來青黑色形狀類椹子秋末收子陰乾辛烈過於蒟醬頭南海舶買易常多老黑者不堪少褐者爲上南人愛其辛香或取葉生茹之黃牛乳煎宜辛治氣痢

【蓽撥】味辛氣大溫無毒又云即胡椒花

【主治】消宿食下氣除胃冷溫中痰癖陰疝痛止驅霍亂冷氣痛却禁治水泄虛痢止嘔逆醋心得訶子人參桂心乾姜爲丸治臟腑虛冷腸鳴泄痢神效仍後腥穢食味堪調久服走泄真陽令人腸虛下重【根名蓽撥沒】黑硬近似柴胡能治諸勞傷陰汗寒疝核腫

○【補註】治冷痰飲惡心用一兩搗爲末於食前清粥飲調半錢服治遍頭疼絶妙蓽茇爲末令患者口中含溫水左邊疼令左鼻吸右邊疼令右鼻吸一字效○老冷心痛水瀉虛痢嘔逆醋心産后泄痢與阿魏和合良亦滋食味

【太乙曰】凡使先去挺用頭醋浸一宿焙乾以刀刮去皮粟子令淨方用免傷人肺令人上氣

【楝實】味苦氣寒陰中之陽有小毒

山胡椒藥性

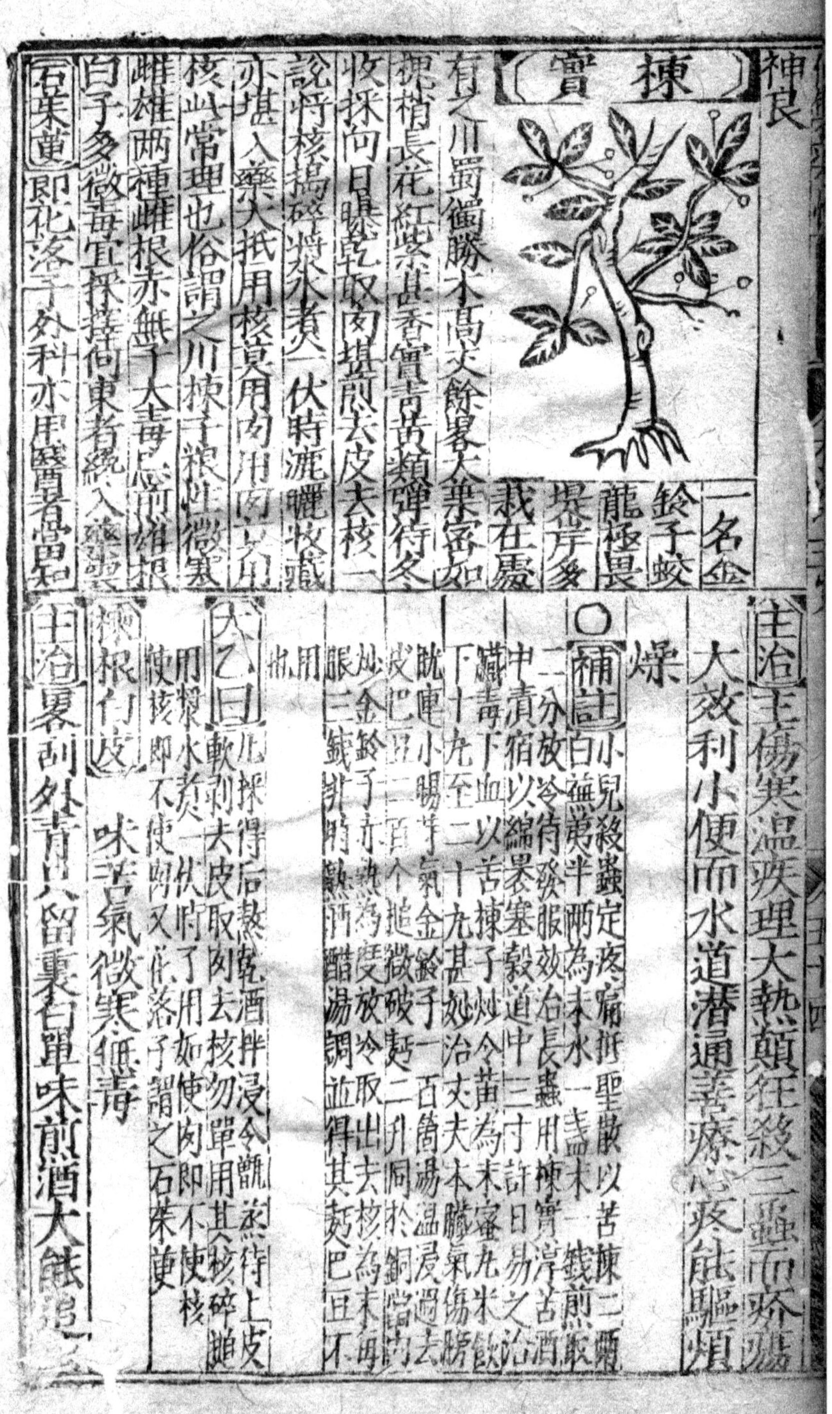

神良

楝實

一名金鈴子 蛟龍極畏

堤岸多栽在處有之川蜀獨勝木高丈餘暑天葉密如槐稍長花紅紫甚香實青黃類彈待冬收採向日曝乾取肉其煎去皮去核一說將核搗碎將漿水煮一伏時漉曬收藏亦堪入藥大抵用核莫用肉用肉勿用核此常理也俗謂之川楝子根性微寒雌雄兩種雌根赤無子大毒忌用雄根白子多微毒宜採擇向東者纔入藥煎

石茱萸 即花落子外科亦用醫者當知

主治 主傷寒溫疾理大熱癲狂殺三蟲而疥瘍大效利小便而水道滑通善療心疼能驅煩燥

○補註 小兒殺蟲定疼痛折聖散以苦楝二兩白蕪荑半兩為末水一盞末一錢煎服二分放冷待發服效治長蟲用楝實淳苦酒中漬宿以綿裹塞穀道中三寸許日易之治臟毒下血以苦楝子炒令黃為末蜜丸米飲下十丸至二十丸甚妙治丈夫本臟氣傷膀胱連小腸等氣金鈴子一百箇湯溫浸過去皮巴豆二百个搥微破麩二升同於銅鐺內炒金鈴子赤熟為度放冷取出去核為末每服三錢非時熱酒醋湯調並得其麩巴豆不用 用出

太乙曰 凡採得後熬乾酒拌浸令潤蒸待上皮軟剝去皮取肉去核勿單用其核碎搥用漿水煮一伏時了用如使肉即不使核使核即不使肉又花落子謂之石茱萸

楝根白皮 味苦氣微寒無毒

主治 暑刮外青只留裏白單味煎濃大能追

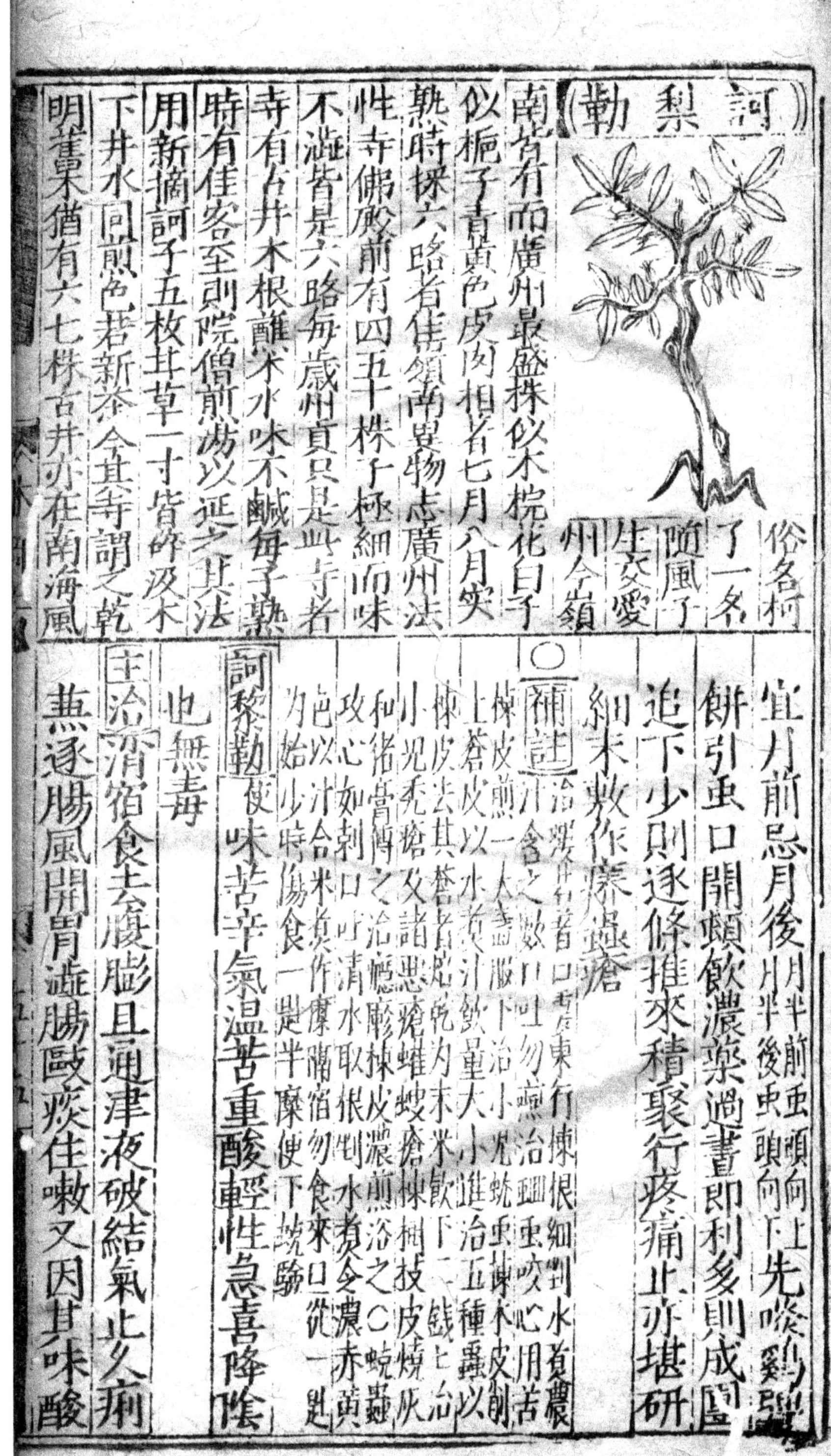

訶梨勒

俗名訶了，一名隨風了。生交愛州，今嶺南皆有，而廣州最盛。株似木梡，花白，子似梔子，青黃色，皮肉相着。七月八月實熟時採，六路者佳。嶺南異物志：廣州法性寺佛殿前有四五十株，子極細而味不澁，皆是六路。每歲州貢只是此寺者。寺有古井，木根蘸水，水味不鹹。每子熟時，有佳客至，則院僧煎湯以延之。其法用新摘訶子五枚，甘草一寸，皆碎，汲木下井水同煎，色若新茶。今其寺謂之乾明，舊木猶有六七株，古井亦在。南海風

宜月前忌月後（月半前虫頭向上，月半後虫頭向下）。先喫雞餅引虫口開，頓飲濃藥，過晝即利，多則成團追下，少則逐條推來。積聚行疼痛止。亦堪研細末敷作瘵癬瘡。

○【補註】治蛔虫有首已出者，取東行楝根細剉，水煎濃汁含之，勿吐勿嚥。治蛔虫咬心，用苦楝皮煎一大盞服下。治小兒蛲虫，楝木皮剉上蒼皮，以水煎汁飲，量大小進。治五種蟲，以楝皮去其蒼者焙乾為末，米飲下二錢匕。治小兒禿瘡及諸惡瘡蟻蝕瘡，楝樹枝皮燒灰和猪膏傅之。治癮疹，楝皮濃煎浴之。○蛲蟲攻心如刺，口吐清水，取根剉水煮令濃赤黃色，以汁合米煮作糜，隔宿勿食，來口從一匙為始，少時傷食一匙半糜，使下蟲驗。

【訶梨勒】使。味苦辛，氣溫，苦重酸輕，性急喜降，陰也。無毒。

【主治】消宿食，去腹膨，且通津液，破結氣，止久痢，甚逐腸風，開胃澁腸，歐痰住嗽，又因其味酸

俗尚貴益湯煞煎之不必盡如昔時之法也訶梨勒主痢

○按南州記云生南海諸國味酸澁温无毒主五膈氣結心腹虛痛赤白諸痢及嘔吐咳嗽並宜使皮其主嗽肉炙治眼澁痛文家使陸路訶梨勒即六稜是也按波斯將訶梨勒大腹等船上用防不虞或遇大魚放涎滑水中數里不通船也遂乃煑此洗其涎滑尋化為水可量治氣功力者乎大腹訶子性燋音是近鑑下故中国種不生故梵云訶梨怛雞謂廣言天堂来並只此也

苦有收斂降火之功故能治肺金傷極鬱遏脹滿喘急欬嗽无休也

○〔補註〕氣痢以十枚麪裹糖灰火煨令麪黄熟去核細研為末和粥飲頓服○赤白嵩一服藥不効轉為白膿用上好者二枚炮去皮一枚生取皮同為末以沸漿水一二合服漿水亦好若水瀉加甘草末一錢微有膿血加二錢血多加三錢効○核白蜜研汁目中治風赤澁治一切風痰霍亂食不消大便澁以三枚搗取皮和酒頓服治風熱衝項悶以梨二枚大黄芒硝同於醋中攪令消摩傳熱處○久嗽者亦用一枚含之嚥汁差後口爽不知食味却煎檳榔湯服之治恒嘔不能食以皮二兩去核熬為末煉蜜丸如梧子大空心服二十丸治常患氣以三枚濕紙裹煨紙乾即剥去核細嚼以生乳一升下治一切氣宿食不消以一枚夜含之至明嚼服治水痢以三顆麪裹炮赤去麪取訶梨勒皮搗為末飯和為丸米飲下三七丸○下氣消食并茶青色用訶梨一枚打碎為末于銀器中水一大升煎取三沸後下訶梨更煎三五沸如麹塵色著少塩服

隨風子 其子未熟時被風飄墮者故名曝乾收

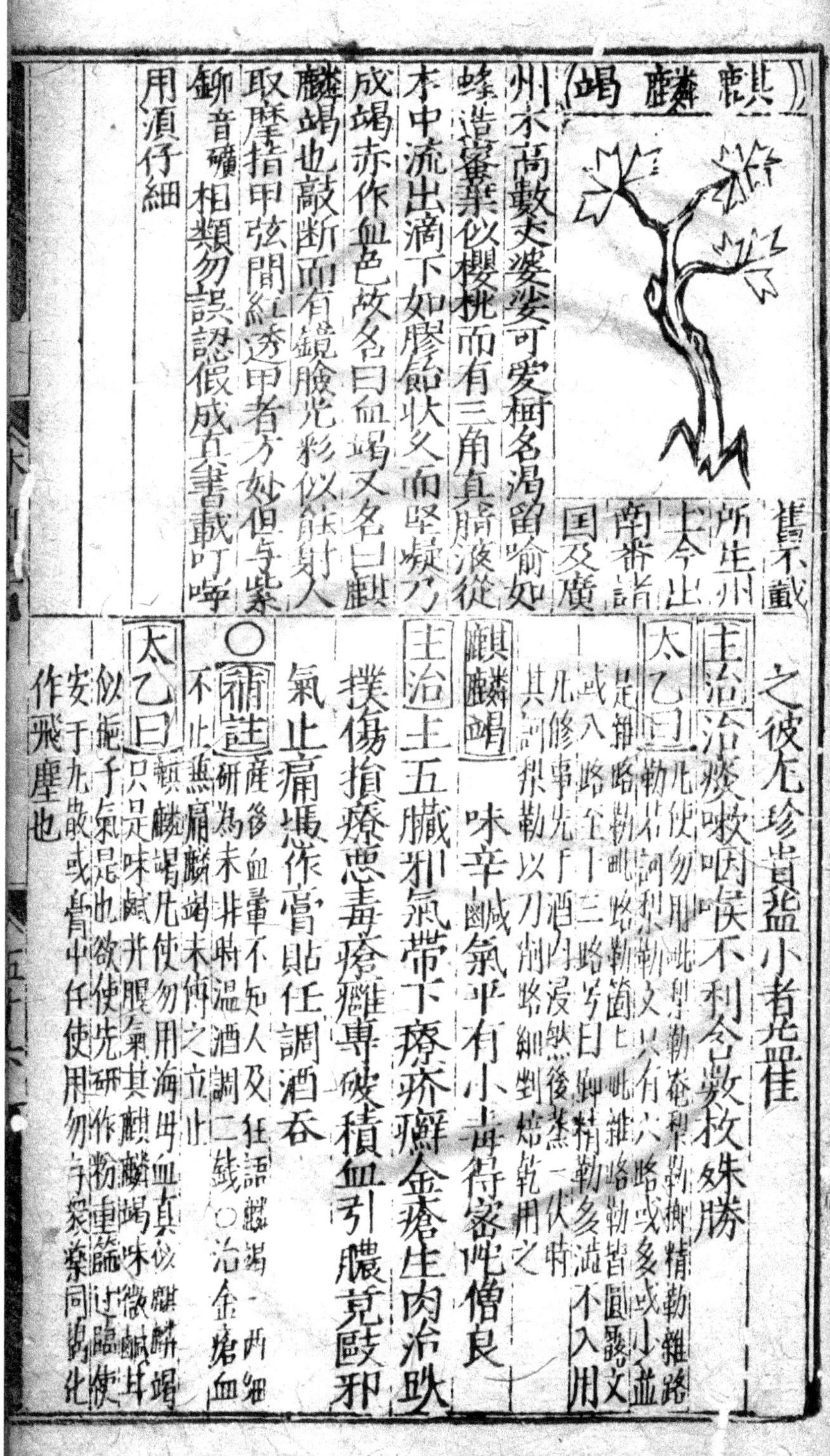

麒麟竭

舊不載

所生州土今出南番諸国及廣州木高數丈婆娑可愛樹名渴留喻如蜂造蜜葉似櫻桃而有三角其脂液從木中流出滴下如膠飴狀久而堅凝乃成竭赤作血色故名曰血竭又名曰麒麟竭也敲斷而有鏡臉光彩似能射人取摩指甲弦間紅透甲者方妙但与紫鉚音礦相類勿誤認假成古書載叮嚀用須仔細

之彼乞珍貴盌小者堯罹

【主治】治痰嗽咽喉不利含嚥救殊勝

【太乙曰】凡使勿用雌并勒苍犁勒槲精勒雜路勒若訶梨小勒又只有六路或多或小並是雜路勒此路勒箇亡此雜路勒皆圓露文或八路至十三路号曰御精勒多滿不入用凡修事先于酒內浸然後蒸一伏時其訶梨勒以刀削路細剉焙乾用之

【麒麟竭】味辛鹹氣平有小毒得密陀僧良

【主治】主五臟邪氣帶下療疥癬金瘡生肉治跌撲傷損療惡毒瘡癰專破積血引膿竟毆邪氣止痛憑作膏貼任調酒吞

○【補註】產後血暈不知人及狂語麒麟竭一两細研為末非時温酒調二錢○治金瘡血不止兼痛麟竭末傅之立止

【太乙曰】麒麟竭凡使勿用海母血真似麒麟竭只是味鹹并腥氣其麒麟竭味微鹹甘似梔子氣是也欲使先研作粉重篩过臨使安于丸散或膏中任使用勿与衆藥同搗化作飛塵也

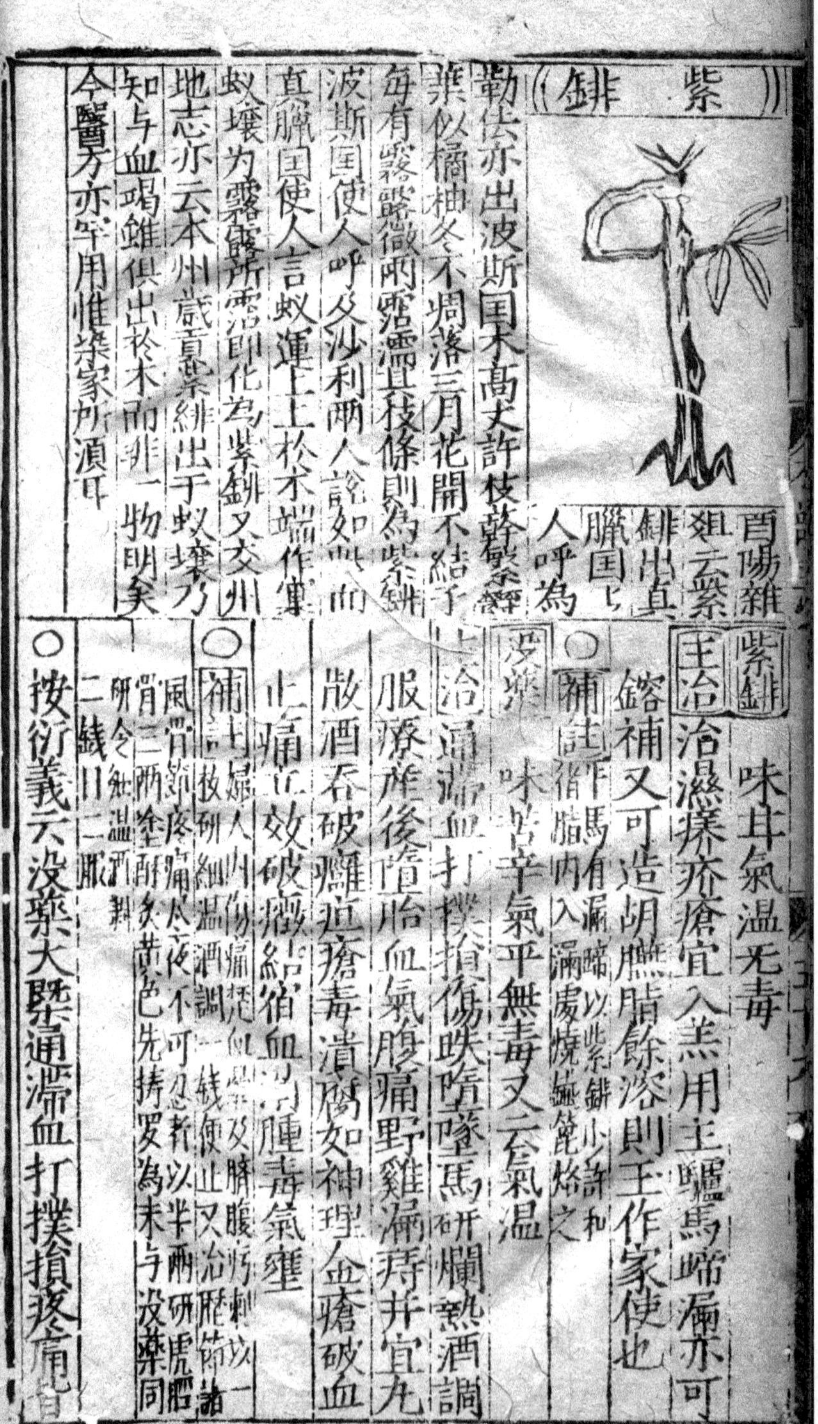

紫鉚

酉陽雜俎云紫鉚出真臘国〻人呼為勒佉亦出波斯国木高丈許枝葉鬱鬱葉似橘柚冬不凋落三月花開不結子每有霧露微雨霑濡其枝條則為紫鉚波斯国使人呼及沙利兩人說如此而真臘国使人言蚁運土上於木端作窠蚁壞為霧露所霑即化為紫鉚又交州地志亦云本州歲貢紫鉚出于蚁壤乃知与血竭雖俱出於木而非一物明矣今醫方亦罕用惟染家所須耳

紫鉚　味甘氣溫无毒

主治　治濕癢疥瘡宜入羔用主驢馬蹄漏亦可鎔補又可造胡臙脂餘滓則玉作家使也

○補註　下馬有漏蹄以紫鉚少許和猪脂内入漏處燒鐵篦烙之

沒藥　味苦辛氣平無毒又云氣溫

主治　治通滯血打撲損傷跌墮墜馬研爛熱酒調服療產後惡血氣腹痛野雞漏痔并宜丸散酒吞破癥瘕瘡毒潰腐如神理金瘡破血止痛立效破癥結宿血消腫毒氣壅

○補註　婦人内傷痛楚血暈及臍腹㽲刺者以一研細溫酒調一錢便止又治歷節諸風骨節疼痛晝夜不可忍者以半兩研虎脛骨三兩塗酥炙黃色先搗羅為末与沒藥同研令細溫酒調二錢日三服

○按衍義云沒藥大槩通滯血打撲損疼痛皆

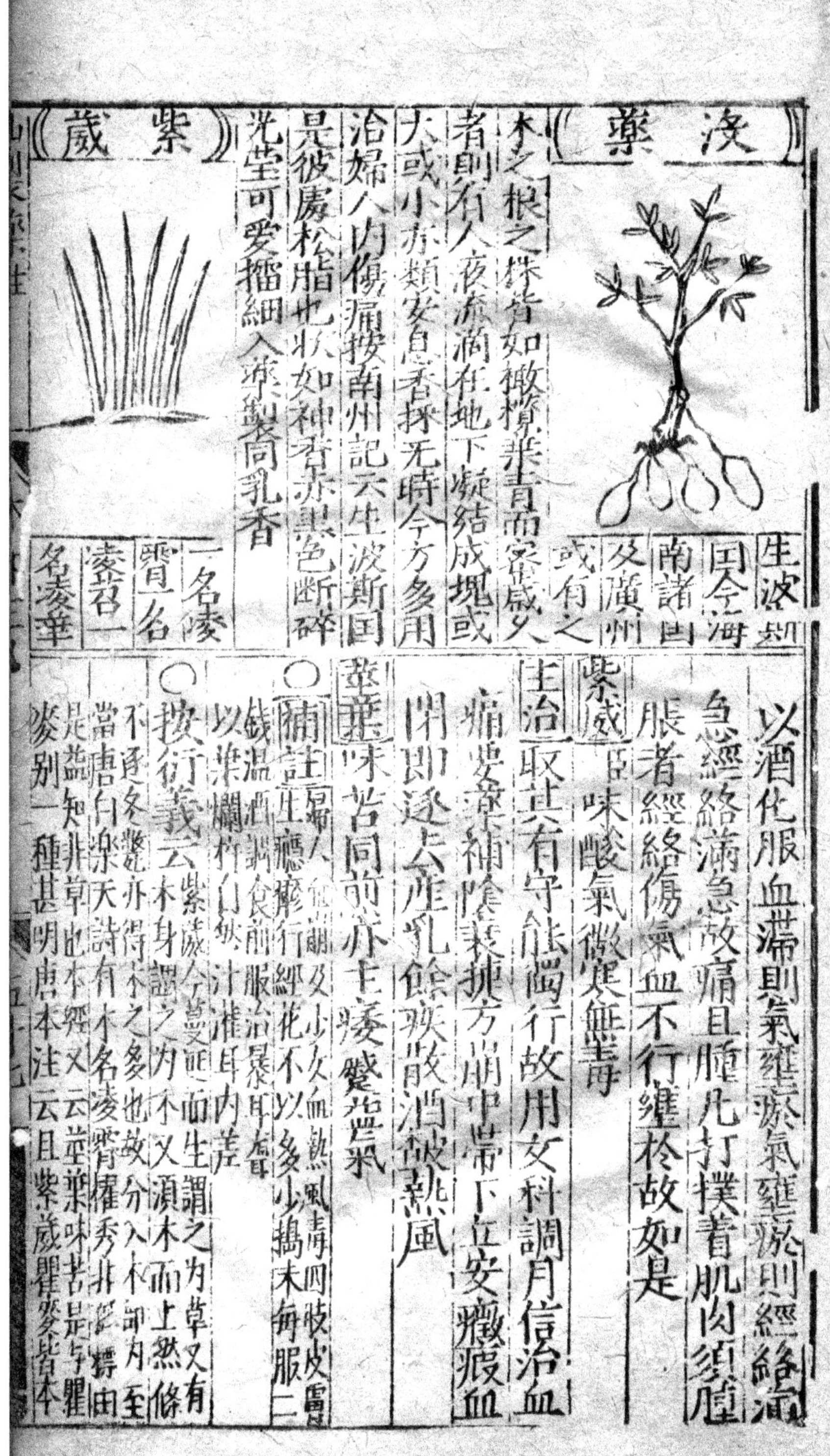

《沒藥》

生波斯國今海南諸國及廣州或有之

木之根之株皆如橄欖葉青而密歲久者則有脂液滴在地下凝結成塊或大或小亦類安息香採無時今方多用治婦人內傷痛楚南州記云生波斯國是彼處松脂也狀如神香亦黑色斷碎光瑩可愛擂細入藥製同乳香

以酒化服血滯則氣壅瘀氣壅瘀則經絡滿急經絡滿急故痛且腫凡打撲着肌肉須腫脹者經絡傷氣血不行壅塞故如是

《紫葳》

一名凌霄一名凌苕一名凌華

紫葳 臣 味酸氣微寒無毒

主治 取其有守能獨行故用女科調月信治血痛要藥補陰衰捷方崩中帶下立安癥瘕血閉即逐去產乳餘疾散消酒皶熱風

莖葉 味苦同前亦主痿蹷益氣

○補註 主婦人產前崩及小兒血熱風毒四肢皮膚生癮疹行經花不以多少搗末每服二錢溫酒調食前服治暴耳聾以葉爛杵自然汁灌耳內差

○按衍義云紫葳今蔓延而生謂之為草又有木身謂之為木又須木而上然條不逐冬斃亦得木之多也故分入木部內至當唐白樂天詩有木名凌霄擢秀非孤標由是益知非草也本經又云莖葉味苦是與瞿麥別一種甚明唐本注云且紫葳瞿麥皆本

生西海川谷及山陽今處々皆有多生山中人家園圃亦或種蒔初作藤蔓生依大木歲久延引至巔而有花其花黃赤夏中乃盛陶隱居云詩有苕之華郭云陵霄又云蘇恭引爾雅釋草云苕陵苕郭云又名陵霄今爾雅注苕一名陵時本草云而為陵霄之說古今所傳書有異同邪又據陸璣及孔穎達疏義亦云苕一名陵時陵時乃是鼠尾草之別名郭又謂苕為陵時本草云今紫葳无陵時之名而鼠尾草有之乃知陶所引是以陵時作陵霄又霄々非是草類益可明其誤矣

經所載若用瞿麥根為紫葳何得復用莖葉此說尽矣然其花赭黃色本條雖不言其花又卻言莖葉味苦則紫葳為花故可知矣

【衛予】味苦氣寒无毒

【主治】任煎湯液專治女科能隨妊娠善療血氣遺邪祟殺蠱毒破癥瘕結通月經腹滿汗出立瘳崩中下漏即止消皮膚風腫去腹臟白蟲産後血紛壯瀝殊功惡瘡卒暴心痛捷効

〇【衍註】療熱風亦心痛不可忍者有鬼箭羽湯服治乳无汁鬼箭五兩水六升煑取四升一服八合日三亦可燒作灰水服方寸匕日三服大效

【太[illegible]曰】凡使勿用石茆根頭真似鬼箭只是上葉不同味各別採得後只使箭頭用拭上赤毛用酥緩炒過用之每修事一兩用酥一分炒酥盡為度

【虎杖根】味甘平氣微溫无毒

【主治】治女人血暈産後惡露未盡心腹脹滿疼

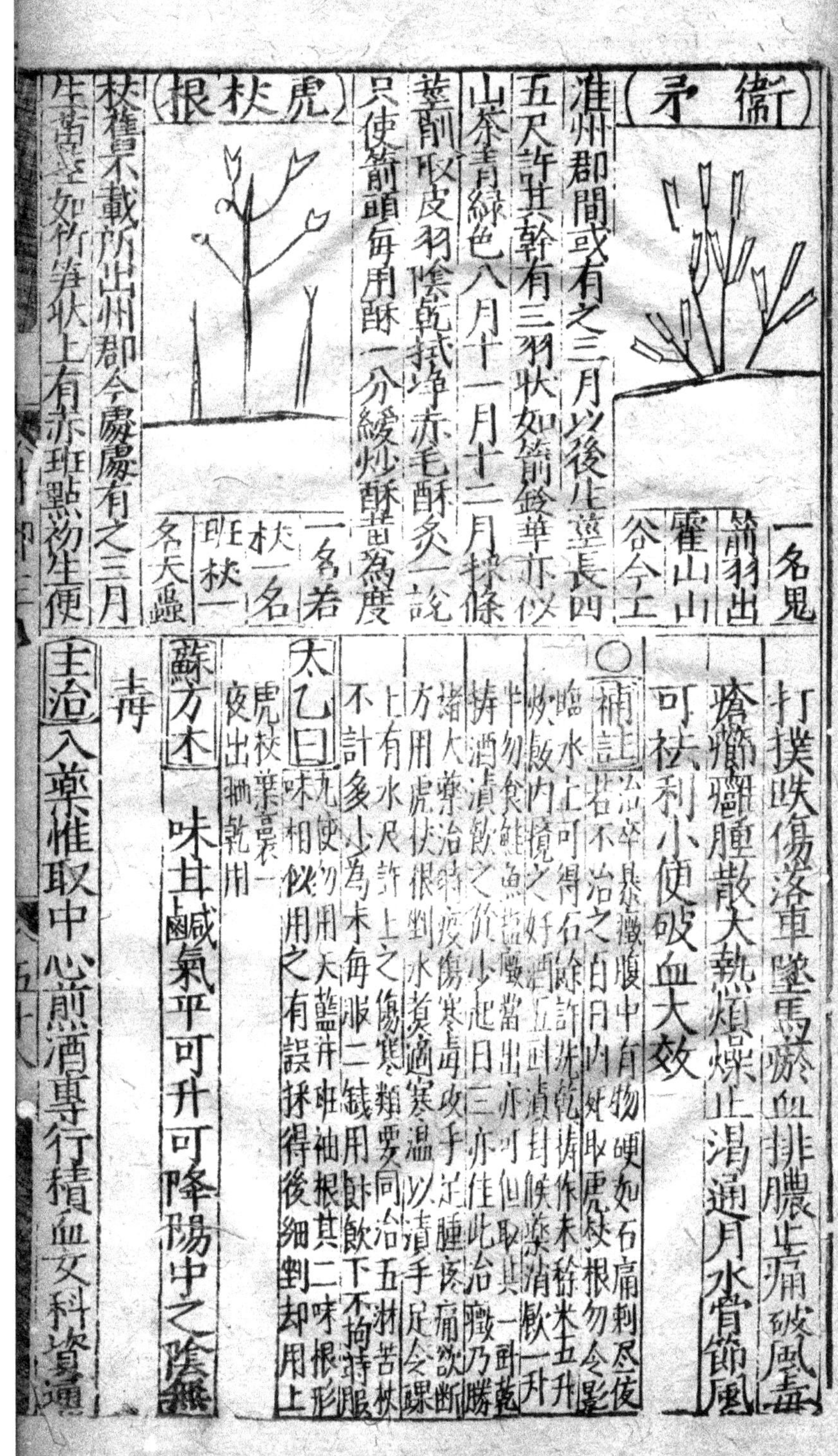

衛矛

淮州郡間或有之三月以後生莖長四五尺許其幹有三羽狀如箭翎簳亦似山茶青綠色八月十一月十二月採條莖削取皮羽陰乾拭淨赤毛酥炙一說只使箭頭每用酥一分緩炒酥盡為度

一名鬼箭羽出霍山山谷今上

虎杖根

杖舊不載所出州郡今處處有之三月生苗莖如竹筍狀上有赤斑點初生便

一名若杖一名斑杖一名大蟲

打撲跌傷落車墜馬瘀血排膿止痛破風毒瘡癬瘰腫散大熱煩燥止渴通月水骨節風可祛利小使破血大效

○【補註】治卒暴癥腹中有物硬如石痛刺晝夜若不治之白日內死取虎杖根勿令影臨水上可得石餘許洗乾擣作末稌米五升炊飯內攪之好酒五斗漬封候藥消飯一升半勿食鮭魚鹽癥當出亦可但取其一斗乾擣酒漬飲之從小起日三亦佳此治癥乃勝諸大藥治時疫傷寒毒攻手足腫疼痛欲斷方用虎杖根剉水煮適寒溫以漬手足令踝上有水尺許止之傷寒類要同治五淋苦杖不計多少為末每服二錢用飯飲下不拘時服

【太乙曰】凡使勿用天藍并斑袖根其二味根形味相似用之有誤揀得後細剉却用上虎杖葉裹一夜出晒乾用

【蘇方木】味甘鹹氣平可升可降陽中之陰無毒

【主治】入藥惟取中心煎酒專行積血女科資適

分枝丫葉似小杏葉七月開花九月結實角中出者无花根皮黒色破開即黄似柳根亦有高枝餘者爾雅云蒤虎杖郭璞云似葒草而麁大有細刺可以染赤是也二月三月採根暴乾河東人燒根灰貼諸惡瘡浙中醫工取根洗去皺皮剉焙搗篩蜜丸如赤豆陳米飲下治腸痔下血甚佳俗間以其草同煎為飲色如虎珀可愛瓶盛置井中令冷徹如氷極解暑毒其汁染米作糜餻益美

蘇方木

俗名蘇木出南海崑崙來交州愛州亦有樹似菴羅葉若榆葉而無齒

月水產後敗血立除外科伏散腫癰跌撲死血即逐同防風散表裏風氣調乳香治口噤風邪

○補註 治血暈蘇方三兩細剉水五升煮取二升分再服差若无蘇方取緋衣煮汁服亦得○霍亂嘔逆及常嘔吐用水煎服大効○產後血脹欲悶死者水煮苦酒煮五兩取濃汁服効○虛勞血癖氣壅滯產後惡露不安法起衝心腹撹痛及經絡不通男女中風口噤不語宜細研乳頭香細末方寸匕酒煎去滓調服立吐惡物差

太乙曰 凡使去上麁皮并節了若有中心文橫如紫角者號曰木中尊色其力倍常百笑須細剉了重擣拌細條梅梅枝蒸從巳至申出陰乾用

柳子皮 味苦氣平无毒

主治 止血止鼻衄止霍亂吐逆煮汁作飲服有神功 柳殼 中肉大能益氣兼又祛風 柳殼 主消渴止血水腫揉頭益髮令烏風熱能祛多

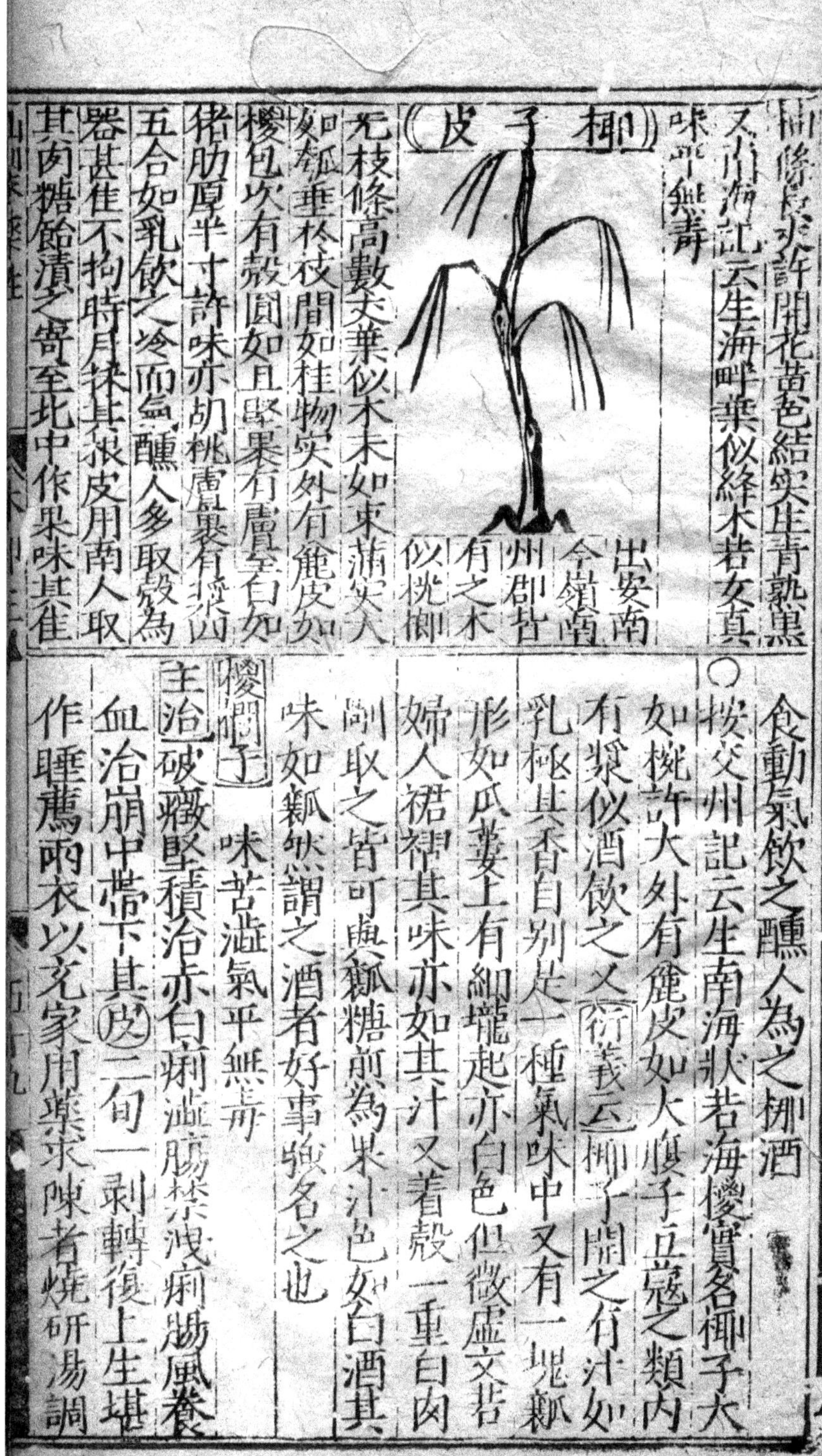
樹條長丈許開花黃色結實生青熟黑又川海記云生海畔葉似絳木若女真味平無毒

椰子皮

出安南今嶺南州郡皆有之木似桄榔无枝條高數丈葉似木末如束蒲實大如瓠垂於枝間如桂物實外有麄皮如椶包次有殼圓如且堅裏有膚白如猪肪厚半寸許味亦胡桃膚裏有漿四五合如乳飲之冷而氣醺人多取殼為器甚佳不拘時月採其根皮用南人取其肉糖飴漬之寄至北中作果味甚佳食動氣飲之醺人為之椰酒

○按交州記云生南海狀若海椶實名椰子大如桃許大外有麄皮如大腹子豆蔻之類內有漿似酒飲之又【衍義云】椰子開之有汁如乳極其香自別是一種氣味中又有一塊瓠形如瓜蔞上有細壠起亦白色但微虛文若婦人裙襉其味亦如其汁又着殼一重白肉剮取之皆可與瓠糖煎為果汁色如白酒其味如瓠然謂之酒者好事與名之也

【椶櫚子】味苦澁氣平無毒

【主治】破癥堅積治赤白痢澁腸禁泄痢腸風養血治崩中帶下其【皮】二旬一剝轉復上生堪作踵薦雨衣以充家用藥以陳者燒研湯調

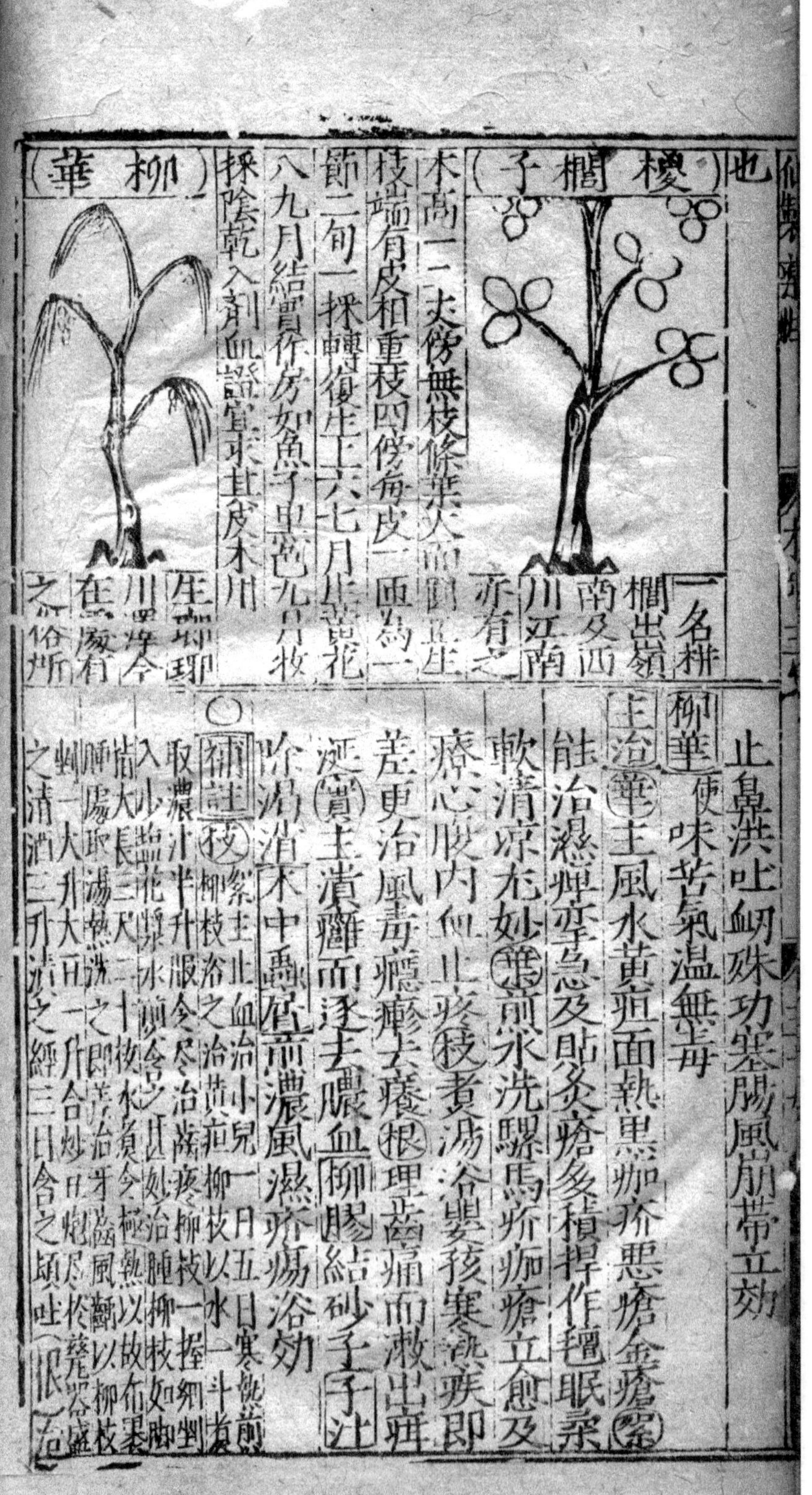

也

（椶櫚子）

木高一二丈傍無枝條葉大而圓並生枝端有皮相重被四傍每皮一匝為一節二旬一採轉復生上六七月生黃花八九月結實作房如魚子黑色九月收採陰乾入劑血證宜求其皮木用

一名栟櫚出嶺南及西川江南亦有之

（柳華）

生瑯琊川澤今在處有之俗所

止鼻洪吐衄殊功塞腸風崩帶立効

柳華 使 味苦氣溫無毒

主治 華 主風水黃疸面熱黑痂疥惡瘡金瘡 實 能治濕痺攣急及貼灸瘡多積捍作氈眠柔軟清凉尤妙 葉 煎水洗騾馬疥痂瘡立愈及療心腹內血止疼 枝 煮湯浴嬰孩寒熱疾即差更治風毒癮疹去癢 根 理齒痛而漱出涎 實 主潰癰而逐去膿血 柳膠 結砂子 子汁 吮渴消 木中蟲屑 煎濃風濕疥瘍浴効

○補註 枝 絮主止血治小兒一日五日寒熱煎柳枝浴之治黃疸柳枝以水一斗煮取濃汁半升服令盡治齒疼柳枝一握細剉入少鹽花浸水煎含之甚妙治腫柳枝如腳指大長三尺二十枚水煮令極熱以故布裹腫處取湯熱洗之即差治牙齒風齲以柳枝剉一大升大豆一升合炒豆熟盡於甕器盛之清酒三升漬之經三日含之頻吐 根 治

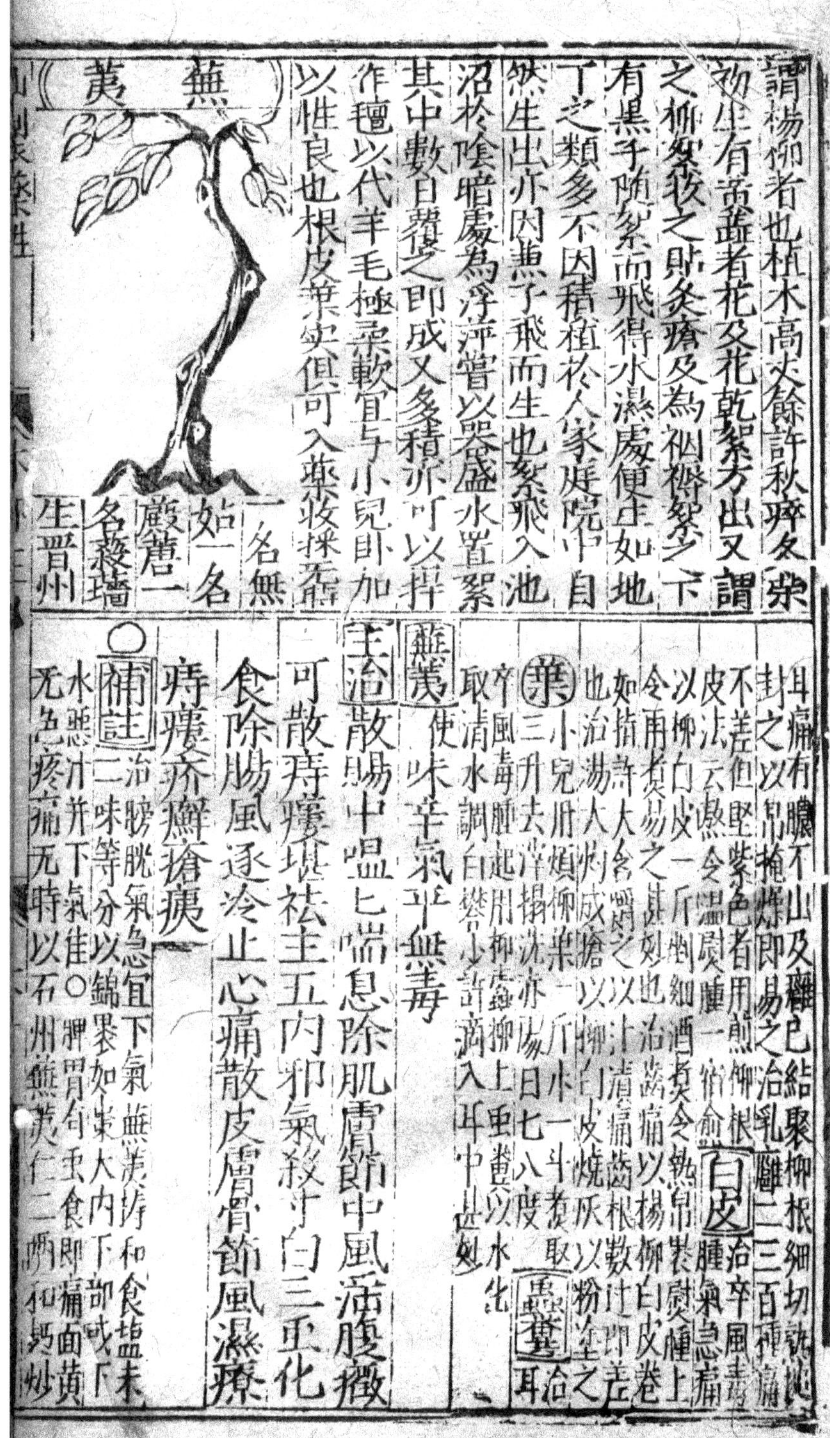

謂楊柳者也柢木高丈餘許秋殀冬榮
初生有黃蕊者花及花乾絮方出又謂
之柳絮收之貼灸瘡及為裀褥絮多下
有黑子隨絮而飛得水濕處便生如地
丁之類多不因種植於人家庭院中自
然生出亦因黑子飛而生也絮飛入池
沼於陰暗處為浮萍嘗以器盛水置絮
其中數日覆之即成又多積亦可以捍
作氈以代羊毛極柔軟宜與小兒卧加
以性良也根皮葉實俱可入藥收採蒔

蕪荑

一名無姑一名蔱蘠一名蕿蘠生晉州

耳痛有膿不出及癰已結聚柳根細切熟搗
封之以帛掩縛即易之治乳癰二三百種痛
不差但堅紫色者用煎柳根
皮法云熬令溫熨腫一宿愈【白皮】治卒風毒腫氣急痛
以柳白皮一斤剉細酒煮令熱帛裹熨腫上
令再者易之甚妙也治齒痛以楊柳白皮卷
如指許大含嚼之以汁漬痛齒根數过即差
也治湯火灼成瘡以柳白皮燒灰以粉塗之
【葉】小兒用煩柳葉一斤水一斗煮取
三升去滓搨洗亦啄日七八度【蟲蠹】治耳
卒風毒腫起用柳蠹柳上蟲糞以水化
取清水調白礬少許滴入耳中甚妙

【蕪荑】使　味辛氣平無毒

【主治】散腸中嗢嗢喘息除肌膚節中風淫腹癥
可散痔瘻堪祛主五內邪氣殺寸白三蟲化
食除腸風逐冷止心痛散皮膚骨節風濕瘰
痔瘻疥癬瘡痍

○【補註】治膀胱氣急宜下氣蕪荑搗和食鹽末
二味等分以錦裹如棗大內下部或下
水惡汁并下氣佳○脾胃有蟲食即痛面黃
无色疼痛无時以石州蕪荑仁二兩和麪炒

新刻太乙仙製本草藥性大全　貳

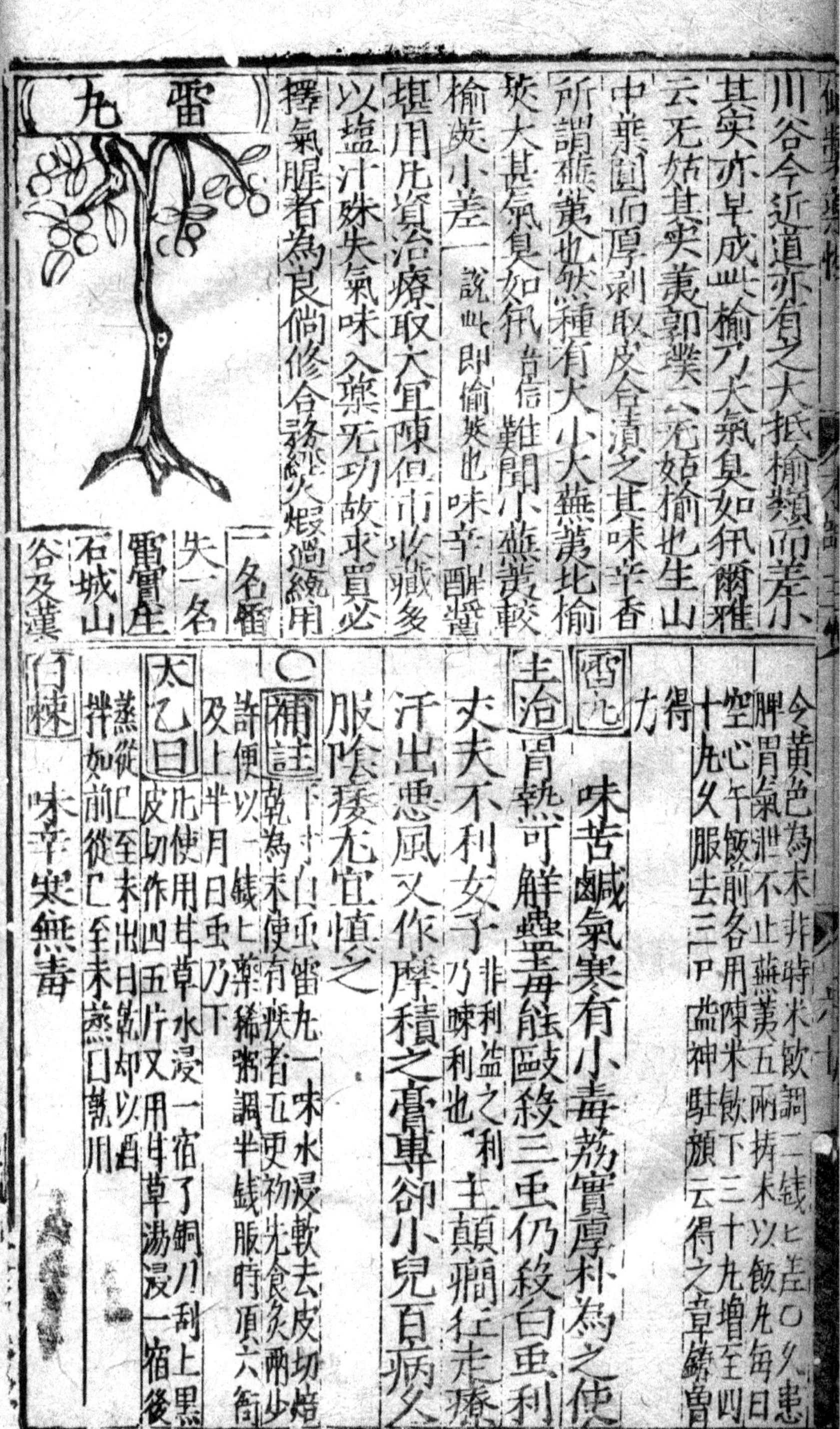

川谷今近道亦有之大抵榆類而差小其實亦早成此榆乃大氣臭如犼爾雅云无姑其實荑郭璞云无姑榆也生山中葉圓而厚剥取皮合漬之其味辛香所謂蕪荑也然種有大小大蕪荑比榆莢大甚氣臭如犼音信難聞小蕪荑較榆莢小差一說此即榆莢也味辛醋醬堪用凡資治療取大宜陳但市收藏多以塩汁殊失氣味入藥无功故求買必擇氣腥者為良倘修合務須火煨過纔用

雷丸

一名雷矢一名雷實生石城山谷及漢

令黃色為末非時米飲調二錢匕若〇久患脾胃氣泄不止蕪荑五兩搗末以飯丸每日空心午飯前各用陳米飲下三十丸增至四十丸久服去三尸益神駐顏云得之章[illegible]曾得力

雷丸 味苦鹹氣寒有小毒荔實厚朴為之使

主治 胃熱可解蠱毒能毆殺三虫仍殺白虫利丈夫不利女子非利益之利乃嗽利也主癲癇狂走療汗出惡風又作摩積之膏專卻小兒百病久服陰痿尤宜慎之

〇補註 下寸白虫雷丸一味水浸軟去皮切焙乾為末使有疾者五更初先食炙肉少許便以一錢匕藥稀粥調半錢服時須六旬及上半月日虫乃下

太乙曰 凡使用甘草水浸一宿了銅刀刮上黑皮切作四五片又用甘草湯浸一宿後蒸從巳至未出日乾却以酒拌如前從巳至未蒸日乾用

白棘 味辛寒無毒

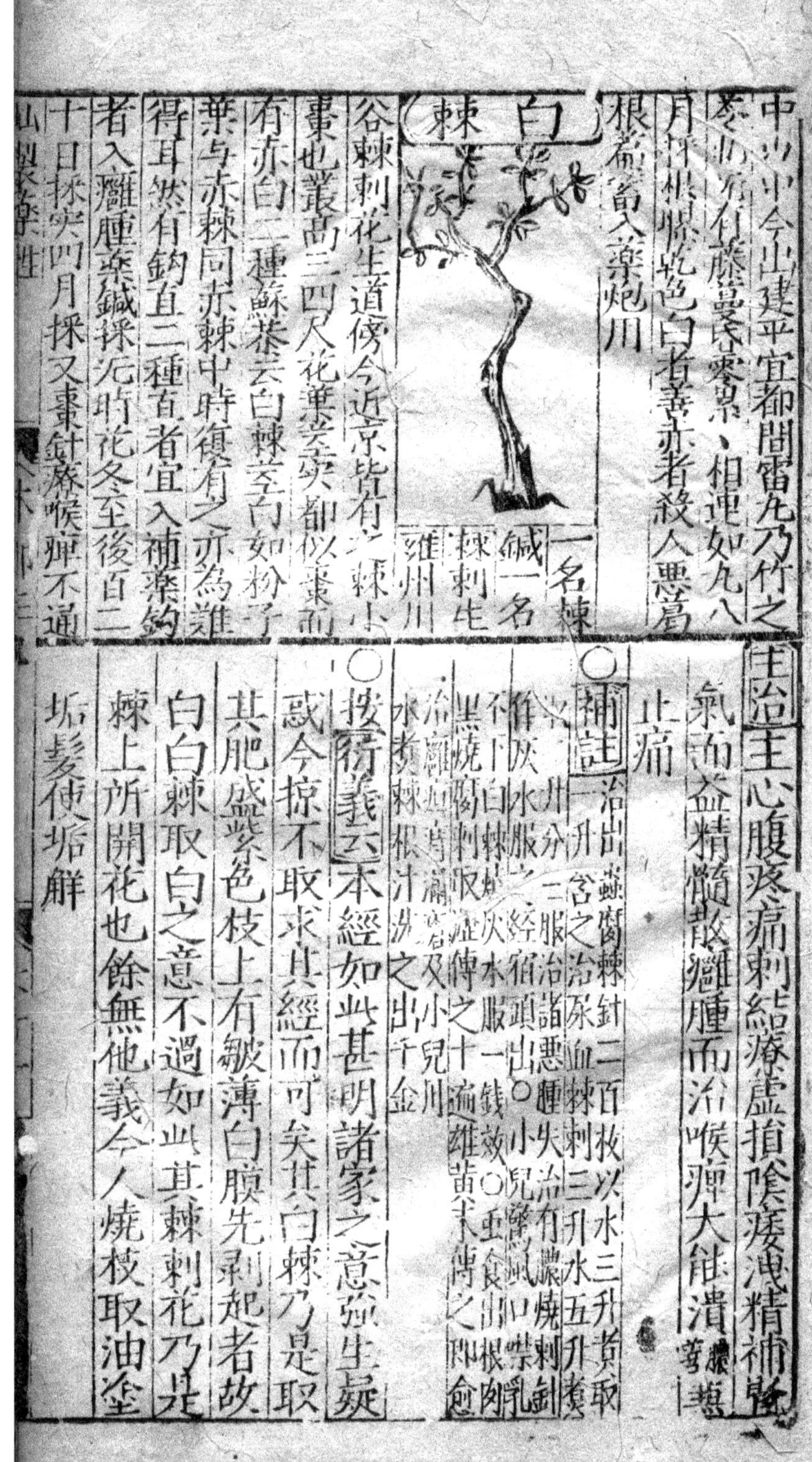

中山中今出建平宜都間雷丸乃竹之苓也所有藤蔓皆零累、相連如丸八月採根焙乾色白者善赤者殺人惡葛根稽蔔入藥炮用

白棘

一名棘鍼一名棘刺生雍州川谷棘刺花生道傍今近京皆有之棘小棗也叢高三四尺花葉莖實都似棗而有赤白二種蘇恭云白棘莖白如粉子葉與赤棘同赤棘中時復有之亦為難得耳然有鈎直二種直者宜入補藥鈎者入癰腫藥鍼採沇時花冬至後百二十日採實四月採又棗針療喉痺不通

主治　主心腹疼痛刺結療虛損陰痿洩精補腎氣而益精髓散癰腫而治喉痺大能潰膿壞等主止痛

○補註　治出蘇禽棘針二百枚以水三升煮取一升宮之治尿血棘刺三升水五升煮升川分二服治諸惡腫失治有膿燒刺劍作灰水服之經宿頭出○小兒驚風口禁乳不下白棘燒灰本服一錢效○重食出根肉黑燒灰刺取汁塗傅之十遍雄黃末傅之即愈治癰疽痔漏瘡及小兒川水煮棘根汁洗之出千金

○按衍義云本經如此甚明諸家之意強生疑惑今掠不取求其經而可矣其白棘乃是取其肥盛紫色枝上有皺薄白膜先剝起者故白白棘取白之意不過如此其棘刺花乃是棘上所開花也餘無他義今人燒枝取油塗垢髮使垢解

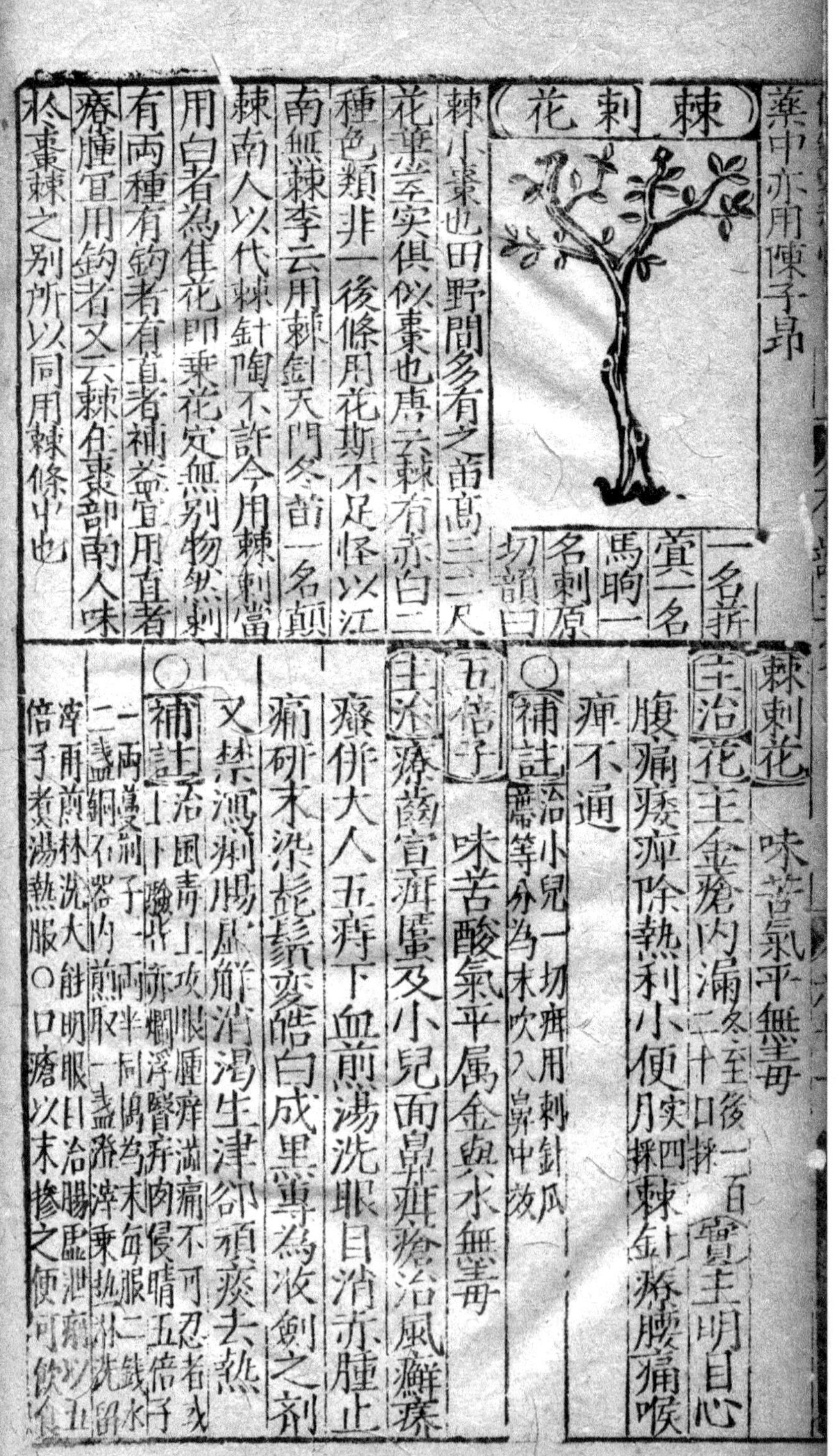

藥中亦用楝子昂

棘刺花

一名菥蓂一名馬駒一名刺原切韻曰棘小棗也田野間多有之苗高三二尺花葉莖實俱似棗也唐本云棘有赤白二種色類非一後條用花斯不足怪以江南無棘李云用棘鍼天門冬苗一名顛棘南人以代棘鍼陶不許今用棘刺當用白者為佳花即棘花定無別物然刺有兩種有鉤者有直者補益宜用直者療腫宜用鉤者又云棘在棗部南人味於棗棘之別所以同用棘條中也

棘刺花　味苦氣平無毒

主治　花主金瘡內漏冬至後一百二十日採實主明目心腹痛痿痹除熱利小便四月採棘鍼療腰痛喉痹不通

○補註　治小兒一切癰用刺鍼瓜蔞等分為末吹入鼻中效

五倍子　味苦酸氣平屬金與水無毒

主治　療齒宣疳䘌及小兒面鼻疳瘡治風癬疥癢併大人五痔下血煎湯洗眼目消赤腫止瀉研末染髭鬚變皓白成黑尊為液劑之劑又禁瀉痢腸虛滑消渴生津卻頑痰去熱

○補註　治風毒上攻眼腫癢澀痛不可忍者或上下瞼赤爛浮翳瘀肉侵睛五倍子一兩蔓荊子一兩半同搗為末每服二錢水二盞銅石器內煎取一盞澄滓乘熱淋洗留滓再煎淋洗大能明眼目治腸風泄痢以五倍子煮湯熱服○口瘡以末摻之便可飲食

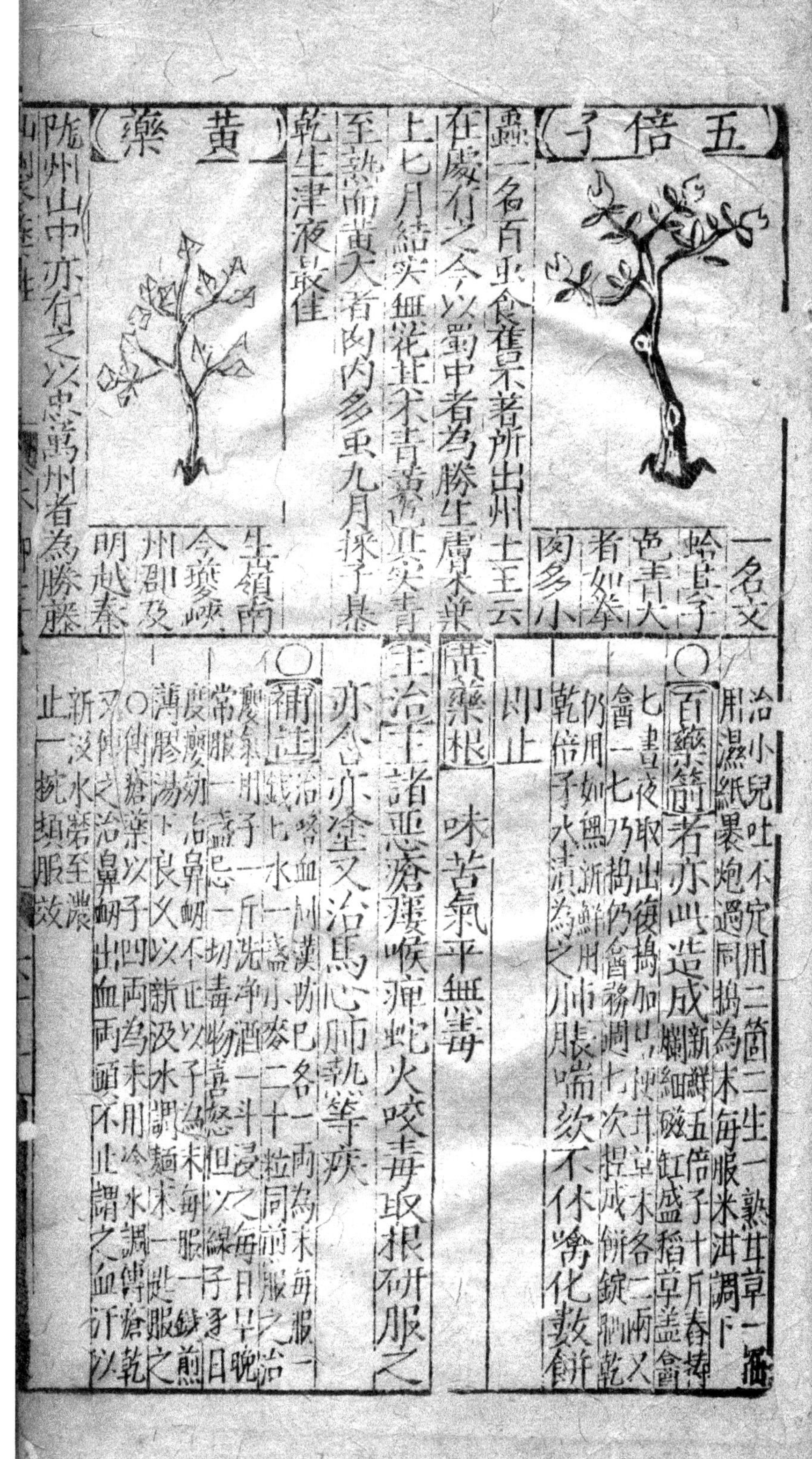

五倍子

一名文蛤其子色青大者如拳內多小蟲一名百蟲倉舊不著所出州土王云在處有之今以蜀中者為勝生膚木葉上七月結實無花其木青黃色其實青至熟而黃大者如拳內多蟲九月採子暴乾生津液最佳

治小兒吐不定用二箇一生一熟甘草一握用濕紙裹炮過同搗為末每服米泔調下

○百藥煎者亦此造成新鮮五倍子十斤舂搗爛細磁缸盛稻草蓋盦七晝夜取出復搗加桔梗甘草末各二兩又盦一七乃搗仍盦務過七次捏成餅錠晒乾仍用如無新鮮用乾倍子水漬為之肺脹喘欬不休噙化數餅即止

黃藥

生嶺南今夔峽州郡及明越秦隴州山中亦有之以忠萬州者為勝藤

黃藥根　味苦氣平無毒

主治諸惡瘡瘻喉痺蛇犬咬毒取根研服之亦含亦塗又治馬心肺熱等疾

○補遺治咯血衄血用黃藥防己各一兩為末每服一錢匕水一盞小麥二十粒同煎服之治癭氣用子一斤洗淨酒一斗浸之每日早晚常服一盞忌一切毒物言怒但以線一子逐日度癭頸治鼻衄不止以子為末每服一錢煎薄膠湯下良久以新汲水調麵末一匙服之○傳瘡藥以子四兩為末用冷水調傅瘡乾又傅之治鼻衄出血兩頭不止謂之血汗以新汲水磨至濃止一枕頻服效

生高三四尺根及莖似小桑十月採根秦州出者謂之紅藥子葉似蕎麥枝梗赤色七月開白花其根初採濕時紅赤色暴乾即黃開州興元府又産一種苦藥子大抵與黃藥相類主五臟邪氣治肺壓熱除煩躁亦入馬藥用春採根暴乾又下有藥實根條云生蜀郡山谷蘇恭云即藥子也用其核仁本經誤載根字疑即黃藥之實然云生葉似杏花紅白色子肉味酸此爲不同

桐葉

生桐柏山谷今處處有之其類有四種舊注云青桐枝葉俱青而无子

桐葉 味苦氣寒無毒

主治 葉主惡蝕瘡而著陰皮治五痔而殺三蟲賁豘氣病服有神功花主傅猪瘡飼猪肥大三倍

○補遺 治癰瘡疽痔瘻惡瘡小兒丹用皮水煎○嶺南有刺桐葉如梧桐花側敷如掌枝幹有刺花色深紅主金瘡止血殊效又刺桐白皮亦主周剛繫方療腸中生痔肛門鼠瘡疹者猪懸蹄青龍五生膏中用之共伸療并酒服之

○按衍義云桐葉經注不指定是何桐致雜執用今具四種桐各有治療條其狀列於後一種白桐可斷琴者葉三杈開白花亦不結子藥性論云皮能治五淋沐髮去頭風生髮一種荏桐早春先開淡紅花狀如鼓子花成實子可作桐油日華子云桐油冷微毒一種

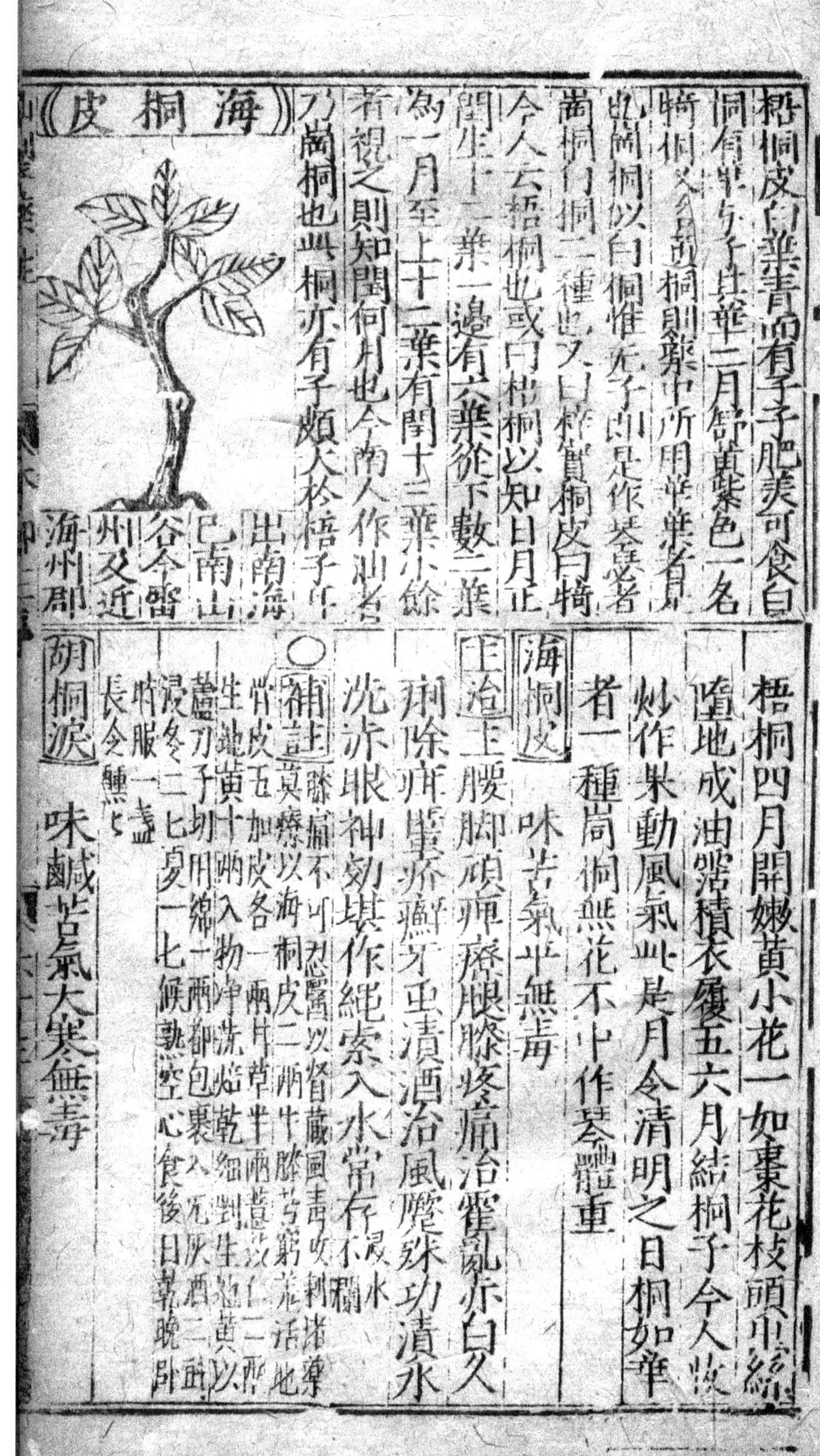

梧桐皮白葉青而有子子肥美可食白桐有花子其華二月舒黄紫色一名椅桐又名黄桐則藥中所用華葉者貞也崗桐似白桐惟无子出是作琴瑟者崗桐白桐二種也又曰梓實桐皮白椅今人云梧桐也或曰梧桐以知日月正閏生十二葉一邊有六葉從下數一葉為一月至上十二葉有閏十三葉小餘者視之則知閏何月也今南人作油者乃崗桐也此桐亦有子頗大於梧子耳

海桐皮

梧桐四月開嫩黄小花一如棗花枝頭出絲墮地成油沾積衣履五六月結桐子今人收炒作果動風氣此是月令清明之日桐始華者一種崗桐無花不中作琴體重

【海桐皮】味苦氣平無毒

【主治】主腰脚頑痺腿膝疼痛治霍亂赤白久痢除疳蟨疥癬牙虫漬酒治風魘殊功漬水洗赤眼神効堪作繩索入水常存浸水不爛

○【補註】膝痛不可忍醫以督藏風毒攻刺諸藥莫療以海桐皮二兩牛膝芎藭羌活地骨皮五加皮各一兩甘草半兩薏苡仁二兩生地黄十兩入物淨洗焙乾細剉生地黄以蘆刀子切用綿一兩都包裹入无灰酒二斗浸冬二七日夏一七日候熟空心食後日晚卧時服一盞長令醺醺

【胡桐淚】味鹹苦氣大寒無毒

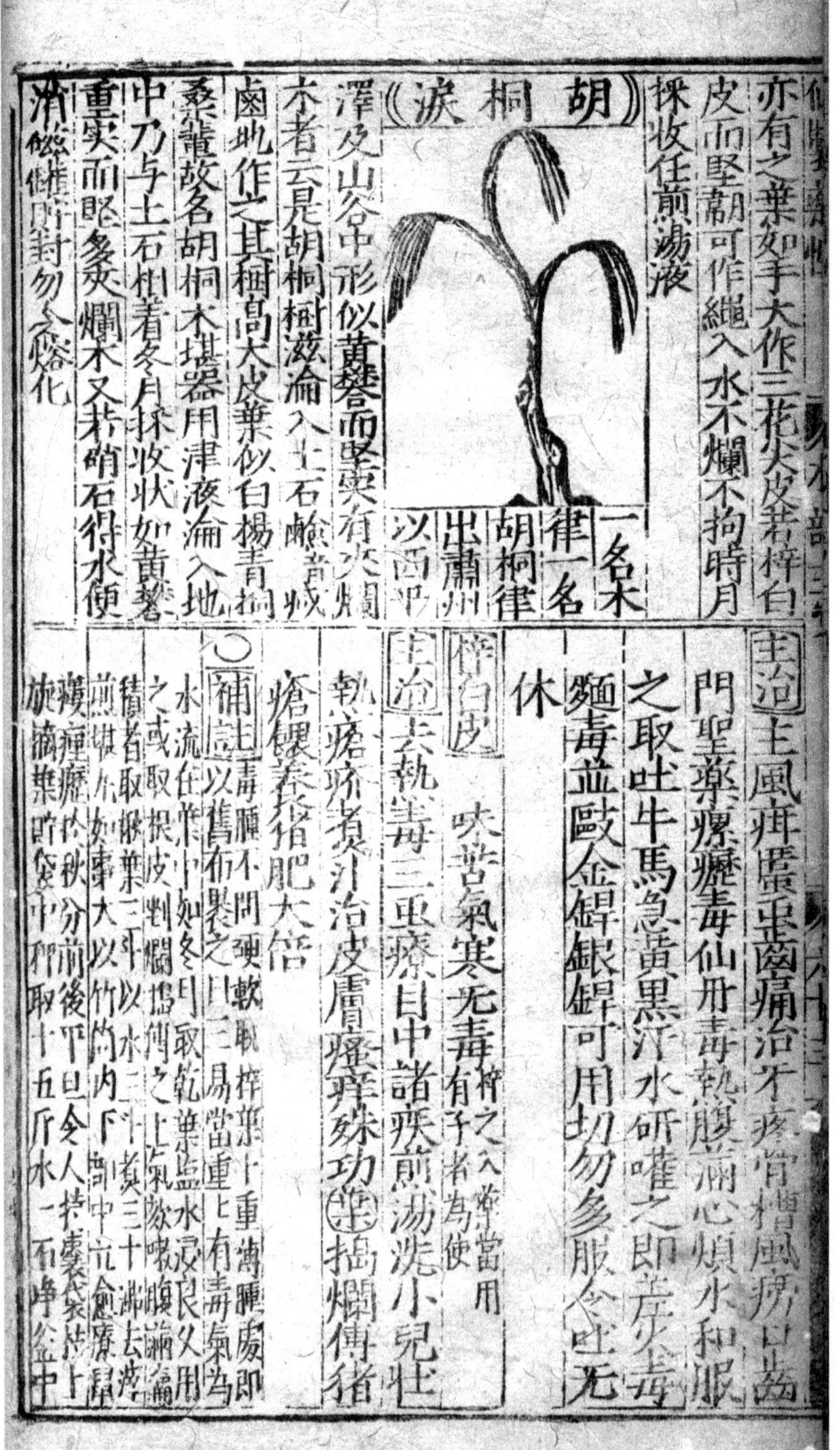

亦有之葉如手大作三花尖皮若梓白
皮而堅韌可作繩入水不爛不拘時月
採收任煎湯液

《胡桐淚》

一名木律一名胡桐律
出肅州以西平澤及山谷中形似黃蘗而堅實有夾爛
木者云是胡桐樹滋淪入土石鹼音減
鹵地作之其樹高大皮葉似白楊青桐
桑藿故名胡桐木堪器用津液淪入地
中乃与土石相着冬月採收狀如黃礬
重實而脆多夾爛木又若硝石得水便
消燄僞者用對勿令鎔化

主治 主風痹䗜蛀齒痛治牙疼骨槽風瘑口齒
門聖藥瘰癧毒仙丹毒熱腹滿心煩水和服
之取吐牛馬急黃黑汗水研嚾之即差少毒
麵毒並毆金銲銀銲可用切勿多服令吐无
休

梓白皮 味苦氣寒无毒 梓之入藥當用有子者為使

主治 去熱毒三虫療目中諸疾煎湯洗小兒壯
熱瘡疥者煮汁治皮膚瘙痒殊功 注 搗爛傅豬
瘡餵養猪肥大倍

○補註 主毒腫不問硬軟取梓葉十重裹腫處即
以舊布裹之日三易當重乍有毒氣為
水流在紙中如冬月取乾葉鹽水浸良久用
之或取根皮剉爛搗傅之上氣欬嗽腹滿羸
瘠者取梓葉三斗以水三斗煮三十沸去滓
煎堪作如棗大以竹筒內下部中亢愈療鼠
瘻瘡瘻於秋分前後平旦令人持囊袋於上
旋摘葉貯袋中稍取十五斤水一石煮盆中

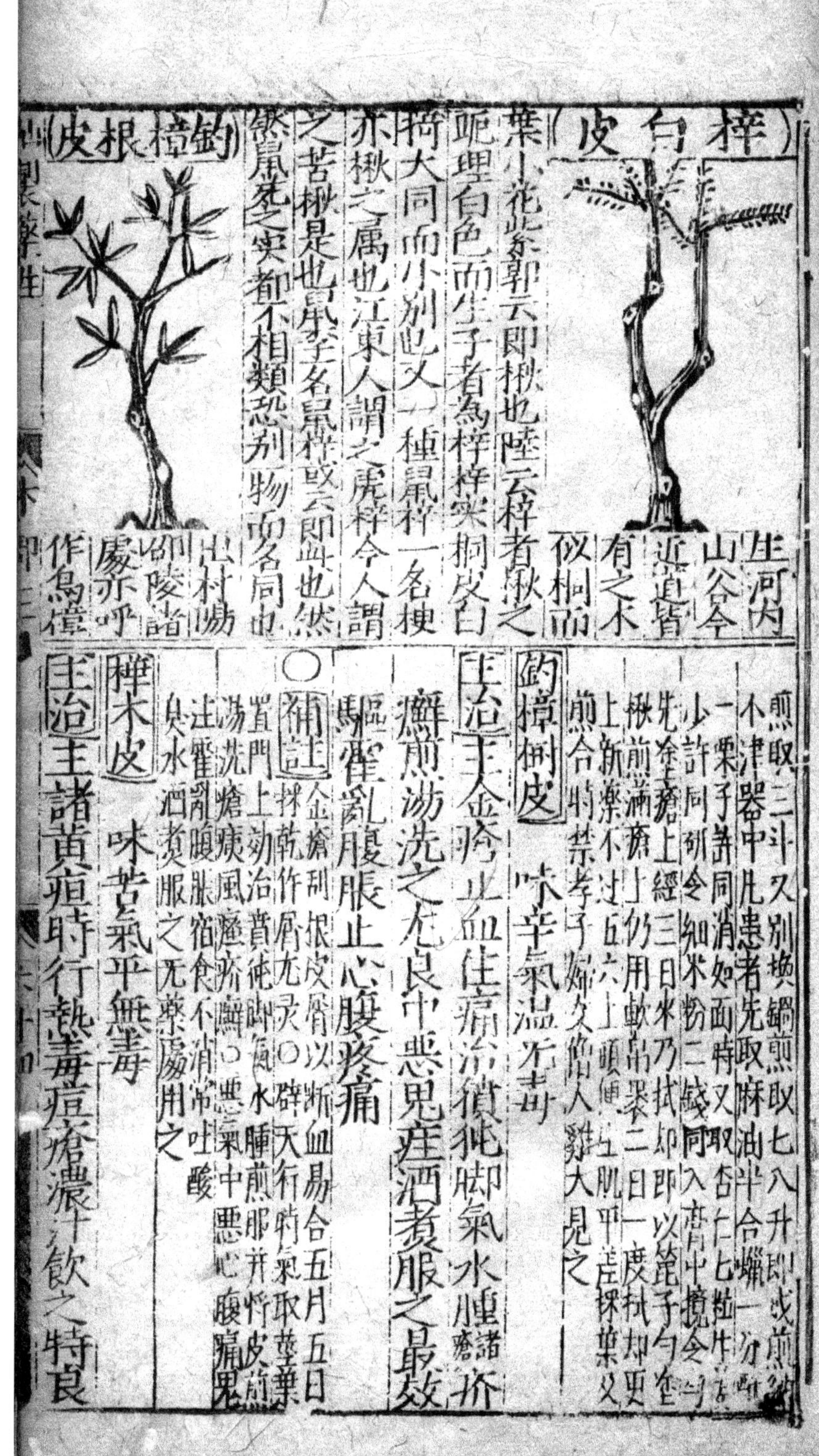

梓白皮

生河内山谷今近道皆有之木似桐而葉小花紫郭云即楸也陸云梓者楸之疏理白色而生子者為梓梓實桐皮曰椅大同而小别也又一種鼠梓一名楰亦楸之屬也江東人謂之虎梓今人謂之苦楸是也鼠李名鼠梓或云即盈也然鼠李之實都不相類恐别物而名同也

釣樟根皮

出桂陽邵陵諸處亦呼作烏樟

煎取三斗又别換鍋煎取七八升即成煎以不津器中凡患者先取麻油半合蠟一分酥一栗子許同消如面時又取杏仁七粒生吞少許同研令如米粉二錢同入膏中攪令勻先塗瘡上經三日米乃拭却即以篦子勻塗楸煎滿瘡上仍用軟帛裹二日一度拭却更上新藥不過五六上瘡便生肌平差採葉又煎合時禁孝子婦人雞犬見之

釣樟根皮　味辛氣溫無毒

主治　主金瘡止血住痛治猪豘脚氣水腫諸瘡疥癬煎湯洗之尤良中惡鬼疰酒煮服之最效驅霍亂腹脹止心腹疼痛

○補註　金瘡刮根皮屑以斷血易合五月五日採乾作屑尤良○辟天行時氣取莖葉置門上勁治黃徒脚氣水腫煎那并將皮煎湯洗瘡痍風瘙疥癬○惡氣中惡心腹痛鬼注霍亂腹脹宿食不消常吐酸臭水酒煮服之無藥處用之

榉木皮　味苦氣平無毒

主治　主諸黃疸時行熱毒痘瘡瘡濃汁飲之特良

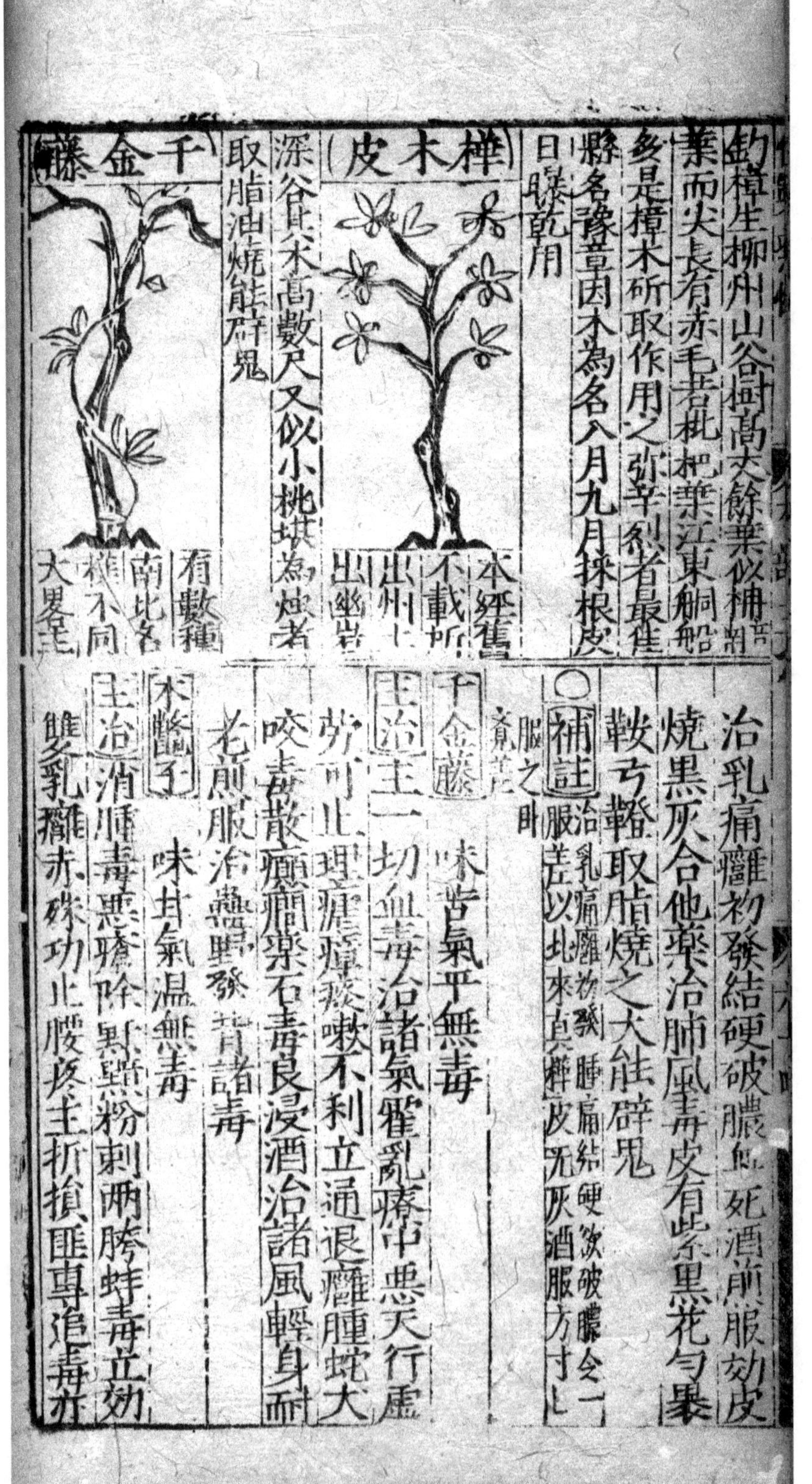

釣樟生柳州山谷樹高丈餘葉似楠苦葉而尖長有赤毛若枇杷葉江東舸船多是樟木斫取作用之弥辛烈者最佳縣名豫章因木為名八月九月採根皮日曝乾用

樺木皮

本經舊不載所出州土出幽岩

深谷其木高數尺又似小桃樺為燭者取脂油燒能辟鬼

治乳痛癰初發結硬破膿血死酒煎服効皮燒黑灰合他藥治肺風毒皮有紫黑花匀纍鞍弓韂取脂燒之大能辟鬼

○補註 治乳癰初發腫痛結硬欲破膿令一服差以北來真樺皮燒灰酒服方寸匕服之卧覺差

千金藤

有數種南北名稱不同大畧乇

千金藤 味苦氣平無毒

主治 主一切血毒治諸氣霍亂癖中惡天行虛勞可止瘧痎瘴痰嗽不利立通退癰腫蛇犬咬毒散癰癤藥石毒良浸酒治諸風輕身耐老煎服治蠱毒發背諸毒

木鱉子 味甘氣溫無毒

主治 消腫毒惡瘡除䵟䵳粉刺兩胯蚌毒並効雙乳癰赤殊功止腰疼主折損匪專追毒亦

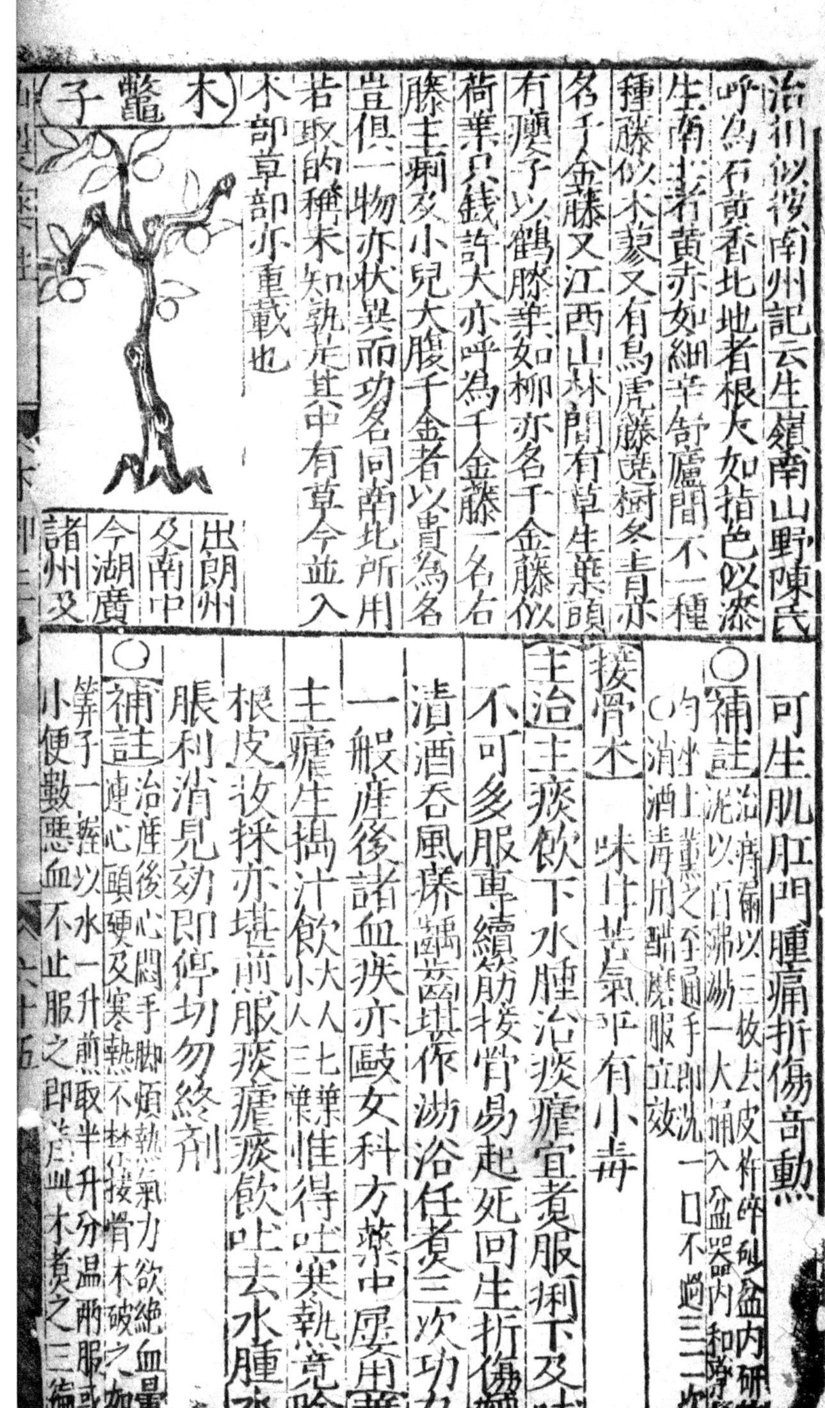

治州似桜南州記云生嶺南山野陳氏呼為石黃香北地者根大如指色似漆生南土者黃赤如細辛舒廬間不一種藤似木蔞又有烏虎藤蔓樹冬青亦名千金藤又江西山林間有草生葉頭有瓣子以鶴膝葉如柳亦名千金藤似荷葉只錢許大亦呼為千金藤一名石藤主痢及小兒大腹千金者以貴為名豈但一物亦狀異而功名同南北所用若取的稱未知孰是其中有草今並入木部草部亦重載也

木鼈子

出朗州及南中今湖廣諸州及

可生肌肛門腫痛折傷奇勳

○補註治痔漏以三枚去皮杵碎砂盆內研細泥以百沸湯一大碗入盆器內和勻乘熱熏之至溫手即洗一口不過三次

○消酒毒用醋磨服立效

接骨木　味甘苦氣平有小毒

主治主痰飲下水腫治痰瘧宜煮服痢下及吐不可多服專續筋接骨易起死回生折傷清酒吞風痒瘍齒可作湯浴任煮三次功力一般產後諸血疾亦毆女科方藥中屢用主瘧生搗汁飲大人七葉小人三葉惟得吐寒熱根皮汝採亦堪煎服痰瘧痰飲吐去水腫脹利消見効即停切勿終劑

○補註治產後心悶手腳煩熱氣力欲絕血暈連心頭硬及寒熱不禁以接骨木破之如筭子一握以水一升煎取半升分溫兩服或小便數惡血不止服之即差此木煮之三遍

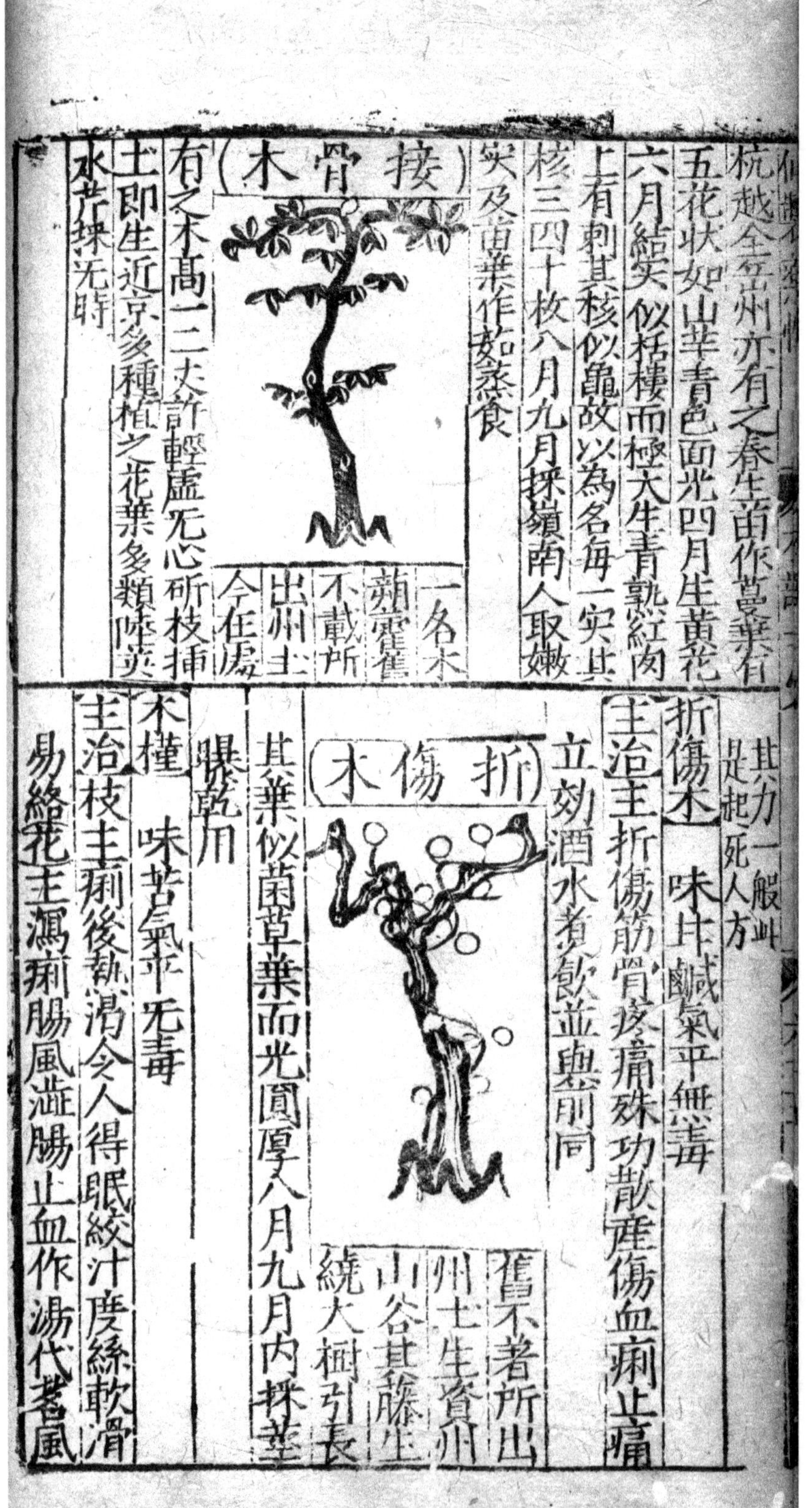

杭越全岳州亦有之春生苗作蔓葉有五花狀如山茱青色面光四月生黃花六月結實似栝樓而極大生青熟紅肉上有刺其核似龜故以為名每一實其核三四十枚八月九月採嶺南人取嫩實及苗葉作茹蒸食

（接骨木）

一名木蒴藋舊不載所出州土今在處有之木高一二丈許輕虛无心斫枝插土即生近京多種植之花葉多類陸英水芹採无時

其力一般此是起死人方

折傷木　味甘鹹氣平無毒

主治　主折傷筋骨疼痛殊功散產傷血痢止痛

立効酒水煮飲並與前同

（折傷木）

舊不著所出州土生資州山谷其藤生繞大樹引長其葉似菌草葉而光圓厚八月九月內採莖曝乾用

木槿　味苦氣平无毒

主治　枝主痢後熱渴令人得眠絞汁度絲軟滑易絡花主瀉痢腸風澁腸止血作湯代茶風

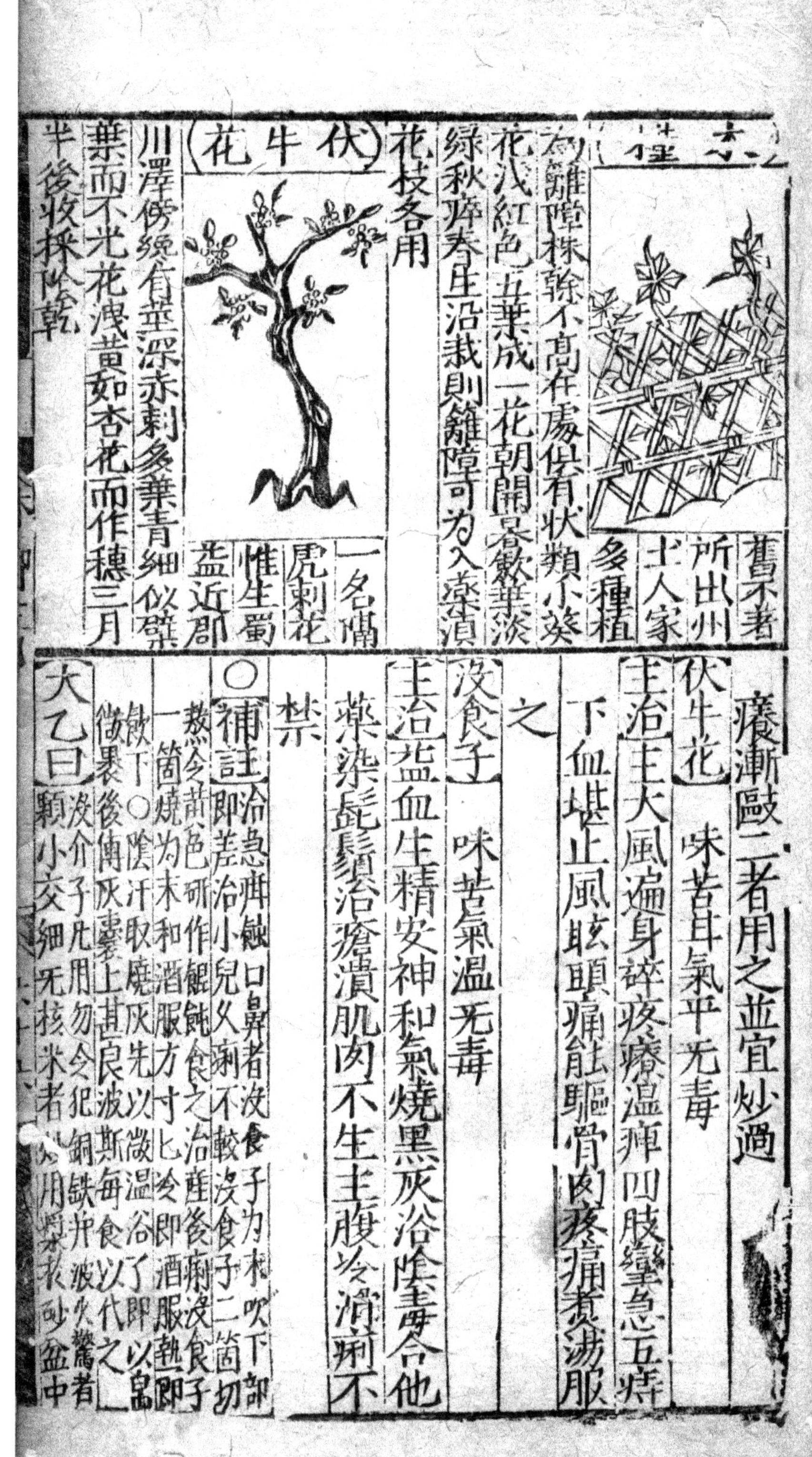

赤槿

舊不著所出州土人家多種植

為籬障株榦不高在處俱有狀類小槿花淺紅色五葉成一花朝開暮歛葉淡綠秋瘁春生沿栽則籬障可為入藥漬花枝各用

伏牛花

一名隔虎刺花惟生蜀益近郡川澤傍邊有莖深赤刺多葉青細似檗葉而不光花淺黃如杏花而作穗三月半後收採陰乾

癢漸瘢二者用之並宜炒過

伏牛花　味苦甘氣平无毒

主治　主大風遍身碎痰癢溫痺四肢攣急五痔下血堪止風眩頭痛髓骶骨肉疼痛煮湯服之

沒食子　味苦氣溫无毒

主治　益血生精安神和氣燒黑灰浴陰毒合他藥染髭鬚治瘡潰肌肉不生主腹冷滑痢不禁

○補註　治急疳蝕口鼻者沒食子為末吹下部即差治小兒久痢不較沒食子二箇切熬令黃色研作餛飩食之治產後痢沒食子一箇燒為末和酒服方寸匕冷即酒服熱即以鳥飲下○陰汗取燒灰先以微溫浴了即以帛微裛後傅灰裛上甚良波斯每食以代之

大乙曰　沒介子凡用勿令犯銅鐵并被火驚者顆小交細无核米者[illegible]用漿衣砂盆中

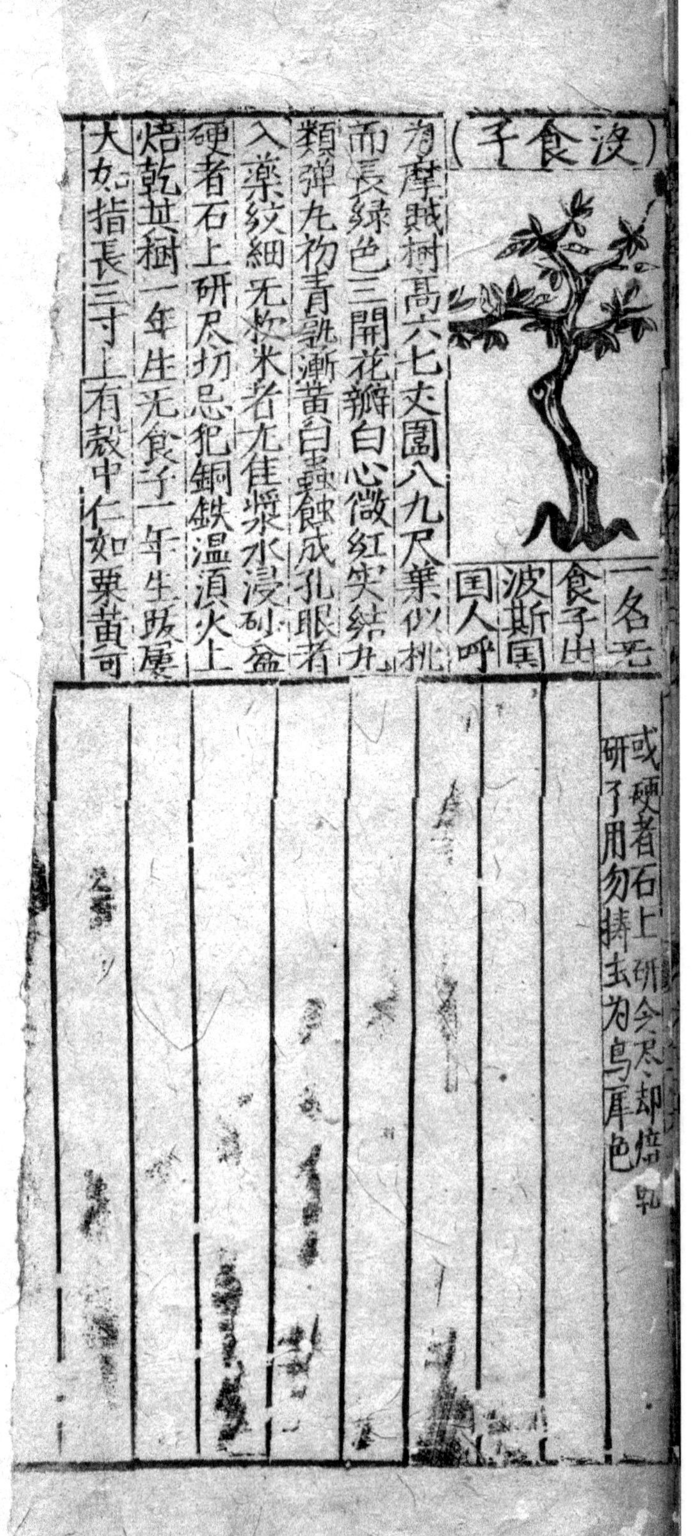

沒食子

一名无食子出波斯国国人呼為摩賊樹高六七丈圍八九尺葉似桃而長緑色三開花瓣白心微紅实結丸類彈丸初青熟漸黄白蟲蝕成孔眼者入藥紋細无孔米者尤佳漿水浸砂盆硬者石上研尽切忌犯銅鉄温酒火上焙乾其樹一年生无食子一年生跋屢大如指長三寸上有殼中仁如栗黄可

或硬者石上研令尽却焙乾研了用勿擣去為烏犀色

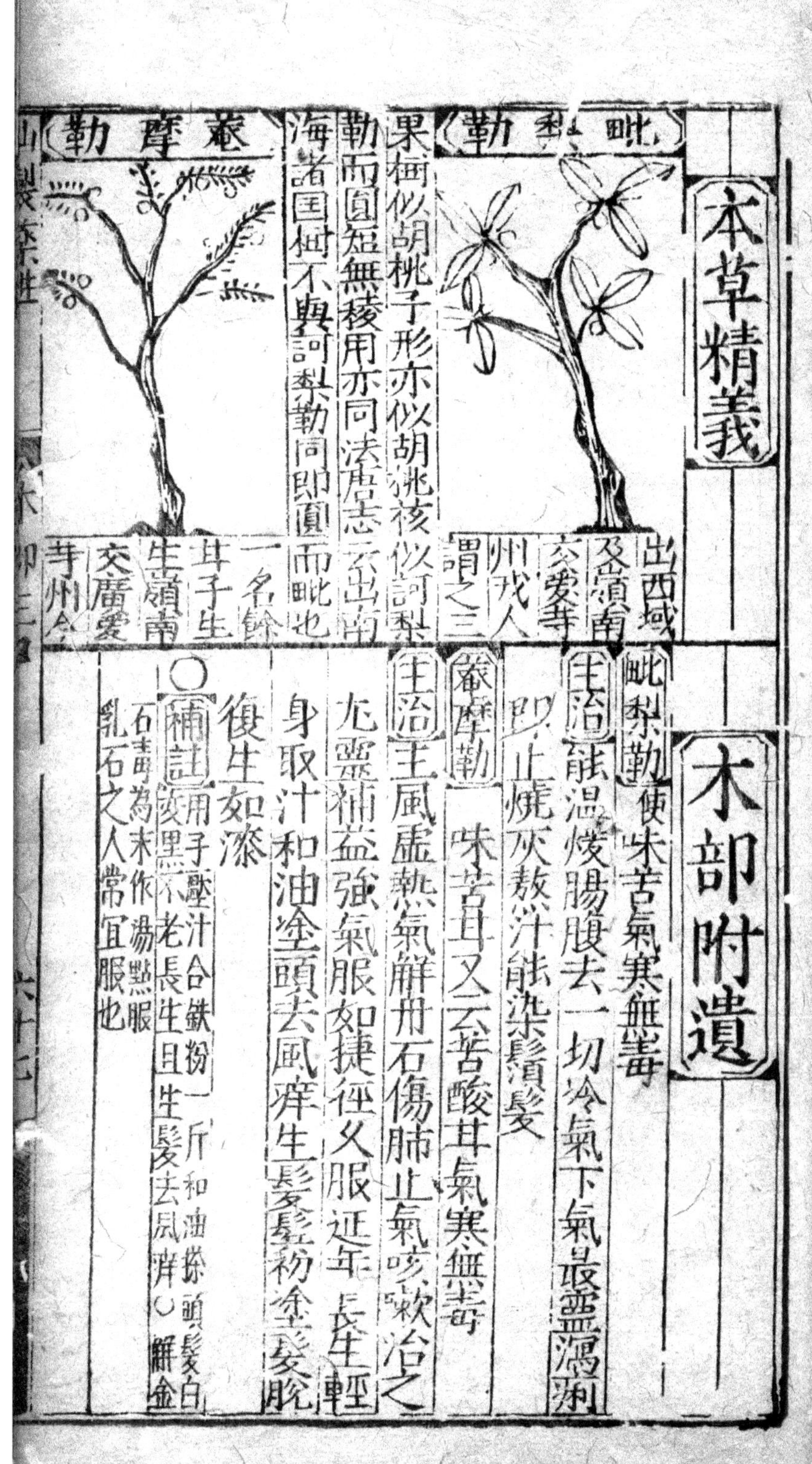

本草精義

木部附遺

出西域及嶺南交愛等州戎人謂之三果樹似胡桃子形亦似胡桃核似訶梨勒而圓短無稜用亦同法唐志云出南海諸國樹不與訶梨勒同即圓而毗也

一名餘甘子生生嶺南交廣愛等州今

毗梨勒　使　味苦氣寒無毒

主治　能温煖腸腹去一切冷氣下氣最蓋瀉痢即止燒灰熬汁能染鬚髮

菴摩勒　味苦甘又云苦酸甘氣寒無毒

主治　主風虛熱氣解丹石傷肺止氣咳嗽治之尤靈補益強氣服如撻徑久服延年長生輕身取汁和油塗頭去風痒生髮髮粉塗髮脫復生如漆

○補註　用子壓汁合鐵粉一斤和油搽頭髮白變黑不老長生且生髮去風痒○解金石毒為末作湯點服乳石之人常宜服也

二廣都郡及西川蠻界山谷中皆有之木高一二丈枝條甚軟葉青細冬朝開暮歛如夜合而葉微小春生冬凋三月有花着條而生如粟粒微黃隨即結實作莛每條三兩子至冬而熟如李子狀青白色連核作五六瓣乾即并核皆裂其俗亦作果子噉之初覺味苦良久更甘故以名也

【莽草】臣　味辛苦氣温有毒

【主治】療頭風溫風散乳腫乳癰破疝瘕除結氣疥癬殺蟲魚療喉閉不通治風疽與頭風痹可煎湯浴去瘰癧并皮膚痒煮濃汁淋乳難即下凝血即瘥

○【補註】牙齒蚛孔疼痛及蟲用為末綿裹入蚛孔中或於痛處咬之吐津勿嚥治瘰癧發腫堅結成核用一兩為末雞子白調傅帛上貼之日二易之便差治癰疽瘡未潰用末調雞子白塗紙厚貼上燥復易得痛良風齒疼頰腫用五兩水一斗煮取五升熱含漱吐之治齒腫痛同郁李仁各四兩水六升煎取二升去滓熱含冷吐○頭瘡白禿殺蟲同白歛赤小豆為末雞子白調如糊塗毒腫乾即易之治皮膚麻痺並濃煎湯淋○風蚛牙痛[illegible]

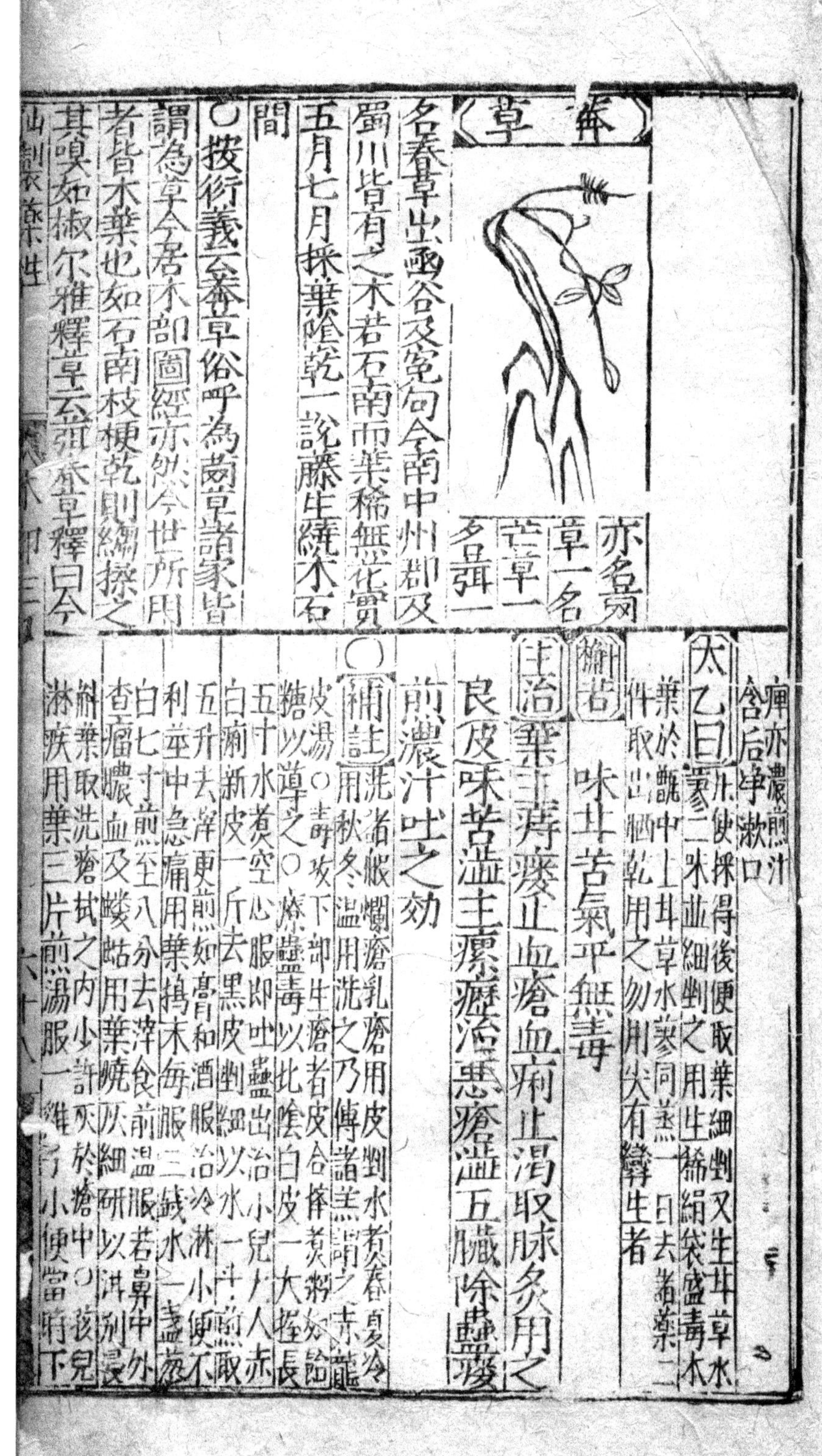

莽草

亦名芮草一名芒草一名葞一名春草出函谷及冤句今南中州郡及蜀川皆有之木若石南而葉稀無花實五月七月採葉陰乾一說藤生繞木石間

○按衍義云莽草俗呼為菵草諸家皆謂為草今居木部圖經亦然今世所用者皆木葉也如石南枝梗乾則縐蹙之其嗅如椒尔雅釋草云葞春草釋曰今

痹亦濃煎汁含后淨漱口

太乙曰　凡使採得後便取葉細剉又生甘草水蓼二味並細剉之用生稀絹袋盛毒木葉於甑中上甘草水蓼同蒸一日去諸藥二件取出曬乾用之勿用尖有孿生者

[illegible]若　味甘苦氣平無毒

主治　葉主痔瘻止血瘡血痢止渴取脉灸用之良皮味苦澁主瘰癧治惡瘡澁五臟除蠱瘻煎濃汁吐之効

○補註　洗諸般爛瘡乳瘡用皮剉水煮春夏冷用秋冬溫用洗之乃傳諸羔謂之赤龍皮湯○毒攻下部生瘡者皮合棒煮粥如飴糖以導之○療蠱毒以此陰白皮一大握長五寸水煮空心服即吐蠱出治小兒大人赤白痢新皮一斤去黑皮剉細以水一斗煎取五升去滓更煎如膏和酒服治冷淋小便不利莖中急痛用葉搗末每服三錢水一盞葱白七寸煎至八分去滓食前溫服若鼻中外查瘤膿血及皺𤿎用葉燒灰細研以泔別浸斜葉取洗瘡拭之內少許灰於瘡中○孩兒淋疾用葉三片煎湯服一雜行小便當時下

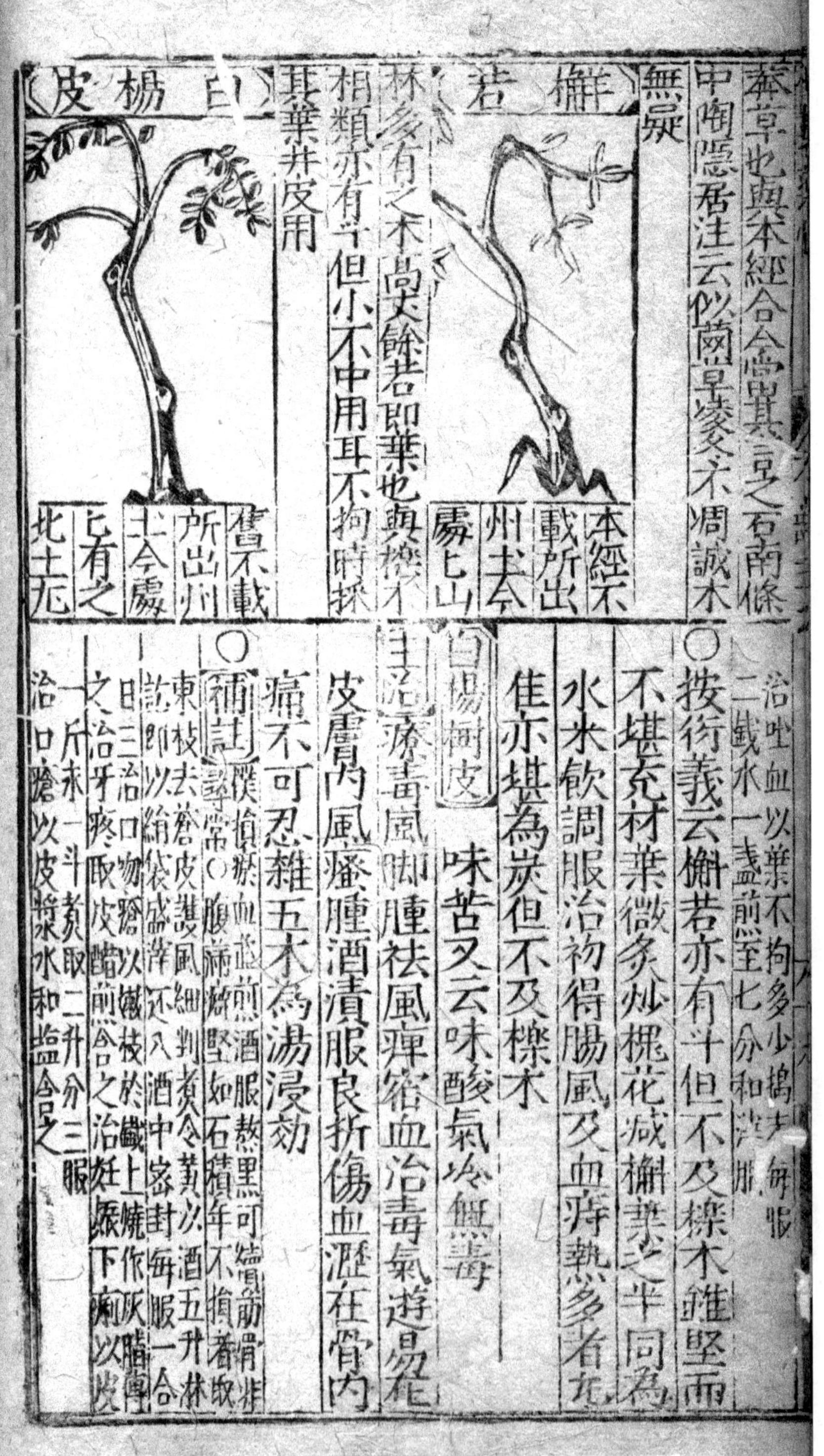
本草也與本經合合當異言之石南條中陶隱居注云似樗皁參差不凋誠木無疑

欅若

本經不載所出州土今處處山林多有之木高丈餘若即葉也與樸不相類亦有斗但小不中用耳不拘時採其葉并皮用

白楊皮

舊不載所出州土今處處有之北土尤

治吐血以葉不拘多少搗末每服二錢水一盞煎至七分和滓服

○按衍義云欅若亦有斗但不及櫟木雖堅而不堪充材葉微炒多以槐花減欅葉之半同為水米飲調服治初得腸風及血痔熱多者尤佳亦堪為炭但不及櫟木

白楊樹皮 味苦又云味酸 氣冷 無毒

主治療毒風腳腫袪風痺宿血治毒氣遊易在皮膚內風瘙腫酒漬服良折傷血瀝在骨肉痛不可忍雜五木為湯浸劾

○補註 撲損瘀血並煎酒服熬黑可續筋骨 孳常○腹痛癖堅如石積年不損者取東枝去蒼皮護風細剉熬令黃以酒五升淋訖即以絹袋盛滓還入酒中密封每服一合日三治口物瘡以鐵枝於鐵上燒作灰臘月豬文治牙疼取皮醋煎含之治妊娠下痢以皮一斤水一斗煮取二升分三服治口瘡以皮漿水和鹽含之

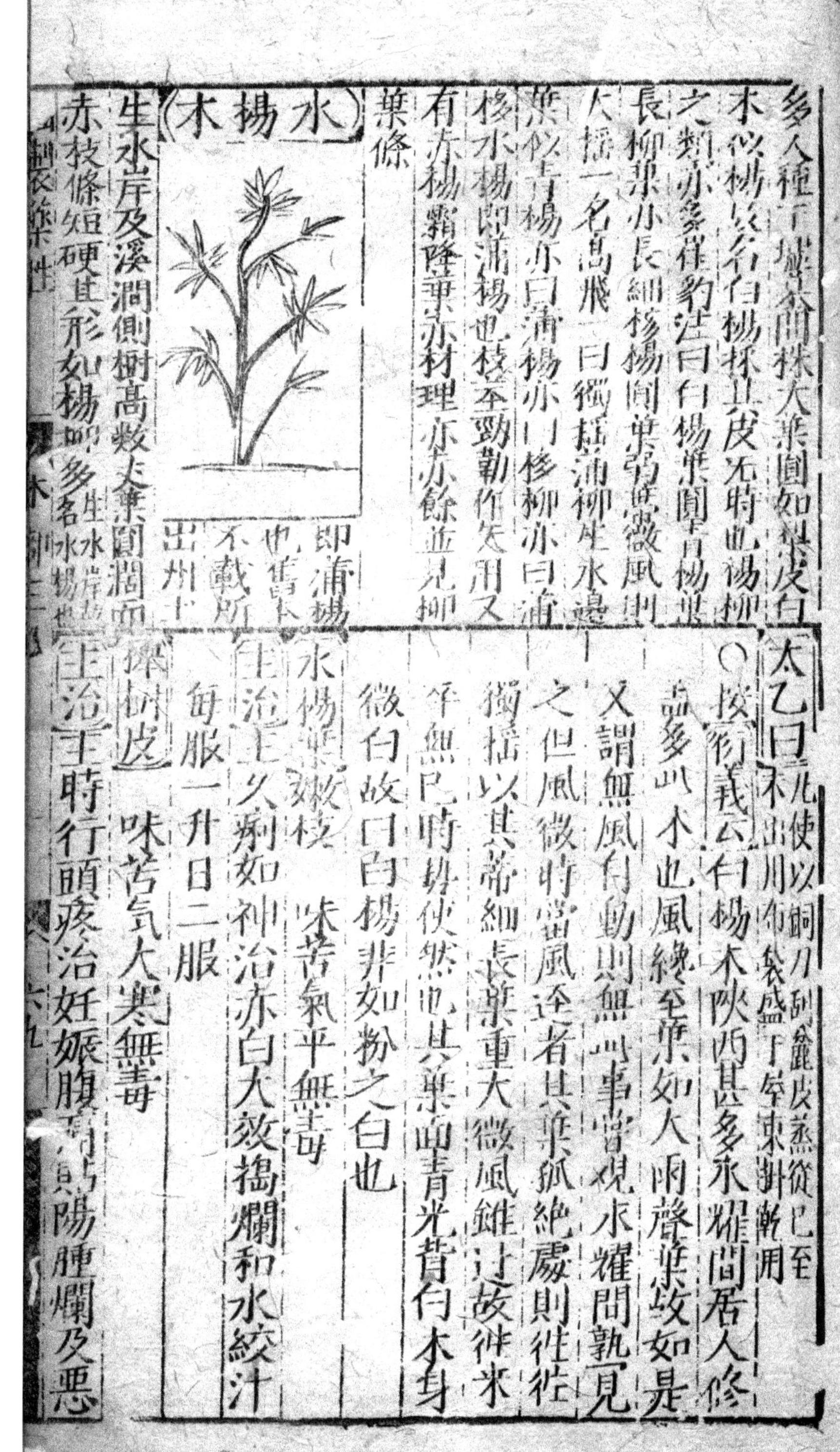

多人種于墟落間株大葉圓如梨皮白木似楊故名白楊採其皮无時也楊柳之類亦多雜豹法曰白楊葉圓青楊葉長柳葉亦長細移楊圓葉弱蒂微風則大搖一名高飛一曰獨搖蒲柳生水邊葉似青楊亦曰蒲楊亦曰移柳亦曰蒲移水楊即蒲楊也枝莖勁韌作矢用又有赤楊霜降葉赤材理亦赤餘並見柳葉條

水楊木

即蒲楊也舊本不載所出州土

生水岸及溪澗側樹高數丈葉圓潤而赤枝條短硬其形如楊柳多生水岸故名水楊也

太乙曰凡使以銅刀刮麄皮蒸從巳至未出用布袋盛于屋東掛乾用

○按衍義云白楊木陝西甚多永耀間居人修蓋多此木也風纔至葉如大雨聲葉岐如是又謂無風自動則無此事嘗觀永耀間熟見之但風微時當風迳者其葉孤絕處則往往獨搖以其蒂細長葉重大微風雖过故往来竿無已時勢使然也其葉面青光背白木身微白故曰白楊非如粉之白也

水楊葉嫩枝　味苦氣平無毒

主治主久痢如神治赤白大效搗爛和水絞汁每服一升日二服

櫸樹皮　味苦氣大寒無毒

主治主時行頭疼治妊娠腹痛熱陽腫爛及惡

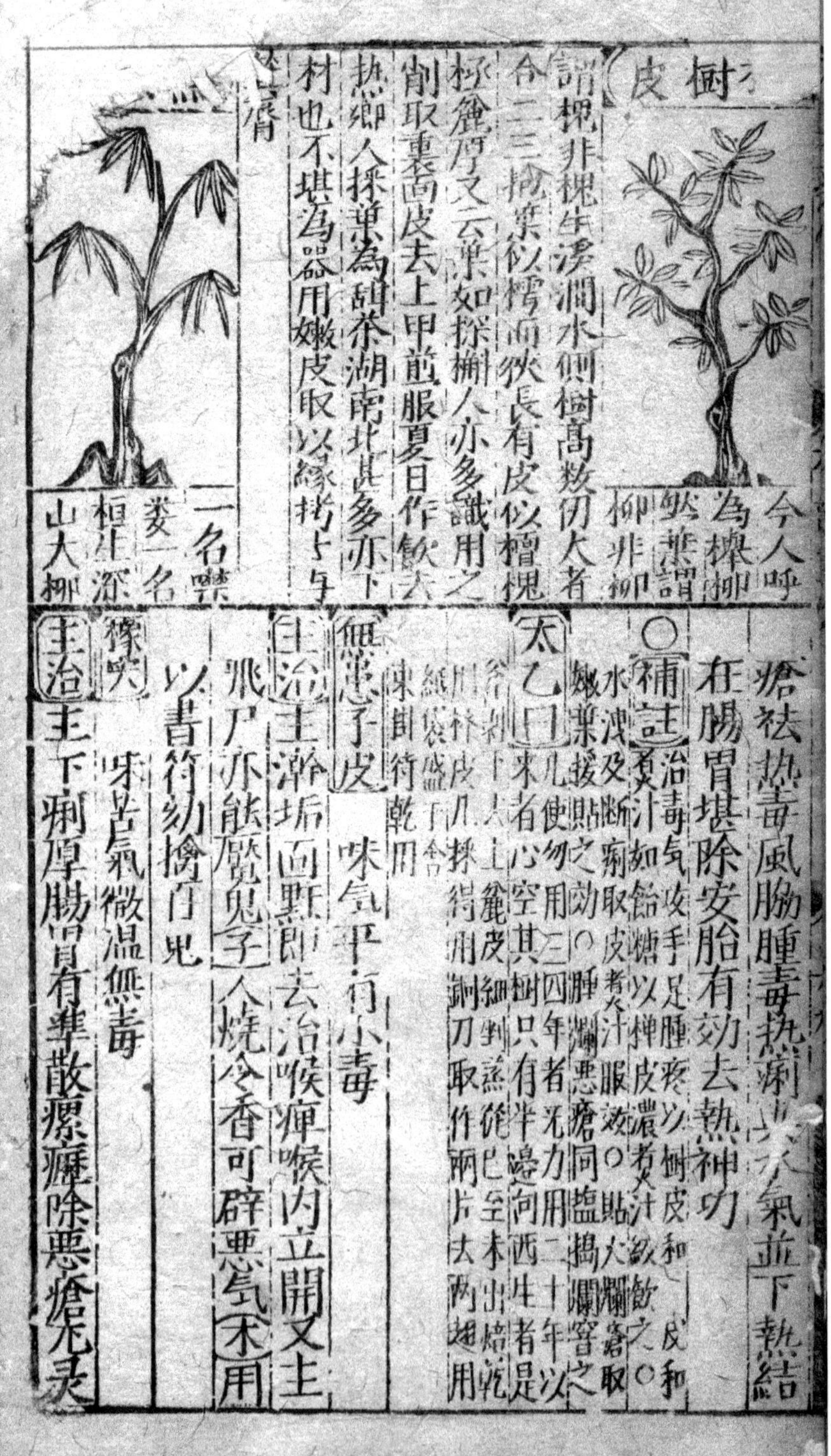

樹皮

謂槐非槐生溪澗水側樹高數仞大者合二三抱葉似樗而狹長有皮似檀槐極麄厚又云葉如桵櫟人亦多識用之削取裏面皮去上甲煎服夏日作飲去熱鄉人採葉為甜茶湖南北甚多亦下材也不堪為器用嫩皮取以緣栲栳

今人呼為欅柳然葉謂柳非柳

一名欅婁一名桓柱深山大柳

瘡祛熱毒風腸腫毒熱痢□□氣並下熱結在腸胃堪除安胎有効去熱神功

○補註 治毒氣攻手足腫疼以樹皮和皮和煮汁如飴糖以樺皮濃者煮汁飲之○水煎及斷痢取皮煮汁服效○貼火爛瘡取嫩葉搗貼之効○腫爛惡瘡同鹽搗爛署之

太乙曰 凡使勿用三四年者无力用二十年以來者心空其樹只有半邊向西生者是斧剝下去上麄皮細剉蒸從巳至未出焙乾用杵皮凡採得用銅刀取作兩片去兩翅用紙袋盛于舍陳且待乾用

無患子皮 味氣平有小毒

主治 主瀚垢面䵟去治喉痺喉內立開又主飛尸亦能壓鬼子人燒令香可辟惡氣（木）用以書符劾擒百鬼

櫸皮 味苦氣微溫無毒

主治 主下痢厚腸胃有準散瘰癧除惡瘡无灵

葉似柳子傍莖正黑如漆珠可作香纓用辟惡氣浣垢古今注云程雅問木曰无患何也答曰昔有神巫曰瑤既能符劾百鬼得鬼則以此木為棒棒殺之世人相以為器用厭鬼故曰无患也纂文云无患名槵浹尖好去垢今僧家貴之為念珠取紫紅色小者佳

橡实

即櫟木子也一名栩杼一名杼

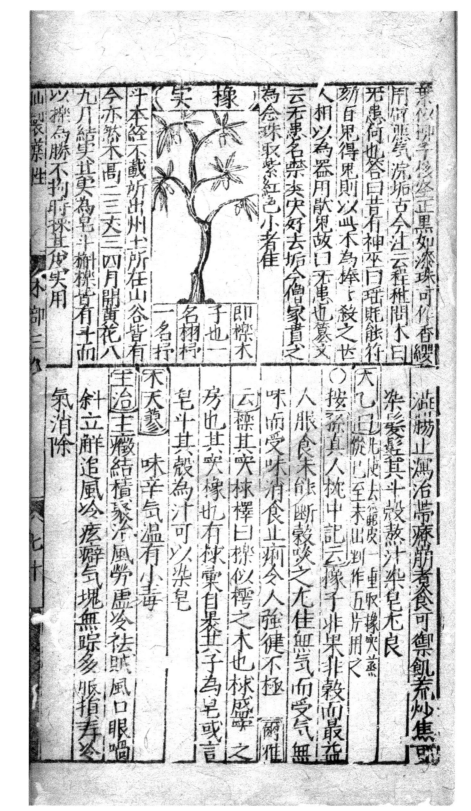

斗本經不載所出州土所在山谷皆有今亦然木高二三丈三四月開黄花八九月結实其实為皂斗槲櫟皆有斗而以櫟為勝不拘時採其皮实用

澁腸止瀉治帶療筋煮食可禦飢荒炒焦黑染髮鬚其斗殼熬汁染皂尤良

【太乙曰】凡使去粗皮一重取橡实蒸從巳至未出剉作五片用之

○按孫真人枕中記云橡子非果非穀而最益人服食未能斷穀啖之尤佳無氣而受氣無味而受味消食止痢令人強健不極

【爾雅】云櫟其实梂釋曰櫟似樗之木也梂盛實之房也其实橡也有梂彙自裹其子為皂或言皂斗其殼為汁可以染皂

【木天蓼】味辛氣温有小毒

【主治】主癥結積聚冷風勞虛冷袪賊風口眼喎斜立解追風冷痃癖氣塊無蹤多服損壽冷氣消除

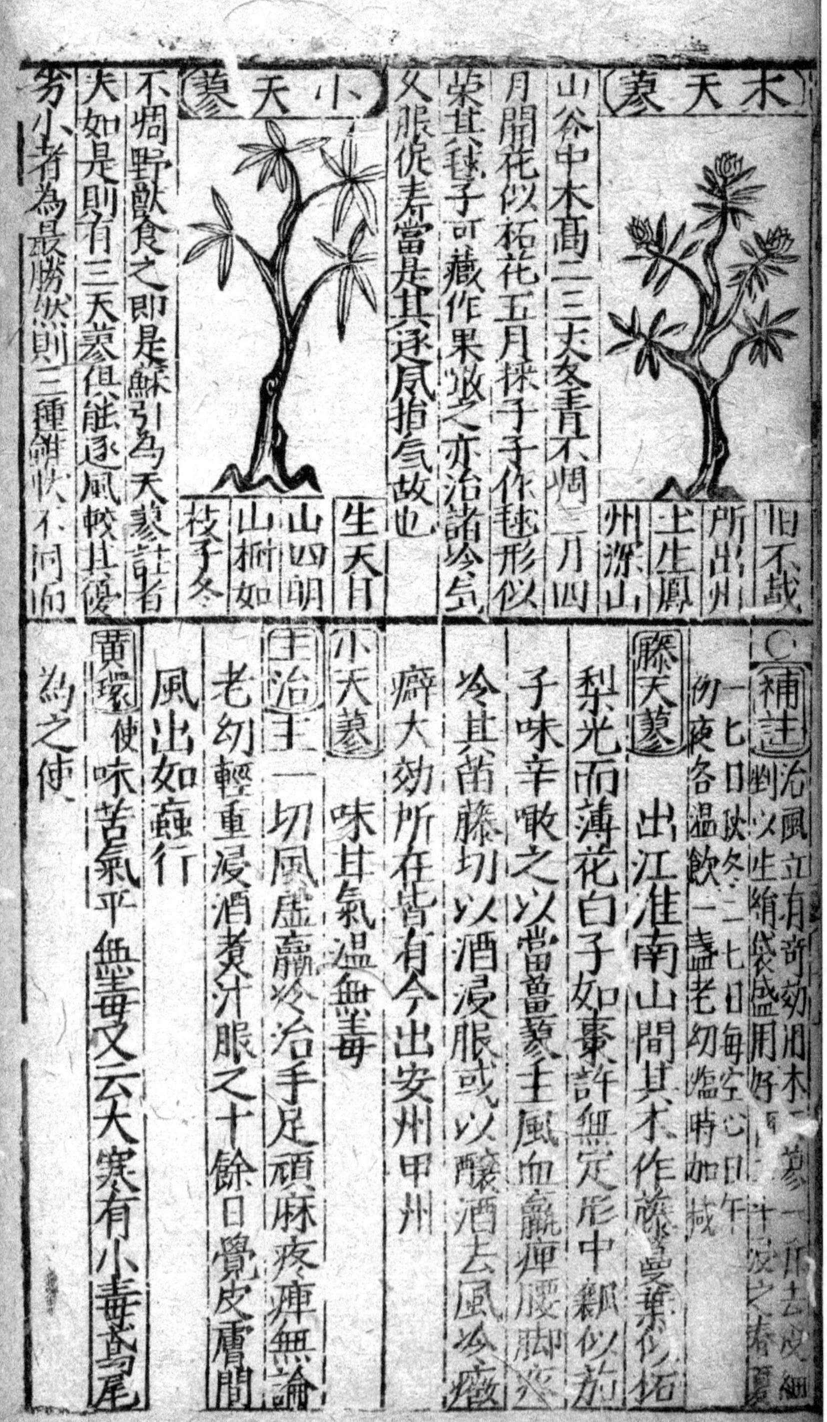

木天蓼

旧不載所出州土生廓州浙山山谷中木高二三丈冬青不凋三月四月開花似柘花五月採子子作毬形似柴其毬子可藏作果啖之亦治諸冷氣久服促壽當是其逐風損氣故也

小天蓼

生天目山四明山樹如枝子冬不凋野獸食之即是蘇引為天蓼註者大如是則有三天蓼俱能逐風較其優劣小者為最勝然則三種雖狀不同而

〇【補註】治風立有奇効用木天蓼一斤去皮細剉以生絹袋盛用好酒二斗浸之春夏一七日秋冬二七日每空心日午初夜各温飲一盞老幼臨時加减

【藤天蓼】出江淮南山間其木作藤蔓葉似柘梨光而薄花白子如棗許無定形中瓤似茄子味辛噉之以當薑蓼主風血羸瘦腰脚疼冷其苗藤切以酒浸服或以釀酒去風冷癥癖大効所在皆有今出安州甲州

【小天蓼】味甘氣温無毒

【主治】主一切風虚羸冷治手足頑麻疼痺無論老幼輕重浸酒煮汁服之十餘日覺皮膚間風出如蟲行

【黄環】使 味苦氣平無毒又云大寒有小毒鳶尾為之使

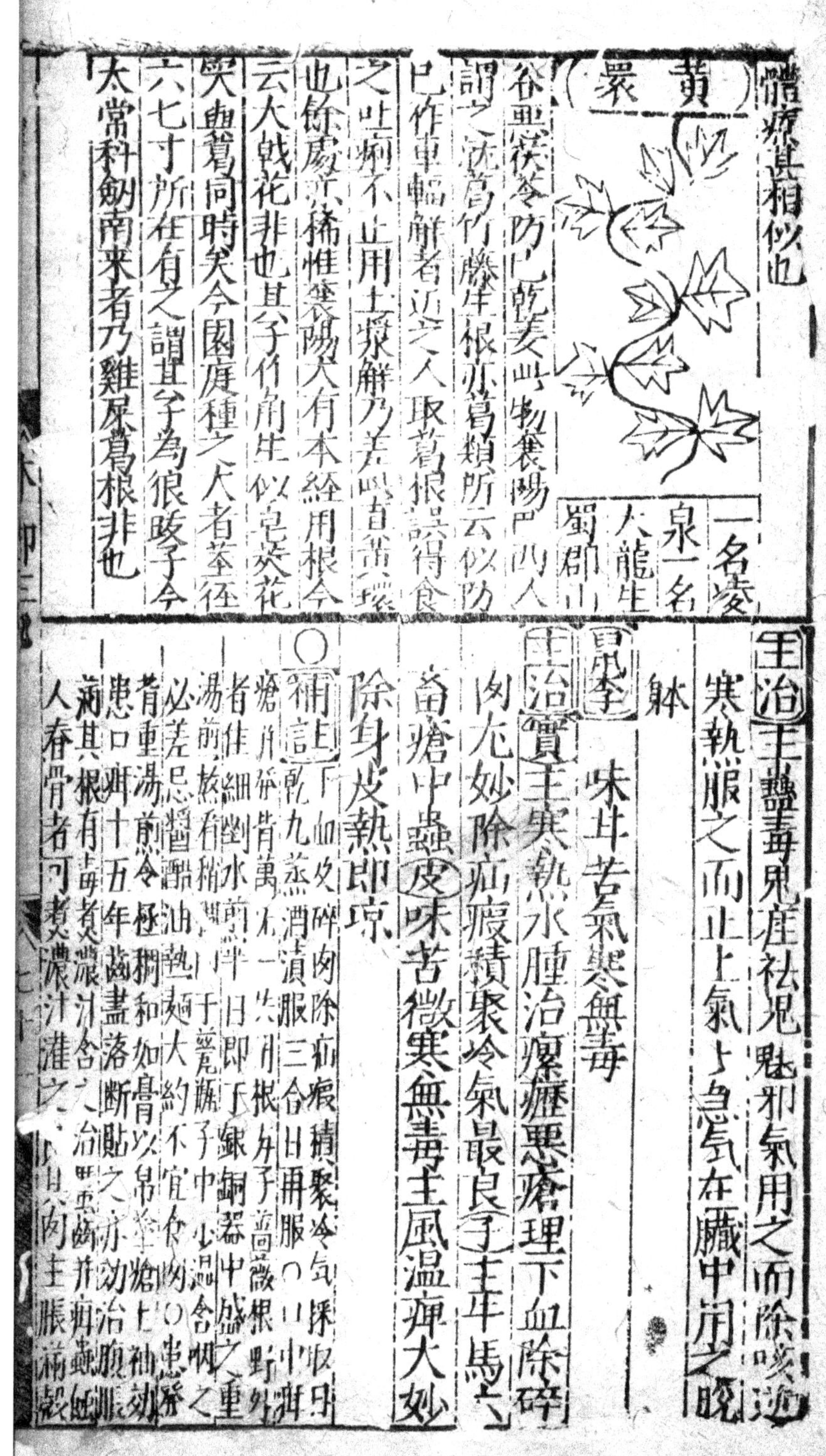

體療其相似也

一名凌泉一名大龍生蜀郡山谷惡茯苓防己乾姜此物襄陽巴西人謂之朱葛竹藤生根亦葛類所云似防己作車輻解者近之人取葛根誤得食之吐痢不止用土漿解乃差此云黄環也餘處亦稀惟襄陽大有本經用根今云大戟花非也其子作角生似皂莢花與中葛同時矣今園庭種之大者莖徑六七寸所在有之謂其子為狼跋子今太常科劍南来者乃雞屎葛根非也

主治 主蠱毒鬼疰祛鬼魅邪氣用之而除咳逆寒熱服之而止上氣急氣在臟中用之曉

躰

[illegible] 味甘苦氣寒無毒

主治 實主寒熱水腫治瘰癧惡瘡理下血除碎肉尤妙除疝瘕積聚冷氣最良 子 主牛馬六畜瘡中蟲 皮 味苦微寒無毒主風溫痺大妙除身皮熱即涼

○下血久碎肉除疝瘕積聚冷氣採收日 補註 乾九蒸酒漬服三合日再服○口中瘡瘡月採背萬不一失用根并子薔薇根野外掛者作細剉水煎汁日即下銀銅器中盛之重湯煎熬稍稠用于瓷瓶子中温含咽之必差忌醬醋油熱麵大約不宜食肉○患癖背重湯煎令極稠和如膏以帛塗瘡上神效患口瘡十五年齒盡落斷貼之亦効治頭瘡剃其根有毒煮濃汁含之治口齒并瘡蟲蝕人春骨者可煮濃汁灌之肉主脹滿穀

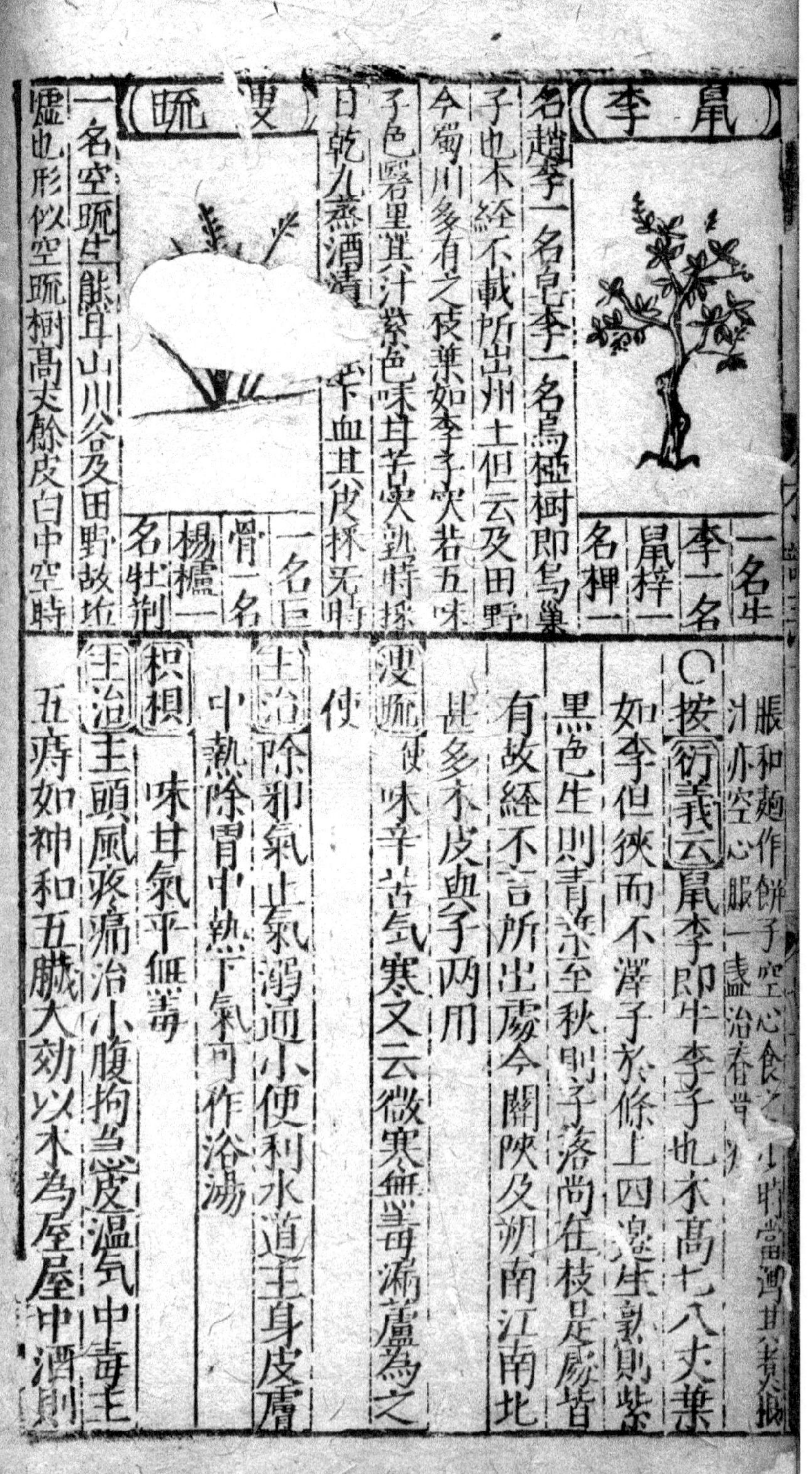

鼠李

一名牛李一名鼠梓一名椑一名趙李一名皂李一名烏槎樹即烏巢子也本經不載所出州土但云及田野今蜀川多有之枝葉如李子實若五味子色黳黑其汁紫色味甘苦實熟時採日乾九蒸酒漬[illegible]下血其皮採无時

服和麵作餅子空心食之少時當瀉其黃水擬汁亦空心服一盞治脊骨疳

〇按衍義云鼠李即牛李子也木高七八丈葉如李但狹而不澤子於條上四邊生熟則紫黑色生則青葉至秋則子落尚在枝是處皆有故經不言所出處今關陝及湖南江南北甚多木皮與子兩用

溲疏

一名巨骨一名楊櫨一名牡荊一名空疏生熊耳山川谷及田野故丘墟也形似空疏樹高丈餘皮白中空時

使

溲疏 味辛苦氣寒又云微寒無毒漏蘆為之使

主治 除邪氣止遺溺通小便利水道主身皮膚中熱除胃中熱下氣可作浴湯

枳椇 味甘氣平無毒

主治 主頭風疼痛治小腹拘急皮溫氣中毒主五痔如神和五臟大效以木為屋屋中酒則

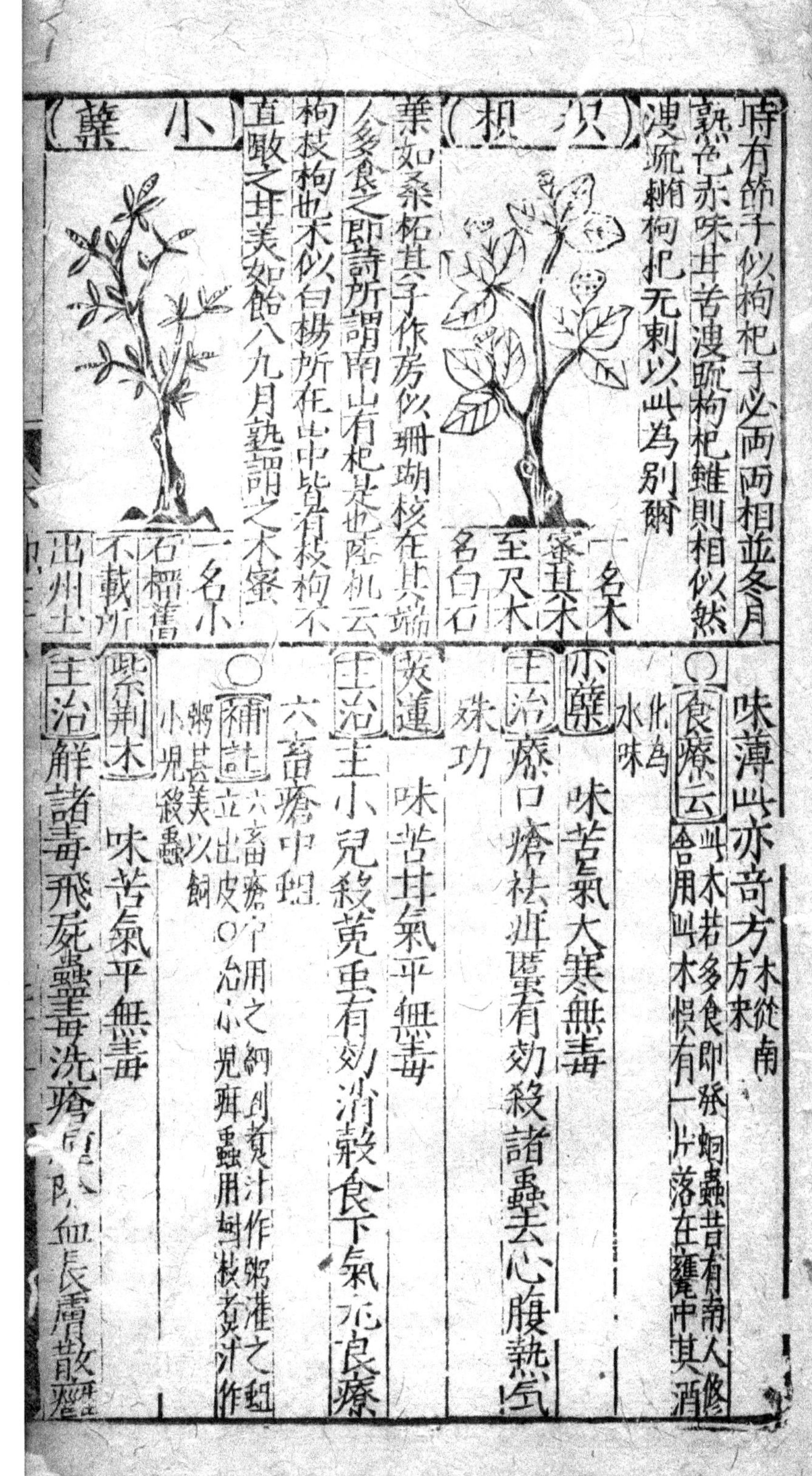

時有節子似枸杞子必兩兩相並冬月熟色赤味甘苦溲疏枸杞雖則相似然溲疏𣗳枸杞无刺以此為別爾

枳椇

葉如桑柘其子作房似珊瑚核在其端人多食之即詩所謂南山有枸是也陸机云枸枝枸也木似白楊所在山中皆有枝枸不直啖之甘美如飴八九月熟謂之木蜜

一名木蜜其木至尺木名白石

小蘗

一名小石榴舊不載所出州土

味薄此亦奇方木從南方來

○食療云此木若多食即發蛔蟲昔有南人修舍用此木悞有一片落在甕中其酒化為水味

小蘗　味苦氣大寒無毒

主治　療口瘡袪疳䘌有效殺諸蟲去心腹熱氣殊功

莢蒾　味苦甘氣平無毒

主治　主小兒殺蛔蟲有効消穀食下氣亦良療六畜瘡中蛆

○補註　六畜瘡中用之細剉煑汁作粥灌之蛆立出皮○治小兒殺蟲用莖枝煑汁作粥甚美以飼小兒殺蟲

紫荊木　味苦氣平無毒

主治　解諸毒飛屍蠱毒洗瘡[illegible]破血長膚散[illegible]

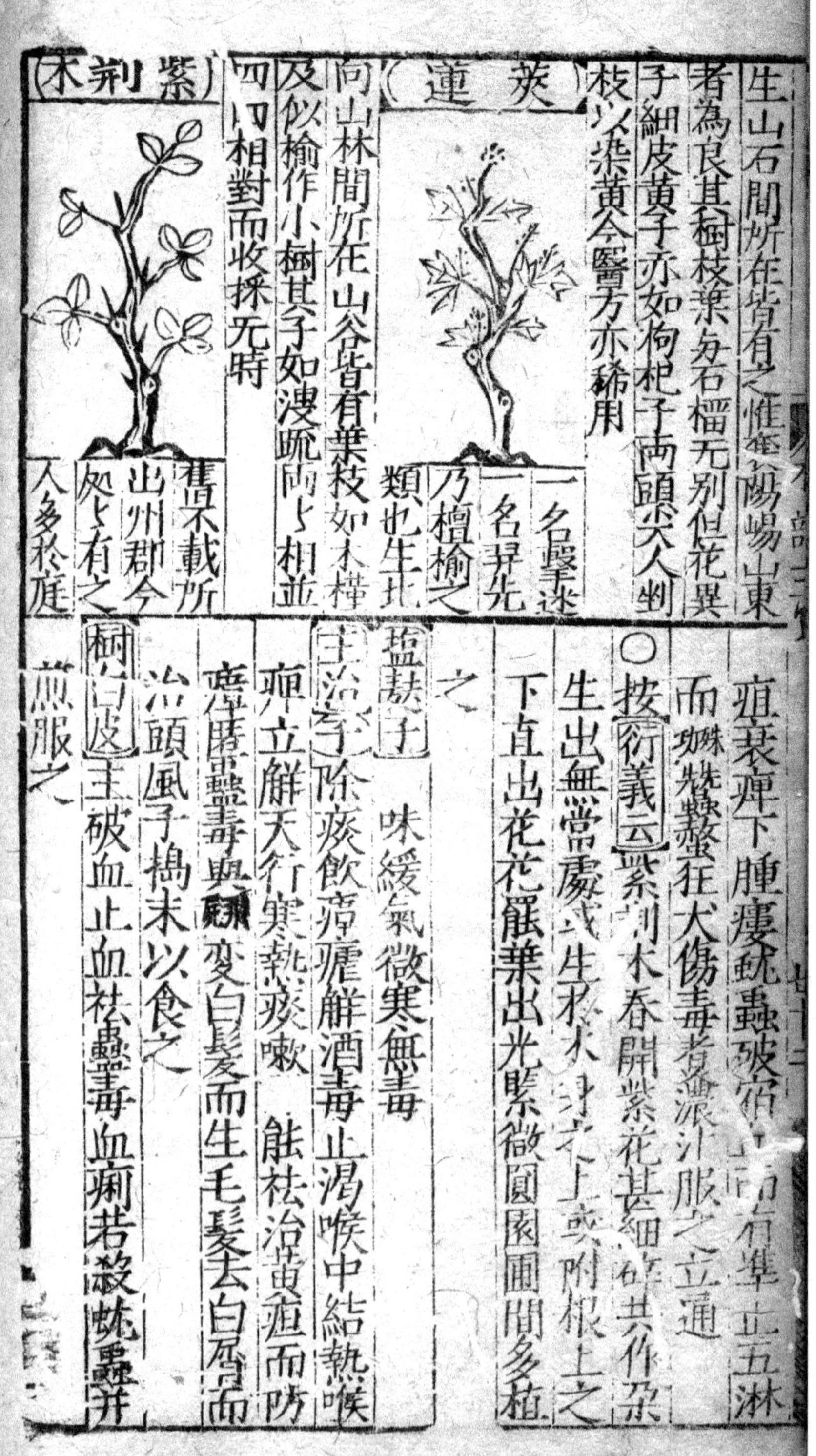

生山石間所在皆有之惟[illegible]陽暘山東者為良其樹枝葉如石榴无别但花異子細皮黄子亦如枸杞子兩頭尖人剉枝以染黄今醫方亦稀用

莢蒾

一名擊迷　一名羿先　乃檀榆之類也生北向山林間所在山谷皆有葉枝如木槿及似榆作小樹其子如溲疏兩兩相並四四相對而收採无時

紫荆木

舊不載所出州郡今處處有之人多於庭

疽喉痹下腫瘻蚘蟲破宿[illegible]有[illegible]五淋而蛇虺蟲蠶狂犬傷毒者並濃汁服之立通

○按衍義云紫荆木春開紫花甚細碎共作朶生出無常處或生於木身之上或附根上之下直出花花罷葉出光緊微圓園圃間多植之

鹽麸子　味緩氣微寒無毒

主治子除痰飲瘴瘧解酒毒止渴喉中結熱喉痺立解天行寒熱痰嗽　能祛治黄疸而防瘴癘蠱毒與[illegible]變白髮而生毛髮去白屑而治頭風子擣末以食之

樹白皮　主破血止血祛蠱毒血痢若殺蛔蟲并煎服之

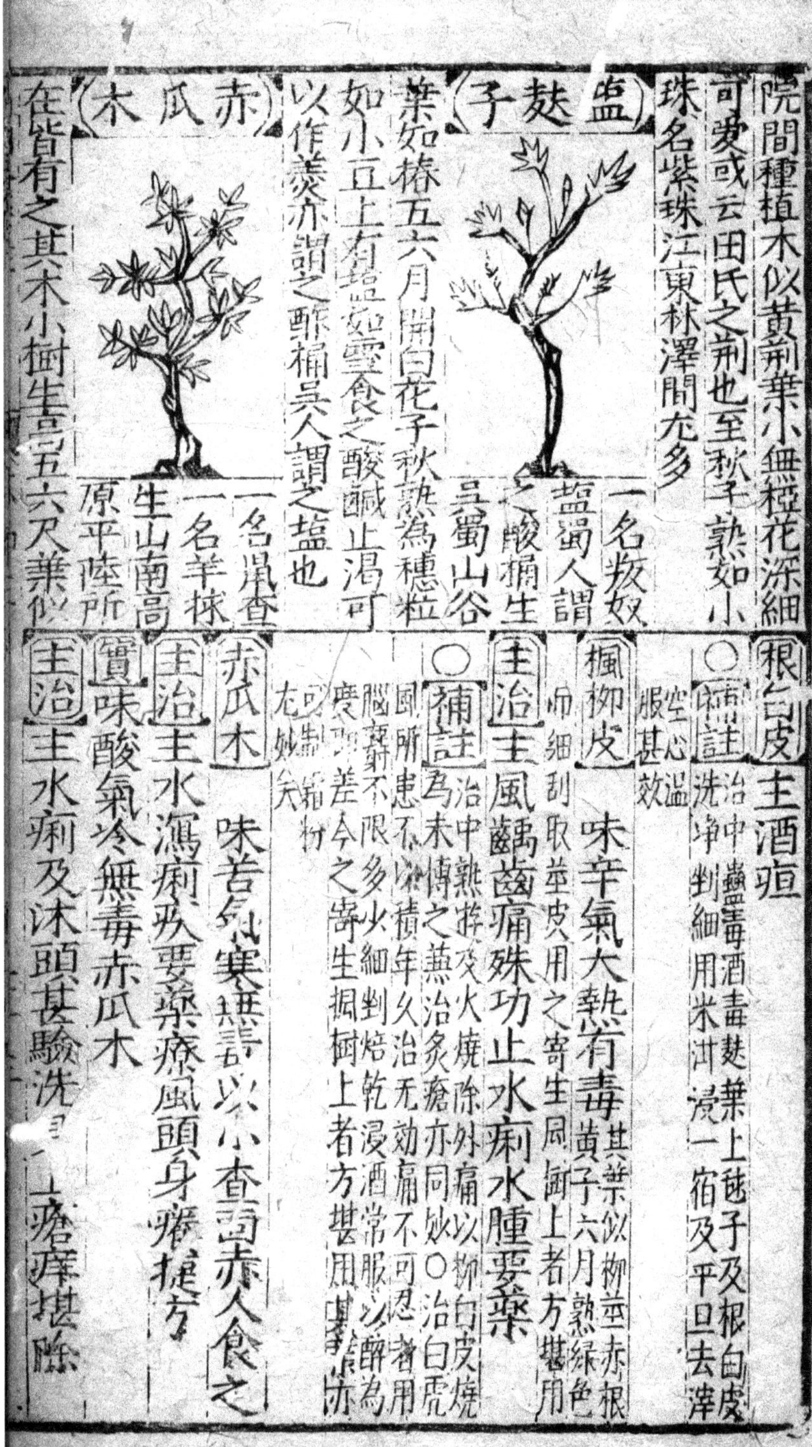

院間種植木似黃荊葉小無椏花深細可愛或云田氏之荊也至秋子熟如小珠名紫珠江東林澤間尤多

鹽麸子

葉如椿五六月開白花子秋熟為穗粒如小豆上有鹽如雪食之酸鹹止渴可以作羹亦謂之酢桶吳人謂之鹽也

一名叛奴鹽蜀人謂之酸桶生吳蜀山谷

赤瓜木

一名鼠查

一名羊梂

生山南高原平陸所在皆有之其木小樹生高五六尺葉似

根白皮 主酒疸

○**補註** 治中蠱毒酒毒麸葉上毬子及根白皮洗净剉細用米泔浸一宿及平旦去滓空心溫服甚效

楓柳皮 味辛氣大熱有毒 其葉似柳並赤根黃子六月熟綠色而細刮取並皮用之寄生風樹上者方堪用

主治 主風齲齒痛殊功止水痢水腫要藥

○**補註** 治中熱瘡及火燒除外痛以柳白皮燒為末傅之兼治灸瘡亦同妙○治白虎風所患不㳟積年久治无効痛不可忍者用腦麝不限多少細剉焙乾浸酒常服以醉為度功差今之寄生楓樹上者方堪用其葉亦可製霜粉尤妙矣

赤瓜木 味苦氣寒無毒以小查而赤人食之

主治 主水瀉痢及要藥療風頭身癢捷方

實 味酸氣冷無毒赤瓜木

主治 主水痢及沐頭甚驗洗[illegible]上瘡痒甚除

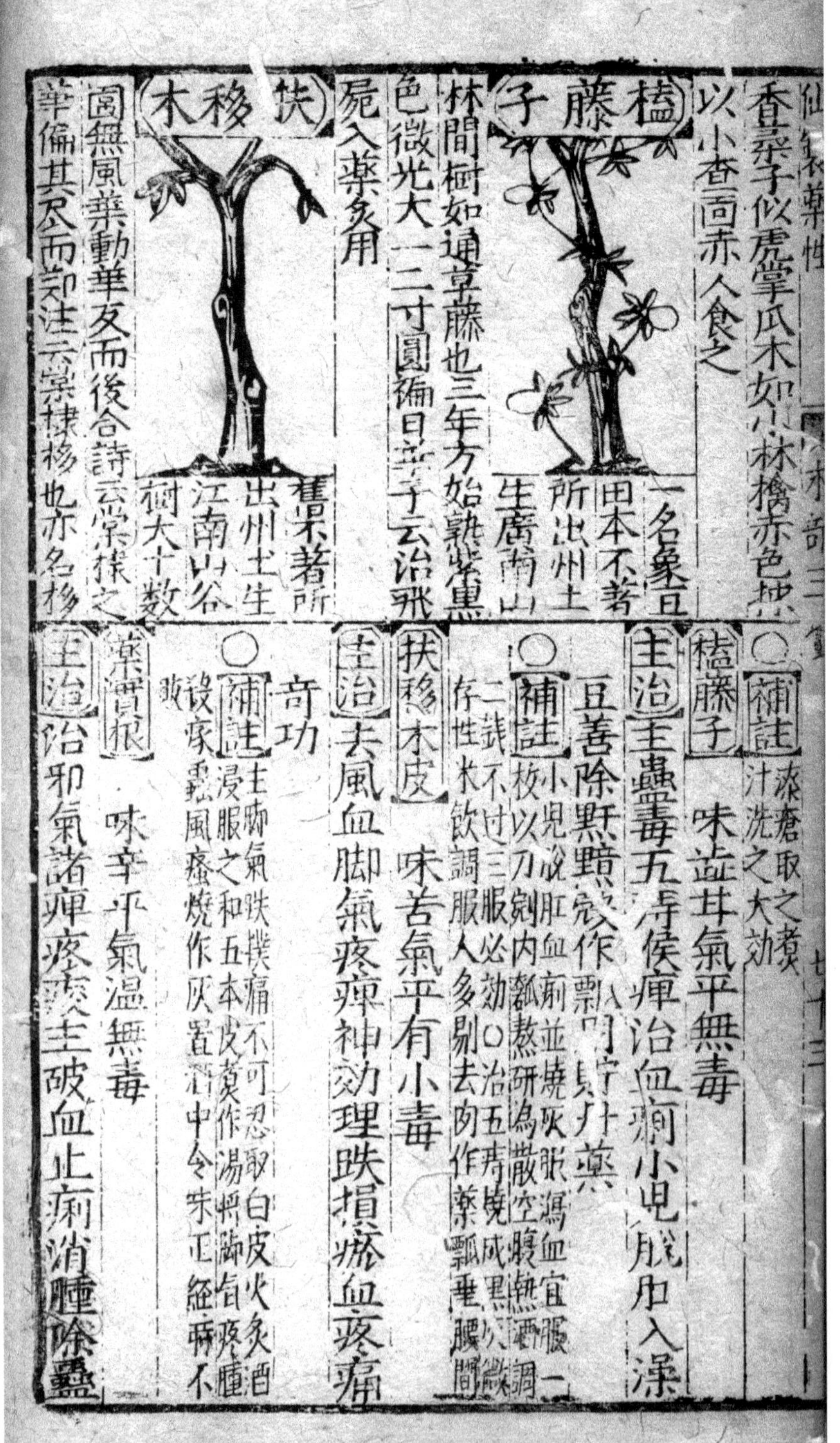

查桑子似虎掌瓜木如小林檎赤色熟以小查而赤人食之

榼藤子

一名象豆 田本不著所出州土生廣南山林間樹如通草藤也三年方始熟紫黑色微光大一二寸圓褊日華子云治飛屍入藥炙用

扶移木

舊本不著所出州土生江南山谷樹大十數圍無風葉動華反而後合詩云棠棣之華偏其反而鄭注云棠棣移也亦名移

〇【補註】漆瘡取之煮汁洗之大効

【榼藤子】味澀甘氣平無毒

【主治】主蠱毒五痔喉痺治血痢小兒脫肛入澡豆善除䵟䵴殼作瓢可貯丹藥

〇【補註】小兒脫肛血痢並燒灰服瀉血宜服一枚以刀劍內瓤熬研爲散空腹熱酒調二錢不過三服必効〇治五痔燒成黑灰微存性米飲調服人多剔去肉作藥瓢垂腰間

【扶移木皮】味苦氣平有小毒

【主治】去風血脚氣疼痺神効理跌損瘀血疼痛奇功

〇【補註】主脚氣跌撲痛不可忍取白皮火炙酒浸服之和五木皮煎作湯淋脚治疼腫設瘡蟲風瘙燒作灰置酒中令味正經宿不敗

【藥實根】味辛平氣溫無毒

【主治】治邪氣諸痺疼酸主破血止痢消腫除蠱

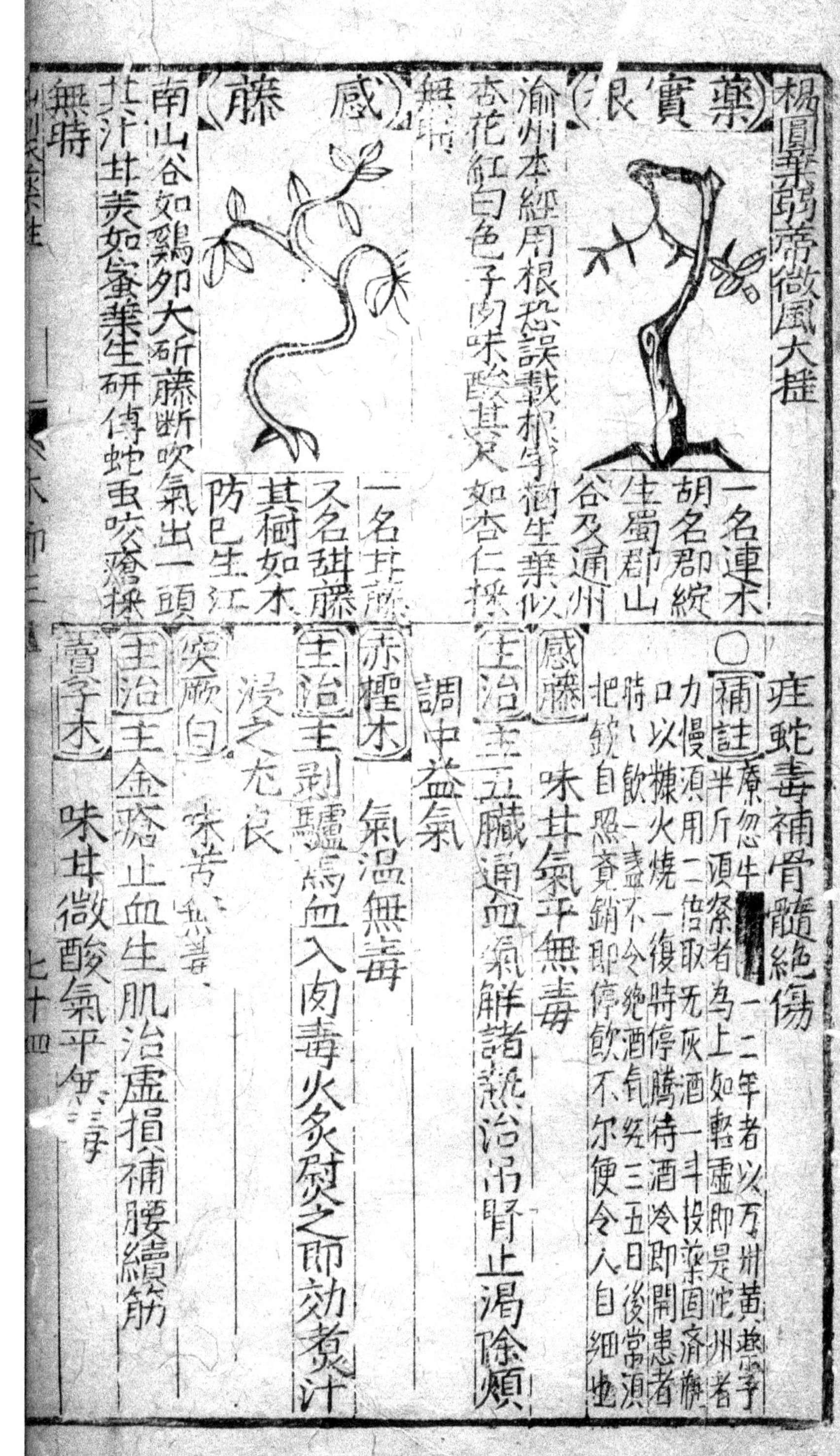

根圓葉弱帝微風大挂

藥實根

渝州本經用根恐誤載根乃樹生葉似杏花紅白色子肉味酸甚大如杏仁採無時

一名連木　胡名郡綻　生蜀郡山谷及通州

感藤

南山谷如鷄卵大斫藤斷吹氣出一頭其汁甘美如蜜葉生研傅蛇虫咬瘡採無時

一名甘藤　又名甜藤　其樹如木　防巳生江

痊蛇毒補骨髓絕傷

○補註　療惣牛■一二年者以丐卅黃藥子半斤須察者為上如磬盧即是陀州者力慢須用二倍取无灰酒一斗投藥固濟瓶口以糠火燒一復時待酒冷即開患者時時飲一盞不令絕酒氣經三五日後常須把鏡自照覓銷即停飲不尔便令人自細也

感藤　味甘氣平無毒

主治　主五臟通血氣解諸熱治消腎止渴除煩調中益氣

赤檉木　氣溫無毒

主治　主剝驢馬血入肉毒火炙熨之即効煮汁浸之尤良

突厥白　味苦無毒

主治　主金瘡止血生肌治虛損補腰續筋

賣子木　味甘微酸氣平無毒

七十四

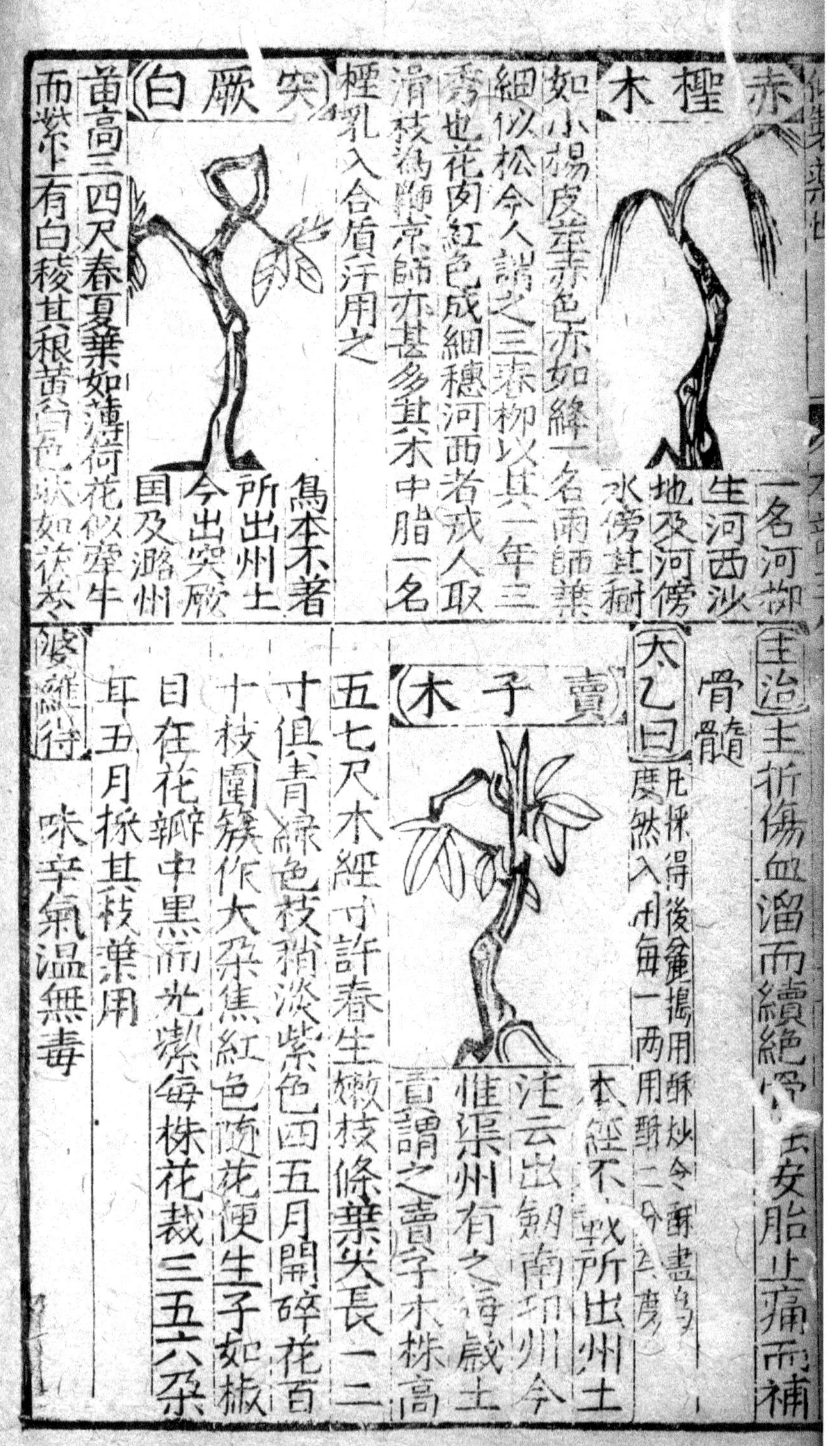

赤檉木

生河西沙地及河傍水傍甚𧀢

如小楊皮並葉赤色亦如絳一名雨師葉細似松令人謂之三春柳以其一年三秀也花肉紅色成細穗河西者戎人取滑枝為鞭京師亦甚多其木中脂一名檉乳入合質汗用之

一名河柳

【主治】主折傷血溜而續絕傷去安胎止痛而補骨髓

【太乙曰】凡採得後纔搗用酥炒令酥盡為度然入用每一兩用酥二分為度

突厥白

圖本不著所出州土今出突厥国及潞州

苗高三四尺春夏葉如薄荷花似牽牛而紫下有白稜其根黃白色狀如茯苓

賣子木

本經不載所出州土注云出劍南邛州今惟渠州有之每歲土貢謂之賣子木株高

五七尺木徑寸許春生嫩枝條葉尖長一二寸俱青綠色枝梢淡紫色四五月開碎花百十枝圍簇作大朶焦紅色隨花便生子如椒目在花瓣中黑而光潔每株花裁三五六朶耳五月採其枝葉用

【脩治待】

味辛氣温無毒

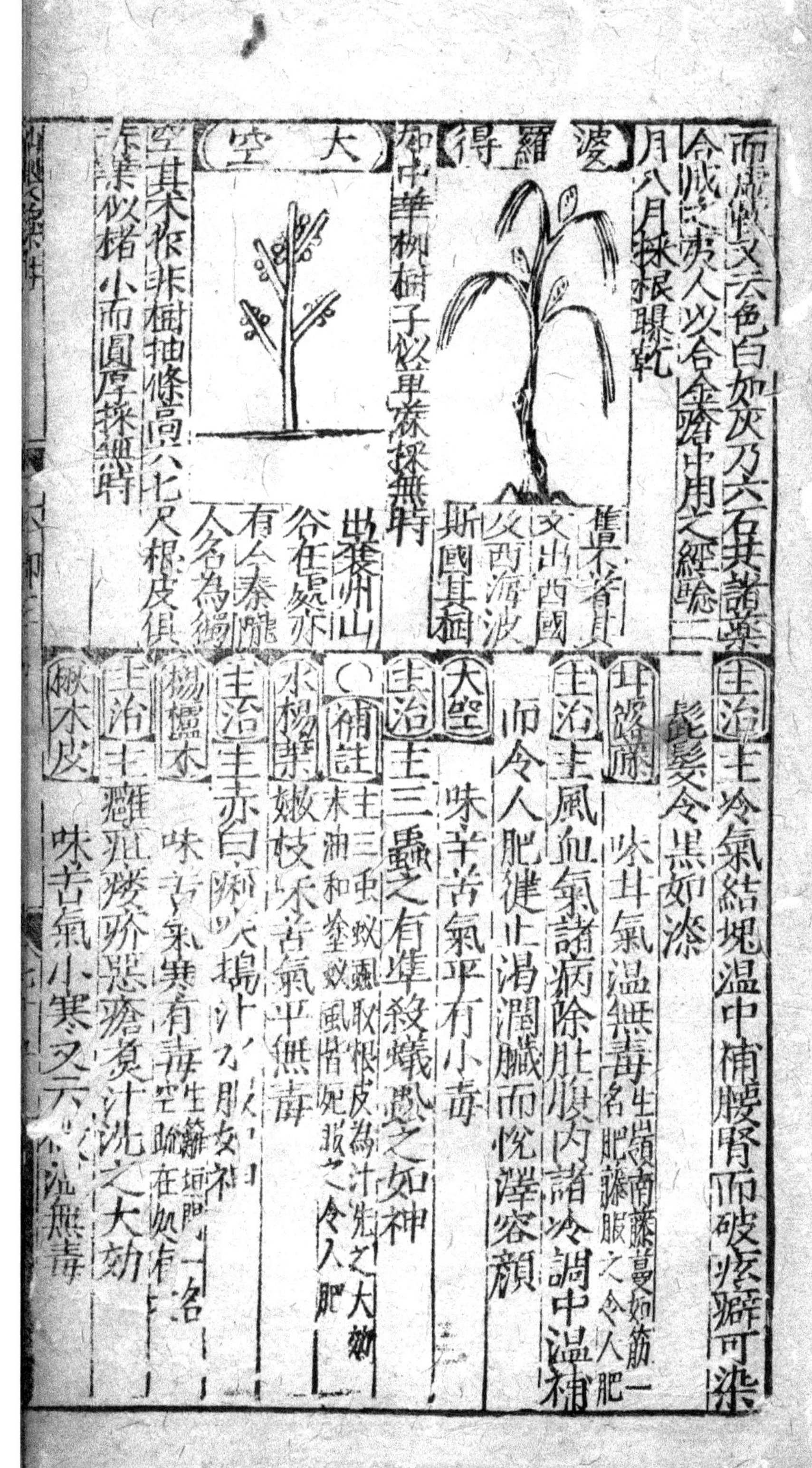

而成仙又云色白如灰乃六石英諸藥合成之共人以合金瘡中用之經驗二月八月採根曝乾

婆羅得

舊未著所文出西國以西海波斯國其樹如中華柳樹子似草蔴採無時

大空

出襄州山谷在處亦有今秦隴人名為獨空其木似非樹抽條高六七尺根皮俱赤葉似楮小而圓厚採無時

主治　主冷氣結塊溫中補腰腎而破痃癖可染髭鬢令黑如漆

甘露藤　味甘氣溫無毒 生嶺南藤蔓如筋一名肥藤服之令人肥

主治　主風血氣諸病除肚腹內諸冷調中溫補而令人肥健止渴潤臟而悅澤容顏

大空　味辛苦氣平有小毒

主治　主三蟲之有蟲殺蟻蝨之如神

補註　主三蟲蚊蝨取根皮為汁洗之大効末油和塗蚊蝨皆死服之令人肥

水楊葉　嫩枝味苦氣平無毒

主治　主赤白痢以水搗汁一升服妙神

楊櫨木　味苦氣寒有毒 生籬垣間一名空疏在處有之

主治　主疽瘻疥瘑惡瘡煮汁洗之大効

楸木皮　味苦氣小寒又云微寒無毒

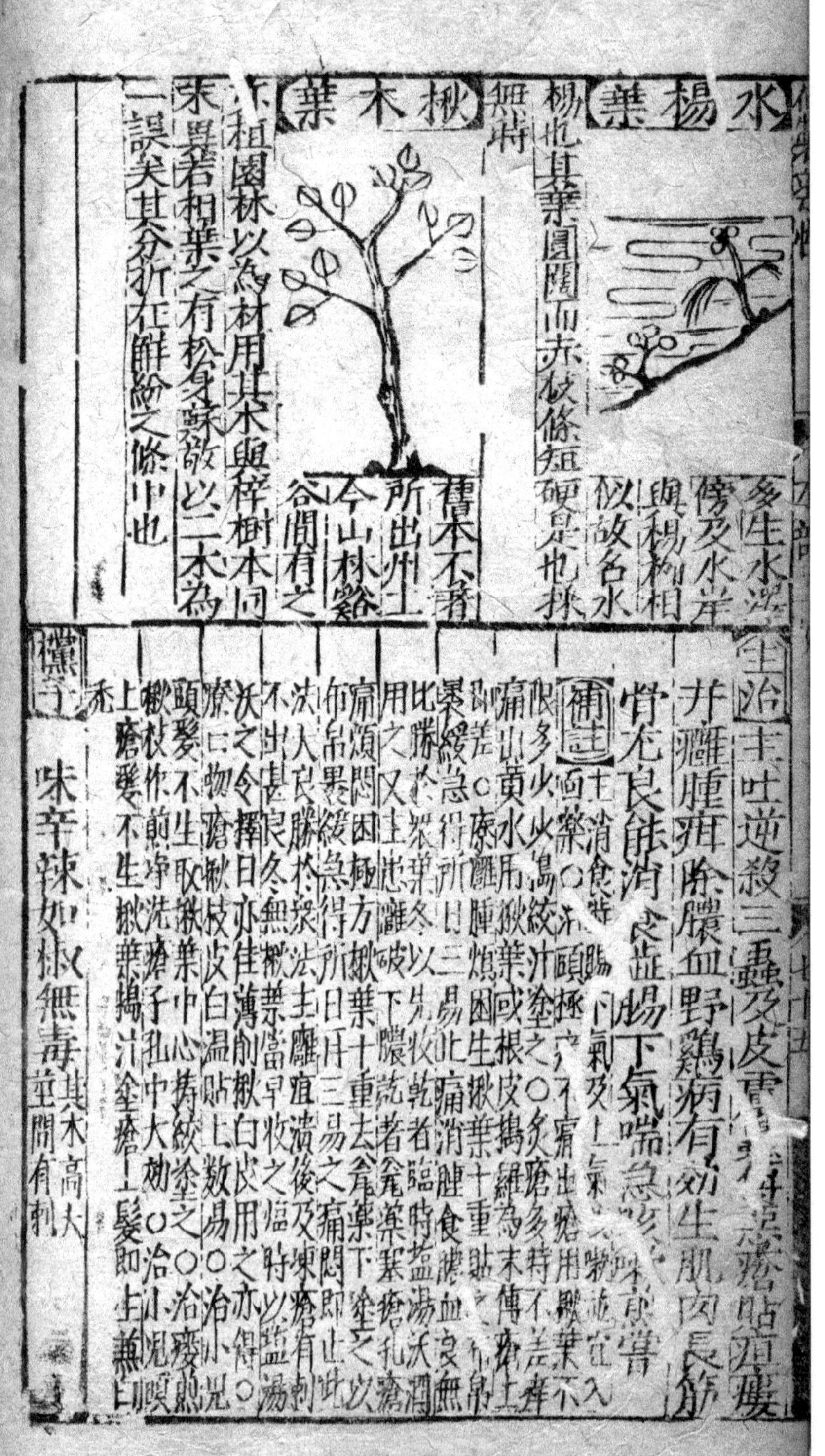

水楊葉

多生水涯傍及水岸與楊柳相似故名水楊也其葉圓闊而赤枝條短硬是也採無時

楸木葉

舊本不著所出州土今山林谿谷間有之亦植園林以為材用其木與梓樹本同末異若相葉之有松身蘇敬以二木為一誤矣其分析在解紛之條中也

主治 主吐逆殺三蟲及皮膚[illegible]瘡貼[illegible]瘻并癰腫疳痔膿血野鷄病有效生肌肉長筋骨尤良能消[illegible]益陽下氣喘急[illegible]

補註 主消食[illegible]陽下氣及上氣欬嗽並宜入酒藥○治頭極痛不痛出膿用楸葉不限多少火炙搗絞汁塗之○灸瘡多時不差痒痛出黃水用楸葉或根皮搗羅為末傅之即差○療癰腫潰困生楸葉十重貼之以帛裹緩急得所日三易止痛消腫食膿血良無比勝於衆藥冬以先收乾者臨時鹽湯沃潤用之又主諸癰破下膿者以藥裹瘡孔瘡痛煩悶困極方楸葉十重去倉藥下塗之以布帛裹緩急得所日再三易之痛悶即止此法大良勝於衆法主癰疽潰後及凍瘡有刺不出甚良冬無楸葉當早收之臨時以鹽湯沃之令釋亦佳薄削楸白皮用之亦得○療亡物瘡楸枝皮白溫貼上數易○治小兒頭髮不生取楸葉中心搗絞塗之○治瘻煎楸枝作煎淨洗瘡了孔中大効○治小兒頭上瘡髮不生楸葉搗汁塗瘡上髮即生兼止禿

欒荊

味辛辣如椒無毒 其木高大莖間有刺

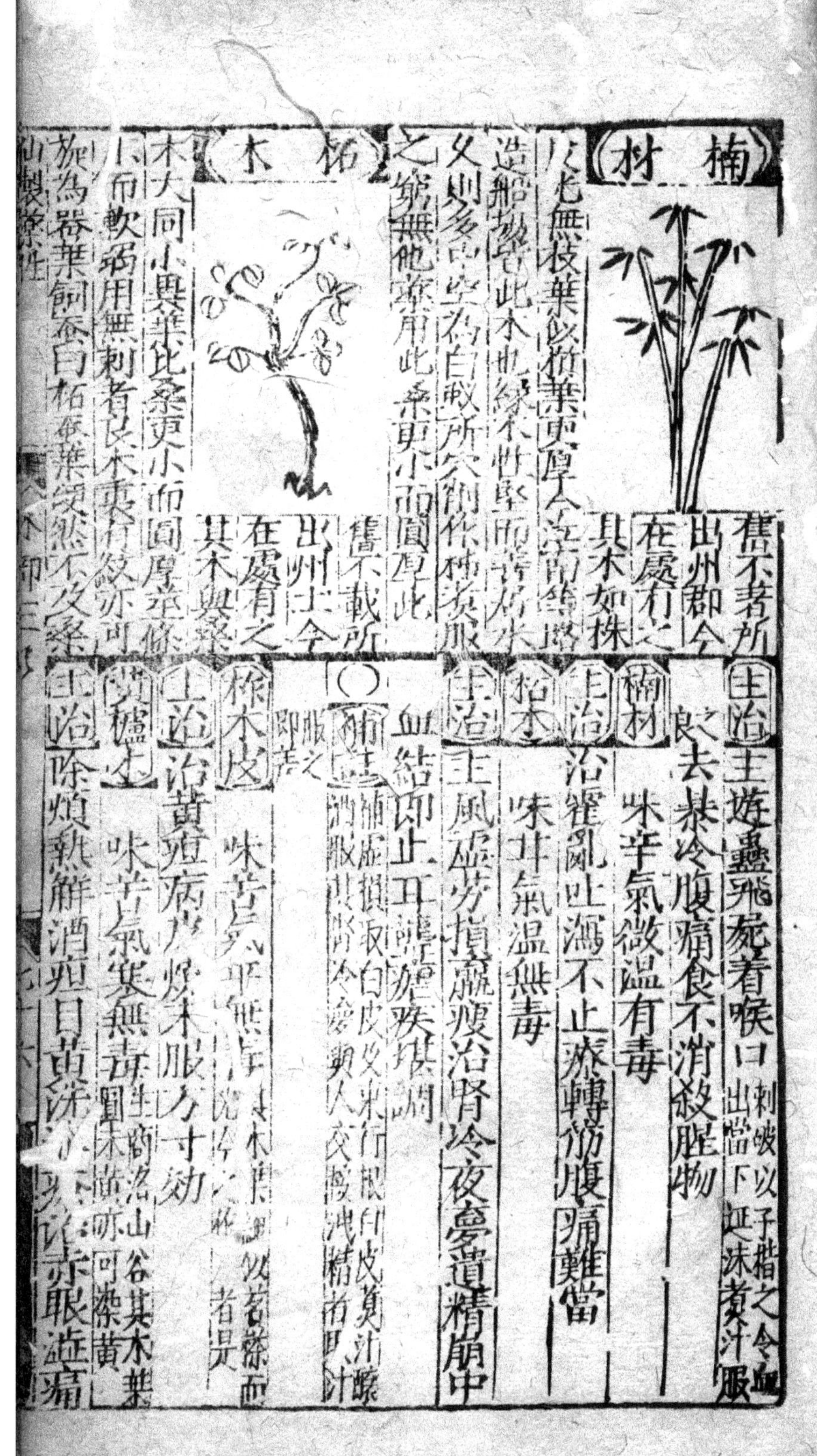

楠材

舊不著所出州郡今在處有之其木如株乃是無枝葉以積葉更厚今江南等路造船場皆此木也緣木性堅而善居水久則多出空為白蟻所穴削作柿煎服之蛇無他藥用此桑更小而圓厚此

柘木

舊不載所出州土今在處有之其木與桑木大同小異葉比桑更小而圓厚並條上而軟弱用無刺者良木裏有紋亦可旋為器葉飼蠶曰柘蠶葉絲不及桑

主治 主遊蠱飛屍著喉口刺破以子楷之令血出當下延沫煮汁服之良去寒冷腹痛食不消殺腥物

楠材 味辛氣微溫有毒

主治 治霍亂吐瀉不止濟轉筋腹痛難當

柘木 味甘氣溫無毒

主治 主風虛勞損羸瘦治腎冷夜夢遺精崩中血結卽止耳聾瘧疾堪調

（ ）

補益 補虛損取白皮炙末行服白皮煮汁釀酒服治腎冷夢與人交接泄精者取汁服之即差

椿木皮 味苦氣平無毒其木與樗相[illegible]欲者採而洗[illegible]者是

主治 治黃疸病炒末服方寸效

附[illegible]土 味苦氣寒無毒生商洛山谷其木葉圓味黃亦可染黃

主治 除煩熱解酒疸目黃深[illegible]赤眼澀痛

仙製藥性　卷八　木部　三十六

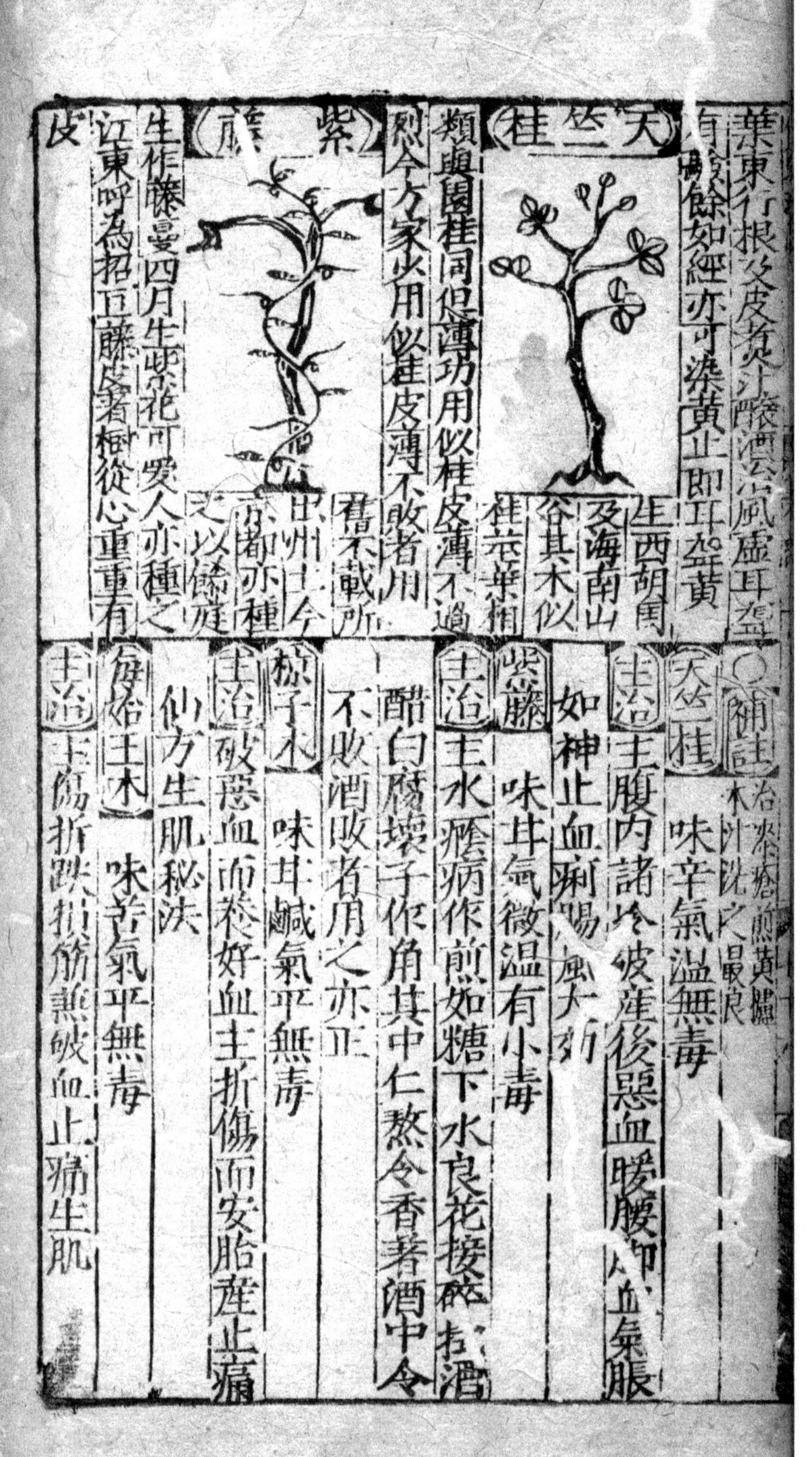
葉東行根汲皮煮汁釀酒治風虛耳聾
有毒餘如經亦可染黃止即耳聾黃

天竺桂

生西胡國及海南山谷其木似桂莖葉相類與園桂同但薄功用似桂皮薄不過烈今方家少用似桂皮薄不敢者用舊不載所出州土今南都亦種之以飾庭

紫藤

生作藤蔓四月生紫花可愛人亦種之江東呼為招豆藤皮著樹從心重重有皮

○補註 治瘀瘡煎黃爛木汁洗之最良

天竺桂 味辛氣溫無毒

主治 主腹內諸冷破產後惡血暖腰膝血氣脹如神止血痢腸風大効

紫藤 味甘氣微溫有小毒

主治 主水癊病作煎如糖下水良花接碎拄酒醋白蘗壞子作角其中仁熬令香著酒中令不敗酒敗者用之亦正

椋子木 味甘鹹氣平無毒

主治 破惡血而養好血主折傷而安胎產止痛仙方生肌秘訣

每始王木 味苦氣平無毒

主治 主傷折跌損筋骨破血止痛生肌

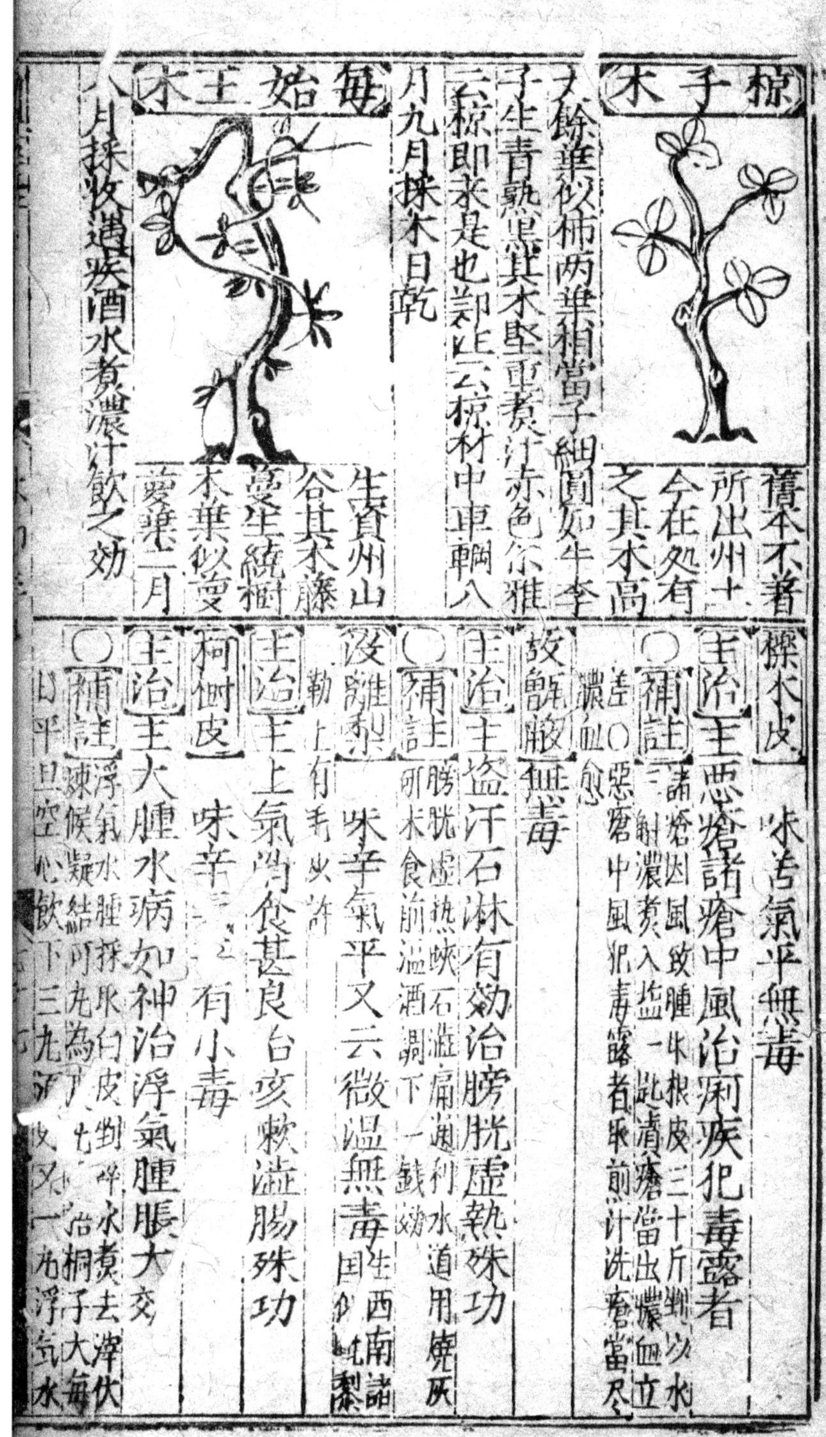

椋子木

舊本不著所出州土今在処有之其木高丈餘葉似柿兩葉相當子細圓如牛李子生青熟黑其木堅重煮汁赤色爾雅云椋即來是也鄭注云椋材中車輞八月九月採木日乾

每始王木

生資州山谷其木藤蔓生繞樹木葉似豇豆葉二月八月採收遺疾酒水煮濃汁飲之効

櫟木皮 味苦氣平無毒

主治　主惡瘡諸瘡中風治痢疾犯毒露者

○補註　諸瘡因風致腫以根皮三十斤剉以水濃煮入塩一把漬瘡當出濃血立差○惡瘡中風犯毒露者取煎汁洗瘡當盡濃血愈

鮫[illegible]腹 無毒

主治　主盜汗石淋有効治膀胱虛熱殊功

○補註　膀胱虛熱暎石澁痛通利水道用燒灰研末食前温酒調下一錢効

沒離梨 味辛氣平又云微温無毒生西南諸國似梨勒上有毛如許

主治　主上氣消食甚良台亥嗽澁腸殊功

柯樹皮 味辛[illegible]有小毒

主治　主大腫水病如神治浮氣腫脹大交

○補註　浮氣水腫採取白皮剉碎水煮去滓伏煉候凝結可丸為丸如梧桐子大每日平旦空心飲下三丸[illegible]以[illegible]一丸浮氣水

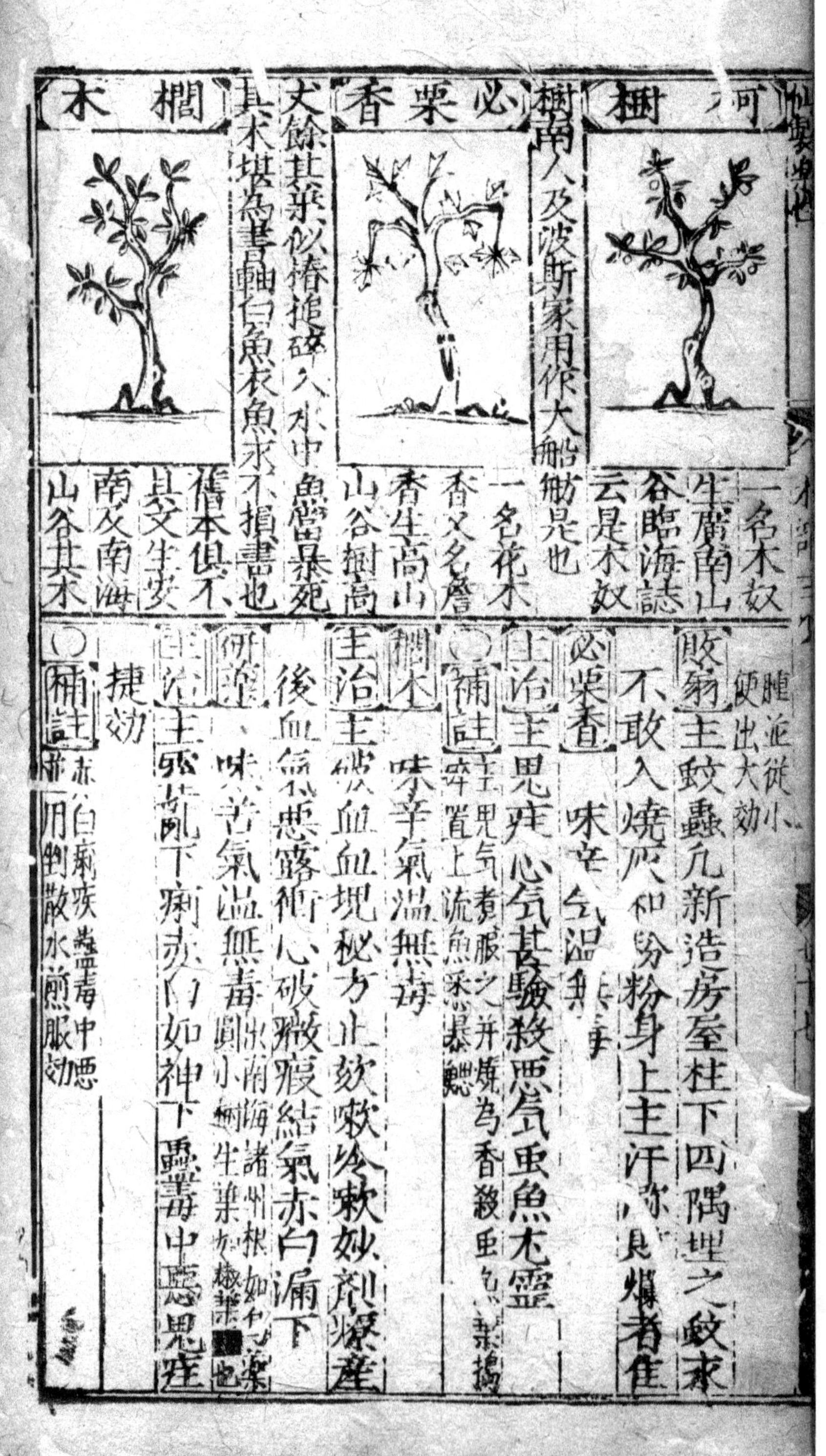

柯樹

一名木奴生廣南山谷臨海誌云是木奴樹南人及波斯家用作大船舶是也

必栗香

一名花木香又名詹香生高山山谷樹高丈餘其葉似椿搗碎入水中魚皆暴死其木堪為書軸白魚衣魚求不損書也

櫚木

舊本俱不具文生安南及南海山谷其木

腫並從小便出大効

【敗翁】主蛟蟲凡新造房屋柱下四隅埋之蛟永不敢入燒灰和粉粉身上主汗疹良爆者佳

【必栗香】味辛氣溫無毒

【主治】主鬼疰心氣甚驗殺惡氣蟲魚木靈

○【補註】主鬼氣煮服之并燒為香殺蟲魚葉搗碎置上流魚悉暴鰓

【櫚木】味辛氣溫無毒

【主治】主破血血塊秘方止欬嗽冷嗽妙剤凝産後血氣惡露衝心破癥瘕結氣赤白漏下

【衍義】味苦氣溫無毒出南海諸州根如和頭小樹生葉如椿葉[illegible]也

【主治】主惡氣亂下痢赤白如神下蠱毒中惡鬼疰捷効

○【補註】赤白痢疾蠱毒中惡並用剉散水煎服効

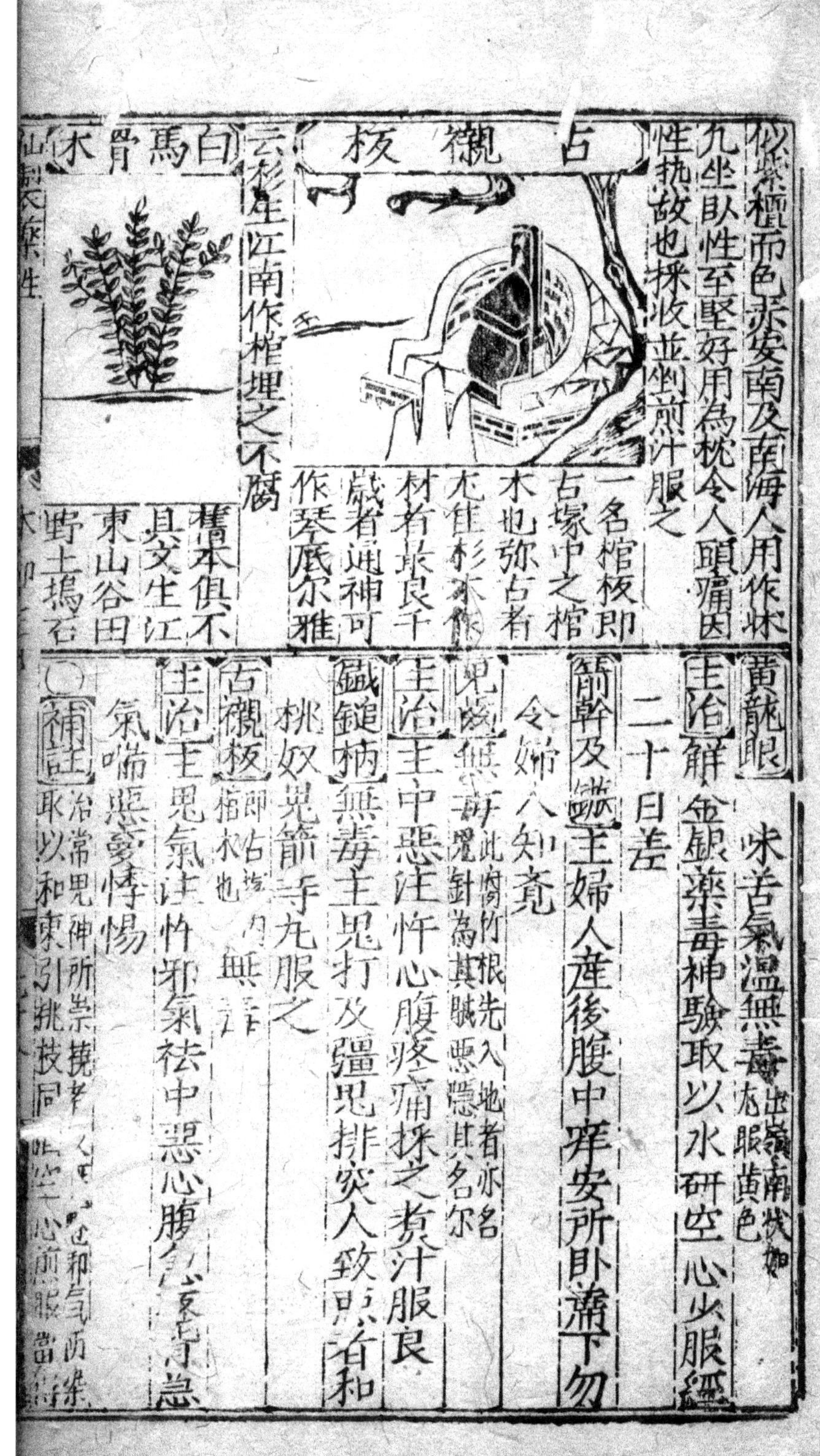

似紫檀而色赤安南及南海人用作床几坐臥性至堅好用為枕令人頭痛因性熱故也採收並剉煎汁服之

一名棺板即古塚中之棺木也弥古者尤佳杉木作材者最良千歲者通神可作琴底尔雅云杉生江南作棺埋之不腐

舊本俱不具文生江東山谷田野土搗石

【黃龍眼】味苦氣溫無毒出嶺南狀如龍眼黃色

【主治】解金銀藥毒神驗取以水研空心服經二十日差

【箭幹及鏃】主婦人產後腹中痒安所卧蓆下勿令婦人知竟

【鬼齒】無毒此腐竹根先入地者亦名鬼齒為其鋒銳惡其名尔

【主治】主中惡注忤心腹疼痛採之煮汁服良

【鐵鎚柄】無毒主鬼打及彊鬼排突人致死者和桃奴鬼箭等丸服之

【古櫬板】即古塚內棺木也無毒

【主治】主鬼氣注忤邪氣袪中惡心腹[illegible]急氣喘惡夢悸惕

【補註】治常鬼神所祟撓者[illegible]取以和東引桃枝同[illegible]空心煎服[illegible]

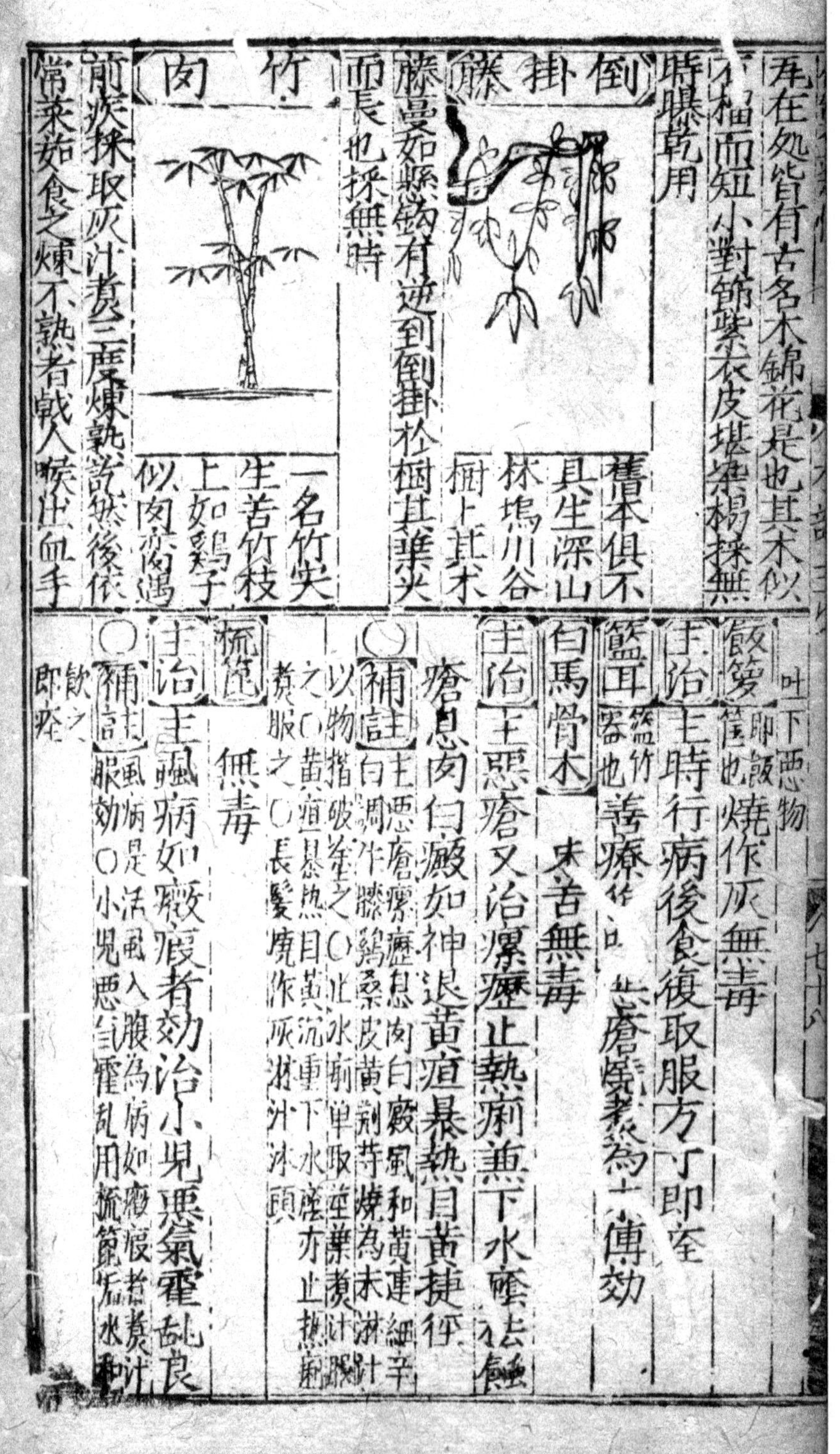

再在處皆有古名木錦花是也其木似不楅而短小對節葉衣皮堪染褐採無時曝乾用

倒掛藤

舊本俱不具生深山林塢川谷樹上其木藤蔓如懸鈎有逆刺倒掛於樹其葉尖而長也採無時

竹肉

一名竹實生苦竹枝上如鷄子似肉臠遇前炭採取灰汁煮二度煉熟然後依常菜茹食之煉不熟者戟人喉出血手

吐下惡物

飯籮 即飯籮也 燒作灰無毒

主治 主時行病後食復取服方寸匕即瘥

籃耳 籃竹器也 善療竹吐 主瘡燒灰為末傅効

白馬骨木 味苦無毒

主治 主惡瘡又治瘰癧止熱痢蔗下水腫去蝕瘡息肉白癜如神退黄疸暴熱目黄捷徑

○補註 主惡瘡瘰癧息肉白癜風和黄連細辛白調作膝鷄桑皮黄荊苛燒為末淋汁服以物指破塗之○止水痢單取莖葉煮汁服之○黄疸暴熱目黄沉重下水腫亦止熱痢煮服之○長髮燒作灰淋汁沐頭

梳篦 無毒

主治 主蝨病如癥瘕者効治小兒惡氣霍亂良

○補註 主風病是活蝨入腹為病如癥瘕者煮汁服効○小兒惡氣霍亂用梳篦垢水和飲之即瘥

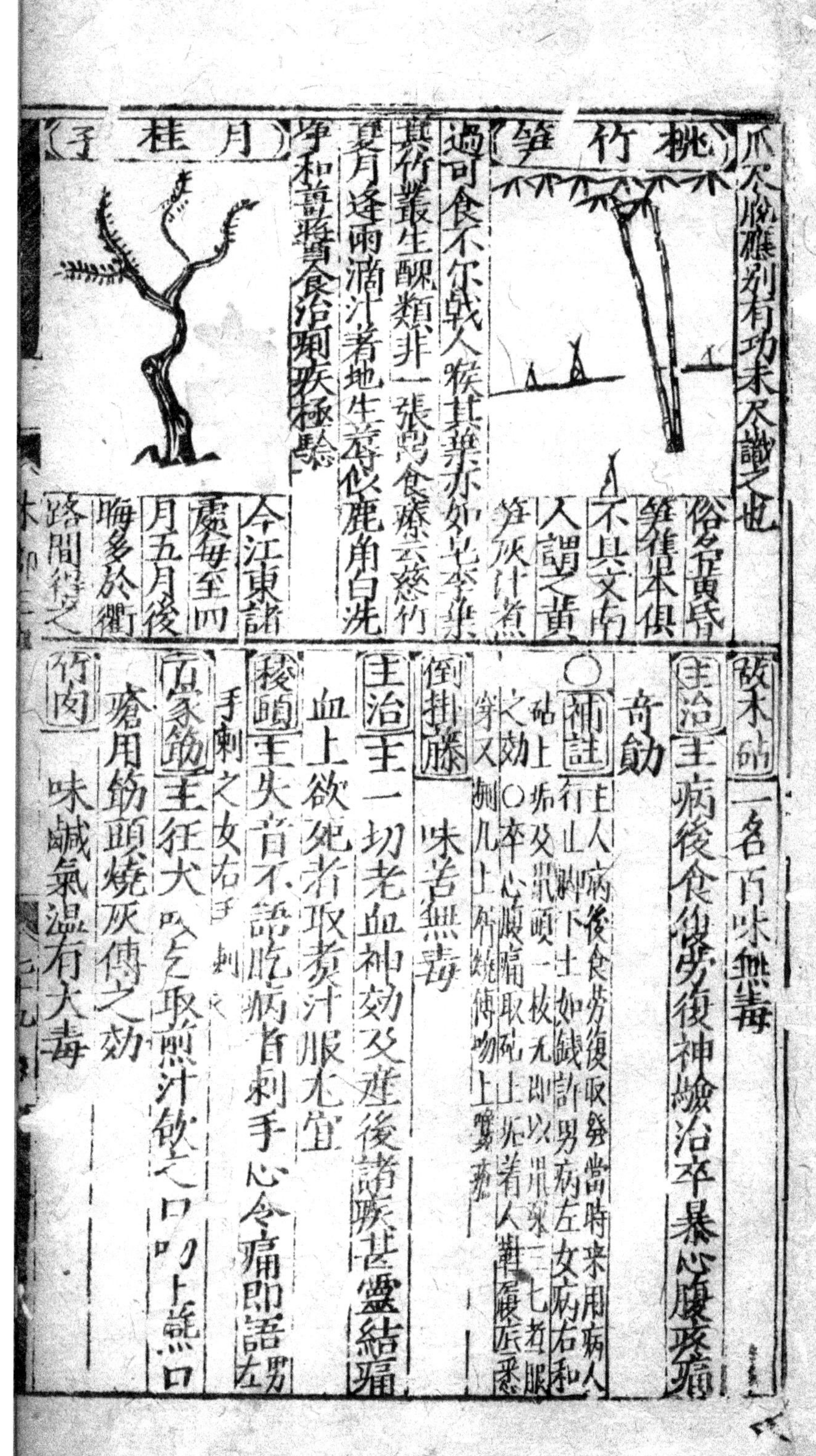

爪不脫礁別有功未不識之也

桃竹筍

俗名黃昏筍猶未俱不具文的入謂之黃筍灰汁煮過可食不爾戟人喉其葉亦如芭蕉樂其竹叢生醜類非一張鷄食療云慈竹夏月逢雨滴汁着地生蓐似鹿角白羌煮和薑醬食治咽喉極驗

月桂子

今江東諸處每至四月五月後晦多於衢路間得之

破木砧　一名百味無毒

主治　主病後食勞後神驗治卒暴心腹疼痛

奇効

補註　主人病後食勞復取發當時來用病人行止脚下土如錢許男病左女病右和砧上垢及戰頭一枚丸四以用服三七者服之効○卒心腹痛取砧上垢着人齒履底恶穿又刺几上垢燒傅吻上瘡痛

倒掛藤　味苦無毒

主治　主一切老血神効及產後諸疾甚靈結痛血上欲死者取煮汁服尤宜

猴頭　主失音不語脫病者刺手心令痛即語男左手刺之女右手刺之

五家筋　主狂犬咬之取煎汁飲之口吻上無口瘡用筋頭燒灰傅之効

竹肉　味鹹氣溫有大毒

大如貍耳破之辛香古老相傳是月中桂也山桂統謂為藥兒月桂乎正應不的識其功耳今江東處處有不知此地何意獨无為當非月路耶月墜之矣餘杭靈隱寺僧云種得一株近代詩人多所論述漢武洞冥記云有遠飛雞朝往夕返常銜桂實歸於南土所以北方无南方月路所以有也

地龍藤

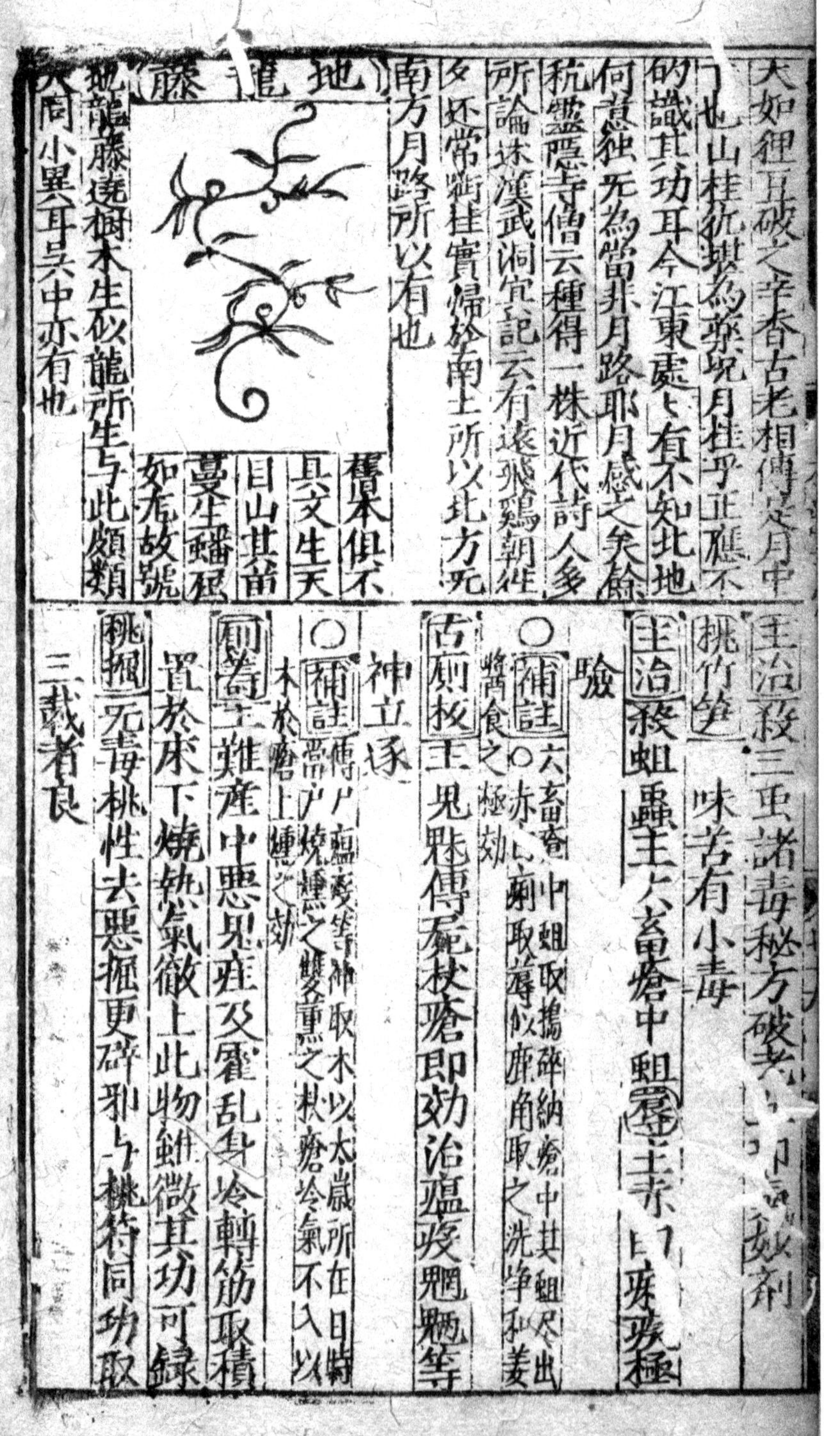

舊本俱不具文生天目山其苗蔓生蟠延如龍故號地龍藤遶樹木生似龍所生与此頗類大同小異耳吴中亦有也

【主治】殺三虫諸毒秘方破[illegible]劑

【桃竹筍】味苦有小毒

【主治】殺蛆蟲主六畜瘡中蛆【蜃】主赤[illegible]痢疾極驗

○【補註】六畜瘡中蛆取擣碎納瘡中其蛆尽出○赤白痢取蓐似鹿角取之洗净和姜醬食之極効

【古廁板】主鬼魅傳屍杖瘡即効治瘟疫魍魎等神立彖

○【補註】傳尸瘟疫等神取木以太歲所在日時需尸燒燻之蟆黃熏之杖瘡於氣不入以木於瘡上燻之効

【廁籌】主難產中惡鬼疰及霍乱身冷轉筋取積置於床下燒熱氣徹上此物雖微其功可録

【桃橛】无毒桃性去惡梗更辟邪与桃符同功取三載者良

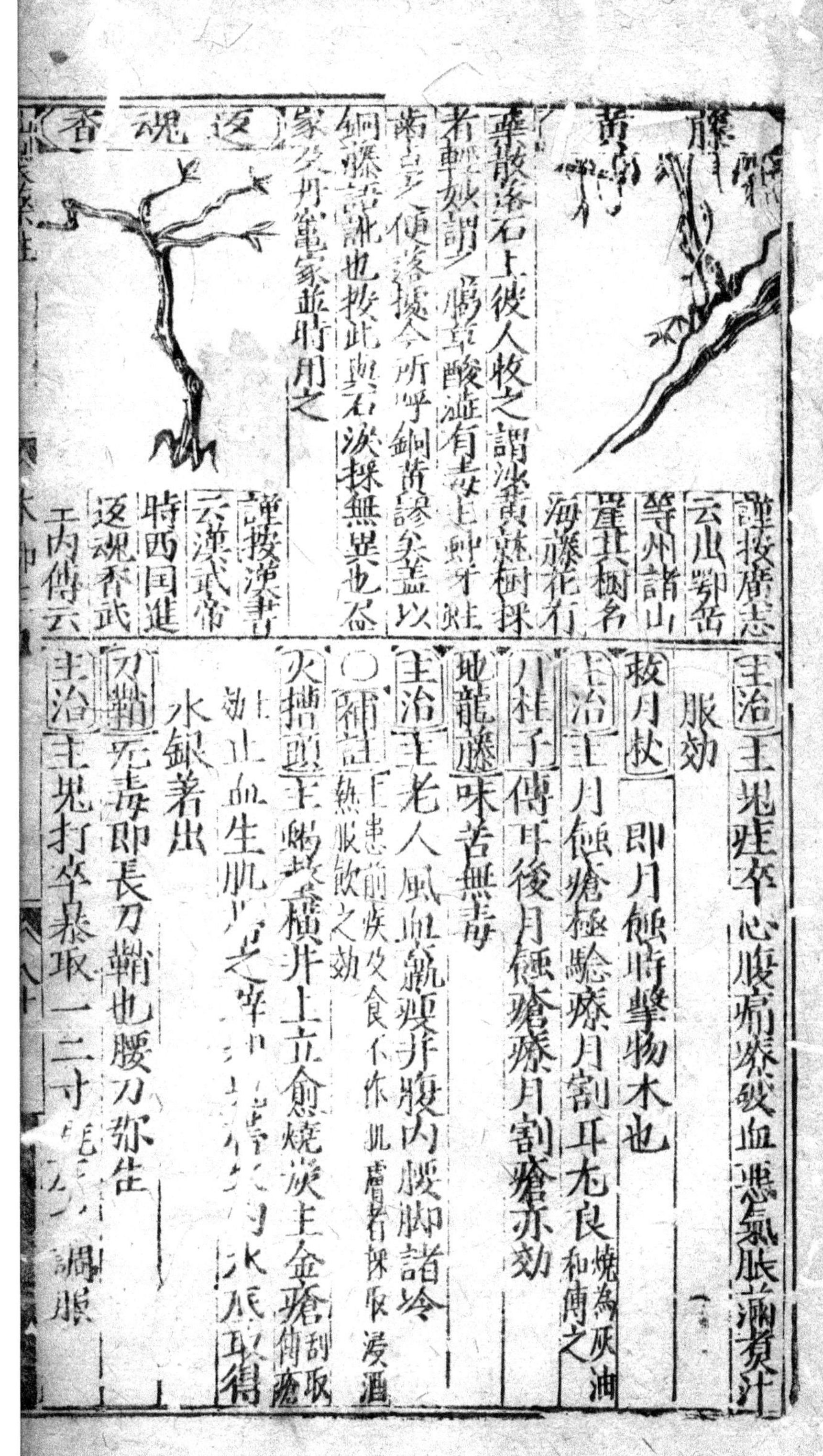

謹按廣志云出鄂岳等州諸山崖其樹名海藤花有蘂散落石上彼人收之謂沙黃就樹採者輕妙謂之臈草酸澁有毒上蚛牙蛀齒當便落擬今所呼銅黃謬矣蓋以銅藤語訛也按此與石淚採無異也畫家及丹竈家並時用之

謹按漢書云漢武帝時西国進返魂香武帝內傳云

【主治】主鬼疰卒心腹痛惡氣脹滿煮汁服効

救月杖　即月蝕時擊物木也

【主治】主月蝕瘡極驗療月割耳尤良燒為灰油和傅之

月桂子　傳耳後月蝕瘡療月割瘡亦効

地龍藤　味苦無毒

【主治】主老人風血氣羸瘦并腹內腰脚諸冷

〇補註　主患前疾及食不作肌膚者採取浸酒熱服飲之効

火摺頭　主蠍螫橫井上立愈燒灰主金瘡刮取傅瘡

主止血生肌取之……水底取得

水銀著出

刀鞘　死毒即長刀鞘也腰刀鞘亦佳

【主治】主鬼打卒暴取一二寸燒灰調服

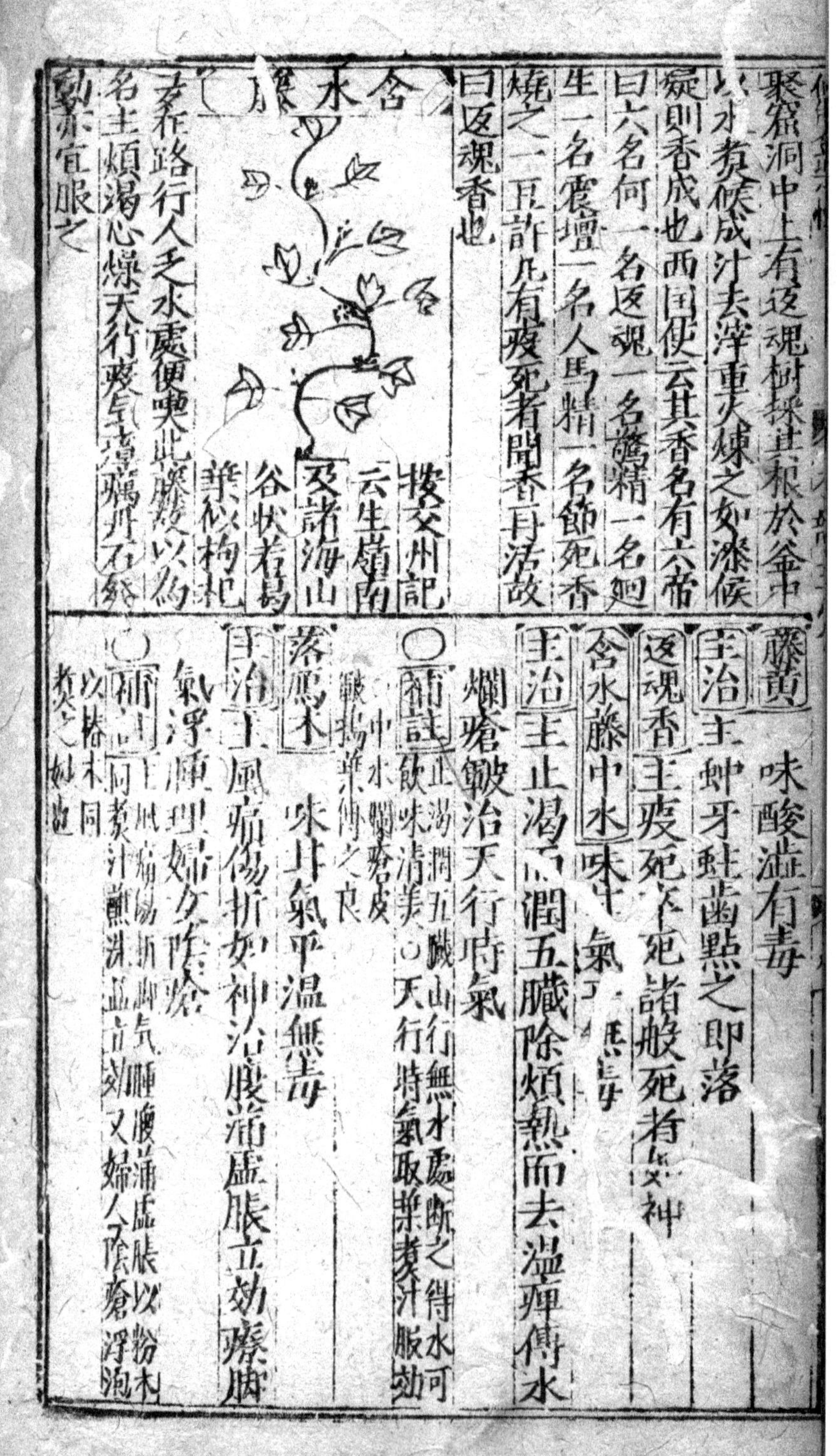

聚窟洞中上有返魂樹採其根於釜中以水煑候成汁去滓重火煉之如漆候凝則香成也西国使云其香名有六帝曰六名何一名返魂一名驚精一名迴生一名震壇一名人馬精一名節死香燒之一五許凡有疫死者聞香再活故曰返魂香也

含水藤

按交州記云生嶺南及諸海山谷狀若葛葉似枸杞

〔　〕多在路行人乏水處便喫此藤故以為名主煩渴心燥天行疫氣瘴癘丹石發動亦宜服之

〔藤黄〕味酸澁有毒

〔主治〕主蚛牙蛀齒點之即落

〔返魂香〕主疫死不死諸般死者[illegible]神

〔含水藤中水〕味[illegible]氣[illegible]無毒

〔主治〕主止渴[illegible]潤五臟除煩熱而去溫痺傳水爛瘡皴治天行時氣

〇〔補遺〕止渴潤五臟山行無水處斷之得水可飲味清美〇天行時氣取藥煑汁服效中水爛瘡皮皴搨藥傳之良

〔落雁木〕味甘氣平溫無毒

〔主治〕主風痛傷折如神治腹滿虛脹立效療脚氣浮腫理婦人陰瘡

〇〔補遺〕主風痛傷折脚氣腫腹滿虛脹以粉木同煑汁蘸洗並立效又婦人陰瘡浮泡以椿木同煑之妙也

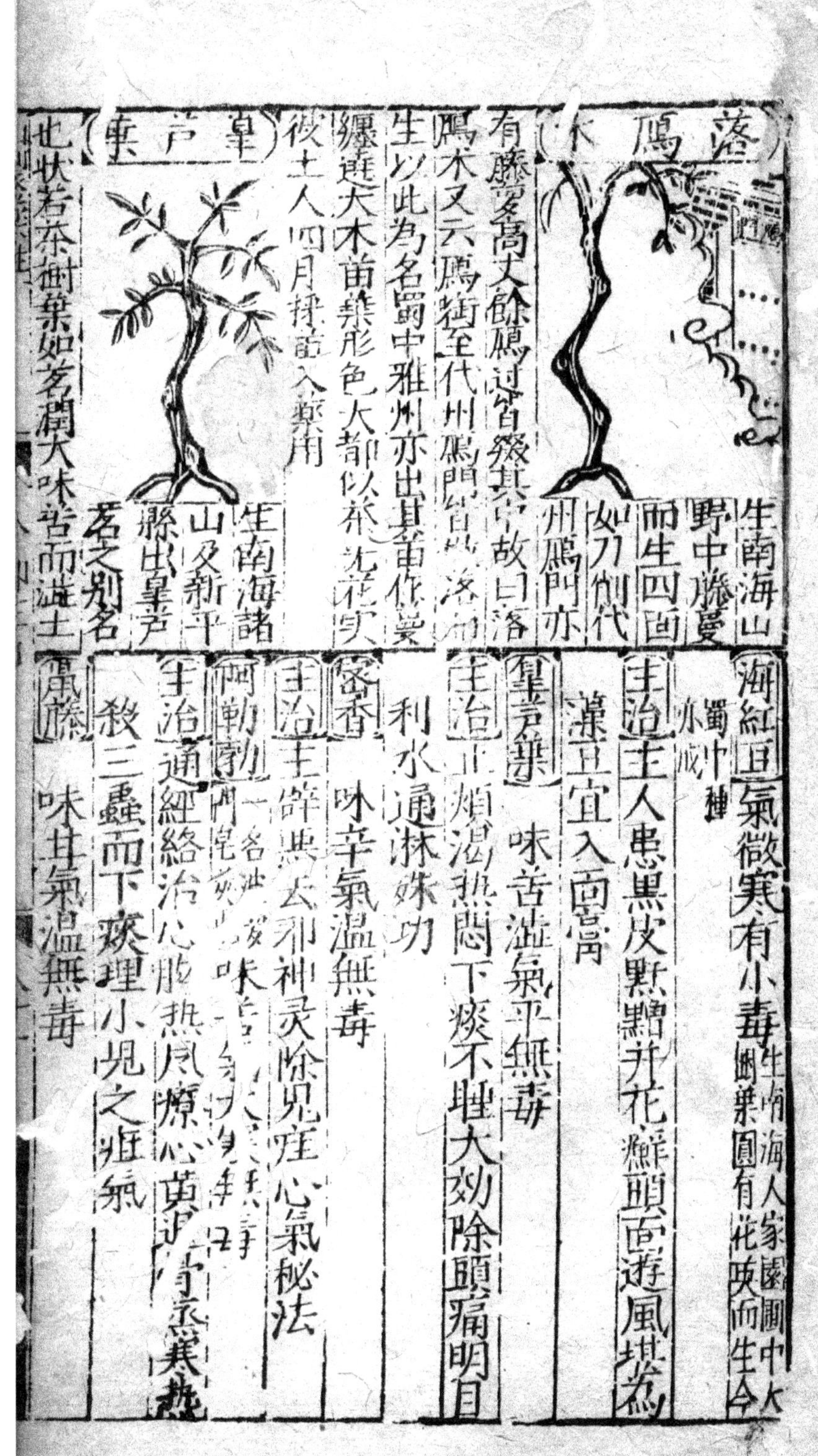

落鴈木

生南海山野中藤蔓而生四面如刀削代州鴈門亦有藤蔓高丈餘鴈過皆綴其中故曰落鴈木又云鴈銜至代州鴈門皆放落而生以此為名蜀中雅州亦出其苗作蔓纏遶大木苗葉形色大都似茶[illegible]花實彼土人四月採苗入藥用

皐芦葉

生南海諸山及新平縣出皐芦茗之別名也狀若茶樹葉如茗濶大味苦而澁土

海紅豆 氣微寒有小毒生南海人家園圃中大樹葉圓有花莢而生今蜀中種亦成

主治 主人患黑皮䵟黯幷花癬頭面遊風堪為藻豆宜入面膏

皐芦葉 味苦澁氣平無毒

主治 止煩渴熱悶下痰不睡大效除頭痛明目利水通淋殊功

[illegible]香 味辛氣溫無毒

主治 主辟惡去邪神灵除兒疰心氣秘法

阿勒勃 一名[illegible]婆[illegible]門皂莢[illegible]味苦[illegible]氣大寒無毒

主治 通經絡治心腹熱風療心黃退骨蒸寒熱殺三蟲而下痰理小兒之疳氣

風藤 味甘氣溫無毒

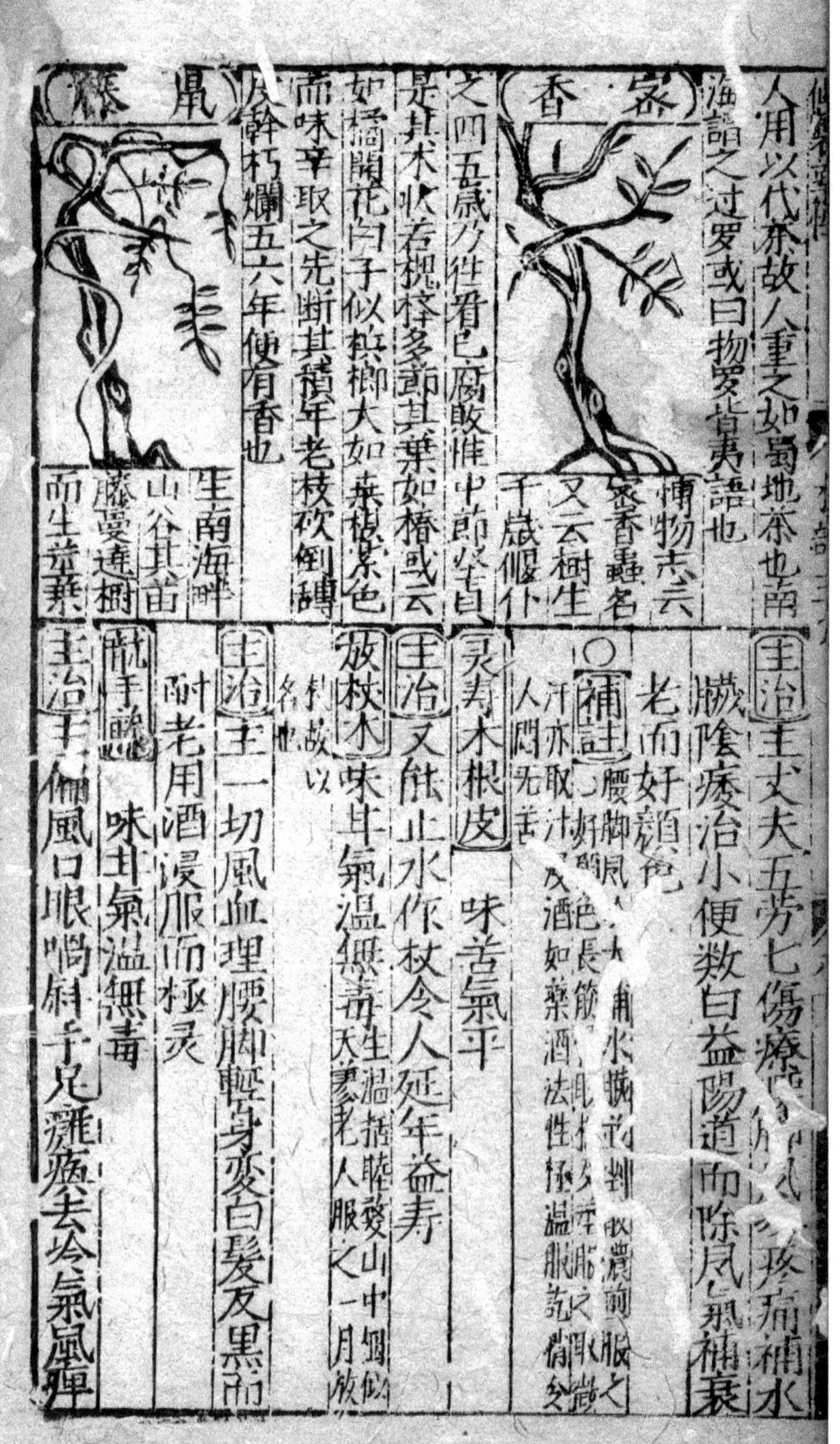

人用以代茶故人重之如蜀地茶也南海謂之过罗或曰物罗皆夷語也

密香

博物志云密香樹名又云樹生千歲假仆之四五歲乃往看已腐敗惟中節堅貞是其木狀若槐梓多節其葉如椿或云如橘開花白子似檳榔大如桑椹紫色而味辛取之先斷其積年老枝砍倒轉乃幹朽爛五六年便有香也

鼠藤

生南海畔山谷其苗藤蔓延樹而生莖葉

主治 主丈夫五勞七傷療腰脚疼痛補水臟陰痿治小便數白益陽道而除風氣補衰老而好顏色

○補註 腰脚風冷大補水臟並剉取濃煎服之好顏色長筋[illegible]眼[illegible]久[illegible]服之取歲汗亦取汁及酒如藥酒法性極溫服訖宜冬人問无苦

靈壽木根皮 味苦氣平

主治 又能止水作杖令人延年益壽

扱杖木 味甘氣溫無毒生溫括睦婺山中細似天蓼老人服之一月放杖故以名也

主治 主一切風血理腰脚輕身變白髮反黑而耐老用酒浸服而極灵

[illegible]手藤 味甘氣溫無毒

主治 主[illegible]偏風口眼喎斜手足癱瘓去冷氣風痺

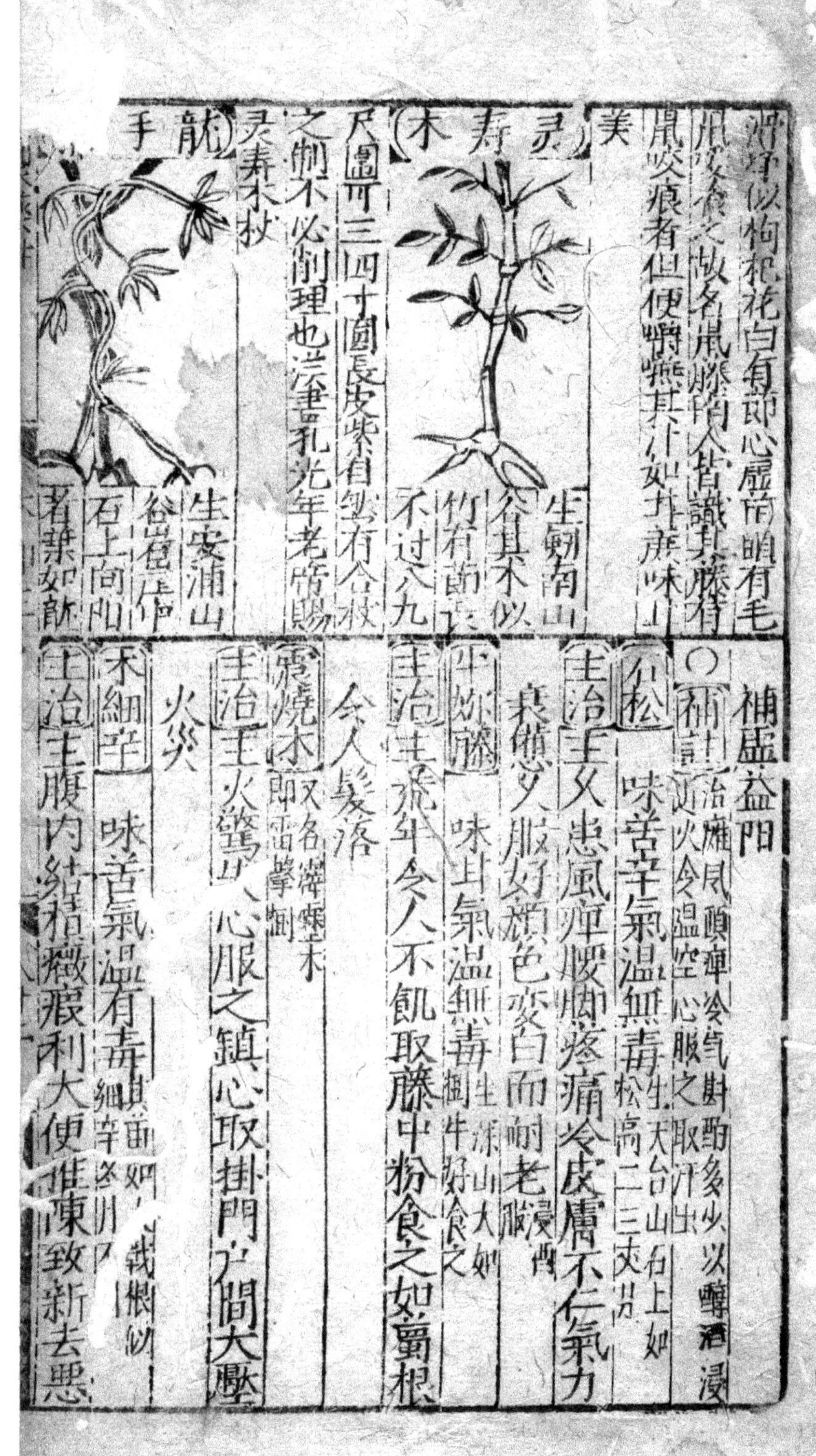

滑淨似枸杞花白有節即心虛節間有毛鼠咬食之故名鼠藤俗人皆識其藤有鼠咬痕者但便嚼爛其汁如井蔗味甘美

生劍南山谷其木似竹有節長不過八九尺圍三四寸圓長皮紫自然有合杖之制不必削理也漢書孔光年老賜靈壽木杖

生安浦山谷茵蓿作石上向陽者葉如飯

補虛益陽

○補註 治癱風頑痺冷氣財酌多少以醇酒浸近火令温空心服之取汗出

石松 味苦辛氣温無毒 生天台山石上如松高一二三尺

主治 主久患風痺腰脚疼痛冷皮膚不仁氣力衰憊久服好顏色變白而耐老 浸酒服

牛妳藤 味甘氣温無毒 生深山大如樹牛好食之

主治 主荒年令人不飢取藤中粉食之如葛根令人髮落

震燒木 又名霹靂木 即雷擊樹

主治 主火驚失心服之鎮心取掛門戶間大壓火災

木細辛 味苦氣温有毒 其苗如大戟根似細辛冬月不凋

主治 主腹內結積癥瘕利大便推陳致新去惡

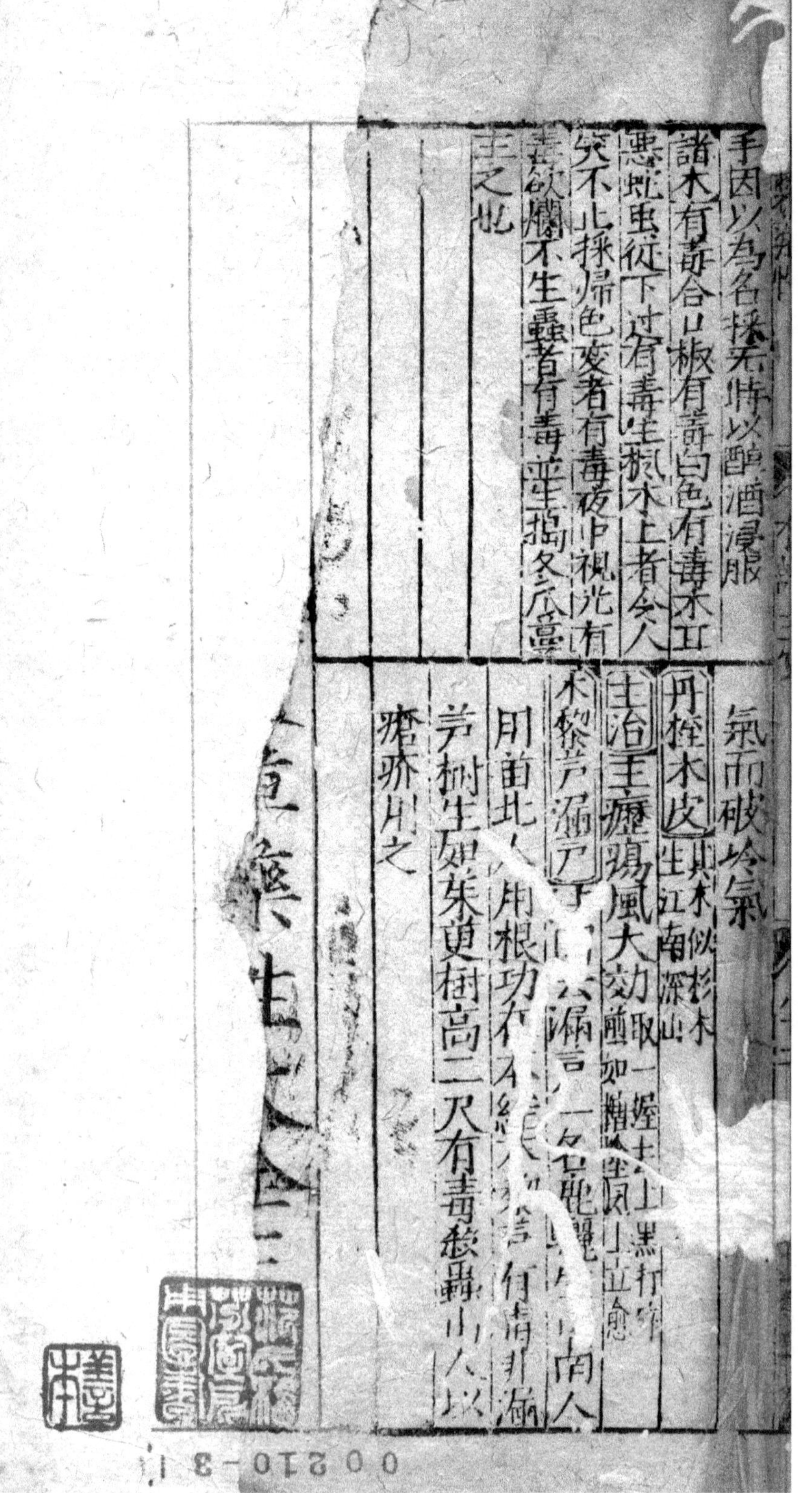

手因以為名採无時以醇酒浸服

諸木有毒合口椒有毒白色有毒木耳惡蚘虫從下过者有毒生楓木上者令人笑不止採歸色变者有毒夜中視光有毒欲爛不生蟲者有毒並生搗冬瓜蔓主之也

氣而破冷氣

丹桎木皮 其木似杉木生江南深山

主治 主瘫瘓鶏風大効 取一握土上黑打碎煎如糖塗貼之立愈

木黎芦 濕芦 [illegible]江[illegible]云漏言一名鹿驪[illegible]南人用前此人用根功不[illegible]絕[illegible]付清非[illegible]

芦樹生如茱萸樹高二尺有毒殺蟲山人以豬疥用之

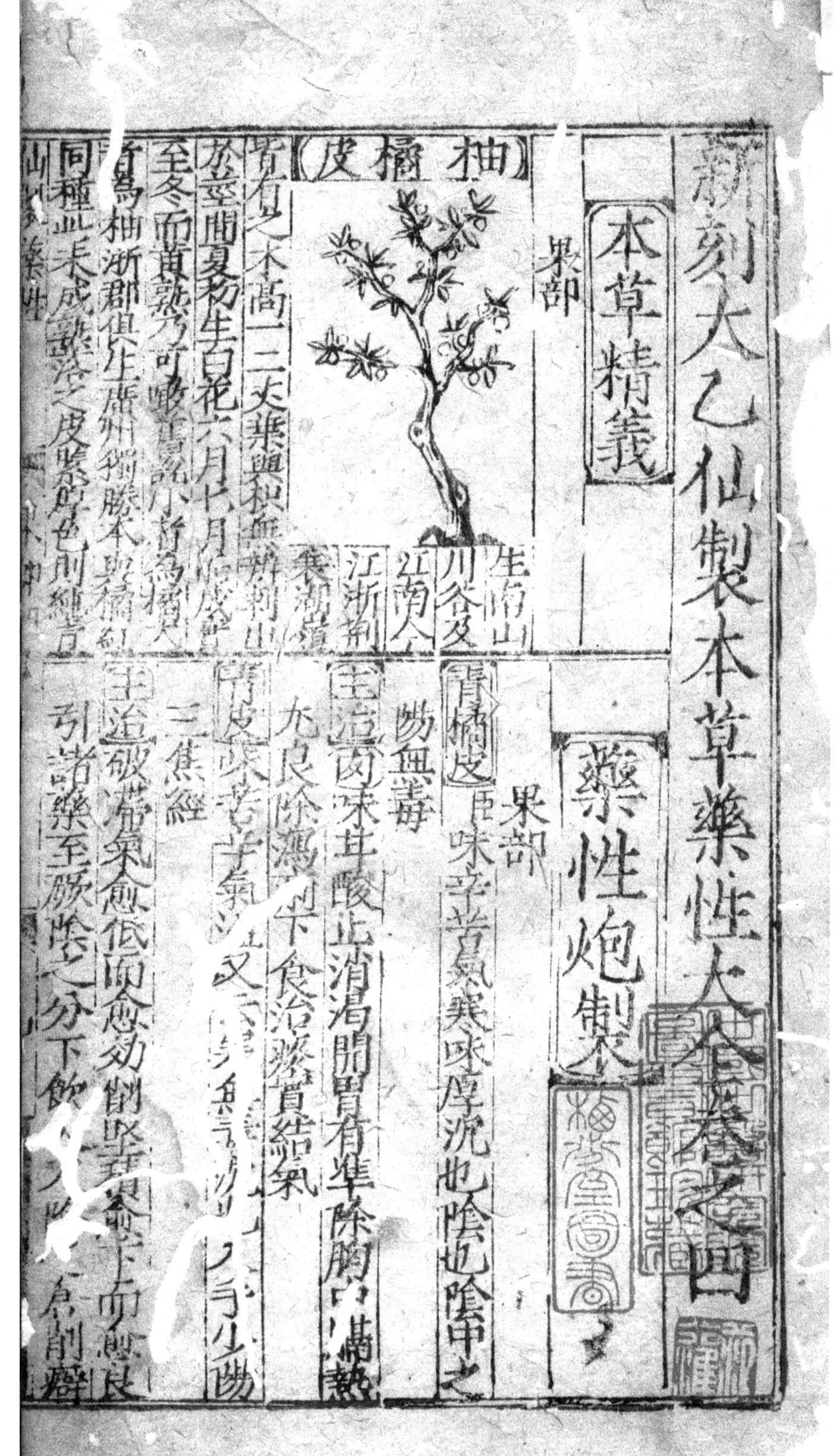

新刻太乙仙製本草藥性大全卷之四

本草精義

果部

柚　橘皮

生南山川谷及江南今江浙荊襄湖嶺皆有之木高一二丈葉與枳無辨刺出於莖間夏初生白花六月七月而成實至冬而黄熟乃可啖舊說小者為橘大者為柚浙郡俱生福州獨勝本經橘柚同種並未成熟落之皮紫赤色則結青

仙製藥性

藥性炮製

果部

青橘皮　臣　味辛苦氣寒味厚沉也陰也陰中之陽無毒

主治　[illegible]味甘酸止消渴開胃有準除胸中[illegible]熱尤良除痰[illegible]下食治痰實結氣

青皮　味苦辛氣[illegible]又云[illegible]入手少陽三焦經

主治　破滯氣愈低而愈效削堅積[illegible]下而愈良引諸藥至厥陰之分下飲[illegible]削癖

頭破裂狀如蓮瓣大者四日[illegible]醋炒乾
湯液云陳皮治高青低亦以功力大小
不同故尔入少陽之膽腑又厥陰肝臟
引經又云柚似橙而實酢大於橘圖中
嶺外江南皆有柚比橘黃白色而大襄
唐開柚色青黃而實小皆味酢皮厚不
堪入藥今醫方乃用黃橘青橘兩物不
言柚豈青橘之柚之類乎然黃橘味辛
青橘味苦本經二物通云味辛又云一
名橘皮又云十月採都是今黃橘也而
今之青橘似黃橘而小與舊說大小苦
辛不類則別是一種耳收之並去肉暴
乾黃橘以陳皮者入藥良古今方書用
之最多亦有單服者而青橘主氣滯下
食破積結及膈氣方用之與黃橘全別

小腹中溫瘧熱甚者莫缺[illegible]瘧母宜清脾湯多服內有青皮疏利肝邪則瘧自不結也[illegible]滯氣左脇下
鬱怒痛甚者有餘[illegible]肝治食[illegible]痛已
切勿過服恐損真氣[illegible]全
戒

陳皮　味辛苦氣溫無毒可升可降陽中陰也
陳久者良
主治　痰實氣壅服妙利肺益氣用良東垣又曰
留白則補胃和中去白則消痰利滯治雖分
二用不宜單君白木則益脾單則損脾佐甘
草則補肺否則瀉肺同竹茹治呃逆因熱同
乾薑治呃逆因寒止腳氣衝心除膀胱留熱
利小水通五淋解酒毒去寸白和脾胃祛痰

不獨橘皮治腹及膀胱腎氣以去皮酒
服之其肉不宜多食令人痰滯又有一
種枸櫞如小瓜狀皮若橙而光澤可愛
肉甚厚切如蘿蔔雖味短而香氛大勝
柑橘之類置衣笥中則數日香不歇古
作五和糝所用陶隱居云性溫
宜人今閩廣江西皆有彼人但謂之香
櫞子或將至都下亦貴之
○按青皮陳皮一種枳實枳殼一種因
其遲早採收特分老嫩而立名也嫩者
性酷治下青皮枳實相同老者性緩治
高陳皮枳殼無異四藥主治並以導滯
消痰為專雖高下各行其瀉氣則一但
良久服俱損真元故必以甘補之藥為
君少加輔佐使補中兼瀉瀉則兼補庶

療霍亂吐瀉
橘紅近多亦熟薄皮細故新採者名橘紅氣味
稍酸胃虛氣弱用宜炒研仁調醇酒飲毆腰
痛疝痛神丹證引經以肝氣行散乳癰脇癰
聖藥橘囊上筋膜微　醉嘔吐發渴急煎
多食生痰穰多食上氣雖並止渴未足益人
○又種乳柑因大過橘皮麤且厚色赤黃
經霜甚甜未經霜味酸故名柑子性冷不任藥用
其肉性解可良多食臟寒令人洩痢柚子無
毒治妊孕人吐食[illegible]中無味消
食去腸胃氣解酒毒治飲酒人口臭
○橘皮卒失聲咽不出以皮五兩水三升煮取一升去滓溫服治食魚中毒濃煎汁
飲治脇下冷氣及酒食飽[illegible]陳皮四兩
鹽一兩分作四分二分炒[illegible]湯浸[illegible]

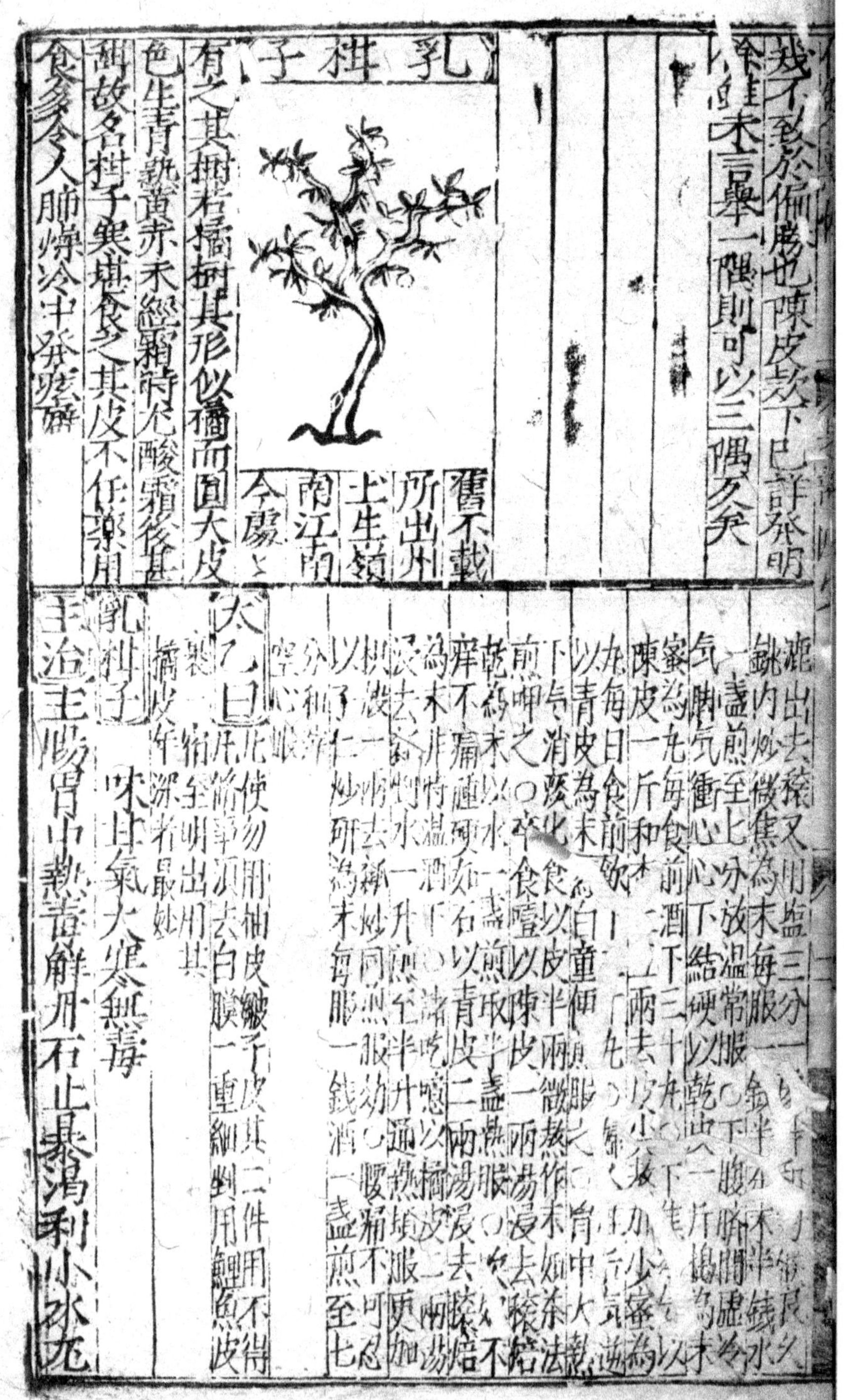

[illegible]

氣不彰於偏勝也陳皮散下已詳發明

今注本言舉一隅則可以三隅反矣

乳柑子

有之其樹若橘樹其形似橘而圓大皮色生青熟黃赤未經霜時尤酸霜後甚甜故名柑子爲堪食之其皮不任藥用食多令人肺燥冷中發痃癖

瀝出去穰又用鹽三分一[illegible]及水銚內炒微焦爲末每服一錢半[illegible]末半錢水一盞煎至七分放溫常服○下腹脇間虛冷氣脚氣衝心心下結硬以乾[illegible]一斤搗爲末蜜爲丸每食前酒下三十丸○下[illegible]以陳皮一斤和杏仁五兩去皮尖[illegible]加少蜜爲丸每日食前飲下三十丸○[illegible]氣逆以青皮爲末[illegible]白童便[illegible]煎服之○胸中大熱下氣消痰化食以皮半兩微熬作末如茶法煎呷之○卒食噎以陳皮一兩湯浸去穰焙乾爲末以水一盞煎取半盞熱服○[illegible]不痒不痛遍硬如石以青皮二兩湯浸去穰焙爲末非時溫酒下○諸吃噫以橘皮二兩湯浸去穰剉以水一升煎至半升通熱頓服更加枳殼一兩去穰炒同煎服效○腰痛不可忍以子仁炒研爲末每服一錢酒一盞煎至七分和滓空心服

太乙曰 凡使勿用柚皮皺子皮其二件用不得凡修事須去白膜一重細剉用鯉魚皮裹一宿至明出用其橘皮年深者最妙

乳柑子 味甘氣大寒無毒

主治 主腸胃中熱毒解丹石止暴渴利小水

○按衍義云乳柑子今人多作橘皮售
於人不可不擇也柑皮不甚苦橘皮極
苦至熟亦苦以皮紋僋分別橘與柑又
緣方宜多呆不同亦互有優劣者脾腎冷
人食其肉多致臟寒或洩利

大棗

一名乾棗一名美棗一名良棗生棗並

生河東今近北州郡皆有而青晉絳州
者特佳江南出者堅燥少脂秋末摘取
微火烘乾多膏甘甜形大核細倉斷入
藥不負所名○生棗殺烏附毒[illegible]係內
核服之人煩

靈発癰瘍有生作湯可解酒毒酒渴多食令
脾冷大腸洩又有沙柑青柑山柑其性相類
惟山柑皮療咽喉痛餘者皮不堪用

○補遺 治酒毒或醉昏悶煩渴取柑皮二兩焙
乾為末以三錢水一盞煎三五沸入鹽
如茶法服妙○獨醒湯以柑子皮去瓤不計
多少焙乾為末入鹽點半錢○產后肌浮以
皮為末酒下

大棗 味甘氣平溫氣厚屬土有火陽也降也
無毒

主治 療心腹邪氣補精氣少津液通九竅署
亞首滿和百[illegible]
肺生津助諸經補五臟[illegible]
中不足大驚療心下懸悶腸澼久服輕身長
年不飢神仙中滿及熱疾[illegible]補併風疾

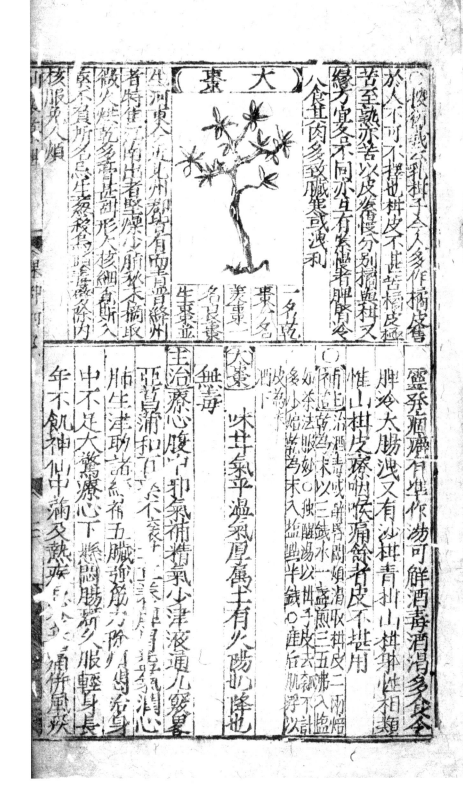

〇謹按棗之類最多今江東呼棗大而銳上者爲壺壺猶瓠也爾雅棗云子細腰今謂之鹿盧棗樲子分切白棗云即今棗子白乃熟樲酸棗云不小實酢者遵羊棗云實小而圓紫黑色今俗呼之爲羊矢棗洗大棗云今河東猗氏縣出大棗子如雞卵蹶泄苦棗云子味苦者皙無實棗云不著子者還味稔棗云棗云還味短味也而酸棗刀見別條其餘種類非一今園圃皆種蒔之亦不能盡別其名又甘極美者則有水菱棗御棗之類皆不堪入藥蓋肌實輕虛暴服之則枯敗惟青州之種特佳雖晉絳大實亦不及青州者之肉厚也並八月採暴乾南郡人煮而後暴及乾皮薄而皺

禁宜

〔生棗〕食多脹臍腹作痢〔蒸棗〕旋炎益腸胃肥中

〔苦棗〕大寒係棗中味苦者僧皆寒中二夕厭致

熱伏臟腑者長醫[illegible]上三下二[illegible]往湯煎滿

煮熟代餐入藥亦佳〔棗核〕以口常含受氣自

生津液陳年核中仁燔之味苦三歲者良治腹

內痛服則效驗〔棗葉〕溫無毒覆麻黃能令出汗

餘産因州土不一各名且形狀亦殊〇牙棗

〔波斯棗〕尖長出廣州御棗極甘美出安邑天蒸

棗皮薄而皺出江南州郡蒸熟火焙之羊矢棗實小而圓各處

〔鹿盧棗〕邊大而腰細似匏一名邊腰出江東東海

棗頭圓而形大類盞此棗五年一實形甚大者並充食用

不入藥煎

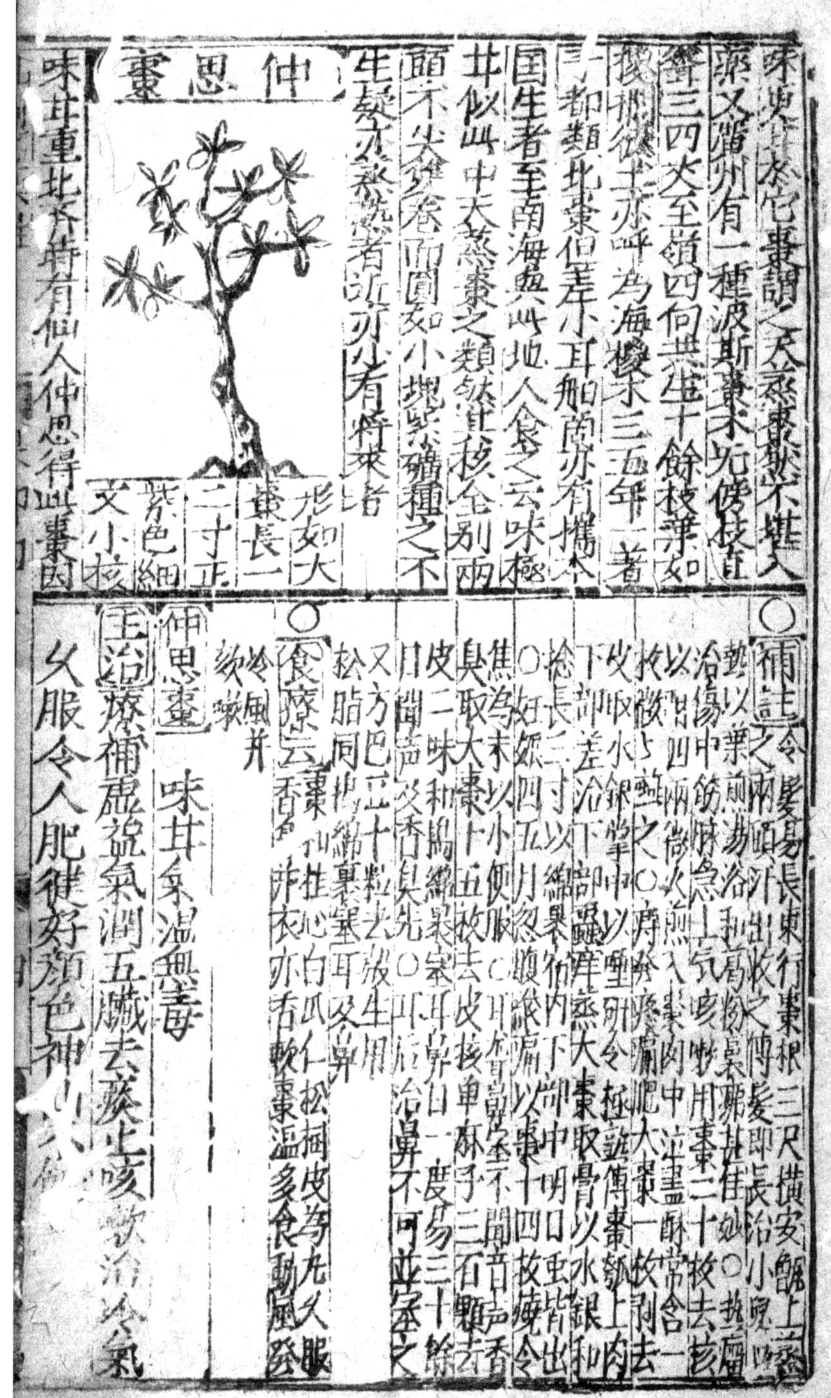

味更甘於它棗謂之天蒸棗然不堪入藥又潘州有一種波斯棗木如傍枝直聳三四丈至巔四向共生十餘枝葉如栟櫚彼土人呼為海櫻木三五年一著子都類北棗但差小耳舶商亦有攜本國生者至南海與此地人食之云味極甘似此中天蒸棗之類然其核全別兩頭不尖雙卷而圓如小塊紫礦種之不生疑亦蒸熟者近亦少有將來者

仲思棗

味甘重北齊時有仙人仲思得此棗因

○補註 令髮易長東行棗根三尺横安甑上蒸之兩頭汗出收之傅髮即長治小兒嘔熱以棗煎湯浴和葛粉裛痱甚佳妙○熱瘡治傷中筋脈急上氣咳嗽用棗二十枚去核以酒四兩微火煎入棗肉中泣盡酥常含一枚微微嚥之○痔瘡疼痛肥大棗一枚剝去皮取水銀掌中以唾研令極熟傅棗瓤上內下部差治下部蟲癢蒸大棗取膏以水銀和捻長三寸以綿裹夜內下部中明日蟲皆出○婦姙四五月忽腹絞痛以棗十四枚燒令焦為末以小便服○耳聾鼻塞不聞音聲香臭取大棗十五枚去皮核草麻子三百顆去皮二味和搗綿裹塞耳鼻日一度易三十餘日聞聲及香臭先治耳後治鼻不可並塞之又方巴豆十粒去殼生用松脂同搗綿裹塞耳及鼻

○食療云 棗和桂心白瓜仁松樹皮為丸久服香身并衣亦香軟棗溫多食動風發冷風并欬嗽

仲思棗 味甘氣溫無毒

主治 療補虛益氣潤五臟去痰止咳欬治冷氣久服令人肥健好顏色神仙[illegible]

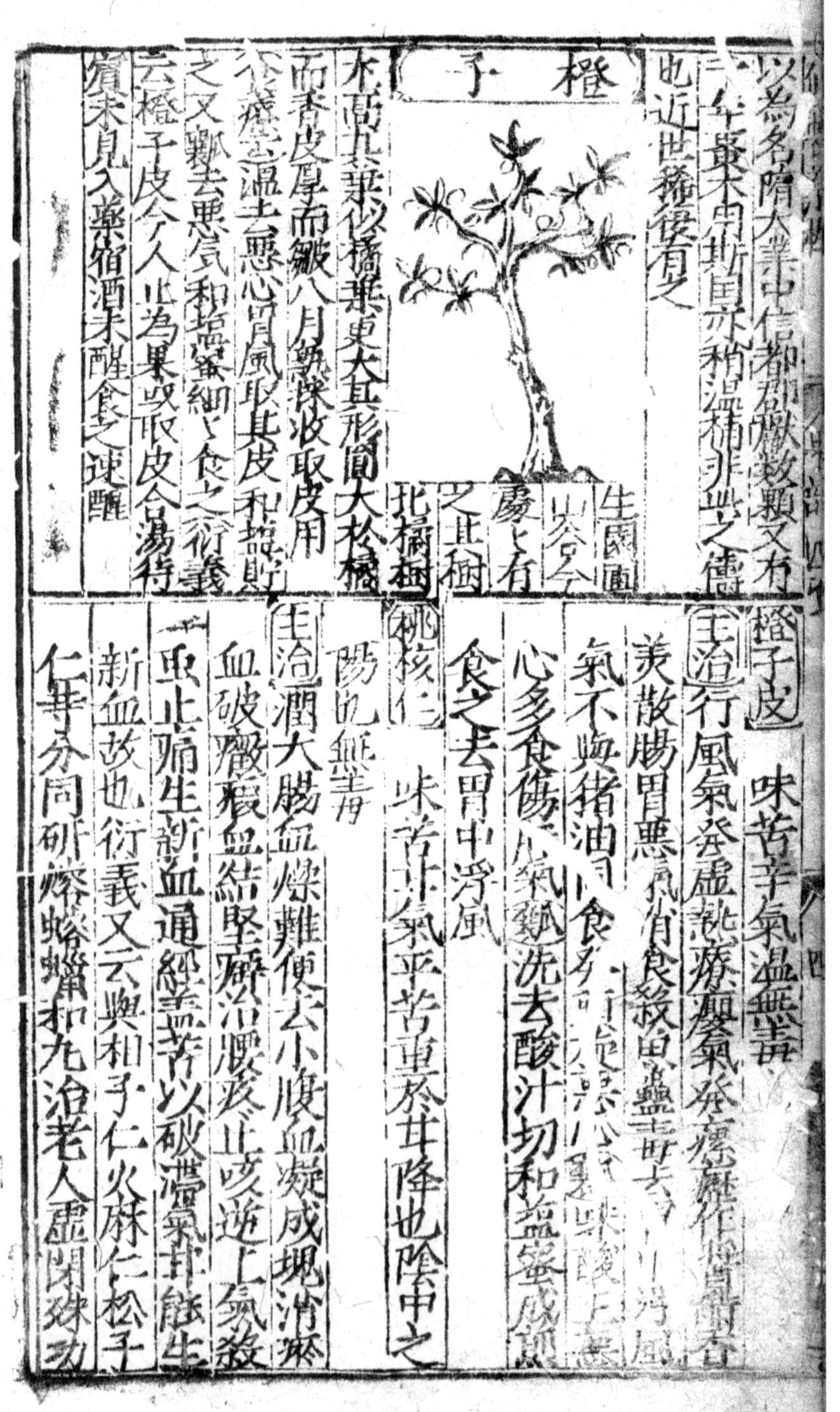

以為名隋大業中信都郡獻數顆又有一斗棗未肯斯異亦稍温補非此之儔也近世稀復有之

橙子

生園圃山谷今處處有之其樹比橘樹木高丈其葉似橘葉更大其形圓大於橘而香皮厚而皺八月熟採收取皮用衍義云温去惡心胃風取其皮和鹽貯之又鄉去惡氣和鹽蜜細切食之衍義云橙子皮今人止為果或取皮合湯待賓未見入藥宿酒未醒食之速醒

橙子皮 味苦辛氣温無毒

主治 行風氣發虛熱療瘰癧氣發[illegible]作醬醋香美散腸胃惡氣消食殺魚蟲毒去[illegible]氣不與猪油同食[illegible]心多食傷肝氣鄉洗去酸汁切和鹽蜜成煎食之去胃中浮風

桃核仁 味苦甘氣平苦重於甘降也陰中之陽也無毒

主治 潤大腸血燥難便去小腹血凝成塊消瘀血破癥瘕血結堅癖治腰痛止咳逆上氣殺取止痛生新血通經絡若以破滯氣并能生新血故也衍義又云與柏子仁火麻仁松子仁等分同研熔蠟和丸治老人虛閉殊功

桃核[illegible]花

核仁花實等生泰州今皆處處有之京東陝西出者尤大而美大都佳果多是圃人以他木接根上栽之遂至肥美殊失本性此等藥中不可用之當以一生者為佳七月採核破之取仁陰乾今都下市賣多取炒貨之云食之亦益人然亦多雜接實之核為不堪也千金方桃仁煎其實已乾著木上經冬不落者名桃梟一名桃奴正月採之以中實者良胡洽治中惡毒氣蠱疰有桃奴

療中焦蓄血立效

○補註婦人產后百病諸氣取仁一千二百枚去雙仁尖皮熬搗令極細以清酒一斗半研如麥粥法以極細為佳入小項瓶中密以麯封之內湯中煮一伏時藥成溫酒和服一匙日再服○骨蒸以仁一百二十枚去皮雙仁留尖杵和為丸平旦井花水頓服令盡量性飲酒令醉仍須喫水餘多最精隔日又服內日不得食肉凡人好醋以仁熬去皮尖三七枚以小便下之○半身不遂及瘙疰以仁一千七百枚去雙仁尖皮以好酒一斗三升浸經二十日出日乾杵細作丸每服二十丸以酒服之○卒急見疰心痛以仁一合爛研煎湯喫○延年去風令光潤以仁五合去皮用粳米飯漿研令細以漿汁[illegible]服汁令桃仁盡即休微溫用洗面極妙○延后遍身如粟熱如火者以桃仁研臘月豬脂調傅上日易○上氣咳嗽胸滿氣喘以仁三兩去皮尖以[illegible]一升研取汁和粳米二合煮粥食之○小兒氣咳嗽氣[illegible]痃氣血氣不通日漸消瘦以仁一兩去皮尖[illegible]以尖一升半煮汁著米煮粥空心食之○小兒瘡傷[illegible]以[illegible]各[illegible]搗[illegible]塗[illegible]以仁搗傅之○卒心痛以仁七枚去皮尖熟研水一合頓服良治卒得咳嗽以仁[illegible]去皮尖

湯是血也其實上手刺取之以治女子嗜食桃木蟲名桃蠹食之悅人顏色莖白皮中惡方用之葉多用作湯道藥標嫩者名桃心尤勝張文仲治天行有支太醫用桃葉湯熏身法用水一石煮桃葉取七斗以為鋪席自圍衣被蓋上安桃湯於床簀下乘熱自熏停小時當雨汗汗遍去湯待歇速粉之并灸大推則愈陳廩丘蒸法經云連發汗汗不出者死可蒸之如中風法以問張苗苗曾有疲極汗出臥單簟中冷但苦寒倦四月凡八過發汗汗不出燒地桃葉蒸之則得大汗被中傳粉極燥便差後用此發汗得出蒸發者燒地良久掃除去火可以水小灑取蠶沙若桃葉柏葉糠及麥麩皆著器中密封之蒸一次日[illegible]斗浸六七日可數四五合[illegible]勞腫疼攣痛或牽引小腹及腫[illegible]以[illegible]去尖皮者熬令黑煙出熱研泥如脂膏以酒三升攪令相和一服取汗治小兒卵癢杵仁傅之[illegible]治婦人陰中癢瘡

桃花 味苦氣平無毒

主治 益顏色水腫石淋下三蟲殺惡鬼疰利大小便悅澤人面

○補註 三月三日採花陰乾大清方云酒漬桃花飲之除百疾益顏色○治面上瘡黃水出并眼瘡一百五日收取桃花不計多少細末之食后以水半盞調服○心腹痛及禿瘡於三月三日採桃花陰乾杵末以水服二錢小兒半錢又與桑椹赤者等分作末以豬脂和先取灰汁洗去瘡痂即塗藥

桃葉 味辛苦氣平無毒

主治 煮汁熏頭風殺鬼疰精物擣爛鋪席臥以辟不祥止小兒寒熱治惡氣客忤

可趣用易得者牟馬糞亦可用但息宜取桃葉欲發汗時可益收乾之以此等物着久厭令厚二三寸布席上坐溫覆用此出汗若过熱當審細消息大熱者重席汗出周身便止溫粉粉之勿令过此法舊云此阮河南出桃皮亦三物集驗肺熱悶不止胷中喘急悸客熱往來欲死不堪服藥泄胸中喘氣用桃皮芫花各一升二物以水四升煑取一升五合去滓以故布手巾內汁中薄胷溫四肢不盈數刻即歇又必効方主𧏾瘡用大戟桃白皮東引者以大火烘之斑猶去足翅熬三物等分搗篩為散以冷水服半方寸匕其毒即出不出更一服𧏾盡出此李饒州去云新效若以酒中得則

○補註　女人陰中生瘡如蟲咬疼痛者可生搗葉綿裹入陰中日三四易差○風項強不得顧視穿地作坑燒令通赤以水洒之令冷內生桃葉鋪其席下卧之令項在葉上以衣着項边令氣上蒸病人汗出良久差治卒瘑瘡瘑瘡常對在兩脚杵桃葉以苦酒和傅皮亦得○霍乱腹痛吐痢取桃葉三升切以水五升煑取一升三合分温二服治三蟲絞葉取汁一升飲○腸痔大腸常血杵葉一斛蒸之內小口器中以下部搨上坐蟲自出○諸蟲入耳取葉熟挼塞兩耳出治大小腸並不通以葉取汁和服半升冬用桃樹皮○小兒傷寒若得時氣桃葉三兩杵和水五升煑十沸取汁日五六遍淋之后燒雄鼠糞二枚服

桃枝　味苦無毒枕睡不忘開聰明於五月三日取東引桃枝或着衣帶中亦效以五月五日取[illegible]日未出時

○補註　三寸木[illegible]帶中令人不忘治卒心痛取東引桃枝一把切以酒一升煎取半升頓服大效○天行䘌下部生瘡濃煎桃枝以綿裹納下部中若口中生瘡含之○補心虛治健忘令耳目聰明用戊子日取東引桃枝二寸枕之又方天行疫癘者[illegible]行桃枝細剉煮浴佳○鬼疰心腹痛不可忍取東引桃

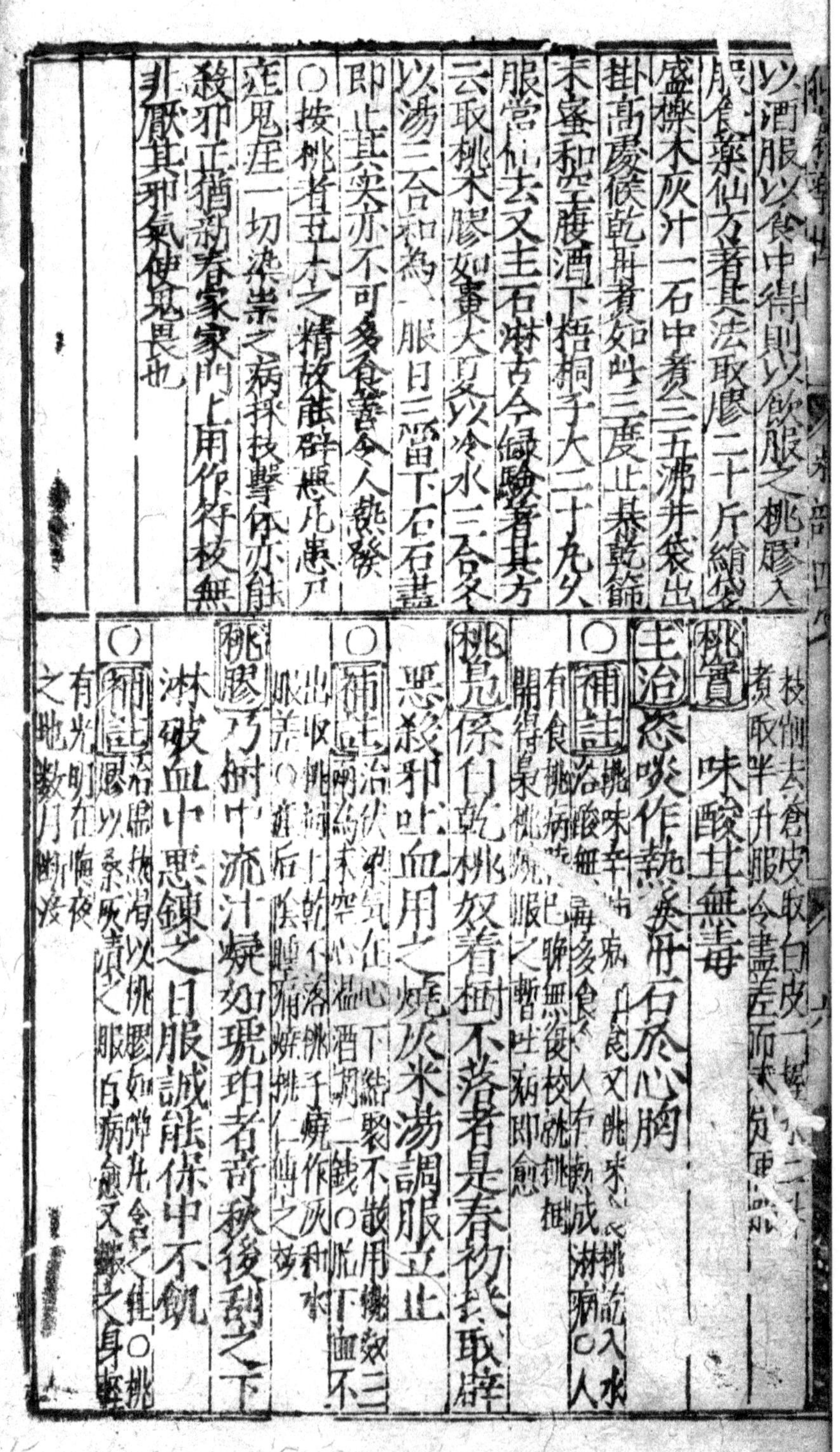

以酒服以食中得則以飲服之桃膠入服食藥仙方著其法取膠二十斤絹袋盛櫟木灰汁一石中煮三五沸并袋出掛高處候乾再煮如此三度止暴乾篩末蜜和空腹酒下梧桐子大二十丸久服當仙去又主石淋古今錄驗著其方云取桃木膠如棗大夏以冷水三合冬以湯三合和爲一服日三當下石石盡即止其實亦不可多食令人熱發

○按桃者五木之精故能厭伏邪氣患尸疰鬼疰一切染祟之病採枝劈作亦能殺邪正猶新春家家門上用作符板無非厭其邪氣使鬼畏也

枝削去倉皮取白皮一握水二升煮取半升服令盡差所未差再服

桃實 味酸甘無毒

主治 欬嗽作熱發疥石於心胸

○**補註** 桃味辛甘有毒生病白良又桃米○桃流入水治瘧無毒多食令人有熱成淋病○人有食桃病者已晚無復校桃梟開得梟桃燒服之暫吐病即愈

桃梟 係自乾桃經冬着樹不落者是春初收取辟惡殺邪吐血用之燒灰米湯調服立止

○**補註** 主治伏梁氣在心下結聚不散用桃梟三兩爲末空心温酒調二錢○治下血不止收桃梟乾者洛桃子燒作灰和水服差○痔瘡后陰腫痛桃梟桃仁擣之塗

桃膠 乃樹中流汁凝如琥珀者秋後刮之下淋破血中惡鍊之日服誠能保中不飢

○**補註** 治熱淋以桃膠如棗丸合之往○桃膠以桑灰汁漬之服百病愈又鍊之身輕有光明在晦夜之地數月斷穀

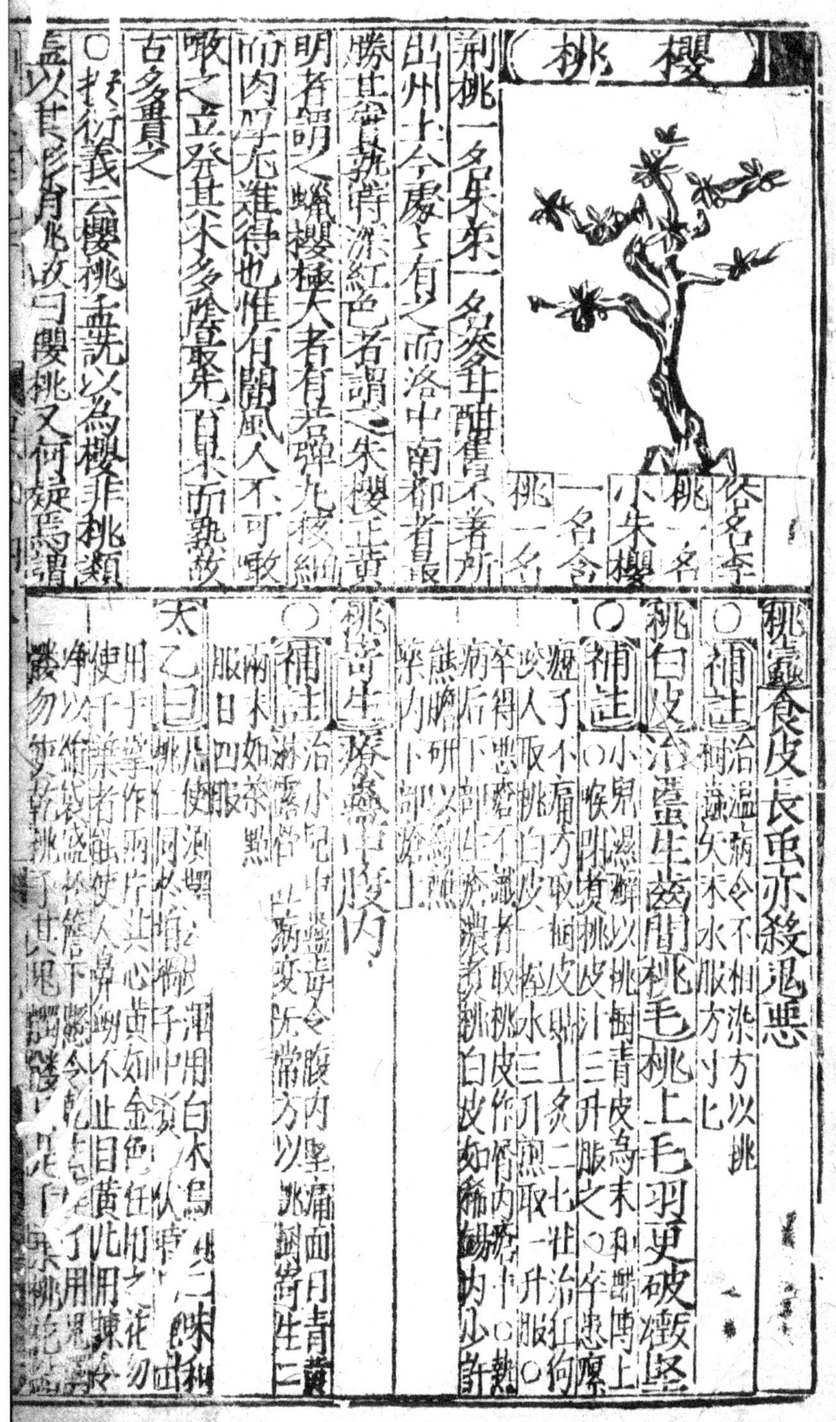

櫻桃

俗名李桃一名小朱櫻一名含桃一名荆桃一名朱桒一名麥英甘酣舊不著所出州土今處處有之而洛中南都者最勝其實熟時深紅色者謂之朱櫻正黃明者謂之蠟櫻極大者有若彈丸核細而肉厚尤難得也惟有關風人不可啖之立發其木多陰最先百果而熟故古多貴之

○衍義云櫻桃孟詵以為櫻非桃類蓋以其形肖桃故曰櫻桃又何疑焉謂

桃蠹　食皮長蟲亦殺鬼惡

○補注　治溫病令不相染方以桃樹蠹矢末水服方寸匕

桃白皮　治蠱生齒間　桃毛　桃上毛羽更破癥堅

○補注　小兒濕癬以桃樹青皮為末和醋傅上○喉閉煩桃皮汁三升服之○卒患瘰癧子不痛方取桃樹皮貼上灸二七壯治狂狗咬人取桃白皮一握水三升煎取一升服○卒得惡瘡不識者取桃皮作屑內瘡中○熱病後下部生瘡濃煮桃白皮如稀餳內少許熊膽研以綿蘸藥內下部瘡上

桃寄生　療蠱毒中腹內

○補注　治小兒中蠱毒令腹內堅痛面目青黃淋露骨立病變無常方以桃樹寄生二兩末如茶點服日四服

太乙曰　凡使須擇[illegible]渾用白木烏[illegible]二味和桃仁同於[illegible]中[illegible]以[illegible]用于掌作兩片其心黃如金色任用之花勿使千葉者能使人鼻衄不止目黃凡用揀令淨以絹袋盛於簷下懸令乾去尖了用鬼髑髏勿使乾桃了其鬼髑髏[illegible]花下[illegible]桃[illegible]

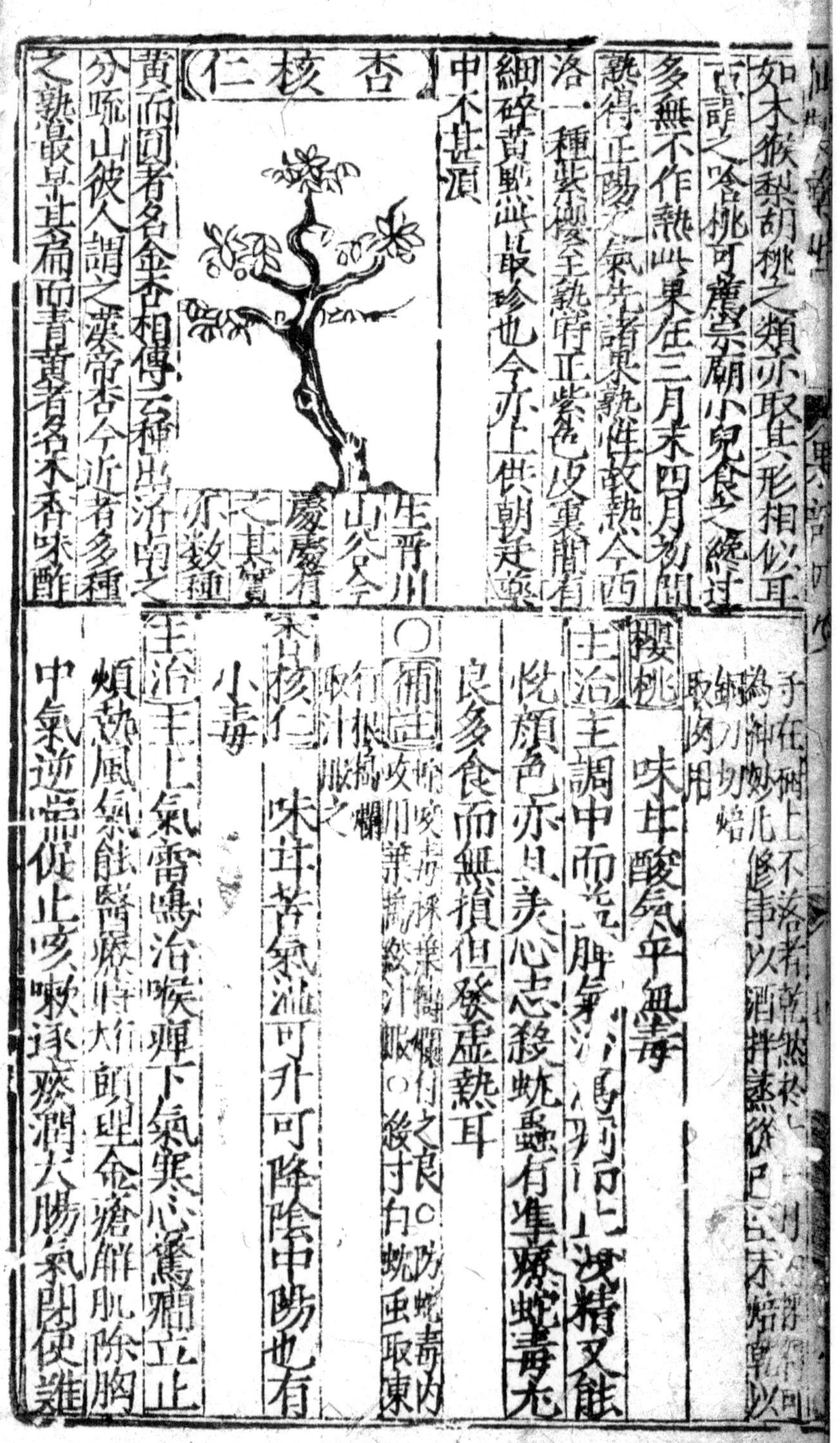

如大猴梨胡桃之類亦取其形相似耳一云謂之含桃可薦宗廟小兒食之經过多無不作熱此果在三月末四月初間熟得正陽之氣先諸果熟性故熱今西洛一種紫櫻至熟時正紫色皮裏間有細碎黃點此最珍也今亦上供朝廷藥中不甚須

【杏核仁】

生晋川山谷今處處有之其實亦数種黃而圓者名金杏相傳云種出濟南之分流山彼人謂之漢帝杏今近者多種之熟最早其扁而青黃者名木杏味酢

子在樹上不落者乾然於十[illegible]月[illegible]以為神妙凡修事以酒拌蒸從巳至未焙乾以銅刀切焙取肉用

【櫻桃】味甘酸氣平無毒

【主治】主調中而益脾氣[illegible]止洩精又能悅顏色亦且美心志殺蚘蟲有準療蛇毒尤良多食而無損但發虛熱耳

〇【補註】櫻桃葉搗爛付之良〇防蛇毒內攻用葉搗絞汁服〇殺寸白蚘蟲取東行根搗爛取汁服之

【杏核仁】味甘苦氣溫可升可降陰中陽也有小毒

【主治】主上氣喘鳴治喉痹下氣寒心驚癇止煩熱風氣往來時行頭痛解肌除胸中氣逆喘促止咳嗽墜痰潤大腸氣閉便難

不及金杏杏子入藥今以東來者為勝
樹種山傍園側實紅生青熟黃五月摘
收堪為菓品先資療治惟取核仁所惡
藥有三般黃耆黃芩乾葛解錫毒得火
良單仁者泡去皮尖麩炒入藥雙仁者
惟堪毒狗悞服殺人專入太陰肺經乃
為利下之劑家園種死妙山杏不堪入
藥古方單服杏仁修治如法白朝蒸至
午而止便以慢火微烘至七日乃收貯
之每日空腹不拘多少任意嚥之積久
不止駐顏延年然杏仁能使人血溢少
悞之必出血不已或至委頓故近人少
有服者又有杏酥法去風虛除百病搗
爛杏仁一石以好酒二石研濾取汁一
石五斗入白蜜一斗五升攪勻封於新

逐瘀血散結研如泥入女人陰戶又治瘡癢蟲疽
根主墮胎花治厥逆實咳多日擠傷筋骨傷
神葉逢瑞午採收煎湯洗眼止淚
○補註治偏風半身不遂失音不語生吞杏七枚
從一七漸加至七七枚七七日周而復
始食後竹瀝下治䘌蟲蝕鼻生瘡燒灰杏核
壓取油傅之○白禿以七枚去皮油研為三
分以綿裹於中青鹽如小豆許以漿盛於
飯甑中蒸之候飯熟出裹令患人側臥和綿
捻油滴入耳中久又裹依前治○喉痺以仁
熬熟杵如彈子含嚥其汁為末帛裹含之
治頭面風眼腫鼻塞眼痛冷淚以仁三升為
末水煮四五沸洗頭令汗盡差○破傷風腫
厚傅之燃燭照灸治狗咬去皮尖杵傅之研
汁飲亦佳○治欬逆上氣以仁去皮尖炒黃
杵膏蜜入杏仁杵令得所更入一分杵如膏
又內一分杵熟先[illegible]黃赤痛熬
杵竹膏傅之○嚙牙斷爛以仁一百枚去
皮兩仁以鹽方寸水煮令沫出含[illegible]三
發差○箭鏃及諸刀刃在喉咽胸膈[illegible]
不出杵仁傅之○卒中風面喎[illegible]
傅良○食狗肉不消心下堅或腹脹口乾[illegible]
熱妄語以仁去皮水煎沸去[illegible]汁[illegible]

瓮中勿洩氣三十日看酒上酥出即掠取以甆器中貯之取其酒滓團如梨大置空屋中作格安之候成餄脯狀旦服一枚以前酒下其酒任性飲之杏花乾者亦入藥杏枝主墮傷最一握水一大升煮半下酒三合分再服大效宜賓不可多食傷神損筋骨又治欬補肺丸杏仁二大升山者不中揀出雙仁多陳蹤以童便二斗浸之春夏七日秋冬二七日并皮尖於砂鉢中研細濾取汁煮令魚眼沸候軟如麵糊即成仍時以柳篦攪勿令著底后即以馬尾羅或麁布下之日暴通丸即丸服後服三十丸五十丸任意茶酒下忌白水粥只是為米泔耳自杓浸至成常以紙盖之以畏塵土

下肉為度○欲好声以仁[illegible]當[illegible]蜜少許為丸如梧子大空心米[illegible]促浮腫小便澀以仁一兩去尖皮熬研和米煮粥空心喫二合○五痔下血不止去尖皮及雙仁水研濾取汁煎減半和米煮粥空心食之○下氣止欬除風去野雞病[illegible]兩去皮尖雙仁[illegible]水三升研濾一[illegible]汁[illegible]中煎以杓攪勿[illegible]小兒臍赤腫以仁杵如脂入鉢中和傳臍處○金瘡中風角弓反張以仁碎之蒸令溜綴取脂服兼以瘡上摩效○狐尿刺瘡痛以仁細研煮兩沸承熱以浸瘡處○學[illegible]損療血在內須悶取東引杏枝三兩細[illegible]熬好酒[illegible]煎十餘沸去滓分為二服空心用服○卒不得小便用二七枚去皮尖炒黃米飲服之差○咽[illegible]并痛失音不語杏仁杵[illegible]一兩同研勻用牛熟蜜和丸櫻桃大新綿裹非時含嚥○溫病食勞以仁五兩醋二升煎取一升服之取汗差○眼築損努肉生以仁七枚去皮細嚼吐於掌中及熱以綿裹箸頭點努肉上不过四五度差

大乙曰凡使須以沸湯浸少時去皮膜去尖擘作兩片用白火石并烏豆杏仁一斤於鍋子中下東流水煮從巳至午其杏仁色褐黃則去尖然用每修一斤用白火石一斤烏

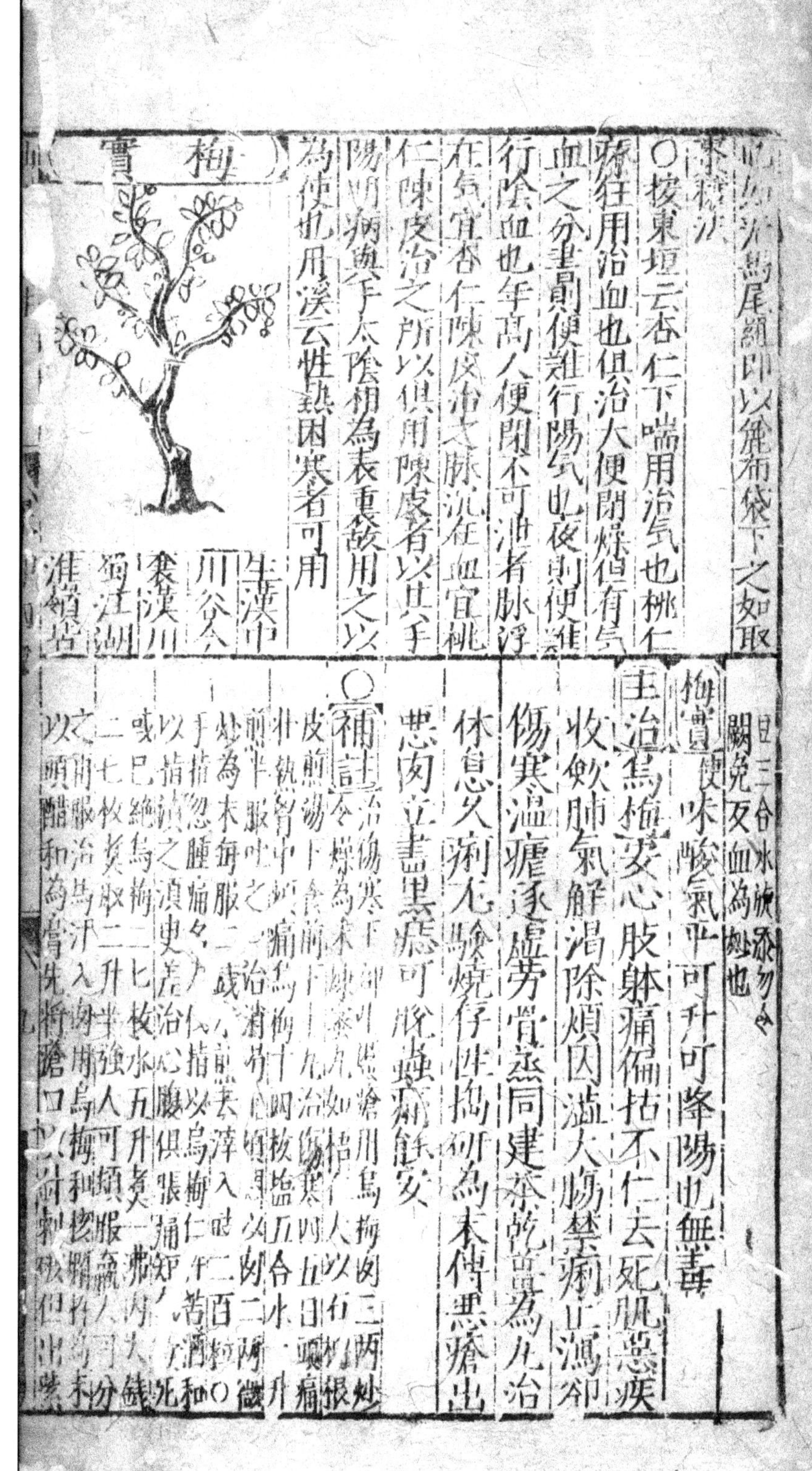

以竹瀝為尾羅即以絹布袋下之如取

汁穰法

○按東垣云杏仁下喘用治氣也桃仁療狂用治血也俱治大便閉燥但有氣血之分晝則便難行陽氣也夜則便難行陰血也年高人便閉不可過者脉浮在氣宜杏仁陳皮治之脉沉在血宜桃仁陳皮治之所以俱用陳皮者以其手陽明病與手太陰相為表裏故用之以為使也丹溪云性熱因寒者可用

梅實

生漢中川谷今襄漢川蜀江湖淮嶺皆有

豆三合水旋添勿令闕免反血為妙也

梅實　使　味酸氣平可升可降陽也無毒

主治　烏梅　安心肢躰痛偏枯不仁去死肌惡疾收歛肺氣解渴除煩因澁大腸禁痢止瀉卻傷寒溫瘧逐虛勞骨蒸同建茶乾薑為丸治休息久痢尤驗燒存性搗研為末傅惡瘡出惡肉立盡黑痣可除蝕蟲痢能安

○補註　治傷寒下部生瘡用烏梅肉三兩炒令燥為末煉蜜丸如梧子大以石榴根皮煎湯下食前下十丸治傷寒四五日頭痛壯熱胷中煩痛烏梅十四枚鹽五合水一升煎半服吐之○治消渴止煩悶烏梅肉二兩微炒為末每服二錢[illegible]煎去滓入豉二百粒[illegible]和○手指忽腫痛名代指以烏梅仁杵苦酒和以指漬之須臾差○治心腹俱脹痛短氣欲死或已絕烏梅二七枚水五升煮一沸內大錢二七枚煮取二升半強人可頓服羸人分二服○治馬汗入瘡用烏梅和核爛杵為末以頭醋和為膏先將瘡口刺破出紫[illegible]

有之且并實酸而損齒傷骨發虛熱不
宜多食之服黃精人尤不相宜其葉煮
濃汁服之已休息痢根主風痺出土者
不可用五月採其黃實火熏乾作烏梅
主傷寒煩熱及霍亂躁渴虛勞瘦
羸産婦気痢等方中多用之南方療勞
瘧劣弱者用烏梅十四枚豆豉二合桃
柳枝各一虎口握甘草三寸長生薑一
塊以童子小便二升煎七合溫服其餘
藥使用之尤多又以鹽殺為白梅亦入
除痰藥中用

楊梅

舊本不著所出州土今在處有

血有紅血出用帛拭乾以[illegible]傳上以[illegible]繫定
治痔瘺腸風下血極効以淨肉四兩拔了仁
四兩新瓦盛鹽同封固鐵釘三个盛上下火
打三炷香存性為末黃蠟二兩溶化為丸麻
仁大每三十
丸好酒送下

白梅 味酸氣平無毒

主治 杵爛成膏敷攻惡毒治婦人乳癰最効枝
肉中箭鐵如神中風緊閉牙關急宜將肉摩
擦多食損齒又能傷骨

○補遺 刀箭止血及刺入肉中以梅肉研搗成
膏傅之治乳癰腫毒杵爛貼之○點痣
蝕惡肉用之和藥點之治瘊痣頭瘡以十個
取肉鹽二錢酒一盞合煎至七分去滓溫服
治痢下積久不差腸垢已出以二十個水煎
去滓食前服治瘡中新努肉出杵肉以蜜和
捻作餅子如錢大厚貼瘡差治赤白痢下部
疼重以二十枚打碎水煑頓服治折傷以五
斤去核鹽五斤合煑食之漸止白滯○治傷
寒以三十枚去核以豉一升苦酒三升煑取
一升半
去滓服

之生江南嶺南山谷其樹若荔枝樹而葉細陰中其形似水楊梅子而生青熟紅肉在核上无皮殼南人腌淹為果寄至北方甚多五月採

食療云溫和五臟腹胃除煩憒惡氣去痰○亦不可久食損齒及筋也甚能斷下痢又燒為灰亦斷下痢其酸美小有勝白梅又白梅未乾者勝含一枚嚥其液亦通利五臟下少氣若多食之損人筋骨其酸醋之物自是土使然若南方人北方杏亦不食北地人南在梅分較多豈不是也氣嗜癸令人煩憒好食斯物也

梅根 療風痹出土者殺人 梅實 利筋脉去痹止渴令人膈上熱孕核止渴明目益氣不飢多啖傷骨蝕脾胃令人發熱葉煑汁治休息痢并霍亂採葉洗蕉葛衣經夏不脆搗碎洗衣易脫

○補註 治下部䘌蝕於肛內梅桃葉一斛蒸之令極熱內小器中人坐上蟲死

楊梅 味酸氣溫無毒

主治 袪痰止嘔噦妙方除煩憒惡氣藥加五臟胃下吐酒消食令人發熱久食損齒及筋

○補註 主一切傷損不可者皆止血生肌无瘢痕絕妙先以鹽淹之如泥成梃子竹筒中收遇破即填之○治惡瘡疥癩皮根煎湯洗之○治痢疾燒灰服之

木瓜實 味酸氣溫無毒

主治 氣脫能收氣滯能和平胃以滋脾益肺而

木瓜

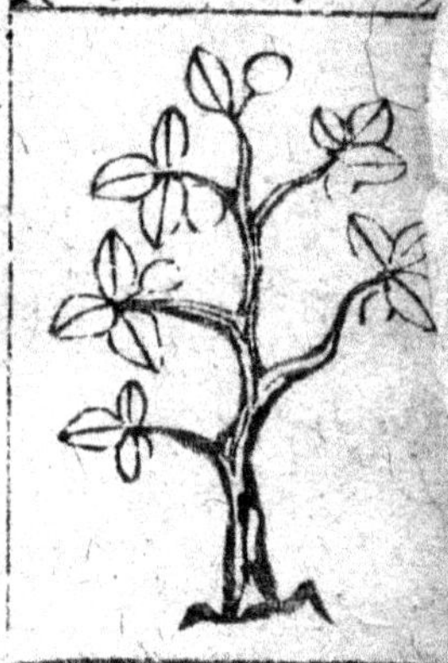

舊不著所出州土陶隱居云山陰蘭亭尤多今處處有之而宣城者為佳其木狀若柰花生於春末而深紅色其實大者如瓜小者如拳爾雅謂之楙郭璞云實如小瓜酢可食不可多亦不益人宣州人種時尤謹遍滿山谷始實成則鏃紙花薄其上夜露日暴漸而變紅花文如生本州以充上貢焉又有一種榠樝木葉花實酷類木瓜陶云大而黃可進酒去痰者是也欲辨之看蒂間別有重蒂如乳者為木瓜無此者為榠樝也木瓜

去濕助穀氣調榮衛除霍亂止轉筋凡轉筋時但呼其名及書木瓜字于病處皆愈莫曉其義脚氣能歐水痢可禁衍義云木瓜得木之正故及肝益筋與血腰背脚膝無力不可缺也以鉛霜塗之則失酸味受金之制故爾技大者可作策杖不乾者堪造桶盛取根并煎湯淋足脛已蹷

○補註偏𤸷風氣又叫後轉筋煮汁飲之甚良脚膝筋急痛者煮木瓜令爛研作漿粥樣用兜痛處冷即易一宿三五度熱裹便差煮木瓜時入一半酒同煮之治霍亂以枝葉煮汁飲之○臍下絞痛木瓜一兩片桑葉七片大棗三枚搗碎水煎頓服

太乙云凡使勿誤用和圓子蔓子土伏子其色樣外形真似木瓜只氣味并向裏子各不同若木瓜皮薄微赤黃香甘酸不澁調榮衛助穀氣向裏子頭尖一面方是真木瓜若和圓子色微黃蔕核麤子小圓味澁微鹹傷人氣蔓子顆小亦似木瓜味絕澁不堪用土伏子似木瓜味絕澁子如大樣油麻又苦澁不堪用若餌之令人目澁目赤多赤筋痛

大枝可作杖策之云利筋脉根葉煑湯淋足脛可以已癧又截其木乾之作楄以羅衣盖道家以楂櫨生壓汁合和甘松玄參末作浥香云甚爽神

梨

舊不著所出州土今在処有之遠近俱生種類殊別○鵝梨出京郡皮薄漿多香最佳而味差短○乳梨出宣城皮薄肉實香不及而味極長醫家相承二者為勝其餘水梨消梨紫煤梨赤梨甘棠禦兒梨之類甚多俱不閞入藥也梨葉亦主霍亂吐下煑汁服亦可作煎治卒○

凡使木瓜勿令犯鐵用銅刀削去硬皮并子薄切於日中曬却用黃牛乳汁拌蒸從巳至未其木瓜如膏煎却于日中薄攤曬乾用也

【梨】味甘微酸氣寒無毒

【主治】消風定嗽逐熱除煩並解酒病除渴咸止欬嗽消痰去客熱心經壓煩熱肺臟○【消梨】蕭縣東州山産搗汁主中風失音○【鹿梨】信州生取皮治瘡癬疥癩○【桑梨皮】煑潤乾燥咽喉○【紫梨花】咳生卻結執嗽膈○其他【青皮】【梨香水梨紫梨茶梨】種雖多品未聞能入藥焉勿恣啖之令人寒中産婦切忌金瘡弗宜並屬血虛故也合食花葉煑汁可治霍亂亦堪作餞療風

○【補註】治霍亂心痛利下汁取葉枝一大握水二升煎取一升服服忌正月二月勿食

患赤目弩肉坐卧痛者取好梨一顆搗絞取汁黄連三枚碎之以綿裹漬令色変仰卧注目中又有紫花梨療心熱唐武宗有此疾百醫不効青城山邢道人以此梨絞汁而進帝疾遂愈後復求之苦无此梨又江寧府信州出一種小梨名鹿梨葉如茶根如小柳猜彼處人取其皮治瘡癬及疥癩效八月採近处亦有但採此不作乾不閒入藥

○按梨性冷利食不益人酒病彌佳故稱快果食少雖卻病食多則動脾凡百用之須當斟酌丹溪曰梨者利也流利下行之謂也

梨○小兒寒疰腹痛大汗出煮梨葉汁七合頓服以意消息可作三四度服之○小兒心臟風熱昏懵躁悶不能食用三枚切以水二升煑取汁一升去滓入粳米一合煮粥食之○蠼螋尿瘡黄水出搗梨汁傅之乾即易○卒水毒取葉一把熟搗以酒一盞攪服之○卒欬嗽以一顆刺作五十孔每孔內以椒一粒以麵裹于熱火灰中煨令熟出停冷去椒食之又方去核內酥蜜麵裹燒令熟食之又取梨肉內酥中煎停冷食搗汁一升酥一兩蜜一兩地黄汁一升緩火煎細細含咽凡治嗽皆須待冷喘息定後方食熱食反傷矣冷嗽史極不可救如此者可作羊肉湯餅飽食之使卧少時○胸中痞塞熱結者可多食好生梨即通○卒闇風失音不語者生搗取汁一合頓服之日再服止

柿 味甘氣寒屬金有土陰也無毒

主治 潤心肺止渴開胃脘消痰腸內宿血旋除口中吐血易止解渴補虛勞不足澁腸禁熱痢捌来耳鼻氣可通但忌蟹同食誤犯痛瀉為害匪輕○紅柿忌醉酒共嘗易醉人且甚

柿

舊不著所出州土今南北皆有之柿之種亦多黄柿生近京州郡紅柿南北通有朱柿出華山似紅柿而皮薄更甘珎椑柿出宣歙荆襄閩廣諸州但可生噉不堪乾諸柿食之皆美而益人椑柿更壓丹石毒耳其乾柿火乾者謂之烏柿出宣州越州服甚温人服藥口苦欲逆食少許當止熏下日乾者為白柿入藥微冷又黄柿可和米粉作糗小兒食之止痢又以酥蜜煎乾柿食之主脾虚薄食柿蒂煮飲亦止噦木皮主下血不止

心痛至死○黄柿和米粉蒸糗小兒咳嗽寒腸澼使紅○鹿心柿累人微寒○牛妳柿至小極冷俱不宜多食恐寒中腸疼○乾柿氣平久服有益澁中厚腸胃絡蝕潤因喉乾烏不佳日乾白最美○醂柿亦消宿血利脾仍澁下焦○柿蒂療飽逆霜柿霜治勞嗽効枝葉消澤古取臨書木皮下血鉄醫研細米飲調服俗傳柿有七絶一壽二多陰三無鳥巢四无蟲五霜葉可玩六嘉實七落葉肥火也

○補遺治耳聾鼻塞以乾柿三枚細切粳米三合豉少許煑粥空心食之治痎或嗽欬逆氣亂心煩乾柿一枚碎之以水十分煎熱淋治秋痢又用柿餅煮粥欲熟即下柿二兩沸與小兒飽食并奶母喫亦良治男子女人脾虚腹中宿食不消化而上黒點久服甚

暴乾更炒篩末米飲和二錢匕服之不以上衝下脫兩服可止又有一種小柹謂之鼓柹俚俗暴乾貨之謂之牛妳柹至冷不可多食凡食柹不可與蟹同令人腹痛大瀉

椑柹

江淮南北諸州其葉似柹而更大更厚實有毛開花黃白結實似柹而青黑潤長大狀似牛心亦可作漆閩居賦云梁候烏椑之柹是也

舊本不載所出州土出宜歙荆襄閩廣

良以乾柹二斤酥一斤蜜半升先和酥蜜鐺中消之下柹煎十數沸不津器貯之每日空腹服三五枚

椑柹 味甘氣寒無毒

主治 潤心肺止渴除腹藏冷熱壓石藥發熱大效解酒熱利水為先能去胃中熱良久食令人寒不宜與蟹同食

栗 味鹹氣溫屬水與土無毒

主治 蒸熟食濡氣繼腸生者食發氣生蟲暴乾食之下氣補益小兒多食令齒不生中有脊經堪治脊痛從腰力助力厚腸胃耐饑嚼生塗筋骨碎疼消腫去瘀血補劳患風水氣切忌治唇栗楔係內三顆有名然瘡開取中一粒子總是敷瘀瘀腫散血理筋骨風止疼毛

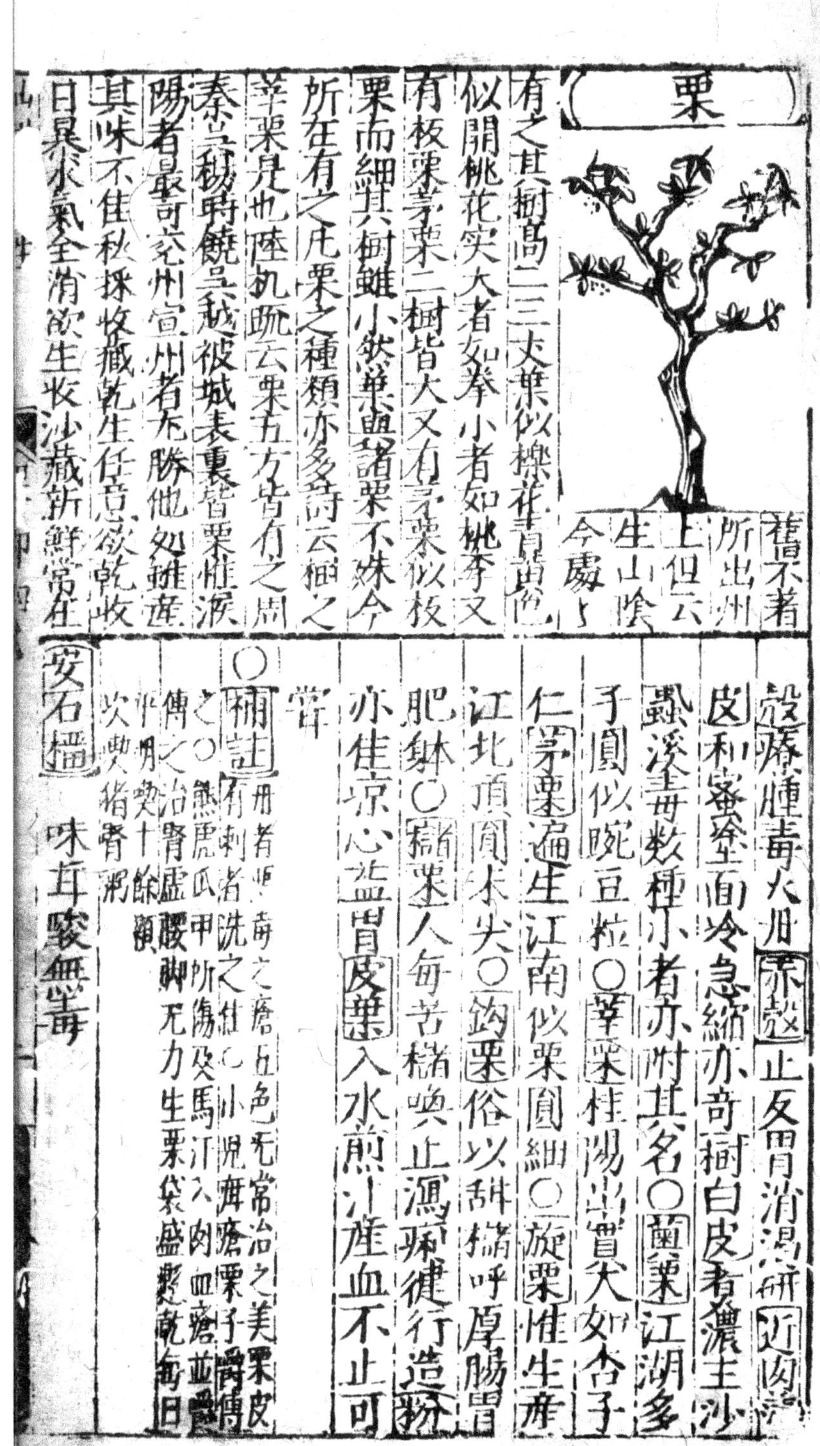

栗

舊不著所出州土但云生山陰今處處

有之其樹高二三丈葉似櫟花青黃色似胡桃花實大者如拳小者如桃李又有板栗茅栗二樹皆大又有茅栗似板栗而細其樹雖小然葉與諸栗不殊今所在有之凡栗之種類亦多詩云樹之辛栗是也陸璣疏云栗五方皆有之周秦吳楊特饒吳越被城表裏皆栗惟濮陽者最奇兗州宣州者尤勝他如雜產其味不佳秋採收藏乾生任意欲乾收日暴水氣全消欲生收沙藏新鮮常在

殼療腫毒大用〔栗殼〕止反胃消渴研〔近肉薄皮〕和蜜塗面冷急縮亦奇樹白皮者濃主沙蝨溪毒數種小者亦附其名○〔蘭栗〕江湖多子圓似豌豆粒○〔莘栗〕桂陽出貫大如杏子仁〔茅栗〕遍生江南似栗圓細○〔旋栗〕惟生產江北頂圓末尖○〔鉤栗〕俗以甜櫧呼厚腸胃肥躰○〔櫧栗〕人每苦櫧喚止瀉痢健行造粉亦佳凉心益胃〔皮栗〕入水煎止產血不止可嘗

○〔補註〕用者取毒之瘡丘色无常治之美栗皮有刺者洗之佳○小兒疳瘡栗子嚼傳之○熊虎爪甲所傷及馬汗入肉血瘡並嚼傳之治腎虛腰腳无力生栗袋盛懸乾每日平明喫十餘顆次喫豬腎粥

〔安石榴〕味苦酸無毒

又倭韓巨蕴島上栗大如鷄子亦短味不美桂陽有莘而叢生实大如杏仁中仁皮子形色与栗无異但差小耳又有奥栗皆与栗同子圓細或云即莘也今此惟江湖有之又有茅栗佀栗其实小而木与栗不殊但春生夏花秋实冬枯為栗耳栗房當心一子謂之栗楔治血尤效合衡山合活血丹用之果中栗最有益治腰脚宜生食仍畧暴乾去木氣惟患水氣不宜食以其味鹹故也

安石榴

一名丹石榴猪謂之名榴舊本不著所

【主治】子咳生建大能解渴過食損齒变黑抑又損肺當防【殼】亦单方能禁精滑治筋骨風住痛及脚膝不能行步宜煎療亦可滌湯併眼目時流冷淚揩洗尤染皓髮仍理虫牙𧏙【瓣】研吹鼻中即止衄血神効倘金瘡未愈和石灰搗敷又【東行根】取皮煎濃殺寸白虫蚘虫極妙

○【補遺】赤白痢下水穀宿食不消者以皮燒存末吾為末服方寸匕治丁腫以針刺四畔用榴木吾發上以麪圍四畔灸以痛為度內末拔出急裹經宿連根自出○腸滑久痢用一箇劈破炭火簇令烟盡急出存性用甆碗盖宿出火毒為末用石榴一瓣水煎湯服一錢治耳聾于八九月一個開上作孔如毬子大留靨了入米醋滿榴中却以靨子盖之然後搜麪果却尤令黏出熟灰火中以麪熟藥成入少黑李子仙留子末取水滴点耳內不得輒轉腦中痛勿驚如此三夜点開法生治聾前有血令人面色黄以皮折爛為末茄子教

出州川京源種本元西域張騫為使得來在處園林栽為翫飾花開紅者結實味甘可為果啖翫花開白者實結酸味堪入藥極樹不甚高大枝柯附幹自地便生作叢種極易息折其條盤土中便生花有黃赤二色實亦有甘酢二種甘者可食酢者入藥多食其實則損人肺東行根并殼入殺蟲及染鬚髮名醫等藥其花百葉者主心熱吐血及衄血等乾之作末吹鼻中立差崔元亮療金瘡刀斧傷破血流以石灰一升石榴花半斤擣末少許傅上擦少時血斷便差石榴甜者謂之天漿能理乳石毒又一種山石榴形頗相類而絕小不作房生青齊間甚多不入藥但蜜漬以當果或寄京下甚美

湯下治女子血脉不通及赤白帶下用根東生者以一握炙乾濃煎服之差治吐血衄以石榴花作末吹在鼻中差治寸白蟲以醋榴東引根一握淨洗細剉水煎去滓五更初溫服至明取一蟲一大團絕根實粥補○烏髭鬢黑髮以花葉乾之為末和鐵用服之令變髭髮色黑如漆鐵用飛鐵為用亦鐵粉之屬是也孟詵云石榴溫多食損齒令黑皮炙令黃杵末以棗肉為丸空腹三丸日二服治赤白痢腹痛者取醋者一枚并子擣汁頓服治冷熱不調或帶下亦白青黃者醋石榴子五枚合殼舂絞汁二升每服五合至二升必即斷小兒以意服之

太乙曰凡使皮葉根勿令犯鐵若使石榴殼不計乾濕先用漿水浸一宿至明漉出其水如墨汁若使枝根葉並用漿水浸一宿方可用

○按丹溪云榴者留也味酸性滯汁能戀膈成痰病人固宜戒也然觀損齒損肺之說雖尋常無病人食多亦受其害況病者乎

荔枝

味甘微酸氣溫升也陽也無毒

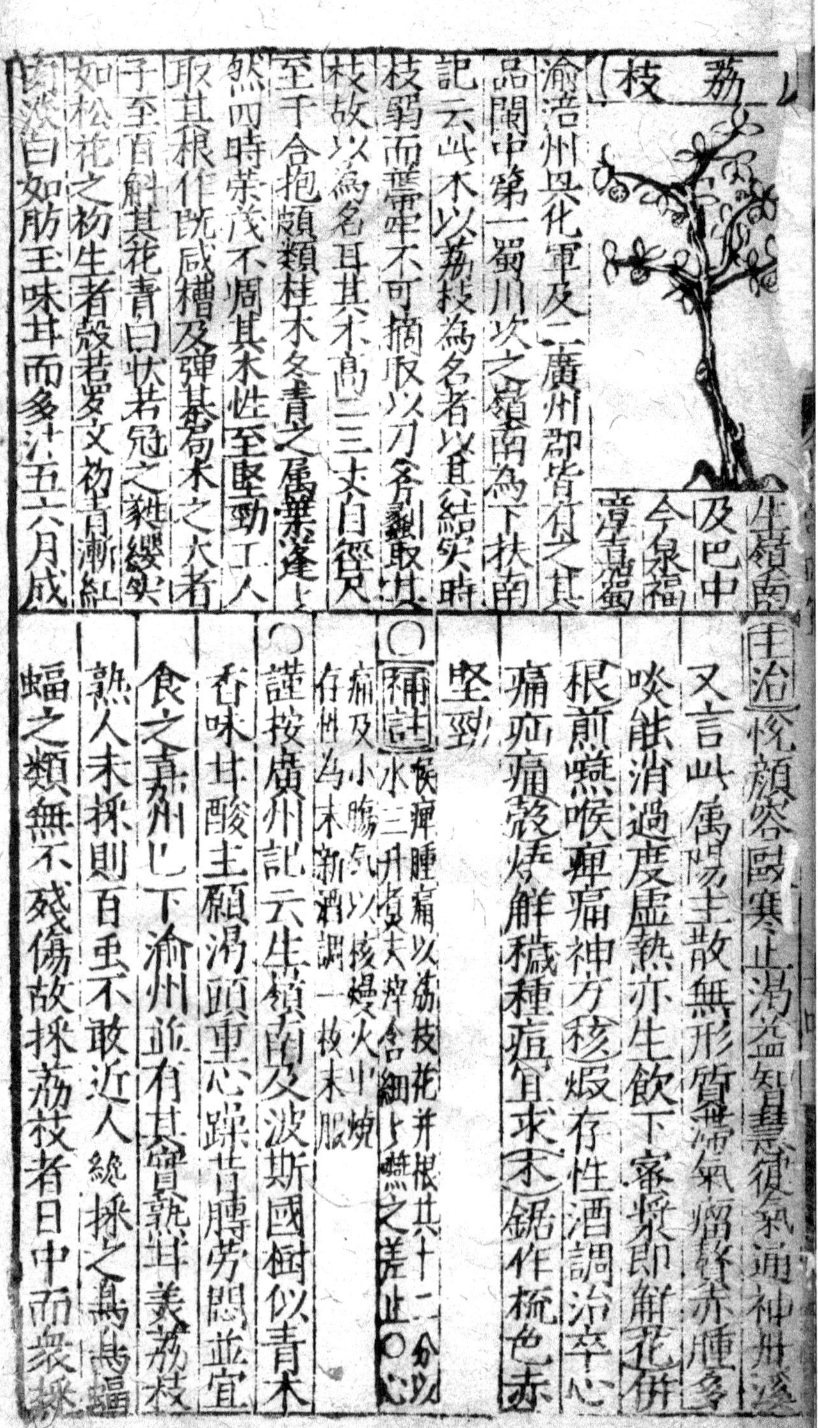

荔枝

生嶺南及巴中今泉福漳嘉蜀渝涪州興化軍及二廣州郡皆有之其品閩中第一蜀川次之嶺南為下扶南記云此木以荔枝為名者以其結實時枝弱而蔕牢不可摘取以刀斧劙取其枝故以為名耳其木高二三丈自徑尺至于合抱頗類桂木冬青之屬葉蓬蓬然四時榮茂不凋其木性至堅勁工人取其根作阮咸槽及彈碁局木之大者子至百斛其花青白狀若冠之蕤緌實如松花之初生者殼若羅文初青漸紅肉淡白如肪玉味甘而多汁五六月成

【主治】悅顏容除寒止渴益智慧健氣通神丹溪又言此屬陽主散無形質滯氣瘤贅赤腫多啖能消過度虛熱亦生飲下蜜漿即解【花】併【根】煎嚥喉痺痛神方【核】煨存性酒調治卒心痛疝痛【殼】痘瘡解穢種痘宜求【木】鋸作梳色赤堅勁

○【補註】治喉痺腫痛以荔枝花并根共十二分以水三升煮去滓含細細嚥之差止○心痛及小腸氣以核一枚煨火中燒存性為末新酒調一枚末服

○謹按廣州記云生嶺南及波斯國樹似青木香味甘酸主煩渴頭重心躁背膊勞悶並宜食之嘉州已下渝州並有其實熟甘美荔枝熟人未採則百蟲不敢近人纔採之烏鳥蝙蝠之類無不殘傷故採荔枝者日中而衆採

熟時彼方皆燕会其下以賞之實主極量取啖雖多亦不傷人少过度則飲蜜漿一盃便解荔枝始傳于漢世初惟出嶺南後出蜀中四部所出特奇而種類僅至三十餘品肌肉甚厚甘香瑩白非廣蜀之比也又有无核荔枝味更甜美或云是木生背陽結實不完就者白暴之尤佳又有綠色蠟色皆其品之奇者本土亦自難得其蜀嶺荔枝初生亦小酢肉薄不堪暴花及根亦入藥

龍眼

一名益智生南海山谷今閩廣蜀道出荔枝處皆有之木高二丈蜀道出

之荔枝子一日色変二日味変三日色味俱変古有詩云色味不渝三日変員安字荔枝詩云香味三日変今瀘渝人食之若多則發熱瘡也

龍眼肉　味甘氣平無毒

主治　五臟邪氣除蠱毒去虫古方帰脾湯中功與人參並奏本經一名益智御益脾之所藏脾藏智故云解毒去虫安志厭食養肌肉美顔色除健忘卻怔忡多服強魂聰明久服輕身不老

○衍義云　龍眼經曰一名益智今専為果未見入藥補注不言神農本草編入木部中品果部中復不曾收入今除為果之外別無龍

荔枝而葉稍小凌冬不凋春末夏初生細白花七月而實成殼青黃色文作鱗甲形圓如彈丸核若无患而不堅肉白有漿甚甘美其實極繁每枝常三二十枚荔枝纔過龍眼即熟故南人目為荔枝奴取肉入藥以其味甘歸脾而能益智耳下品自有益智子非此物也東觀漢記云南海舊獻龍眼荔枝十里一置五里一候奔馳險阻道路為

榧

一名赤果[illegible]不老所出州土

生永昌山谷今出東陽諸郡一名彼杉也其樹大連抱高數仞葉似杉其木如

眼若謂為益智子則專調諸氣今為果者復不能也殊自有益智條遂不相當故知木部龍眼即便是今為果者今注云甘味歸脾而能益智此說甚當

榧 味甘屬土與金無毒

【主治】非火不可啖經火則熱生食不宜多引火入肺大腸受損滑濕难當殺蠱毒能使去根殺三蟲定化為水助筋骨健調榮衛行忌同鵝肉[illegible]斷節風上壅【木】紋細軟器皿堪為

〔補〕[illegible]寸白蟲日食七顆七日滿其蟲皆化為水治白蟲榧子一百枚去皮火然啖之能食盡佳不然啖五十枚亦得經宿蟲消下

○按衍義云榧實大如橄欖殼色紫褐而脆其中子有一重麤黑衣其仁黃白色嚼久漸甘

栢作松挺肌細嫩堪為器皿也実生多
橄欖同形秋熟色紫褐而脱摘以文火
烘燥嚼甚耳美馨香丹溪云此肺家菓也

蒲萄

張騫因使西域得種始到中華由是郡州盡多栽养今生隴西五原燉煌山谷今河東及近京州郡皆有之苗作藤蔓而極長盛者一二本綿被山谷葉似蘡薁而極大又類芙蓉開花極細而黄白色結実在有紫白二色又有似馬乳者又有圓者而形亦圓鋭亦二種又有无核者秋熟名葡萄七月八月熟取其汁

美五痔人常如菓食之愈多則滑腸

【蒲萄】君　味甘酸氣平属土有木與水火　無毒

【主治】主筋骨濕痺忍風寒溫瘴逐水氣利小便不来者殊功治時氣發瘡疹不出者立効倍力強志肥躰耐飢多食卒煩悶眼昏尋常走滲道【根】煮濃汁細細飲之除妊娠子上衝心止霍亂熱甚作嘔【藤莖】中空相貫爲每呼為【木通】凡暮溉其根至晨則水浸子中矣故通便甚驗與通木無殊○【蘡薁】即山蒲萄釀酒尤極香美飲之久久亦能益人

○【補註】止嘔噦及霍乱後惡心用根煮汁細細飲之效○妊婦孕子上冲飲之即下胎如○時気発瘡不出者用実研酒飲之甚效

【靈木上果子】主人夜臥譫語食之差也

可以釀酒盖北果之最珍者魏文帝詔群臣說蒲萄云醉酒宿醒掩露而食甘而不飴酸而不酢冷而不寒味長汁多除煩解渴他方之果寧有匹之者今太原尚作此酒或寄至都下猶作蒲萄香根莖中空相通圃人將慎之欲得厚利暮溉其根而晨朝水浸子中矣故俗呼其苗為木通逐水利小腸尤佳

諸果有毒桃杏仁雙有毒五月食未成核果令人發癰癤及寒熱又秋夏果落地為惡蟲緣食之令人患九漏桃花食之令人患淋李仁不可和雞子食之令人患內結不消

胡桃肉

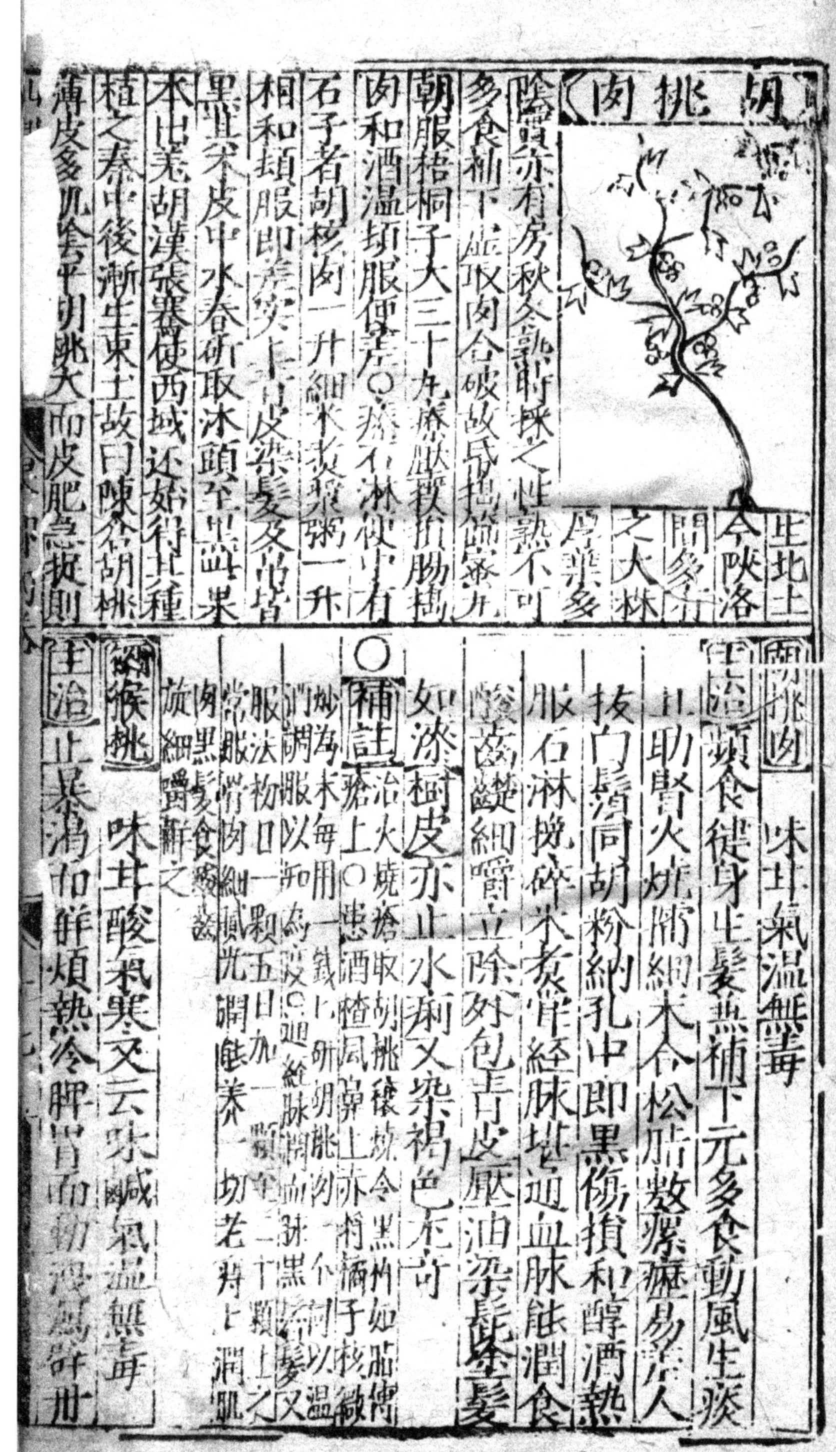

生北土今陝洛間多有之大株厚葉多陰乾亦有房秋冬熟時採之性熱不可多食補下焦取肉合破故紙搗爲蜜丸朝服梧桐子大三十丸療腰疼揩腸搗肉和酒温頓服便差○療石淋便中有石子者胡桃肉一升細米煮漿粥一升相和頓服即差其外上青皮染髮及帛皆黑其木皮中水春斫取沐頭至黑此果本出羌胡漢張騫使西域還始得其種植之秦中後漸生東土故曰陳倉胡桃薄皮多肌陰平胡桃大而皮肥急捉則

胡桃肉 味甘氣温無毒

主治 須食健身生髮益補下元多食動風生痰且助腎火燒研細末合松脂敷瘰癧易生人拔白髮須同胡粉納孔中即黑傷損和醇酒熱服石淋搗碎米煮常經脈堪通血脈能潤食酸齒齼細嚼立除外包青皮壓油染髭鬢髮如漆樹皮亦止水痢又染褐色尤奇

○**補註** 治火燒瘡取胡桃穰燒令黑杵如脂傅瘡上○患酒瘡風鼻上赤將橘子核微炒爲末每用一錢匕研胡桃肉一个同以温酒調服以知爲度○通經脈潤血脈黑鬚髮又服法初日一顆五日加一顆至二十顆止之常服骨肉細膩光潤能養一切老痔上潤肌肉黑髮多食動痰旋細嚼解之

獼猴桃 味甘酸氣寒又云味鹹氣温無毒

主治 止暴渴而解煩熱冷脾胃而動泄澼

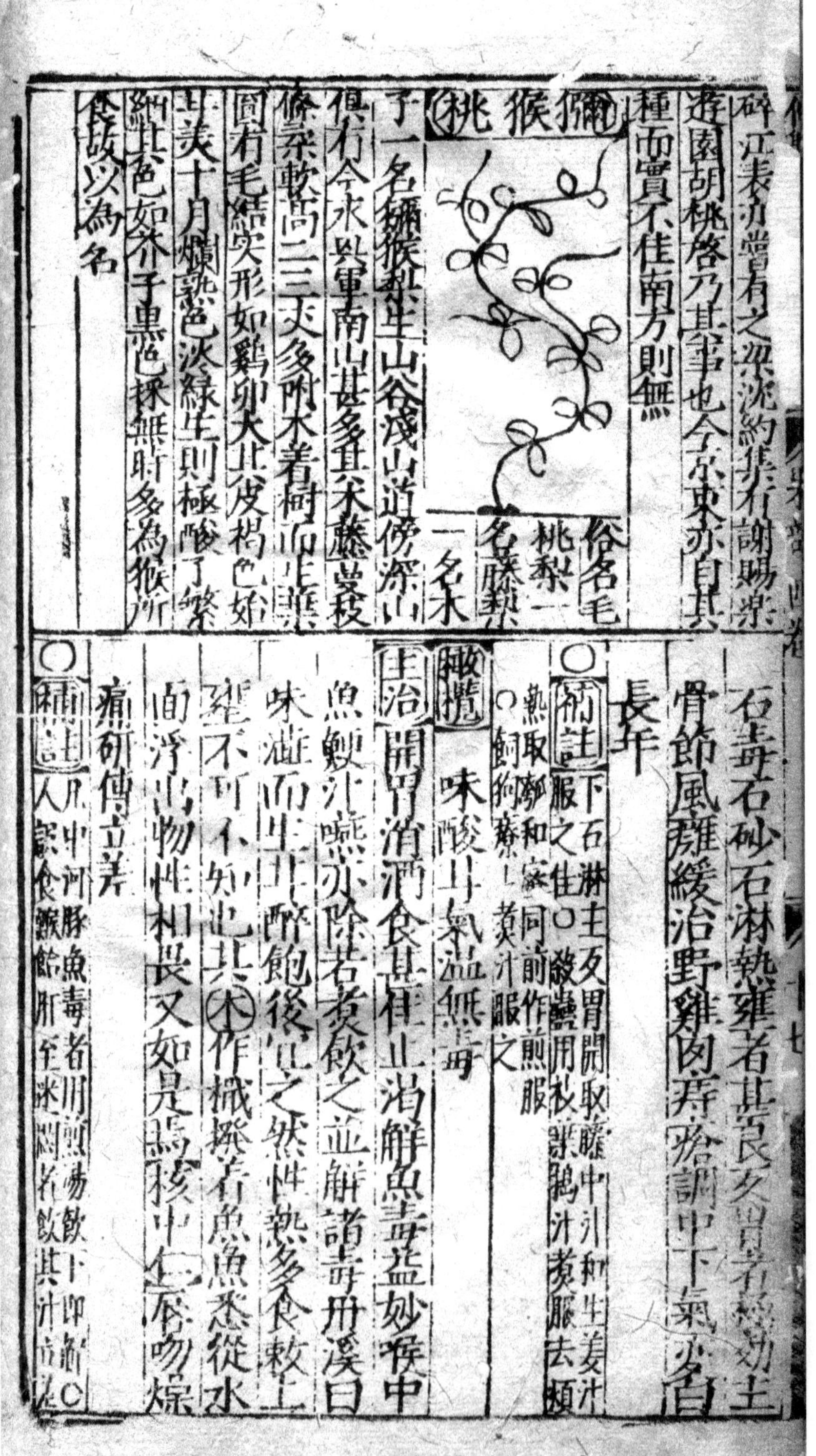

碎江表亦嘗有之梁沈約集有謝賜柰

進園胡桃啓乃其事也今京東亦自其

種而實不佳南方則無

石毒石砂石淋熱壅者甚良又曾若熱劲主

骨節風癱緩治野雞肉痔瘡調中下氣又名

長年

○【補註】下石淋主反胃開取藤中汁和生姜汁服之佳○殺蟲用枝葉鵝汁煮服去煩熱取瓤和蜜同煎作煎服○飼狗療瘵〻煮汁服之

獼猴桃

俗名毛桃梨一名藤梨一名木子一名獼猴梨生山谷淺山道傍深山俱有今永興軍南山甚多其木藤蔓枝條柔軟高二三丈多附木着樹而生其圓有毛結實形如鷄卵大其皮褐色始甘美十月爛熟色淡綠生則極酸子繁細其色如芥子熟色採無時多為猴所食故以為名

【槪覽】味酸甘氣温無毒

【主治】開胃消酒食甚佳止渴解魚毒蓋妙喉中魚鯁汁嚥亦除若煮飲之並解諸毒丹溪曰味澁而生甘酢飽後食之然性熱多食敷止泄不可不知也其木作楔檠若魚魚悉從水面浮出物性相畏又如是焉核中生吞吻燥痛研傅立差

○【補註】凡中河豚魚毒者用煎湯飲下即解○人家食鯸鮐所至迷悶若飲其汁立差

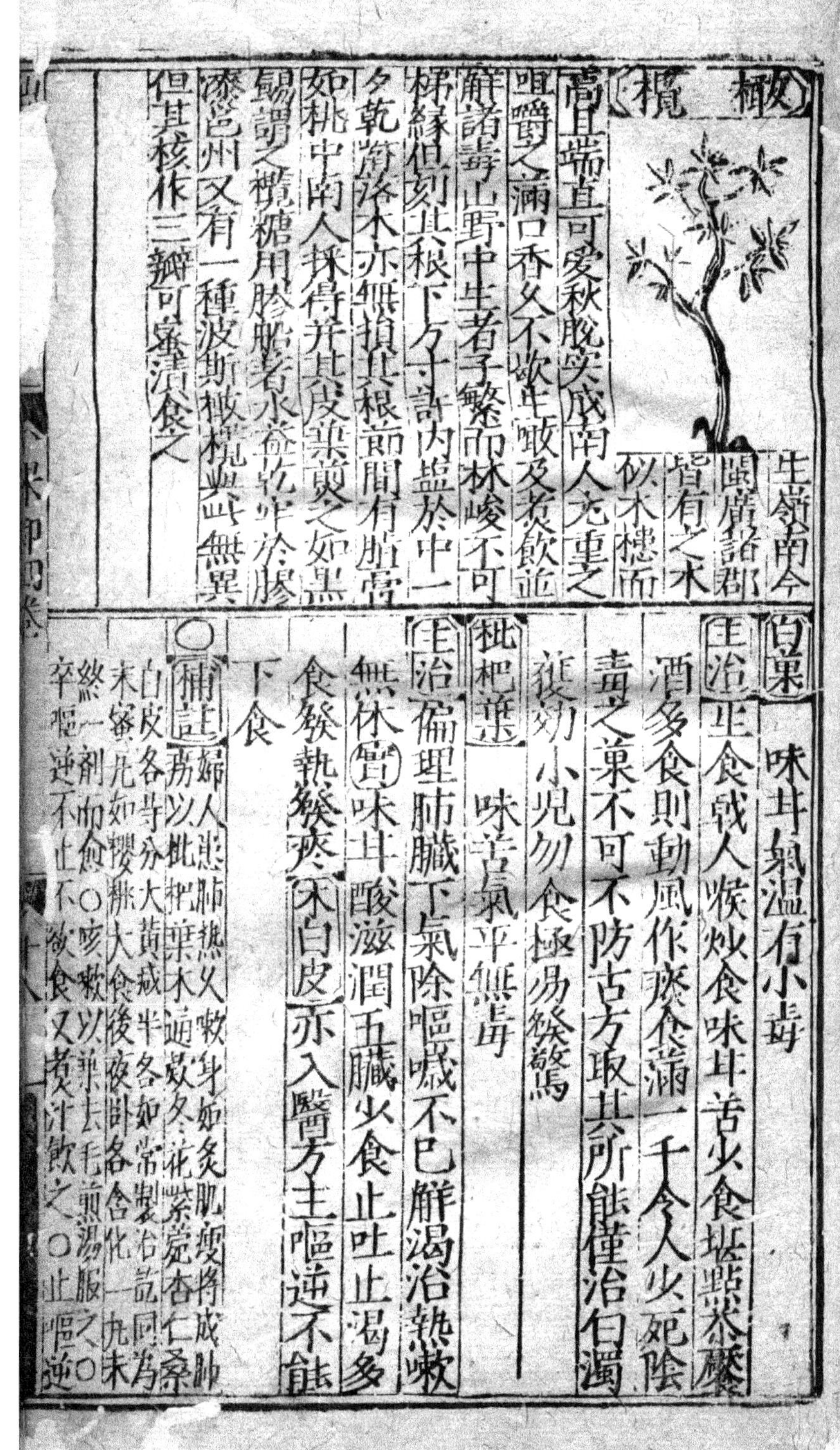

橄欖

生嶺南今閩廣諸郡皆有之木似木槵而高且端直可愛秋晚實成南人尤重之咀嚼之滿口香久不歇生啖及煮飲並解諸毒山野中生者子繁而林峻不可梯緣但刻其根下方寸許内鹽於中一夕乾落木亦無損其根節間有脂膏如桃中南人採得并其皮葉煎之如黑餳謂之欖糖用膠船者水益乾牢於膠漆邕州又有一種波斯橄欖與此無異但其核作三瓣可寮漬食之

白菓　味甘氣温有小毒

主治　生食戟人喉炒食味甘苦少食堪點茶壓酒多食則動風作痰食滿一千令人少死陰毒之菓不可不防古方取其所能僅治白濁甚効小兒勿食極易發驚

枇杷葉　味苦氣平無毒

主治　偏理肺臟下氣除嘔噦不已解渴治熱嗽無休　實　味甘酸滋潤五臟少食止吐止渴多食發熱發痰　木白皮　亦入醫方主嘔逆不能下食

○補註　婦人患肺熱久嗽身如炙肌瘦將成肺痨以枇杷葉木通款冬花紫菀杏仁桑白皮各等分大黄减半各如常製治為末蜜丸如櫻桃大食後夜卧各含化一丸未終一劑而愈○咳嗽以葉去毛煎湯服之○卒嘔逆不止不欲食又煮汁飲之○止嘔逆

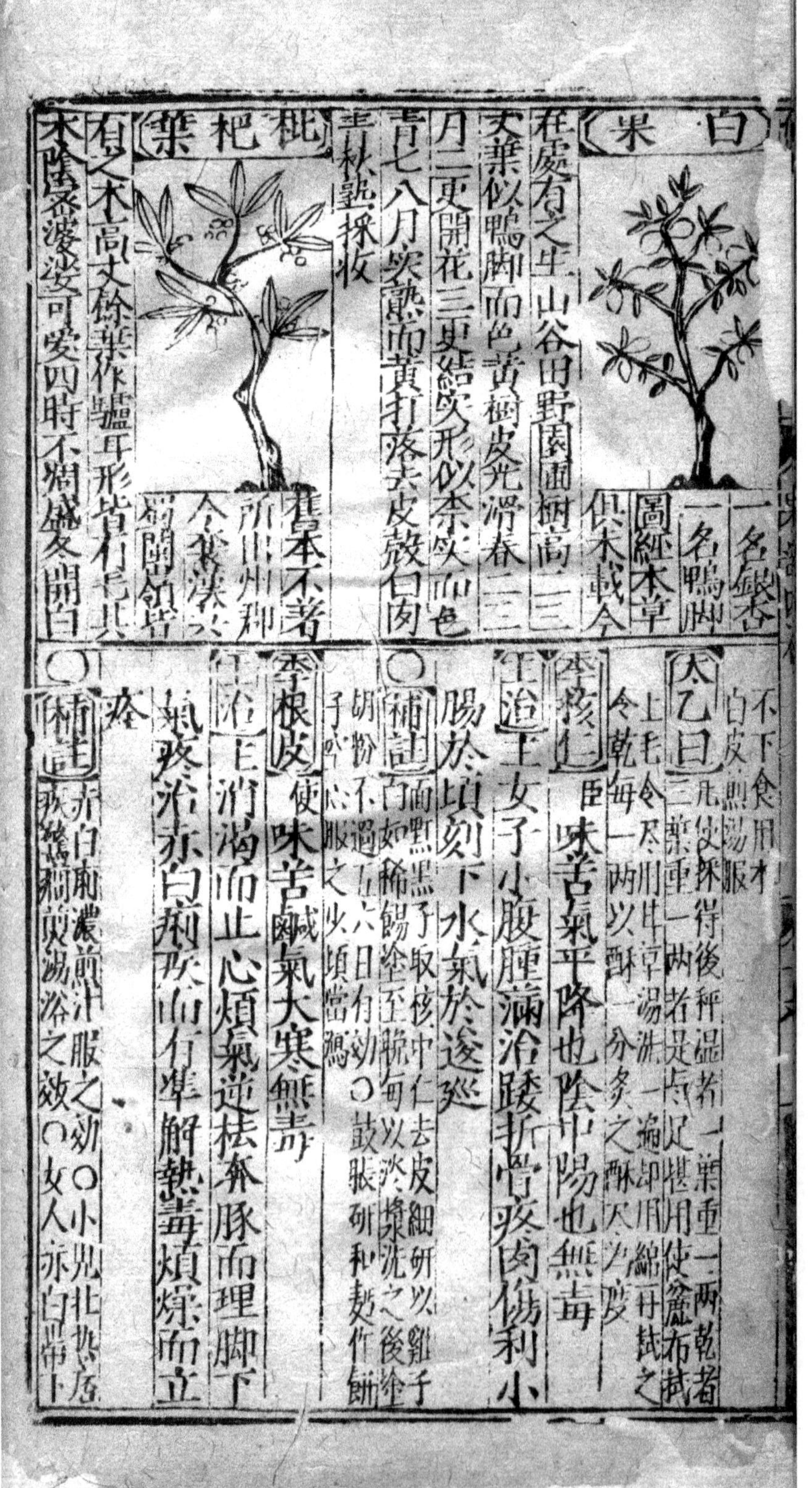

白果

一名銀杏

一名鴨脚

圖經本草俱未載今

在處有之生山谷田野園圃樹高二三丈葉似鴨脚而色黃樹皮光滑春二三月二更開花三更結實形似杏實而色青七八月實熟而黃打落去皮殼白肉青秋熟採收

枇杷葉

舊本不著所出州郡今襄漢六蜀閩俱皆有之木高丈餘葉作驢耳形背有毛其木陰密婆娑可愛四時不凋盛冬開白

不下食用才白皮煎湯服

〔太乙曰〕凡使採得後秤濕者一葉重一兩乾者三葉重一兩若是尽足堪用使麁布拭上毛令盡用甘草湯洗一遍却用綿再拭之令乾每一兩以酥一分炙之酥盡為度

〔李核仁〕臣 味苦氣平降也陰中陽也無毒

〔主治〕主女子小腹腫滿治踒折骨疼肉傷利小腸於頃刻下水氣於逡巡

○〔補註〕面默黑子取核中仁去皮細研以雞子白如稀餳塗至曉每以淡漿洗之後塗胡粉不過五六日有効○鼓脹研和麩作餅子空心服之少頃當瀉

〔李根皮〕使 味苦鹹 氣大寒無毒

〔主治〕臣 消渴而止心煩氣逆療奔豚而理脚下氣疼治赤白痢疾而有準解熱毒煩燥而立痊

○〔補註〕赤白痢濃煎汁服之効○小兒壯熱痰瘧驚癇煎湯浴之效○女人赤白帶下

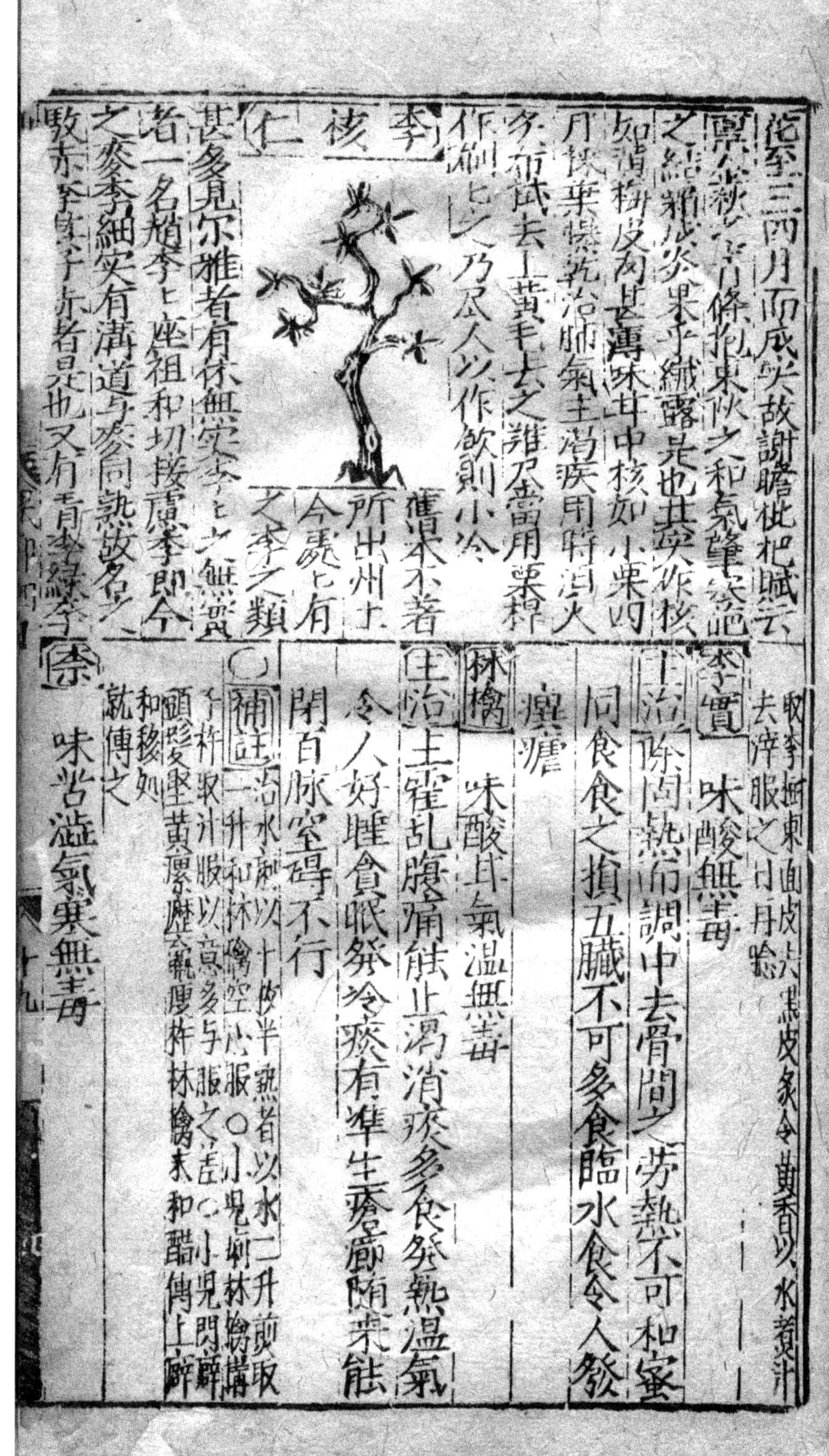

從季三四月而成矣故謝瞻枇杷賦云稟金秋之青條抱東陽之和氣肇寒葩之結霜成炎果乎纖露是也其葉作核如猪梅皮肉甚薄味甘中核如小栗四月採葉曝乾治肺氣主渴疾用時須火炙布拭去上黃毛去之難盡當用粟稈作刷刷之乃盡人以作飲則小冷

李核仁

舊本不著所出州土今處處有之李之類甚多見爾雅者有休無實李李之無實者一名趙李李座祖和切接慮李即今之麥李細實有溝道與麥同熟故名之駁赤李牙亦者是也又有青李綠李

取李樹東面皮去黑皮炙令黃香以水煎汁去滓服之日再驗

李實　味酸無毒

主治　除痼熱而調中去骨間之勞熱不可和蜜同食食之損五臟不可多食臨水食令人發痰瘧

林檎　味酸甘氣温無毒

主治　主霍乱腹痛能止渴消痰多食發熱温氣令人好睡會眠發冷痰有準生瘡癤随東能閉百脉空碍不行

○補註　治水痢以十枚半熟者以水二升煎取一升和林檎空心服之○小兒痢林檎構汁服以意多与服之差○小兒閃癖頭髮堅黃瘰癧羸瘦杵林檎末和醋傅上癖和移如就傳之

柰　味苦澁氣寒無毒

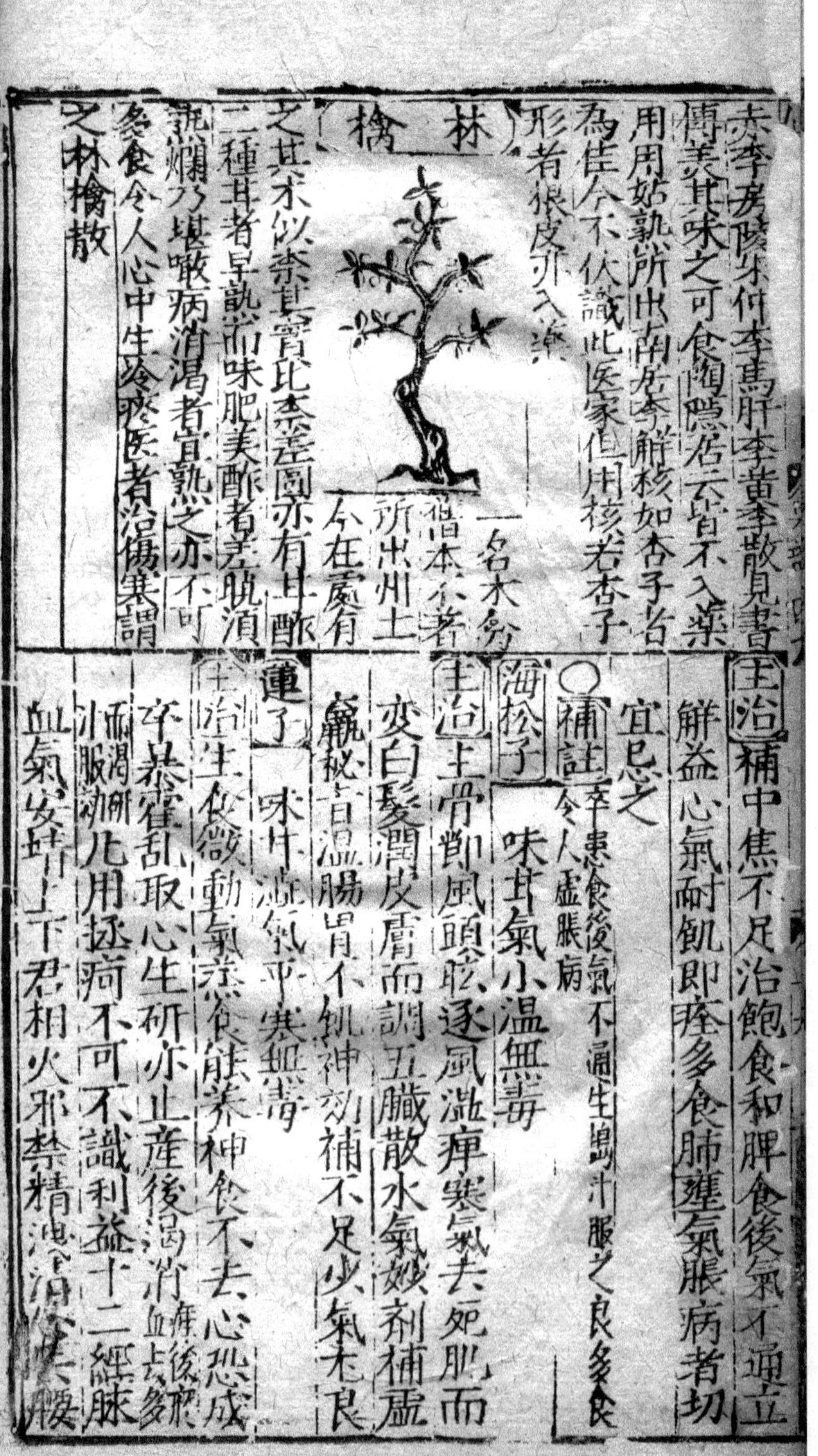

赤李房陵朱仲李馬肝李黃李散見書傳美其味之可食陶隱居云皆不入藥用用姑熟所出南居李解核如杏子者為佳今不伏識此医家但用核若杏子形者根皮亦入藥

林檎

一名來禽

舊本不著所出州土今在處有之其木似柰其實比柰差圓亦有甘酢二種甘者早熟而味脆美酢者差晚須熟爛乃堪噉病消渴者宜熟之亦不可多食令人心中生冷痰医者治傷寒謂之林檎散

主治 補中焦不足治飽食和脾食後氣不通立解益心氣耐飢即痊多食肺壅氣脹病者切宜忌之

補註 卒患食後氣不通生擣汁服之良多食令人虛脹病

海松子 味甘氣小温無毒

主治 骨節風頭眩逐風濕痺寒氣去死肌而変白髮潤皮膚而調五臟散水氣嫩劑補虛羸秘方温腸胃不飢神効補不足少氣大良

蓮子 味甘澀氣平寒無毒

主治 生食微動氣蒸食能養神食不去心恐成卒暴霍乱取心生研亦止產後渴消瘀後血去多而渴研小服効凡用拯病不可不識利益十二經脉血氣安靖上下君相火邪禁精泄渴除腰

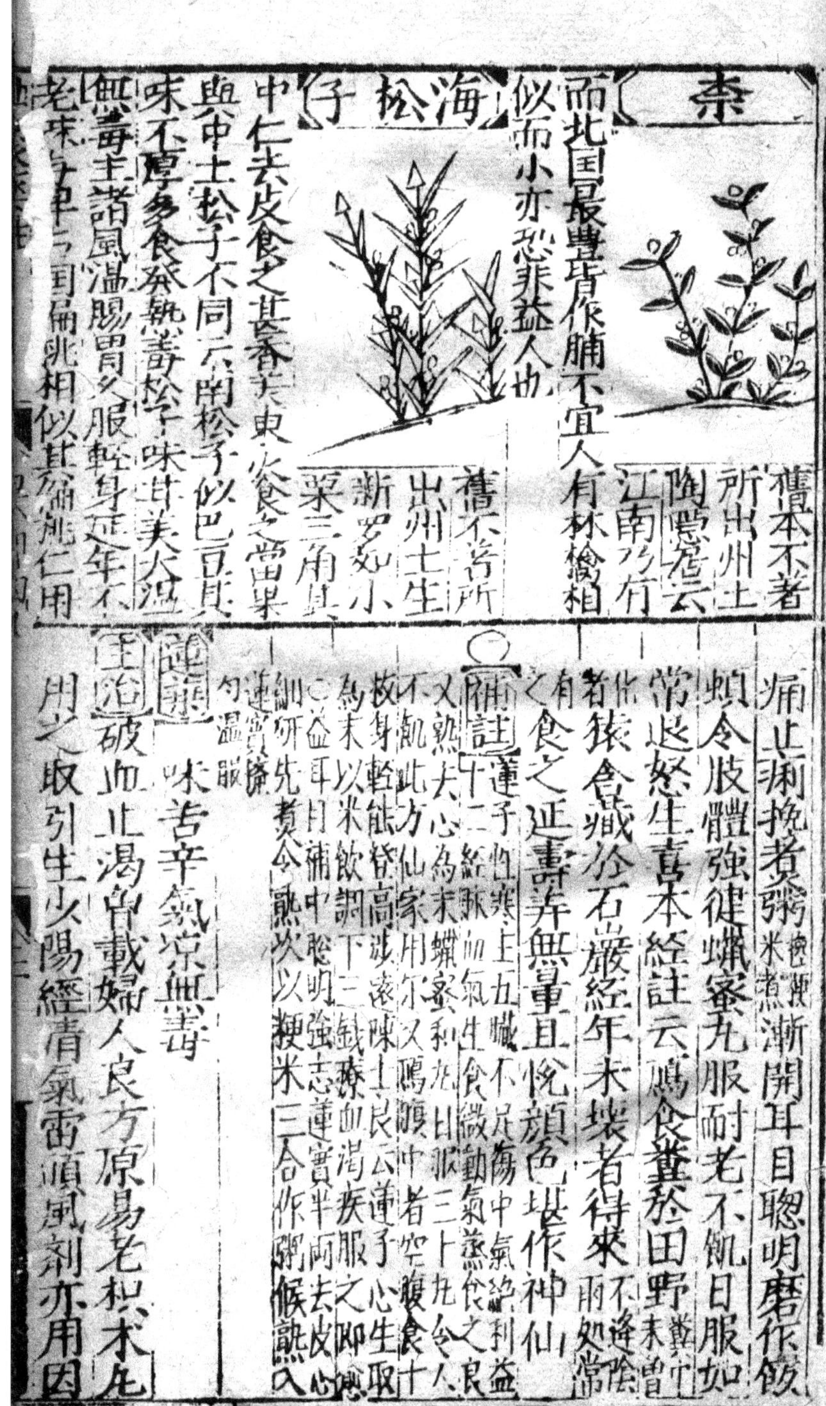

而北国最豐皆作脯不宜人有林檎相似而小亦恐非益人也

柰

舊本不著所出州土陶隱居云江南多有

海松子

舊不著所出州土生新羅如小栗三角其中仁去皮食之甚香美東夷食之當果與中土松子不同今南松子似巴豆其味不厚多食發熱毒松子味甘美大溫無毒主諸風溫腸胃久服輕身延年不老味与卑子同偏桃相似其偏桃仁用

痢止痢挽者煑粥（米煮換湯）漸開耳目聰明磨作飯蜜令肢體強健蠟蜜丸服耐老不飢日服如常退怒生喜本經註云鴈食糞於田野（糞中未曾）作者猿食藏於石巖經年未壞者得來（不逢陰雨如常）有食之延壽并無量且悅顏色堪作神仙之

〔補註〕蓮子性寒主五臟不足傷中氣絕利益十二經脉血氣生食微動氣蒸食之良又熟去心為末蠟蜜和丸日服三十丸令人不飢此方仙家用尔又鴈腹中者空腹食十枚身輕能登高涉遠陳士良云蓮子心生取為末以米飲調下三錢療血渴疾服之即愈○益耳目補中聰明強志蓮實半兩去皮心細研先煑令熟次以粳米三合作粥候熟入蓮實攪勻溫服

〔雷公〕味苦辛氣涼無毒

〔主治〕破血止渴曾載婦人良方原易老枳朮丸用之取引生少陽經清氣雷頭風剤亦用因

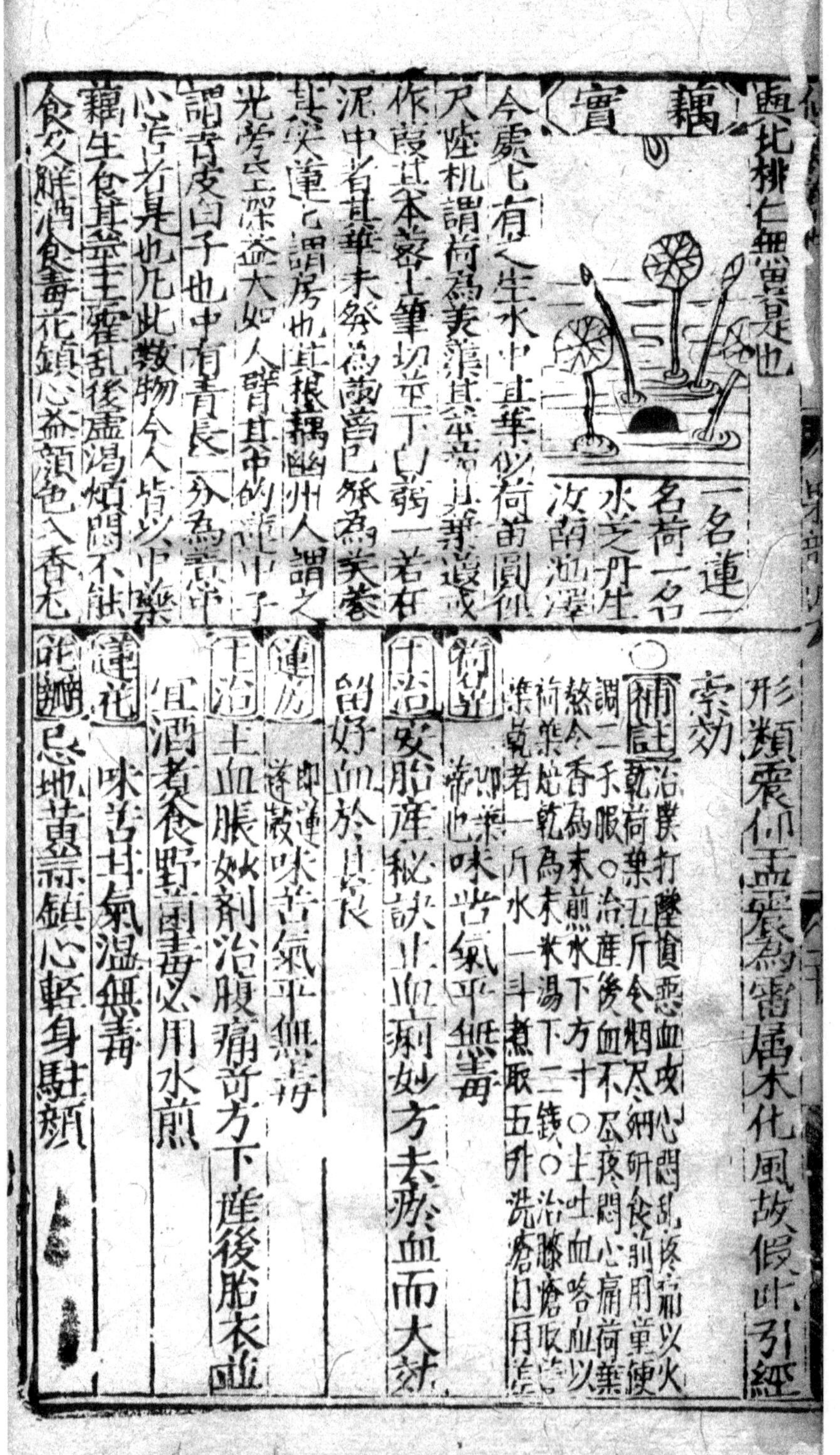

與比栟仁無毒是也

藕實

一名蓮一名荷一名水芝丹生汝南池澤

今處處有之生水中其華似荷莖圓似尺陸机謂荷為芙蕖其莖為茄其葉為蕸或作葭其本蔤莖下白蒻一若在泥中者其華未發為菡萏已發為芙蓉其實蓮蓮之謂房也其根藕幽州人謂之光旁蓮深益大如人臂其中的的中子謂青皮白子也中有青長一分為薏味心苦者是也凡此數物今人皆以中藥藕生食其莖主霍亂後虛渴煩悶不能食及解酒食毒花鎮心益顏色入香尤

形類震仰盂震為雷屬木化風故假此引經宗効

○【補註】治撲打墜損惡血攻心悶亂疼痛以火乾荷葉五斤令烟盡細研食前用童便調二錢服○治產後血不盡疼悶心痛荷葉熬令香為末煎水下方寸○主吐血咯血以荷葉焙乾為末米湯下二錢○治漆瘡取蓮葉乾者一斤水一斗煮取五升洗瘡日再差

【荷鼻】即荷葉蒂也 味苦氣平無毒

【主治】安胎產秘訣止血痢妙方去惡血而大效留好血於其良

【蓮房】即蓮蓬殼 味苦氣平無毒

【主治】主血脹妙劑治腹痛奇方下產後胎衣血宜酒煮食野菌毒必用水煎

【蓮花】味苦甘氣溫無毒

【花鬚】忌地黃葱蒜鎮心輕身駐顏

佳存活止渴殺蕈毒令婦人藥多有用荷華者葉中蒂謂之荷鼻主安胎去惡血留好血實主益氣其的至秋米皮黑而沉水者謂之石蓮今江東人呼荷華為芙蓉北方人便以藕為荷亦以蓮為荷蜀人以藕為茄或用其母為華或用根子為母葉號此皆名相倚習俗傳誤失其正本也陸机疏曰蓮青皮裹白子為的的中有青爲薏味甚苦故里語云苦如薏是也錄性論云藕汁亦单用味甘能消瘀血不散節搗汁主吐血不止口鼻並皆治之孟詵云藕生食之主霍乱後虛渴煩悶不能食其產後忌生冷惟藕不同生冷為能破血故也又蒸食甚補五臟实下焦與蜜同食令人腹臟

【花心】名佛座鬚佛座蓮花故云益腎澁精固髓

○【補註】本易產蓮華一葉書人字吞之立產○華山記云山頂有池生千葉蓮花服之羽化○太清諸草水方七月七日採蓮花七分八月八日採根八分九月九日採実九分陰乾搗篩服方寸匕令人不老

【藕】味甘氣溫無毒

【主治】主血多驗治瘀血遂散不凝止吐衄血溢妄行破產後血積煩悶產中忌諸生冷惟藕不忌解酒毒卻熱毒暈金瘡生肌和蜜肥腹臟不生諸蟲煮熟喫實下焦大開胃脘

○【補註】治時氣煩渴用生藕汁一中盞入生蜜一合令勻分為二服○治食蟹中毒以生藕汁或煮乾蒜汁或冬瓜汁並佳○治產後餘血不盡奔上衝心煩悶腹痛以生藕汁二升飲之

【藕節】解熱毒尤妙消瘀血最奇理產後血悶同

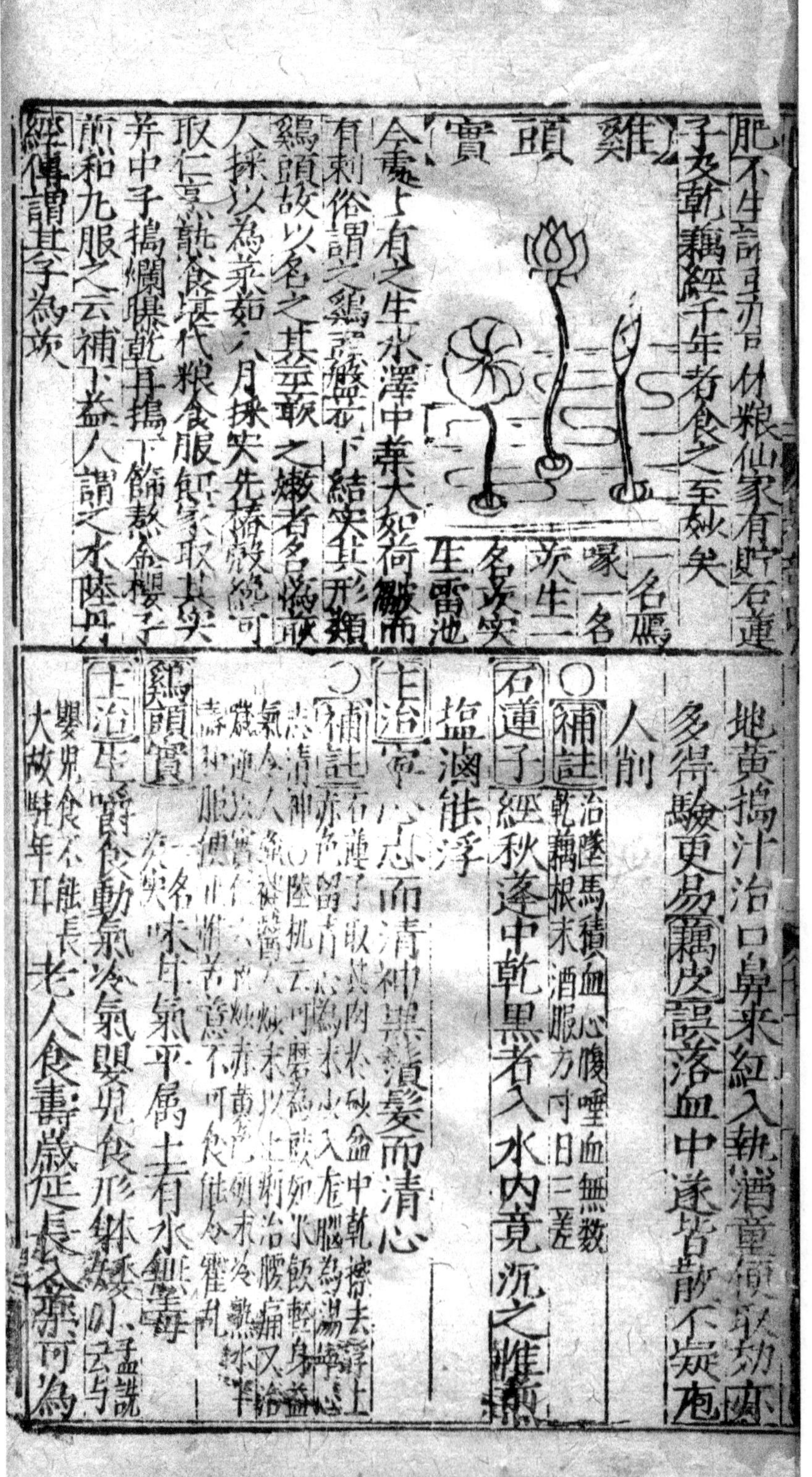

肥不生詩可助居休粮仙家有貯石蓮子及乾藕經千年者食之至妙矣

雞頭實

一名鴈喙一名芡生一名芡實生雷池

今處處有之生水澤中葉大如荷皺而有刺俗謂之鷄頭盤花下結實其形類鷄頭故以名之其莖𦮼之嫩者名蔿𦮼人採以為菜茹八月採實先搗破殼可取仁亦熟食堪代粮食服餌家取其實并中子搗爛暴乾再搗下篩熬金櫻子煎和丸服之云補下益人謂之水陸丹經傳謂其子為芡

地黃搗汁治口鼻來紅入軟消章領欲劫病多得驗更易【藕皮】誤落血中遂皆散不凝庖人削

○【補註】治墜馬積血心腹唾血無數乾藕根末酒服方寸匕日二差

【石蓮子】經秋逢中乾黑者入水內竟沉之雖煎鹽滷能浮

【主治】寧心志而清神黑鬚髮而清心

○【補註】石蓮子取其肉於砂盆中乾擦去浮上赤色留青心為末少入龍腦為湯點寧心除清神○陸機云可磨為飯如米飯輕身益氣令人強健 [illegible] 未以止痢治腰痛又治 [illegible] 炒赤黃色研末冷熟水半 [illegible] 若意不可食能令霍亂

【雞頭實】一名芡實 味甘氣平屬土有水無毒

【主治】[illegible] 食動氣冷氣嬰兒食形 [illegible] 孟詵云嬰兒食不能長大故駐年耳老人食壽嵗延長 [illegible] 可為

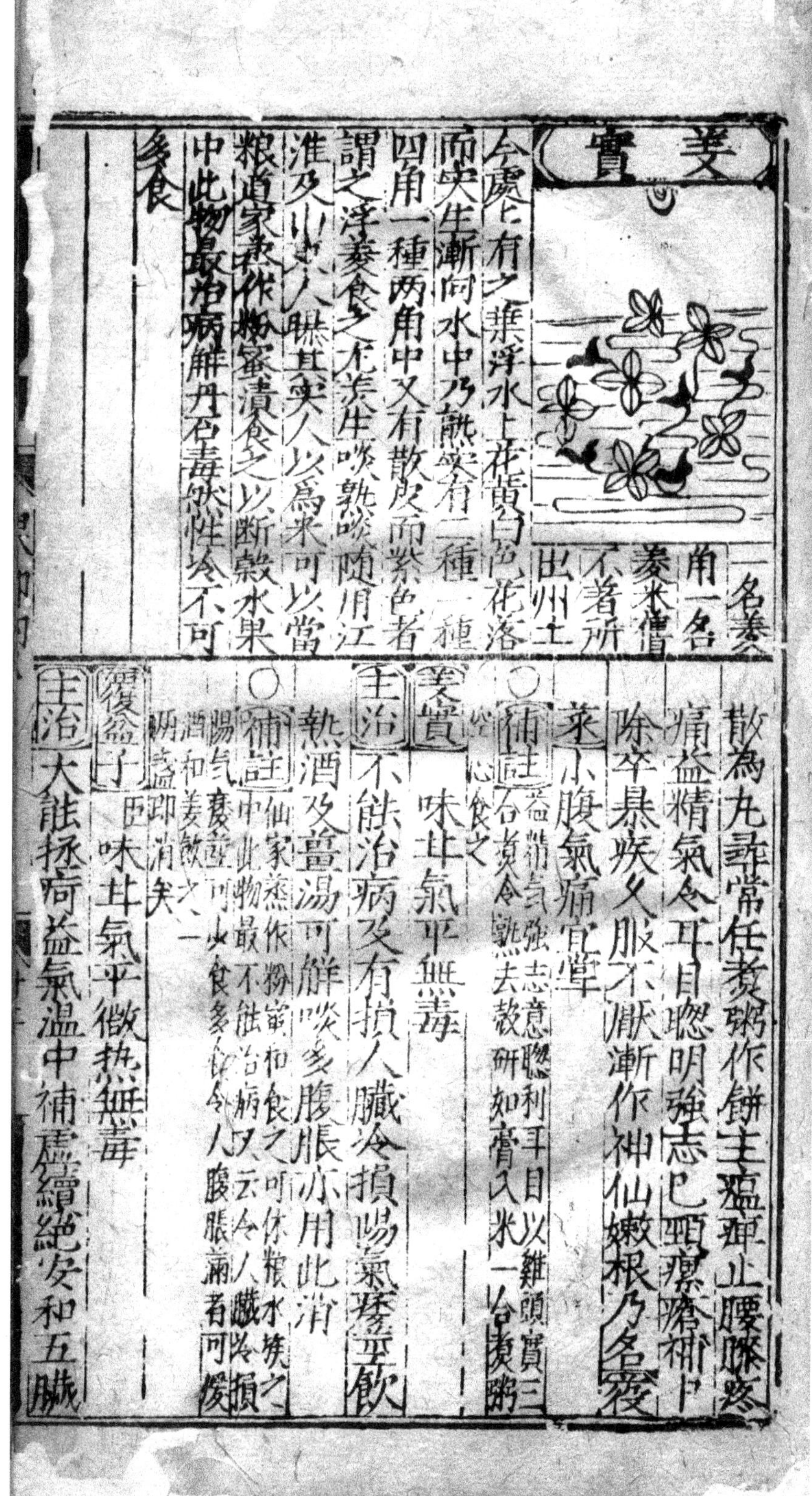

散為丸尋常任煮粥作餅主濕痺止腰膝疼痛益精氣令耳目聰明強志已頸瘰癧補中除卒暴疾久服不饑漸作神仙嫩根乃名蔢菜小腹氣痛宜嘗

○補註 益精氣強志意聰利耳目以雞頭實三合煮令熟去殼研如膏入米一合煮粥空心食之

芰實

一名菱角一名菱米僧不著所出州土今處處有之葉浮水上花黃白色花落而實生漸向水中乃熟實有二種一種四角一種兩角中又有散皮而紫色者謂之浮菱食之尤美生啖熟啖隨用江淮及山東人暴其實人以為米可以當粮道家蒸作粉蜜漬食之以斷穀水果中此物最治病解丹石毒然性冷不可多食

芰實　味甘氣平無毒

主治 不飢治病及有損人臟冷損陽氣痿莖飲熱酒及薑湯可解喫多腹脹亦用此消

○補註 仙家蒸作粉蜜和食之可休粮水族之中此物最不能治病又云令人臟冷損陽氣痿莖可少食多食令人腹脹滿者可煖酒和姜飲之一兩盞即消矣

覆盆子　臣　味甘氣平微熱無毒

主治 大能拯痾益氣溫中補虛續絕安和五臟

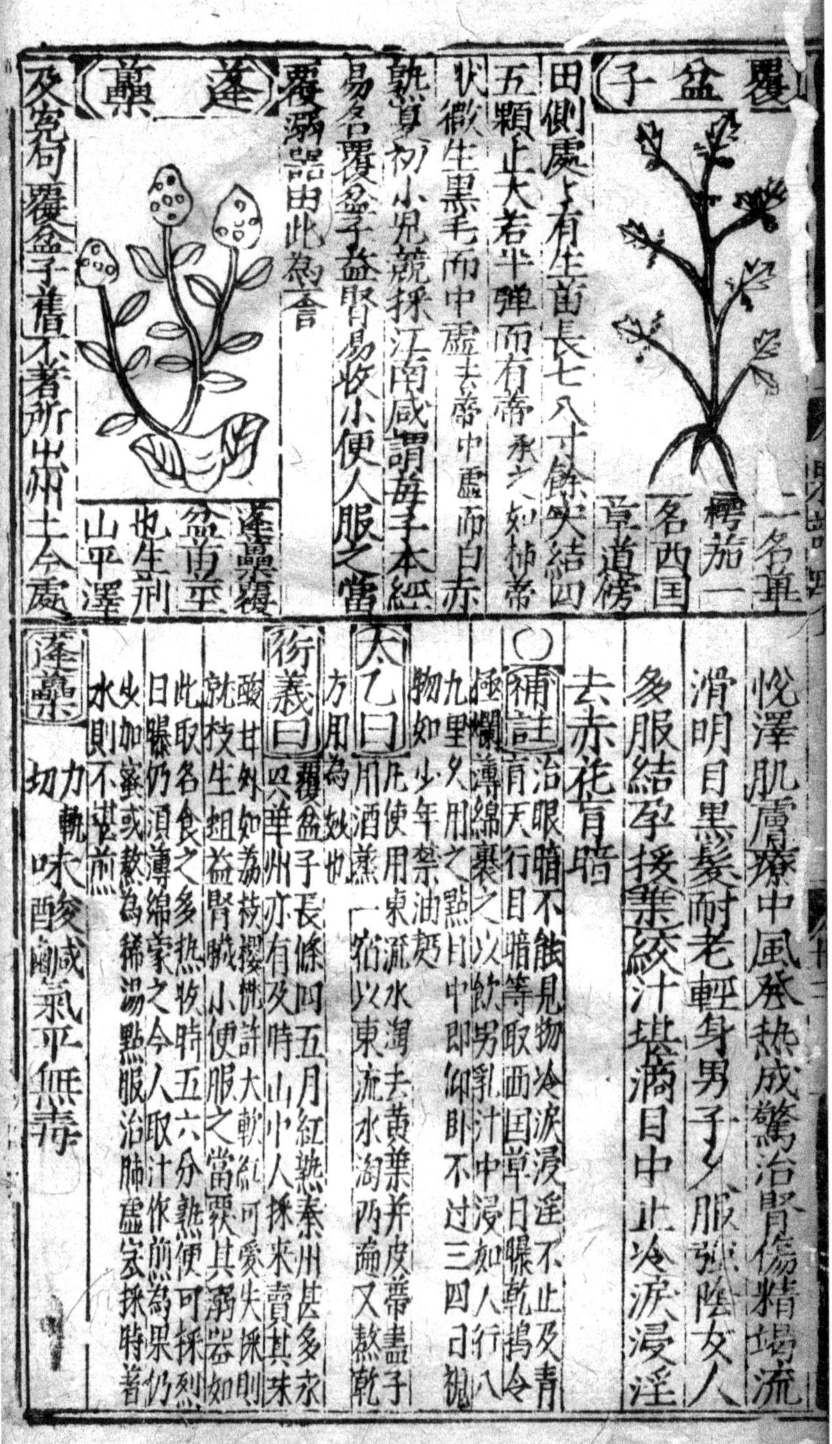

覆盆子

一名茥蒛葐一名西国草道榜

田側處處有生苗長七八寸餘夾結四五顆止大若半彈而有蒂承之如柿蒂狀微生黑毛而中虛去蒂中虛而白赤熟其初小兒競採江南咸謂莓子本經易名覆盆子益腎易收小便人服之當覆溺器由此為名

蓬蘽

蓬蘽覆盆苗莖也生荊山平澤及寃句覆盆子舊不著所出州土今處

悅澤肌膚療中風身熱成驚治腎傷精竭流滑明目黑髮耐老輕身男子久服強陰女人多服結孕捼葉絞汁堪滴目中止冷淚浸淫去赤花盲暗

〇〔補註〕治眼暗不能見物冷淚浸淫不止及青盲天行目暗等取西國草日曝乾擣令極爛薄綿裹之以飲男乳汁中浸如人行八九里久用之點目中即仰卧不過三四日視物如少年禁酒油麪

〔太乙曰〕凡使用東流水淘去黃葉并皮蒂盡了用酒蒸一宿以東流水淘兩遍又熬乾方用為妙也

〔衍義曰〕覆盆子長條四五月紅熟秦州甚多永興華州亦有及時山中人採來賣其味酸甘外如荔枝櫻桃許大軟紅可愛失採則就枝生蛆益腎臟小便服之當覆其溺器如此取名食之多熱收時五六分熟便可採烈日曝仍須薄綿蒙之今人取汁作煎為果仍少加蜜或熬為稀湯點服治肺虛寒採時著水則不堪煎

〔蓬蘽〕力軌切 味酸鹹氣平無毒

處有之，而秦吳地尤多。苗短不過尺，莖蘗蹕類樹枝，梗柔軟，皆有刺，花白，子赤黃，如半彈丸大，而下有莖承，如柿蔕狀，黎枝紅，亦俗呼為樹莓。小兒多食其實，與覆盆同時。五月採其苗葉，採無時。○按：草本類所說自有蓬蘽，似覆盆子紅色，其葉似野薔薇，有刺，食之酸甘，恐諸家不識，誤說是覆盆也。佛說云：蘇蜜那花點燈，正言此花也。搽取汁，合成膏，塗髮不白。食其子，令人好顏色。葉挼絞取汁，汁滴目中，去膚赤，有蟲出如絲線。其類有三種，四月熟，甘美如覆盆子者是也。餘不堪入藥。今人取茅莓當覆盆，誤矣。

【主治】療暴中風，身熱大驚，安五臟，益精強力，長陰，悅顏色，神方強志氣，有秘旨。

○【補註】古方亦搽其子，取汁合膏，塗髮不白。挼葉絞汁滴目中，去膚赤，有蟲出如絲線。使效，昌容服之以易顏。其法：四五月候其實成，採之，曝乾，搗篩為末，水服三錢，安五藏，益精強志，倍力輕身，不老，久久益佳。

【蛇莓】味酸甘，氣大寒，有毒。

【主治】主胸腹大熱不止，通月經，瘡腫。効方：敷蛇蟲咬毒最効，療射工溪毒亦良。

○【補註】主胸胃熱氣，有蛇氣不得食。主孩子口噤，以汁灌口中，死亦再活。○毒攻手足腫痛，用汁服三合，日三。水漬烏梅令涼，和崖蜜飲之。○天行熱盛，口中生瘡，飲自然汁，搗絞一斗，煎取五升，稍稍飲之自愈。

【菴婆果】味甘，氣溫，無毒。

【主治】主婦人經脉不通，療丈夫血脉不行，理渴

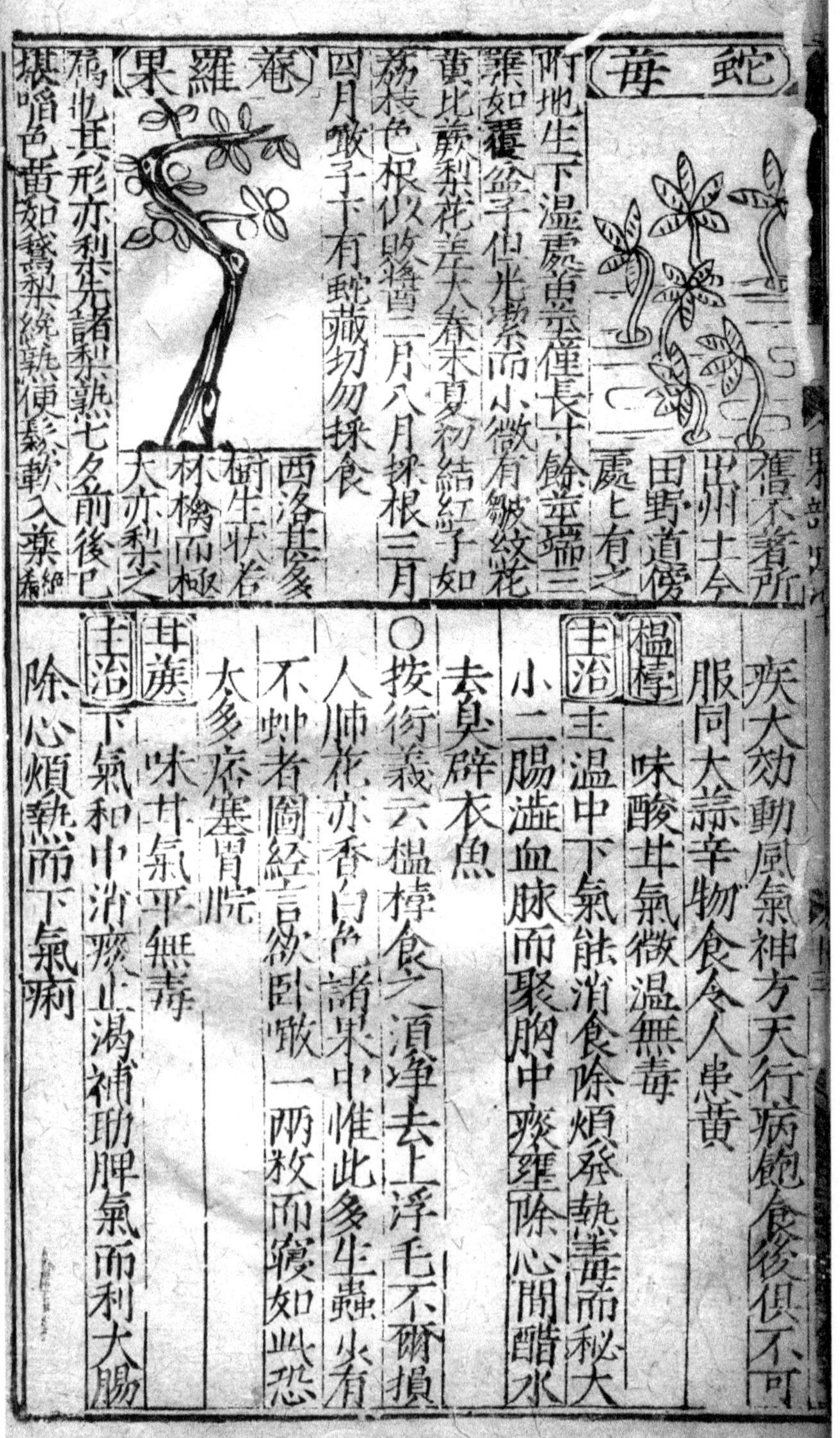

蛇苺

舊不著所出州土今田野道傍處處有之

附地生下濕處莖僅長寸餘莖端三葉如覆盆子但光潔而小微有皺紋花黃比蒺藜花差大春末夏初結紅子如荔枝色根似敗醬二月八月採根三月四月收子下有蛇藏切勿採食

菴羅果

西洛甚多樹生狀若林檎而極大亦梨之類也其形亦梨先諸梨熟七夕前後已堪啗色黃如鵞梨纔熟便鬆軟入藥絕希

疾大效動風氣神方天行病飽食後俱不可服同大蒜辛物食令人患黃

榅桲 味酸甘氣微溫無毒

主治 主溫中下氣能消食除煩發熱毒而秘大小二腸澁血脉而聚胸中痰壅除心間醋水去臭辟衣魚

○按衍義云榅桲食之須淨去上浮毛不爾損人肺花亦香白色諸果中惟此多生蟲少有不蚛者圖經言欲卧噉一兩枚而寢如此恐太多痞塞胃脘

菴羅果 味甘氣平無毒

主治 下氣和中消痰止渴補助脾氣而利大腸除心煩熱而下氣痢

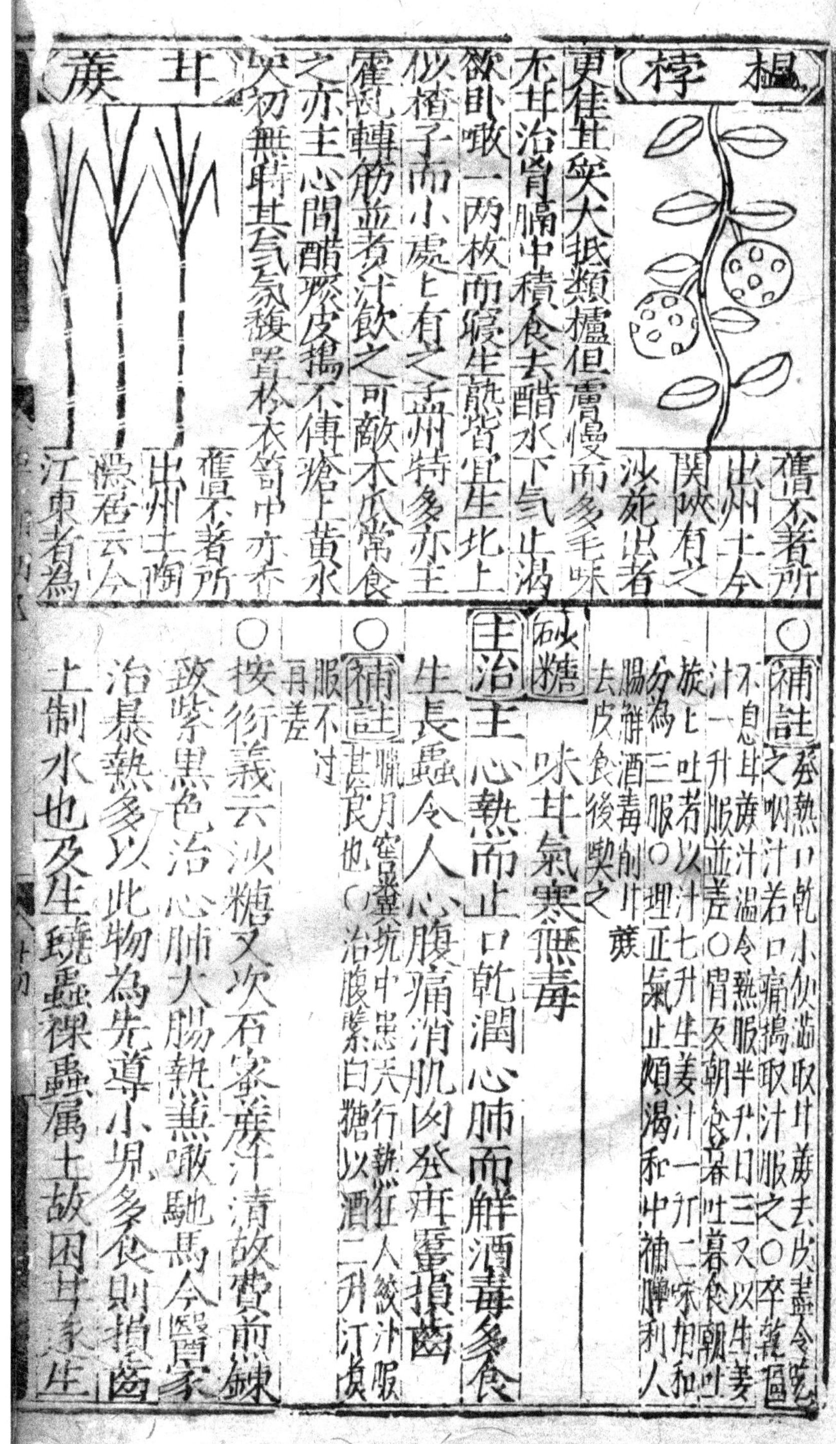

榅桲

舊不著所出州土今關陝有之沙苑出者更佳甘酸大抵類櫨但膚慢而多毛味不甘治胷膈中積食去醋水下氣止渴欲卧啖一兩枚而寢生熟皆宜生北上似楂子而小處處有之孟州特多亦主霍亂轉筋並煮汁飲之可斂不可常食之亦主心間醋水皮擣不傅瘡上黃水又初無時其氣氛馥置於衣笥中亦香

○補註 菱熱口乾小便澁取甘蔗去皮盡令乾之咽汁若口痛擣取汁服之○卒乾嘔不息甘蔗汁溫令熱服半升日三又以生姜汁一升服並差○胃反朝食暮吐暮食朝吐旋旋吐若以汁七升生姜汁一升二味相和分為三服○理正氣止煩渴和中補脾利人腸解酒毒削甘蔗去皮食後㗖之

甘蔗

舊不著所出州土陶隱居云今江東者為

沙糖

味甘氣寒無毒

主治 主心熱而止口乾潤心肺而解酒毒多食生長蟲令人心腹痛消肌肉發疳蠹損齒

○補註 臘月窖壅坑中患天行熱狂人絞汁服甚良也○治腹緊白糖以酒二升煮服不过再差

○按衍義云沙糖又次石蜜蔗汁清故費煎鍊致紫黑色治心肺大腸熱兼啖駝馬今醫家治暴熱多以此物為先導小兒多食則損齒土制水也及生蟯蟲裸蟲屬土故因甘緩生

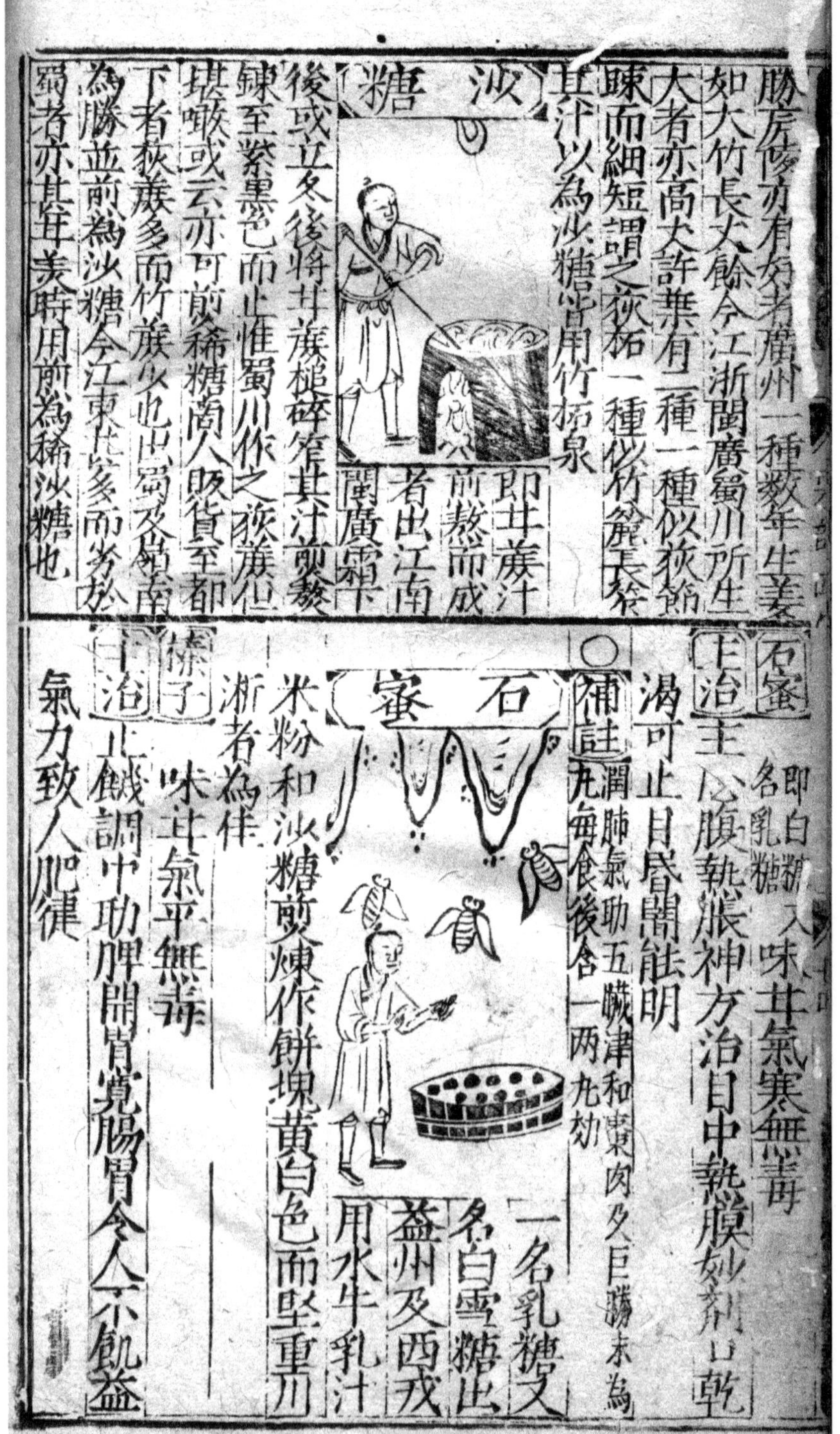

勝廬陵亦有好者廣州一種數年生皆如大竹長丈餘今江浙閩廣蜀川所生大者亦高丈許兼有二種一種似荻節疎而細短謂之荻蔗一種似竹麄長笮其汁以為沙糖皆用竹蔗泉

沙糖

即甘蔗汁煎熬而成者出江南閩廣蜀川

後或立冬後將甘蔗槌碎笮其汁煎熬鍊至紫黑色而止惟蜀川作之荻蔗但堪噉或云亦可煎稀糖商人販貨至都下者荻蔗多而竹蔗少也出蜀及嶺南為勝並煎為沙糖今江東甚多而劣於蜀者亦甚年美時用煎為稀沙糖也

石蜜 即白糖又名乳糖 味甘氣寒無毒

主治 主心腹熱脹神方治目中熱膜妙劑口乾渴可止目昏闇能明

○補註 潤肺氣助五臟津和棗肉及巨勝末為丸每食後含一兩丸効

石蜜

一名乳糖又名白雪糖出益州及西戎用水牛乳汁米粉和沙糖煎煉作餅塊黃白色而堅重川浙者為佳

味甘氣平無毒

主治 止饑調中助脾開胃寬腸胃令人不飢益氣力致人肥健

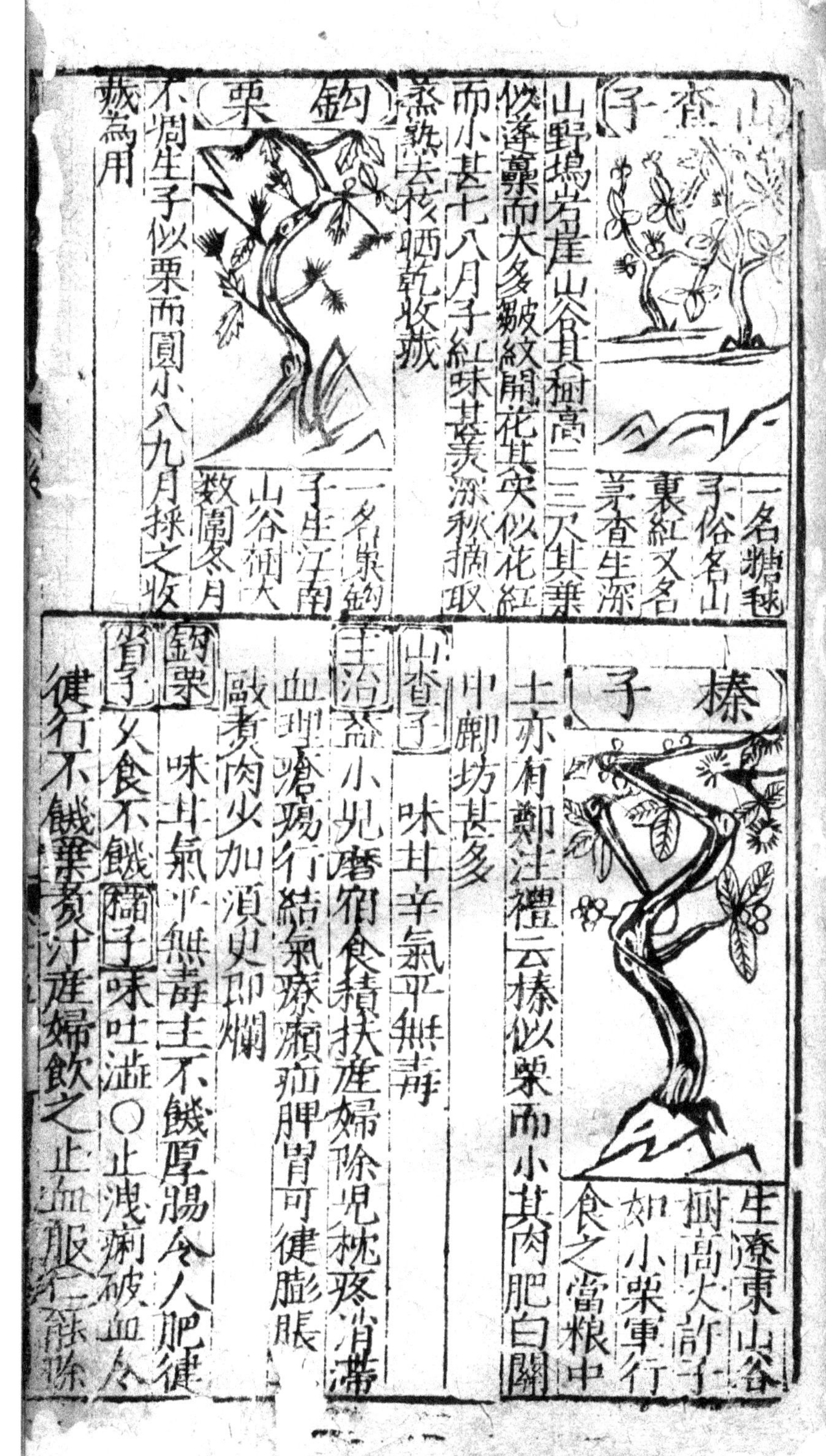

山查子

一名糖毬子俗名山裏紅又名茅查生深山野塢岩崖山谷且樹高一二丈其葉似蓬蘽而大多皺紋開花其實似花紅而小甚七八月子紅味甚美深秋摘取蒸熟去核晒乾收藏

鈎栗

一名泉鈎子生江南山谷樹大數圍冬月不凋生子似栗而圓小八九月採之收藏為用

榛子

生遼東山谷樹高丈許子如小栗軍行食之當粮中土亦有鄭注禮云榛似栗而小其肉肥白關中鄜坊甚多

山查子　味甘辛氣平無毒

主治　消小兒瘡痞食積扶產婦除兒枕疼消滯血理瘡瘍行結氣療癩疝脾胃可健膨脹敲煮肉少加須臾即爛

鈎栗　味甘氣平無毒主不饑厚腸令人肥健

榛子　久食不饑

櫧子　味苦澁○止洩痢破血令人健行不饑葉煮汁產婦飲之止血服一錢除

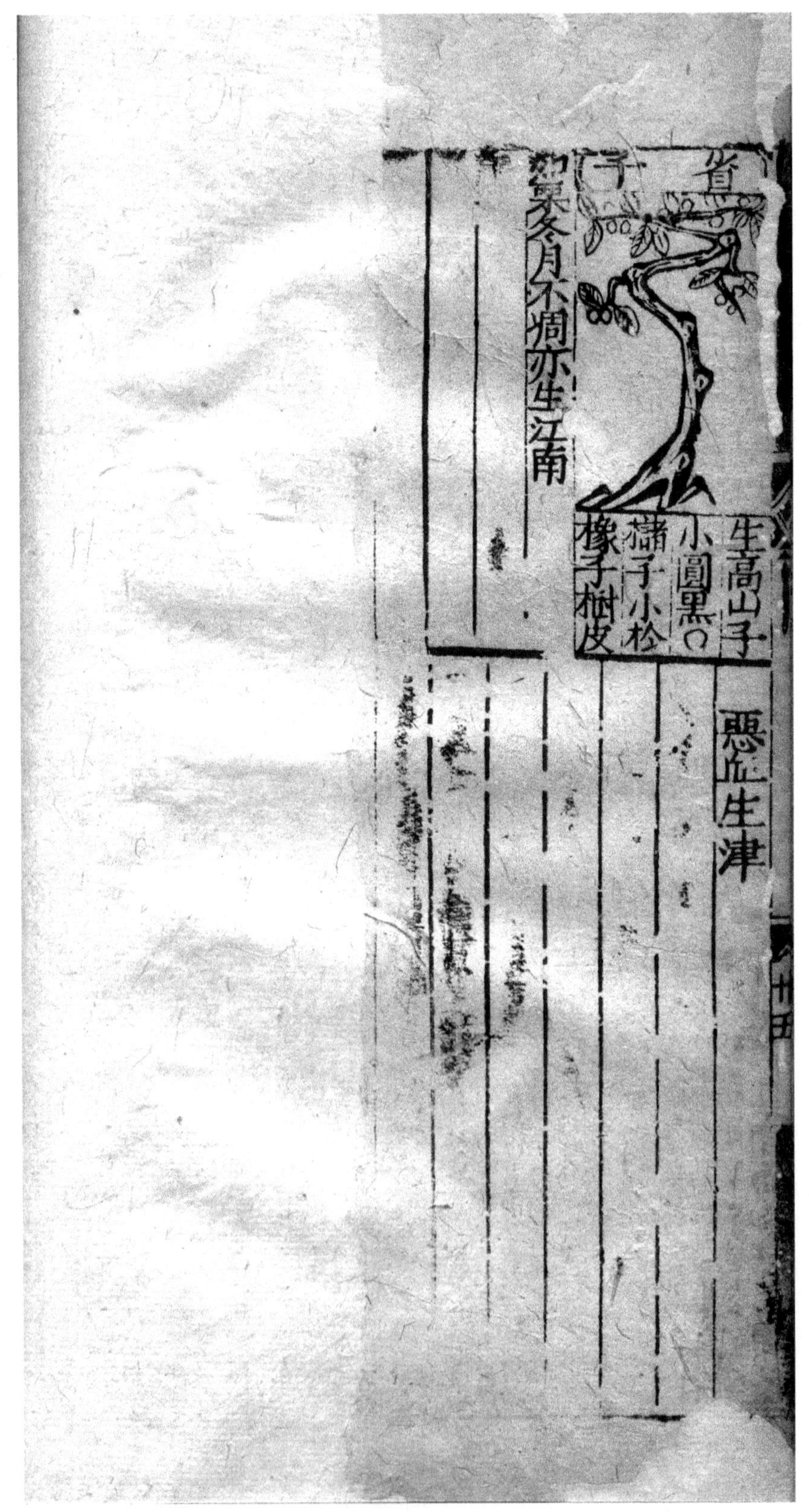
雀□子
生高山子小圓黑○櫧子小柃橡子樹皮
如棗冬月不凋亦生江南
惡疘生津

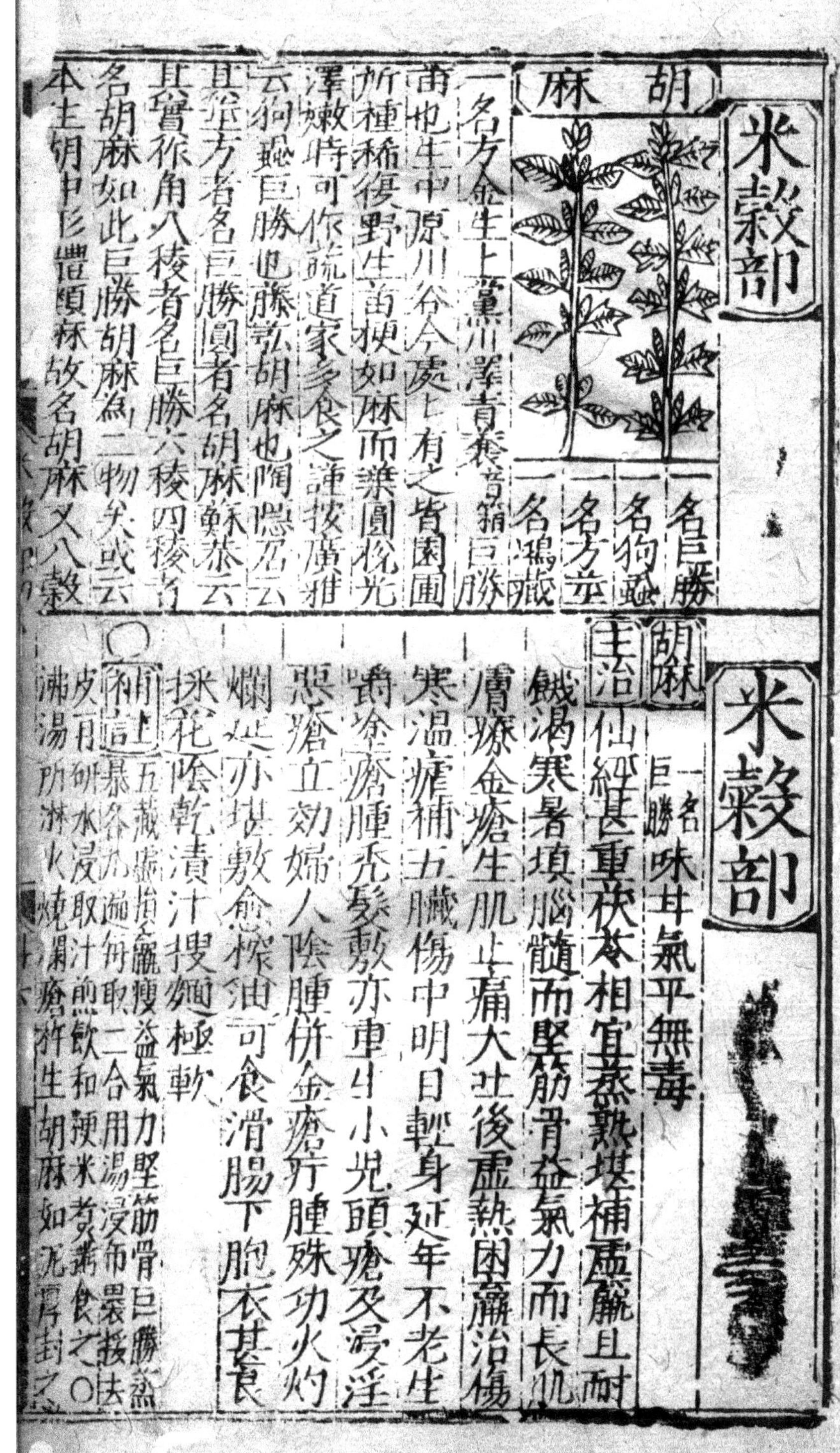

一名巨勝
一名狗蝨
一名方莖
一名鴻藏

一名方金生上黨川澤青蘘音箱巨勝苗也生中原川谷今處處有之皆園圃所種稀復野生苗梗如麻而葉圓銳光澤嫩時可作蔬道家多食之謹按廣雅云狗蝨巨勝也藤弘胡麻也陶隱居云其莖方者名巨勝圓者名胡麻蘇恭云其實亦角八稜者名巨勝六稜四稜者名胡麻如此巨勝胡麻為二物矣或云本生胡中形體類麻故名胡麻又八穀

米穀部

胡麻　一名巨勝　味甘氣平無毒

主治　仙經甚重茯苓相宜蒸熟堪補虛羸且耐飢渴寒暑填腦髓而堅筋骨益氣力而長肌膚療金瘡生肌止痛大吐後虛熱困羸治傷寒溫瘧補五臟傷中明目輕身延年不老生嚼塗瘡腫禿髮敷亦重斗小兒頭瘡及浸淫惡瘡立効婦人陰腫併金瘡疔腫殊功火灼爛延亦堪敷愈榨油可食滑腸下胞衣甚良採花陰乾漬汁搜麵極韌

○補遺　五藏虛損乏羸瘦益氣力堅筋骨巨勝蒸暴各九遍每取二合用湯浸布裹挼去皮再研水濾取汁煎飲和粳米煮粥食之○法沸湯泡淋火燒潰瘡術生胡麻如泥厚封之

之中最為大勝故名巨勝如此似一物
二名也然則仙方有服食胡麻巨勝
二法功用小别疑本一物而種之有二
如天雄附子之類故葛稚川亦云胡麻
中有一葉两莢者為巨勝是也食其實
當九蒸九暴熬擣之可以断穀又以白蜜
合丸曰静神丸服之益肺潤五臟取油
主天行热秘腸結服一合則快利花陰
乾漬汁溲麪至韌而滑葉可沐頭令髮
長一說今人用胡麻葉如荏而狹尖莖
方而高四五尺黄花生子成房如胡麻角
而小嫩葉可食甚甘滑利大腸皮亦可
作布類大麻色黄而脆俗亦謂之黄麻
其實黑色如韭子而粒細味苦如膽杵
末略無膏油又世人或以為胡麻乃是

○常服明目洞視胡麻一石蒸三十遍末酒
服每日一升○治陰癢生瘡嚼胡麻傅之○
治腰脚疼痛胡麻一升新者熬令香杵篩日
服一小升計服一斗即永差酒飲羹汁蜜湯
皆可服之○治齒痛胡麻五升水一斗煮取
五升含漱吐之並藥皆可用之姚云神良不
过二劑腫痛即愈○治暑毒救生散新胡麻
一升微炒令黑色取出攤冷碾末新汲水調
三錢又或丸如弹子新水化下凡着熱外不
得以冷物逼外得冷即死○治手脚痠疼兼
微腫烏麻五升熬碎之酒一升浸一宿隨多
少飲之○胡麻白大豆棗三物同九蒸九暴
作團食令人不飢延年断穀又合蒼耳子為
散服之治風癩○治蚰蜒入耳胡麻杵碎以
袋盛之為枕○治白髮還黑烏麻九蒸九暴
末之以棗膏丸服之○胡麻三升去黄黑者
微熬令香杵為末下白蜜三升和調煎杵三
百杵如梧子大丸日服三十丸腸化筋年若
过四十已
上服之効

【太乙曰】凡使有四件八稜者两頭尖色紫黑者
又呼胡麻並是誤也其巨勝有七稜色
赤味澁酸是真又呼烏油麻作巨勝亦誤修
事一斤先以水淘浮者去之沉者漉出令乾
以酒拌蒸從巳至亥出攤待乾於臼中舂之
令粗皮一重拌小豆相對同炒小豆熟即出

不□□麻以其本出大宛而謂之胡麻也炒以為者良白者劣本草注服胡麻油須生笮者其蒸炒作者止可食及然尔不入藥用又序例謂細麻即胡麻也形扁匕尔其方莖者名巨勝其說各異然胡麻今人服食家最為要藥乃尔差誤豈復得効也

神仙服胡麻法 服之能除一切痼疾至一年面光澤不飢三年水火不能害行及奔馬久服長生上黨者尤佳胡麻三斗淨淘入甑熬令氣遍出日乾以水淘去沫却蒸如此九度以湯脫去皮簸令淨炒令香杵為末蜜丸如彈子大每溫酒化下十九忌毒魚生菜等物

去小豆用之上有薄皮去留用力作彼殼也

胡麻油 味氣微寒又云大寒

主治 主天行熱秘腸內結熱殺蟲毒而傳惡瘡摩瘡腫而生禿髮

○補註 以胡麻傅兩足繒帛裹之可日行万里○生油塗頭立生毛髮○熱秘結熱服一合取利為度

青蘘 即胡麻葉也 味甘氣寒無毒

主治 主五臟邪氣而風寒濕痺蕪壓益一身元陽其肌肉髓腦俱補泡水沐頭髮常潤煎湯唯病牛即甦

○補註 葉搗汁沐浴甚良又牛傷熱灌之立差○患崩中血凝者生取一升搗內熱湯中絞取汁立差○婦人用之擦髮藥搗以湯浸之良久涎出湯遂稠黃色洗髮□

○按胡麻一名巨勝本經只此附載陶註亦已

麻蕡

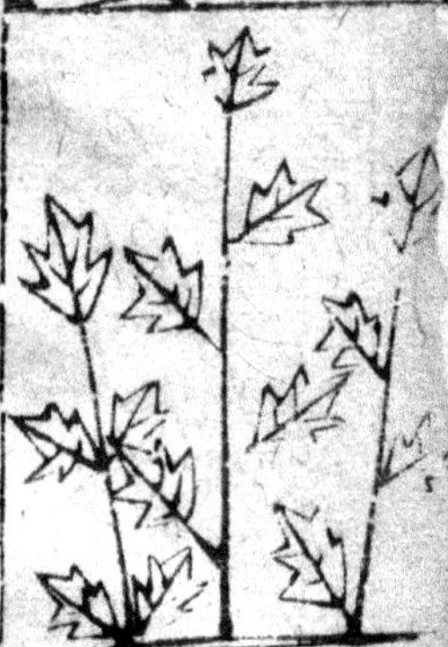

一名麻勃此麻花上勃勃者七月七日

採陶隱居以麻蕡為牡麻則無實蘇恭以為蕡即實非花也又引尔雅蕡枲實及礼云苴麻之有蕡者皆謂蕡為子也謂陶重出子條為誤按本經麻蕡主七傷利五臟多食令人狂走又麻花非所食之物如蘇之論似當矣然朱字云麻蕡味辛麻子味甘此又似二物槩本草與尔雅礼記有殊謂不同者耳又古方亦有用麻花者云味苦主諸風及女經不利以䵜蕡為使然則蕡也子也花也

釋明後因僊方有服餌胡麻巨勝一法小有差殊以致諸家辯論不一有曰莖圓者名胡麻莖方者名巨勝有曰作角八稜而色紫黑者名胡麻兩頭尖銳作角七稜而色純赤者名巨勝味兼澁酸有曰胡麻別名藤弘巨勝別名狗虱雖然一物而種之有二者固亦有之如天雄附子之類形狀異主治差載諸本經名亦各列醫採入藥不得不分是則雖附一名且同一治形色不等亦物之常種類認真使可採用何以細辯孰為巨勝孰為胡麻宗驥按圖有何益尔

麻蕡 味辛氣平有毒

主治 主五勞七傷神效利五臟下血去良破積

其三物乎

大麻子

生泰山川谷今處處有之鄉落俱有平地沿栽根实花葉依時收採各有取用並無棄遺麻骨可作炬心麻皮堪績布疋麻子入藥修製宜精始用帛包浸沸湯待冷檢出次以繩吊懸井內隔水勿沾務過一宿方取出曬乾候燥置平地面壓重板搯淨殼皮擇起細仁隨宜索効或搀粳米煮粥或佐血藥為丸經入陽明大腸及足太陰脾臟畏茯苓一味畏牡蠣白薇

止痺散膿袪寒多食令見鬼狂走久服通神明輕身

大麻子　使　味甘氣平無毒

主治　下氣補中催生下乳去中風汗出皮膚頑痺潤大腸風熱結澁便難止消渴而小水能行破積血而血脈可復胎逆橫生易順產後餘痰總除和菖蒲鬼臼為丸吞服即見鬼魅要見鬼者用各等分杵丸彈大每朝向日服一丸滿百日即見鬼魅合豆子頭髮着井祝勑能辟瘟魔除夜四更取麻子豆子各二七粒家人頭髮少許着井中祝勑井吏能辟五瘟鬼魅疫年免瘟疫傷寒仍作沐湯頭髮滋潤久服肥健不老神仙

○補註　消渴以秋麻子一升水煮三四沸飲汁便差○脾約大便秘小便數麻子二升芍藥半斤厚朴一尺大黃枳実各一斤杏仁一升六物數搗篩蜜丸如梧子大以漿水飲

大麻仁酒 治骨髓風毒疼痛不可運動者，取大麻仁水中浸，取沉者一大升，灑出曝乾，於銀器中旋旋炒，須慢火待香熟調勻，即入木臼中搗，令三兩人更互搗一二千杵，令及萬杵，看極細如白粉即止。平分為十貼，每用一貼，取家醞無灰酒一大瓷湯椀，以沙盆柳木槌子點酒研麻粉，旋漉取白酒，直令麻粉盡，餘殼即去之，都合酒一處，煎取一半，待冷熱得所，空腹頓服，一服一帖，藥盡全差。輕者止於四五帖則見効，大抵甚者不出十帖，必失所苦，其効不可勝紀。

濾麻汁 能止消渴。麻沸湯 專理虛熱。○仙經 曰：大麻子一升，白羊脂七兩，蠟五兩，白蜜一合，和杵蒸食之，不飢。洞神

下十丸，食後服。療仁治亦此類也。○妊娠心痛煩悶，用麻子一合，研，水一盞，煎取六分，去滓溫服。○虛勞下焦虛熱，骨節煩疼，肌肉急，小便不利，大便數，口燥少氣，淋石熱，大麻仁五合，研，水二升，煮取服，差。○治瘖，麻仁三兩，杵熬，水研取汁，着少鹽喫，立効。○治髮落不生令長，麻子一升，熬黑，壓油傅頭。○治風癲百病，麻仁四升，水一升，猛火煮，令芽生，去滓煎，日空心服，或発或不発，或多言語，勿怪之，但人摩手足，須定愈。○產後血不去，麻子酒漬一宿，明日去滓，溫服，不差再服，不吐不下。不得與男子通一月，將養如初。○大便不通，麻子相和為粥食。○大渴日飲數斗，小便赤澀者，麻子一斗，水三升，煮三四沸，取汁飲之。○辛彼毒箭，麻仁數升，杵汁飲之。○風水腹大，腰臍痛，不可轉動，五淋，小便赤，莖中痛，冬麻子一升，杵研濾取汁，和米三合，煮粥，着蔥椒及熟煮，空心服。○妊娠損動後腹痛，冬麻子杵碎熬，水煮取汁，熱濾分服。○產後穢污不盡，腹滿，麻子三兩，酒五升，煮取二升，分溫二服，當下惡物。○小兒赤白痢，多体弱不堪，大困重者，麻子三合，炒令香熟，末，服一錢，蜜漿水和服，立効。○小兒疳瘡，嚼麻子傅之，日六七度。

大麻花 味苦，性微熱，無毒。畏牡蠣，為之使。

經又取大麻日中服子末三升東行茱萸根剉八升漬之平旦服之二升至夜虫下要見鬼者取生麻子菖蒲鬼臼等分杵為丸彈子大每朝向日服一丸服滿百日即見鬼也

白油麻

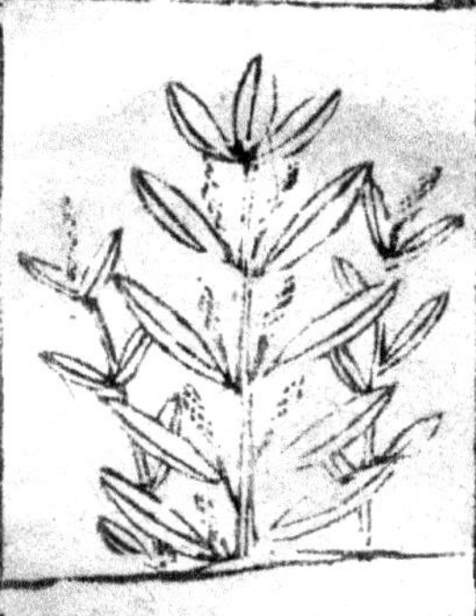

油麻本經舊不著條然古医方多用之

無毒滑腸胃行風氣久食消人肌肉生則寒炒熟則熱仙方蒸以辟穀壓榨為油大寒發冷疾滑精髓發藏腑渴令人脾困然治癰疽熱病効深大感瘡疥塗丹毒熱毒熱風手脚不遂用硝石一大

主治　歐惡風黑色遍身散諸風瘙癢雖抵女人經候不通用之即能調攝

○補註　治生眉毛用七月烏麻花陰乾為末生烏麻油浸每夜傅之○治瘰癧七月七日收麻花五月五日收葉二件作炷子灸瘰癧上灸百壯

大麻根　逐石淋而破宿血治產脹而下胎衣除難產帶下崩中逐瘀折撾打瘀血

○補註　治淋下血麻根十枚水五升煮取二升服血止神效○令湯火大麻根三莖水煎取半升頓服立產衣不下服之下

大麻葉　搗汁能殺蛔蟲或被蠍傷敷之即效

○補註　沐髮令長用桑葉與麻葉合搗浸水沐髮効○主蹉跌折骨痛不可忍用大麻根及葉搗汁一升飲之非時即以麻煮汁亦可小主撾打瘀血心腹滿氣短皆効○根鋪搗水絞取汁服五合主蛇毒搗敷蠍毒効○產難胎衣不下帶下崩中不止以水煮服之良

白麻　味甘氣大寒又云生則氣……溫

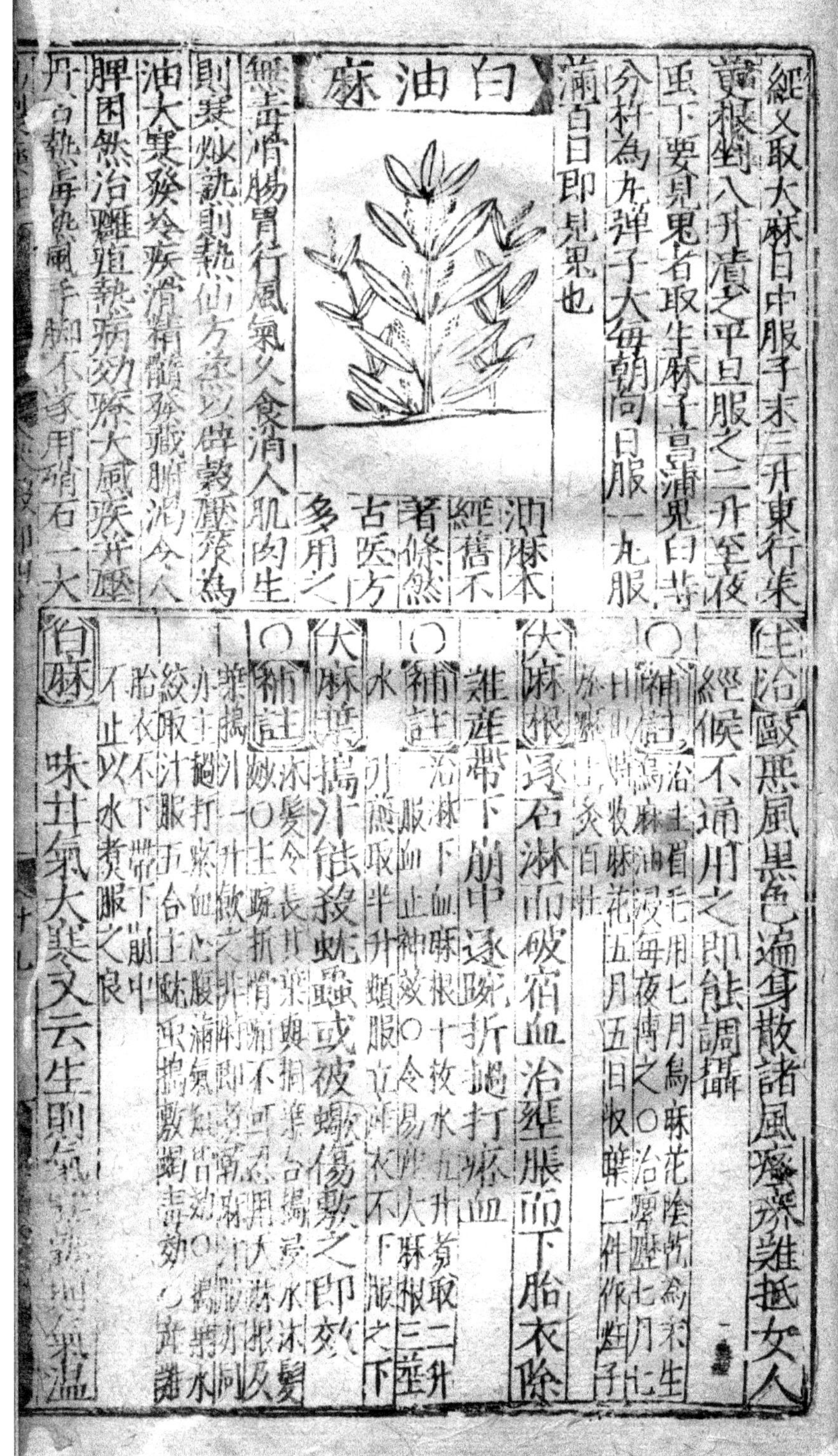

两生麻油二大升合内鐺中以土瓶蓋口以紙泥固濟勿令氣出細進火煎之其藥未熟特氣醒候香氣發即熟更以生麻油二大升和合又微火煎之以意斟酌得所即内不津器中服法患大風者用火為使在室中重作小紙屋子外燃火令患人在紙屋中發汗日服一大合病人力壯日二服上之三七日頭面瘡疥皆滅若服諸丹石藥熱發不得食熱物着厚衣卧厚床者即兩人共服一劑服法如前不用火為使忌風二七日若丹石發即不用此法但取一匙内口中待消盡汗熱除忌如藥法又蚰蜒入耳以麻油作煎餅枕卧須臾蚰蜒自出而差李元淳尚書在河陽蚰蜒入耳無

無毒

【主治】行風氣併頭面浮風治虛勞及身体客熱滑腸胃通便閉結利血脉潤髮枯焦勿久食之抽人肌肉生者嚼爛堪敷頭瘡（臣）擣和漿水沐頭大能去頭風潤髮

○【補註】治喉白油麻一大合清酒半升煎取三合稍冷熱得所去油麻頓服之○豌豆瘡服油麻一升須利即不生白禿効○治蚰蜒如蜘蛛咬用所敷之差○小児急疳瘡爛油麻敷之○小児軟癤焦炒油麻後銚子中取乘熱爛嚼敷之○心痛無問冷熱一合生麻服之即止

【麻油】味冷無毒食物資調紅宿必須熟為佳生食乳動氣及害入藥拯病惟益外科治一切惡瘡療下三焦熱毒推子胞催産搽疥癬殺蟲煎滚沸醋酒換當取微汗散除背癰外腫

訂一日為半月後腦中洪洪有声腦悶不可忍欲以頭自擊門柱奏疾狀危極忽人獻此方乃愈

【孫真人枕中記】麻油一升薤白三斤切内油中微火煎之令薤黑去滓合酒服之半升三合百脉血氣充盛服金石人先宜服此方

〇按衍義云白油麻與胡麻一等但以其色言之比差淡亦不全白今人止謂之脂麻前條已具炒熟乘熱壓出油而謂之生油但可點照須再煎鍊方謂之熟油始可食復不中點照亦一異也如鐵自火中出而謂之生鐵亦此義

合鷄彈芒硝攪服油一合鷄彈一枚芒硝一兩共攪勻服之致火瀉攻下熱毒内疽蜒入耳中枕煎餅自出髮成癥痛飲酒揩吐安大便枯燥難通吹入穀道即潤用人含油滿口以鵝管插穀道内吹進腸中糞潤自通矣小兒閉脹此法極佳陳者熬膏生肌長肉煎炒少食與火無殊脾病及齒病人全忌切勿沾口

〇【補遺】胃咳竟有職虫上下谝齧葱豉食香此是髮虫油煎葱豉令香一日不食開口而啣將油葱豉致口边虫當漸出徐徐以物引去〇傷甚三五日忽有黄則宜服此取生麻油一盞水半盞鷄子白一枚和之熟攪勻一服令盡〇髮癥欲得飲油一升香澤煎之大盆貯安病人頭邊口鼻臨油上勿令得敷及傅之鼻面並令香氣可嗅取飲不得必當疲極眠睡髮癥當從口出前油人等守視之并石灰一裹見癥出以灰粉手捉取癥抽出須更抽盡即是髮也初從腹出形如不流水中濃菜隨髮長短形亦如之無忌〇卒心痛生油半合温服差〇産後胶腸不收用油五斤煉熟以盆盛候温却令産婦坐油盆中

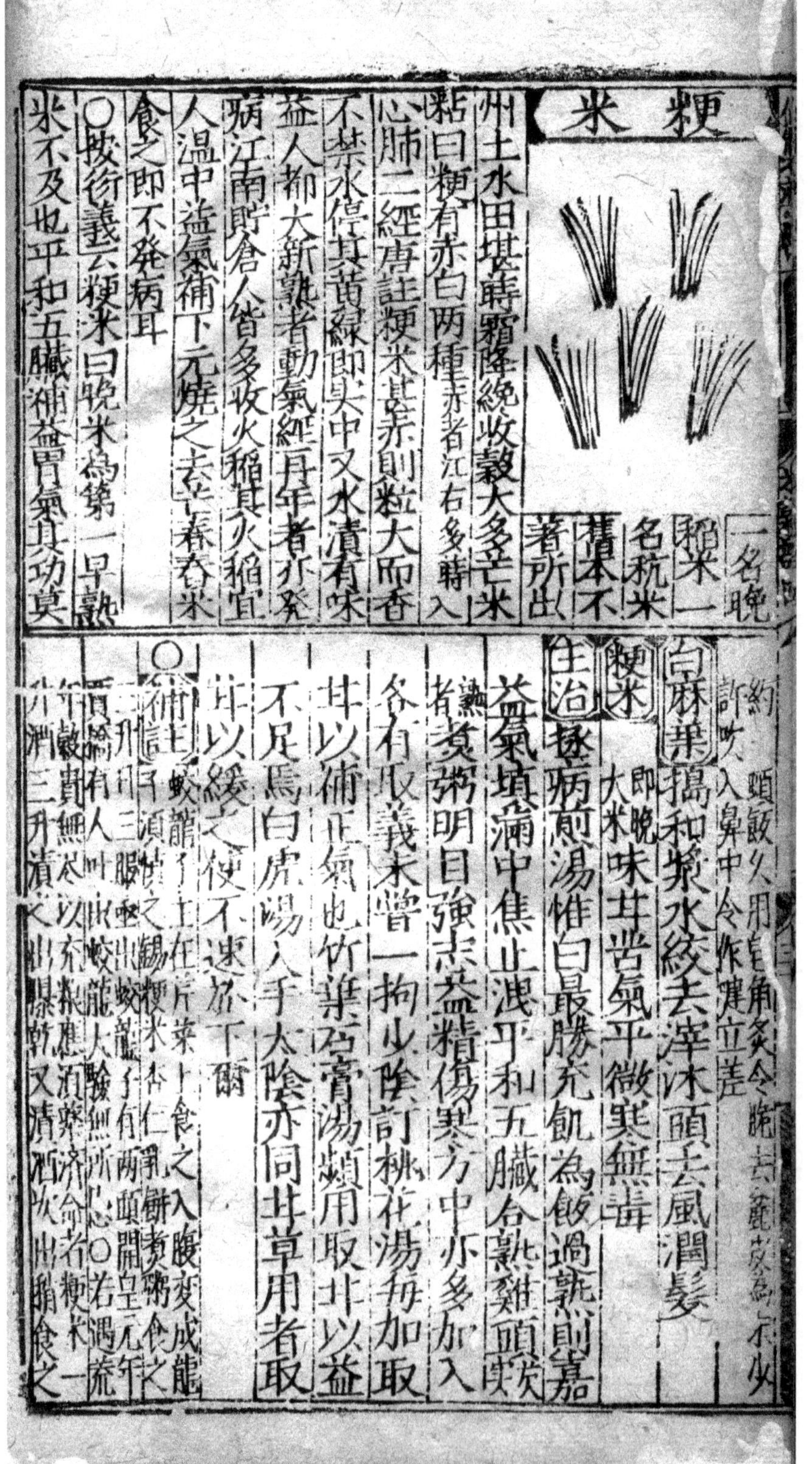

粳米

一名晚粳米一名秔米舊本不著所出州土水田堪蒔霜降後收穀大多芒米粘曰粳有赤白兩種赤者江右多蒔入心肺二經唐註粳米甚赤則粒大而香不禁水停其黃綠即其中又水漬有味益人都大新熟者動氣經再年者亦發病江南貯倉人皆多收火稻其火稻宜人溫中益氣補下元燒之去芒春舂米食之即不發病耳

○按衍義云粳米曰晚米爲第一早熟米不及也平和五臟補益胃氣其功莫

約頭飯久用皂角炙令脆去皮核爲末少許吹入鼻中令作嚏立差

【白麻渠】搗和漿水絞去滓沐頭去風潤髮

【粳米】即晚大米味甘苦氣平微寒無毒

【主治】卒病煎湯惟白最勝充飢爲飯過熟則嘉益氣填滿中焦止洩平和五臟合熟雞頭實炊熟者煮粥明目強志益精傷寒方中亦多加入各有所取義未嘗一拘少陰證桃花湯每加取其以補正氣也竹葉石膏湯煩用取其以益不足焉白虎湯入手太陰亦同甘草用者取其以緩之使不速於下爾

○【補註】蛟龍子生在芹菜上食之入腹變成龍子須慎之餳粳米杏仁乳餅煑粥食之三升日三服吐出蛟龍子有兩頭開皇元年賈橋有人吐出蛟龍大驗無所忌○若遇荒年穀貴無以充糧應須藥濟命者粳米一斗酒三升漬之出曝乾又漬酒盡出稍食之

【陳廩米】

即粳米
貯倉廩
年久致
味變者

陳廩米

味淡鹹酸氣平無毒

【主治】

煖五臟、壯胃、調脾胃、最捷補中益氣、陳血
坐筋易消化、頻止渴煩、下濕熱、止痢、多滋潤、寬解渴煩、下
氣、延年開胃、進食君蒸作飯、和醋能封腫痛
立差、研汁下咽去卒心痛、惟忌馬肉同食恐
發癰疽疾誰瘳

【補註】倉廩米炊作飯、食之止痢、又補中益
水浸令人熱、作糜食之益丹、新粟米炊
飯、令人熱中、陳者食之益人

【秈米】

一名粘米本草、本經〇逆不載

【補】
之快、早秋便可收、五穀長無

和蜜糖食之不止即死
水浸令人急糜和蜜糖食之不止即死

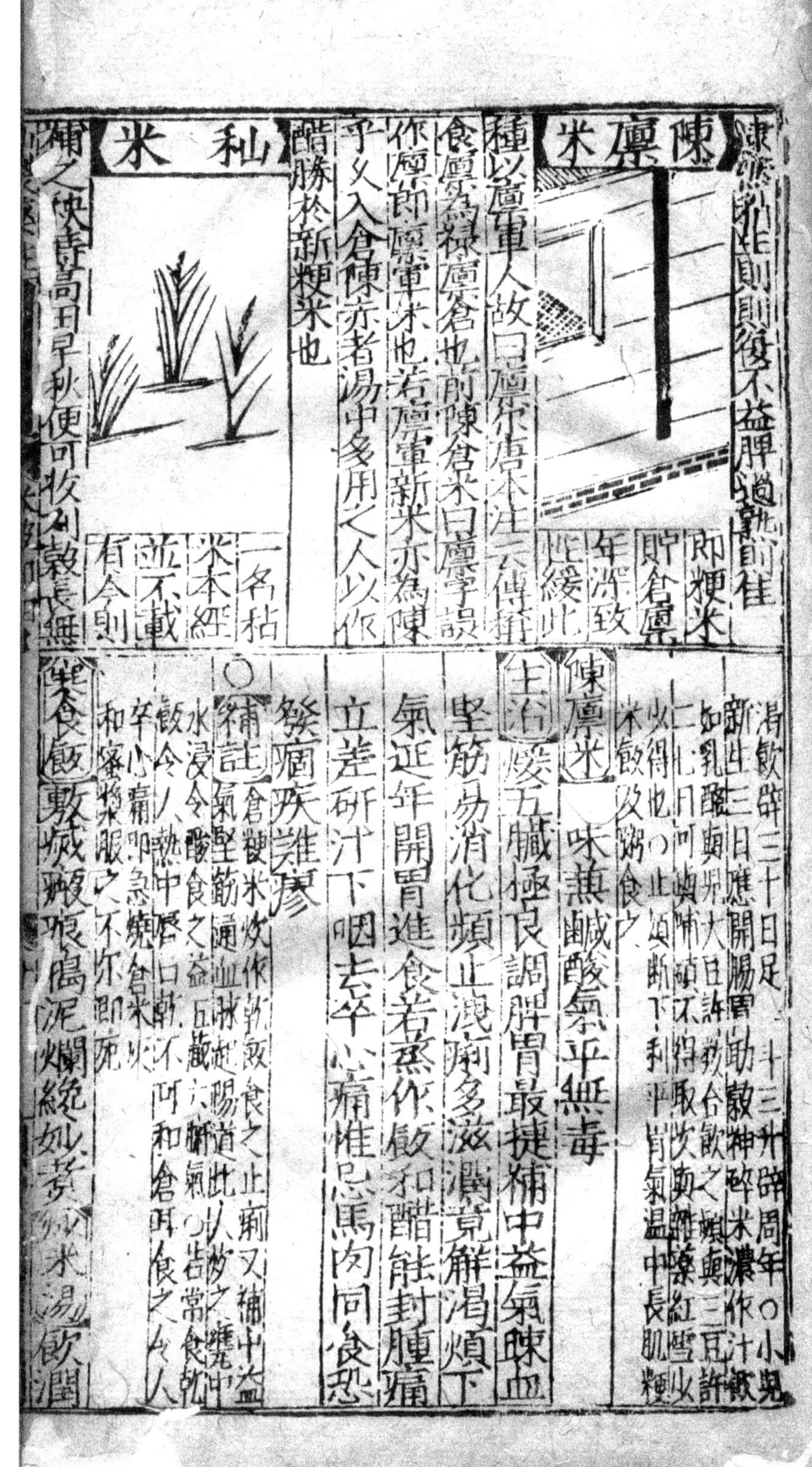

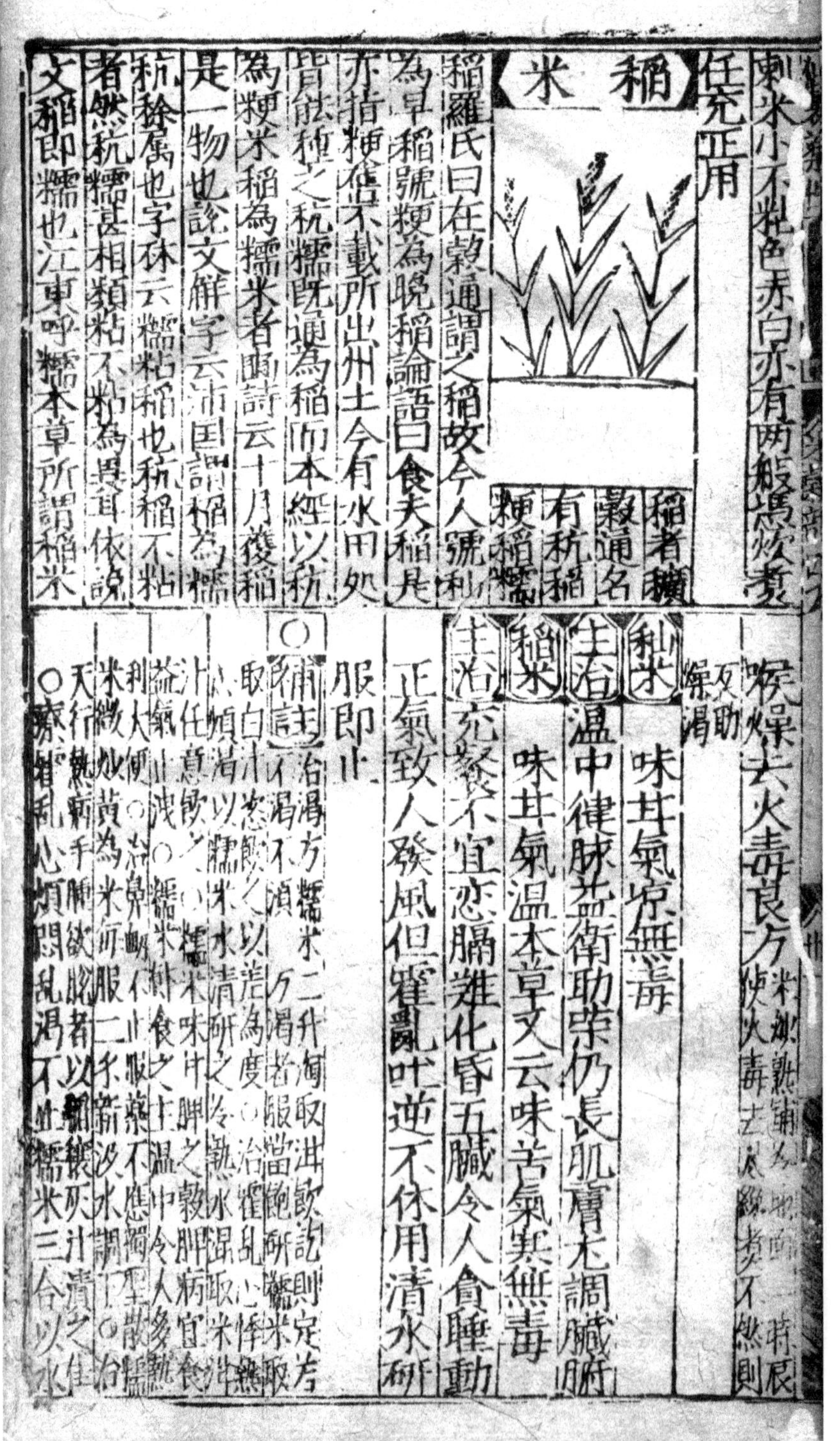

粳米小不粘色赤白亦有兩般焉忽炊煮

任充正用

稻米

稻者糯
穀通名
有秔稻
粳稻糯

稻羅氏曰在穀通謂之稻故今人號秔
為旱稻號粳為晚稻論語曰食夫稻是
亦指粳也不載所出州土今有水田處
皆能種之秔糯既通為稻而本經以秔
為粳米稻為糯米者爾詩云十月穫稻
是一物也說文解字云沛國謂稻為糯
秔稌屬也字林云糯粘稻也秔稻不粘
者然秔糯甚相類粘不粘為異耳依說
文稻即糯也江東呼糯本草所謂稻米

喉燥去火毒良方米炒熟鋪於地一宿使火毒去後纔煮不然則

反助燥渴

秫米 味甘氣凉無毒

主治 温中健脾益衛助榮仍長肌膚大調臟腑

稻米 味甘氣温本草文云味苦氣寒無毒

主治 充饑不宜恋膈難化昏五臟令人貪睡動
正氣致人發風但霍亂吐逆不休用清水研
服即止

○附註 治渴方糯米二升淘取泔飲訖則定考
不渴不須方渴者服當飽研糯米取
取白汁恣飲之以差為度○治霍乱心悸熱
心煩渴以糯米水清研之冷熟水混取米泔
汁任意飲之○糯米味甘脾之穀脾病宜食
益氣止泄○糯米煮食之主温中令人多熱
利大便○治鼻衄不止服藥不應獨聖散糯
米微炒黃為米研服二錢新汲水調下○治
天行熱病手脚欲脫者以糯糧灰汁漬之佳
○療霍乱心煩悶乱渴不止糯米三合以水

者今之糯米耳陶以糯為粳不知稻是粳故說之不曉許氏說文解字曰秫稷之粘者稻秫也沛国謂稻為秫又急就篇云稻黍秫稷左太冲蜀都賦云粳稻漠漠益知稻即粳其糯並出矣然後以稻是有芒之穀故於後或通呼粳糯總謂之稻孔子曰食夫稻周官有稻人之職漢置稻田使者此並指秔稻糯之一色所以後人混稱不知稻本是糯耳陳藏器云糯米性微寒妊身與雜肉食之不利子作糜食一斗主消渴久食之令人身軟黍米及糯飼小猫犬令脚屈不能行緩人筋故也又云粳米性寒使人多睡發風動氣不可多食又霍亂後吐吐逆不止青水研一椀飲之即止陳云

五升細研和蜜一合研濾取汁分兩服○治金瘡水毒及竹木簽刺癰疽熱毒等糯米三升揀去粳米入瓷盆內於端午前四十九日以冷水浸之一日兩度換水輕以手淘轉逼去水勿令攪碎浸至端午日取出陰乾生絹袋盛掛通風處旋取少許炒令焦黑研為末以冷水調如膏藥隨大小裹定瘡口外以絹帛包定更不惡動直候瘡愈若金瘡誤犯生水瘡口作膿洪腫漸甚者急以藥膏裹定一二食久其腫處已消更不作膿直候瘡合若癰疽毒瘡初發纔覺焮腫赤熱急以藥膏貼之明日揭看腫毒一夜便消喉閉及咽喉腫痛吒腮並用藥貼項下及腫處竹木簽刺者臨卧貼之明日看其刺出在藥內若貼腫處乾即換之常令濕為妙惟金瘡及水毒不可換恐傷動瘡口

【稻穰】即稈也治蠱毒作脹【稻稈】又云稻穰療黃病如金色煮汁浸之又稻穀芒炒令黃細研為末酒服之

【稻稈灰】治跌損淋汁浸痛漸生胡南李從事治馬墜撲損用稻稈燒灰用新熟酒未壓者和糟入鹽和合淋前灰取汁以淋痛處立差直至背損亦可淋用好糟淋灰亦得不必新壓酒也

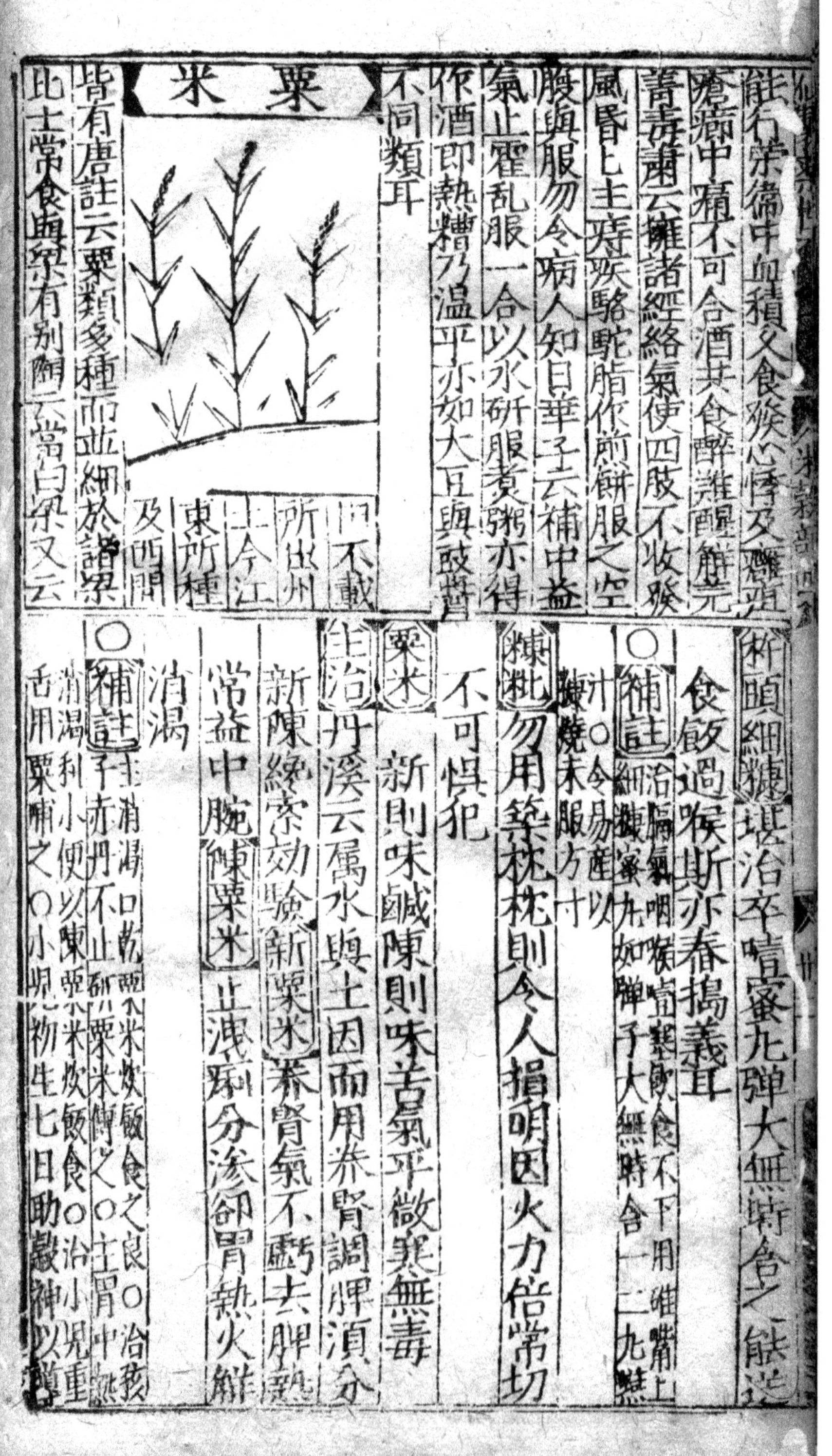

能行榮衛中血積久食殘心悸及癰疽瘡癬中痛不可合酒共食醉難醒解芫菁毒蕭炳云擁諸經絡氣使四肢不收發風昏⌞主痔疾騾駝脂作煎餅服之空腹與服勿令病人知日華子云補中益氣止霍亂服一合以水研服煑粥亦得作酒即熱糟乃溫平亦如大豆與豉醬不同類耳

粟米

四不載所出州土今江東所種及西間皆有唐註云粟類多種而並細於諸梁比土常食與梁有別陶云當白梁又云

〔析頭細糠〕堪治卒噎蜜丸彈大無時含之能運食飯過喉其斯亦舂擣義耳

○〔補註〕治膈氣咽喉噎塞飲食不下用碓觜上細糠蜜丸如彈子大無時含一二丸嚥汁○令易產以糠燒末服方寸

〔糠粃〕勿用簇杵杵則令人損明因火力倍常切不可惧犯

〔粟米〕新則味鹹陳則味苦氣平微寒無毒

〔主治〕丹溪云屬水與土因而用养腎調脾須分新陳經索効驗〔新粟米〕养腎氣不虧去脾熱常益中脘〔陳粟米〕止洩痢分滲卻胃熱火解消渴

○〔補註〕主消渴口乾陳粟米炊飯食之良○治孩子赤丹不止研新粟米傅之○主胃中熱消渴利小便以陳粟米炊飯食○治小兒重舌用粟哺之○小兒初生七日助穀神以導

或呼為粢々則是稷々乃稌之異名也
南方多畬田種之極易舂粒細香美少
虛怯秪於灰中種之又不鋤治故也得
北田種之若不鋤之即草翳死若鋤之
即難舂都由土地使然耳但取好地肥
瘦得所由熟犁又細鋤即得滑實
粳粟最硬易化解小麥虛熱【糵米】雖粘
收牆胃上遲此々

秫米

此米功用是稻秫也今大都呼粟糯為秫稻秫為糯矣北土亦多以粟秫釀酒而汁少於黍米粟秫雖有別功但本草

逆腸胃研粟米煮粥飲厚薄如乳每日研煮
半粟穀

【粉】理氣劣食停仍止嘔逆

○【補註】解諸毒主卒得鬼打水攪服之亦主熱
腹痛鼻衄並水煮服之秔粟總堪為粉
粟糯浸米至敗者損人○治反胃食即吐擣
粟米作粉和水丸如梧子大七枚爛內醋中
細吞之得下便已麪亦得用之○主脾胃氣
弱食不消化嘔逆反胃湯飲不下粟米半升
杵如粉水和丸如梧子大煮令熟點少鹽空
心和汁吞下○粢米粉敷令黑以雞子白和
如泥以塗帛上貼之帛作穴以洩癰毒氣易
之效

【糗】除寒中熱渴更實大腸

○【補註】糗一名麨昌以切味酸寒和水服之解
煩熱止洩實大腸壓石熱止渴河東人
以麥為之麤者為乾糗糧東人以粳米為之
炒乾擣而成也

【泔】主霍亂轉筋[illegible]飲數升立愈【臭泔】除煩渴毆

熟【酸泔】洗瘡疥殺虫

○【補註】泔新研米漬水和濾取汁服胃熱者不
宜多食酸泔洗皮膚瘡疥服主五野雞

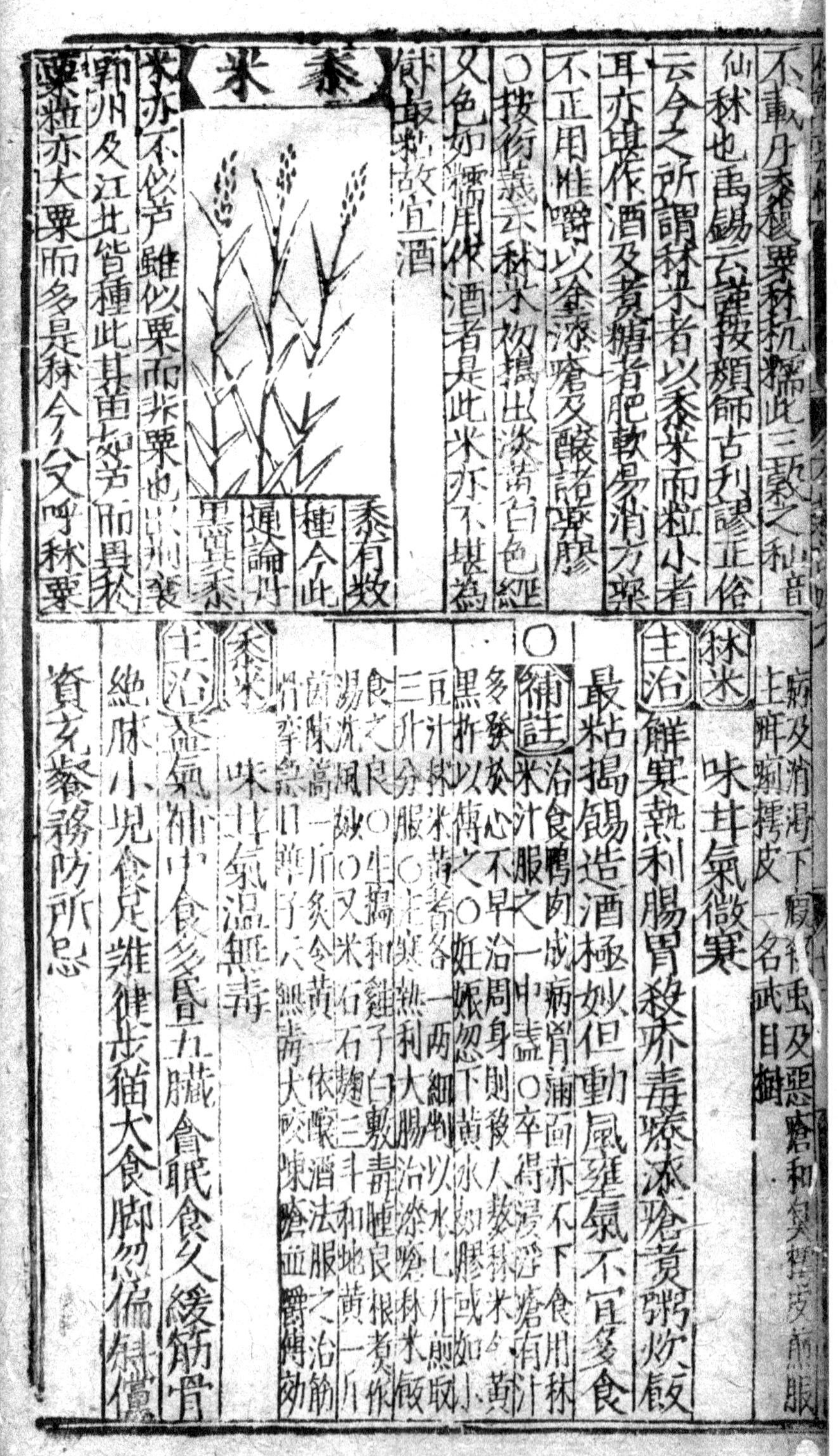

不載丹黍稷粟秫杭糯此三穀之秈音仙秫也禹錫云謹按顏師古刊謬正俗云今之所謂秫米者以黍米而粒小者耳亦堪作酒及煮糖者肥軟易消方藥不正用惟嚼以塗漆瘡及釀諸藥膠○按衍義云秫米初搗出淡黄白色經久色如糯用作酒者是此米亦不堪為飯最黏故宜酒

黍米

黍有數種今此運論丹黑黍米亦不似蘆雖似粟而非粟也出荊襄郢州及江北皆種此其苗如蘆而異於粟粒亦大粟而多是秫今人又呼秫粟

病及消渴下痢蟲及惡瘡和臭樗皮煎服

上脾痢樗皮一名武目樹

秫米 味甘氣微寒

主治 解寒熱利腸胃殺疥毒療漆瘡煮粥炊飯最粘搗餳造酒極妙但動風壅氣不宜多食

○**補註** 治食鴨肉成病胸滿面赤不下食用秫米汁服之一中盞○卒得浸淫瘡有汁多發於心不早治周身則殺人敖秫米令黄黑杵以傅之○妊娠忽下黄水如膠或如小豆汁秫米黄耆各一兩細剉以水七升煎取三升分服○主寒熱利大腸治漆瘡秫米飯食之良○生搗和雞子白敷毒腫良根煮作湯洗風○又米一石麴三斗和地黄一斤茵陳蒿一斤炙令黄一依醸酒法服之治筋骨攣急口噤○六畜無毒犬咬凍瘡並嚼傅効

黍米 味甘氣溫無毒

主治 益氣補中食多昏五臟貪眠食久緩筋骨絕脈小兒食之難健步猶犬食脚忽偏斜儻資充養務防所忌

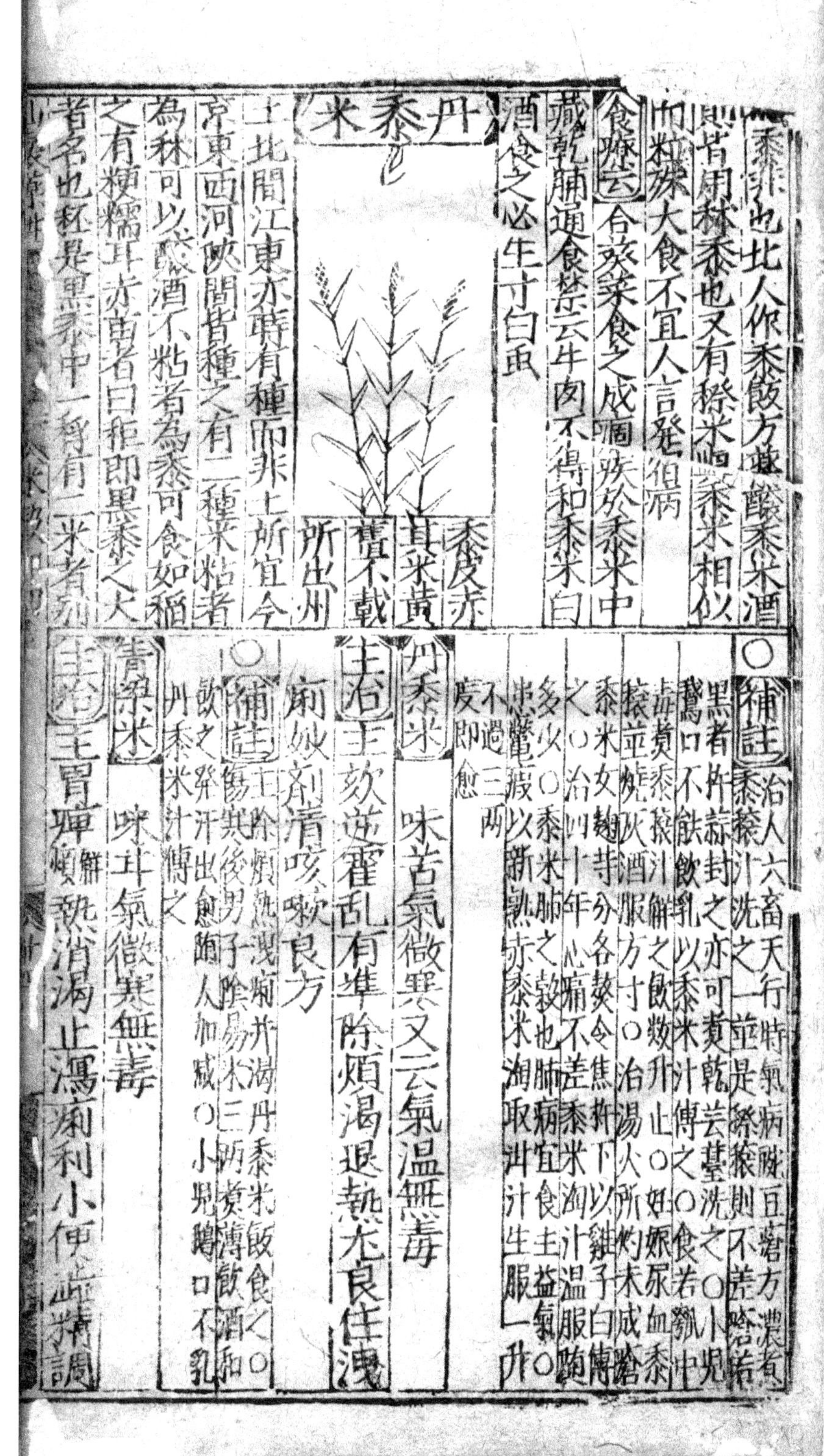

黍非也北人作黍飯方壺釀黍米酒
則皆用秫黍也又有穄米與黍米相似
而粒殊大食不宜人言發宿病
食療云 合葵菜食之成痼疾於黍米中
藏乾脯通食禁云牛肉不得和黍米白
酒食之必生寸白蟲

丹黍米

土北間江東亦時有種而非土所宜今
京東西河陝間皆種之有二種米粘者
為秫可以釀酒不粘者為黍可食如稻
之有粳糯耳赤黃者曰秬即黑黍之大
者名也秬是黑黍中一稃有二米者別

○補註 治人六畜天行時氣病豌豆瘡方濃煮
黍穰汁洗之一莖是穄穰則不差瘡若
黑者亦誅封之亦可煑乾芸薹洗之○小兒
鵞口不能飲乳以黍米汁傅之○食苦瓠中
毒煑黍穰汁解之飲數升止○妊娠尿血黍
穰莖燒灰酒服方寸○治湯火所灼未成瘡
黍米女麴等分各熬令焦搗下以雞子白傅
之○治四十年心痛不差黍米淘汁溫服隨
多少○黍米肺之穀也肺病宜食主益氣○
患鼈瘕以新熟赤黍米淘取泔汁生服一升
不過三兩
度即愈

丹黍米 味苦氣微寒又云氣溫無毒

主治 主欬逆霍亂有準除煩渴退熱尤良住洩
痢嫩劑消咳嗽良方

○補註 主除煩熱洩痢并渴丹黍米飯食之○
傷寒後男子陰易黍米三兩煑薄飲酒和
飲之發汗出愈隨人加減○小兒鵝口不乳
用黍米汁傅之

青粱米 味甘氣微寒無毒

主治 主胃痺解煩熱消渴止瀉痢利小便益精調

冬為秬者然秬秠皆黑黍矣周礼注亦以一稃二米者為秬一米者為異黍後漢和帝特任城縣生黑黍或三四实实二米得三斛八斗是也古之定律以上黨黑秬黍之中者累之以生律度量衡後之人取此黍定之終不能協律一說秬黍之中者乃一稃二米之黍也此黍得天地中和之氣乃生蓋不常有有則一穗皆同二米米粒皆匀無大小得此然後可以定鍾律古今所以不能協声律者以無此黍也他黍則不然地有肥瘠歲有凶穰則米之大小不常何由知其中者此說為信然矣

胃和脾補中益氣久服輕身

○【補註】消渴者煮汁飲之差○律脾治洩痢醋拌百蒸百晒可作糗粮○辟穀青粱米以純苦酒一斗漬之三日出百蒸百晒好裹藏之遠行一飧十日不飢重飧四百九十日不飢又方以米一斗赤石脂三斤合以水漬之令足相滲置於暖処一二日上清白衣擣為丸如李大日服三丸不飢謹按炎宋五符經中白鮮米九蒸九暴作辟穀粮

○大抵人多種粟而少種粱以其損地力而收穫少而諸粱亦食之比他穀最益脾胃性亦相似耳粱米比粟乃細而圓種類亦多功用則無別矣其泔汁及米粉皆入藥近世作英粉乃用粟米浸累日令敗研澄取之今人用去疿瘡尤佳

【白粱米】味甘氣微寒無毒

【主治】除胸膈客熱移五臟熱氣續筋骨奇方益

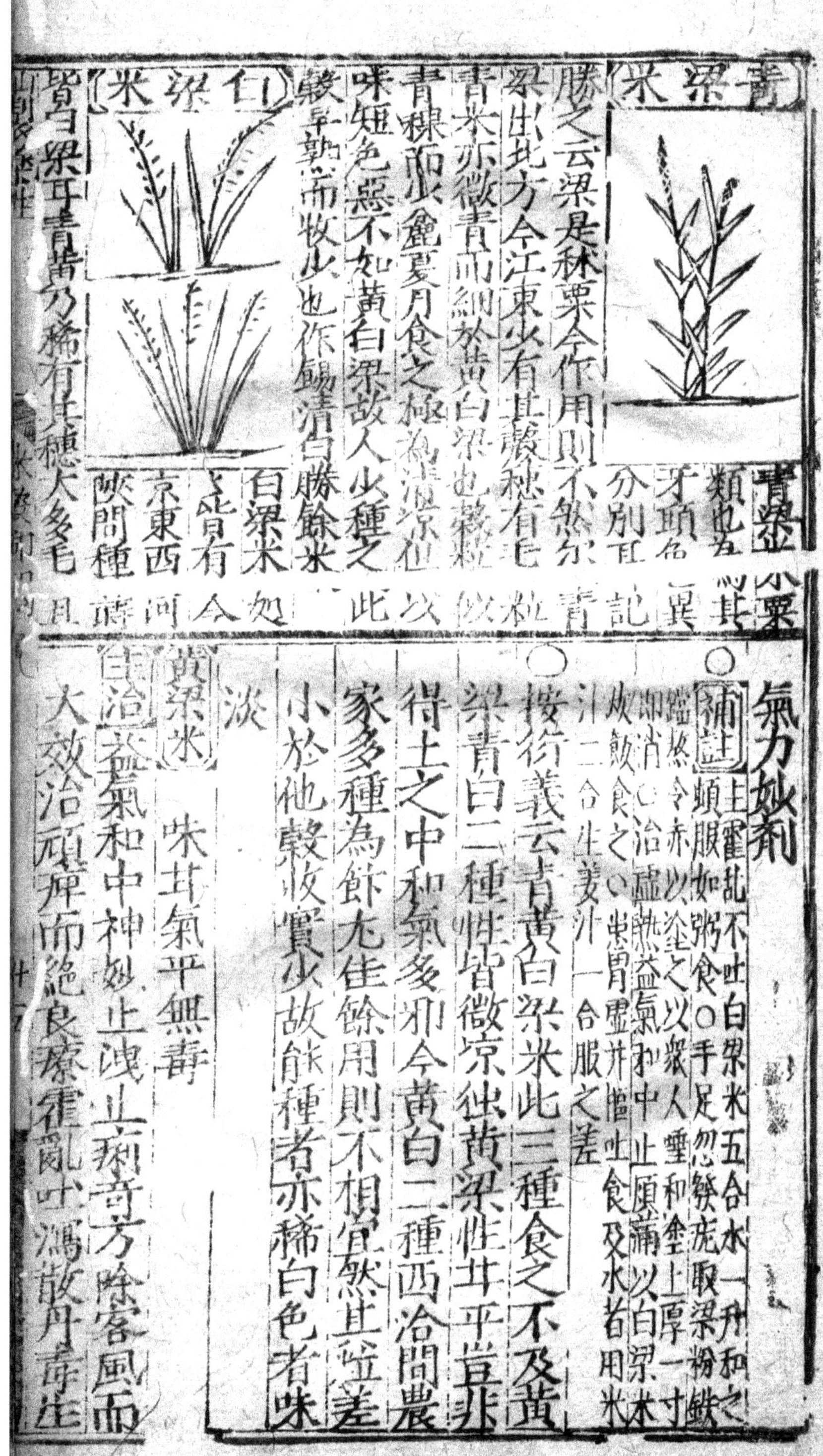

青粱米

青粱 粟

類也其

牙頭色異

分別耳記

勝之云粱是秋粟今作用則不然尔青

粱出北方今江東少有其穀穗有毛粒

青米亦微青而細於黄白粱也穀粒似

青粿而狹食夏月食之極為清凉但以

味短色惡不如黄白粱故人少種之此

穀早熟而收少也作餳清白勝餘米

白粱米

白粱米如

之皆有今

京東西河

陝間種壽

皆粱米青黄乃稀有其穗大多毛且

氣力如莉

補註 上霍亂不吐白粱米五合水一升和之頓服如粥食○手足忽皴痛取粱粉鐵鐺炒令赤以塗之以衆人唾和塗上厚一寸即消○治虛熱益氣和中止煩痛以白粱米炊飯食之○患胃虛并嘔吐食及水者用米汁二合生姜汁一合服之差

○按衍義云青黄白粱米此三種食之不及黄粱青白二種性皆微凉独黄粱性甘平豈非得土之中和氣多耶今黄白二種西洛間農家多種為飰尤佳餘用則不相宜然其粒差小於他穀收實少故能種者亦稀白色者味淡

黄粱米　味甘氣平無毒

治　益氣和中神妙止洩止痢奇方除客風而大效治頑痺而絕良療霍亂吐瀉散丹毒生

長者粱者相似而白粱穀麄而長不似粟圓也米亦白而大食之香美為黄粱之亞矣陶隱云竹根竹根乃黄粱非白粱然粱雖粟類細論則別謂作粟飡殊乖的稱也

黄粱米

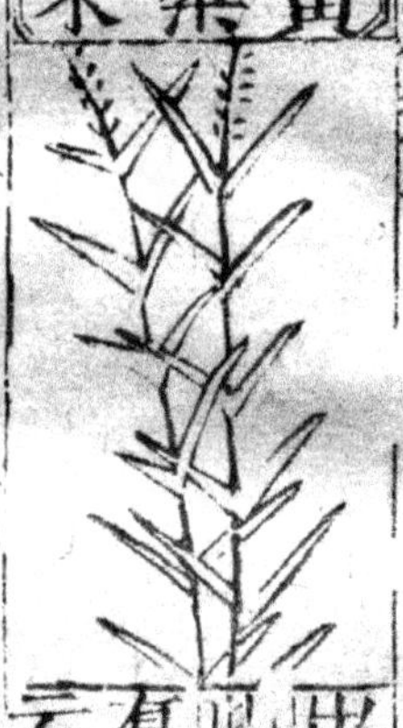

出青冀州東間不見有尓舊註云黄粱出蜀漢兩浙間亦種之穗大毛長穀米俱麤於白粱而收子少不耐水旱食之香美過於諸粱人號為竹根黄而陶注白粱云襄陽竹根者是此乃黄粱非白粱也

瘡

〇補註 小兒面身生瘡如火燒以一升末蜜水和傅之差為度〇治霍乱煩燥以黄粱米粉半升水升半和絞如白飲頓服糯米亦得〇治霍乱吐下後大渴多飲則殺人黄粱米五升水一斗煮取三升清澄稍稍飲之〇主益气和中去當風卧濕遇冷所中寺病以作飲食之〇治孩子赤丹不止土番黄米粉雞子白和傅之

穄米

味甘氣冷無毒

主治 治發熱而壓丹石之毒發於氣而解苦瓠之毒補諸不足益氣添精

〇補註 蒸之並熟人家用作提拂以將掃地食苦瓠毒莫汁飲之即止又破提掃煮取汁浴之去浮腫又和小豆煮汁服之下小便〇治脚气冲心悶洗脚漬脚湯以穄穰一石內釜中多煮取濃汁入滓內板日一升更煎十餘沸漬脚三兩度如冷温漬洗差〇益氣力安中補不足利胃宜脾穀米鈎食之良

〇按衍義云穄米今謂之穄米先謂米糜之

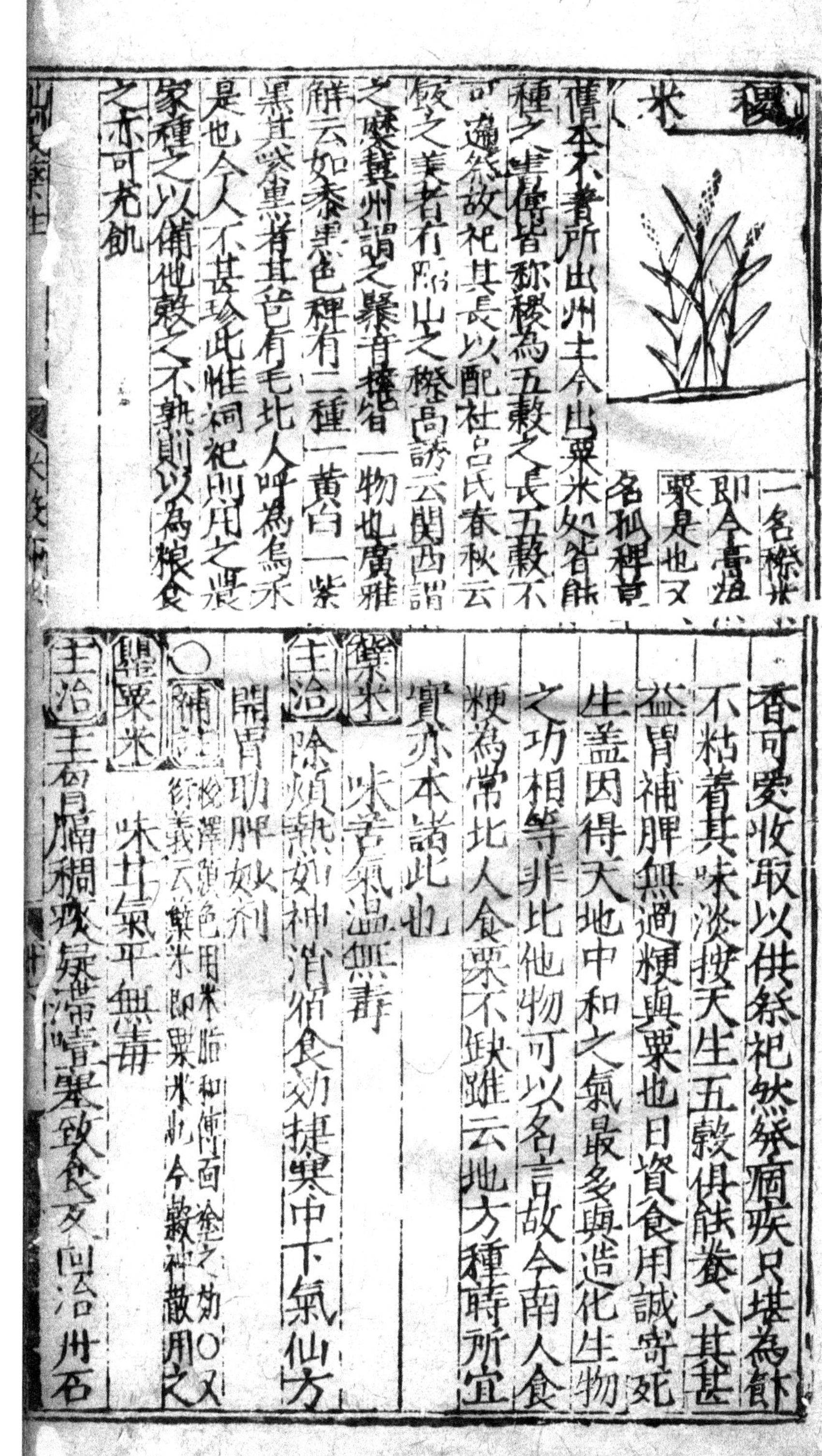

稷米

一名穄米即今高粱粟是也又名狐狸草

舊本不著所出州土今出粟米処皆能種之書傳皆稱稷為五穀之長五穀不可遍祭故祀其長以配社呂氏春秋云飯之美者有陽山之穄高誘云關西謂之糜冀州謂之鑒音檗皆一物也廣雅云如黍黑色稷有二種一黃白一紫黑其紫黑者其芑有毛北人呼為烏禾是也今人不甚珍此惟祠祀則用之農家種之以備他穀之不熟則以為粮食之亦可充飢

香可愛收取以供祭祀然発痼疾只堪為飰不粘着其味淡按天生五穀俱能養人甚益益胃補脾無過粳與粟也日資食用誠寄死生蓋因得天地中和之氣最多與造化生物之功相等非比他物可以名言故今南人食粳為常北人食粟不缺雖云地方種時所宜實亦本諸此也

稷米　味苦氣溫無毒

主治　除煩熱如神消宿食効捷與中下氣仙方開胃功脾如剤

○**補遺**　稷澤潤色用米脂和傅面塗之効○又衍義云稷米即粟米此今穀神散用之

粱粟米　味甘氣平無毒

主治　主脾胃膈稠痰疑滞嗜饐寒致食反胃治用石

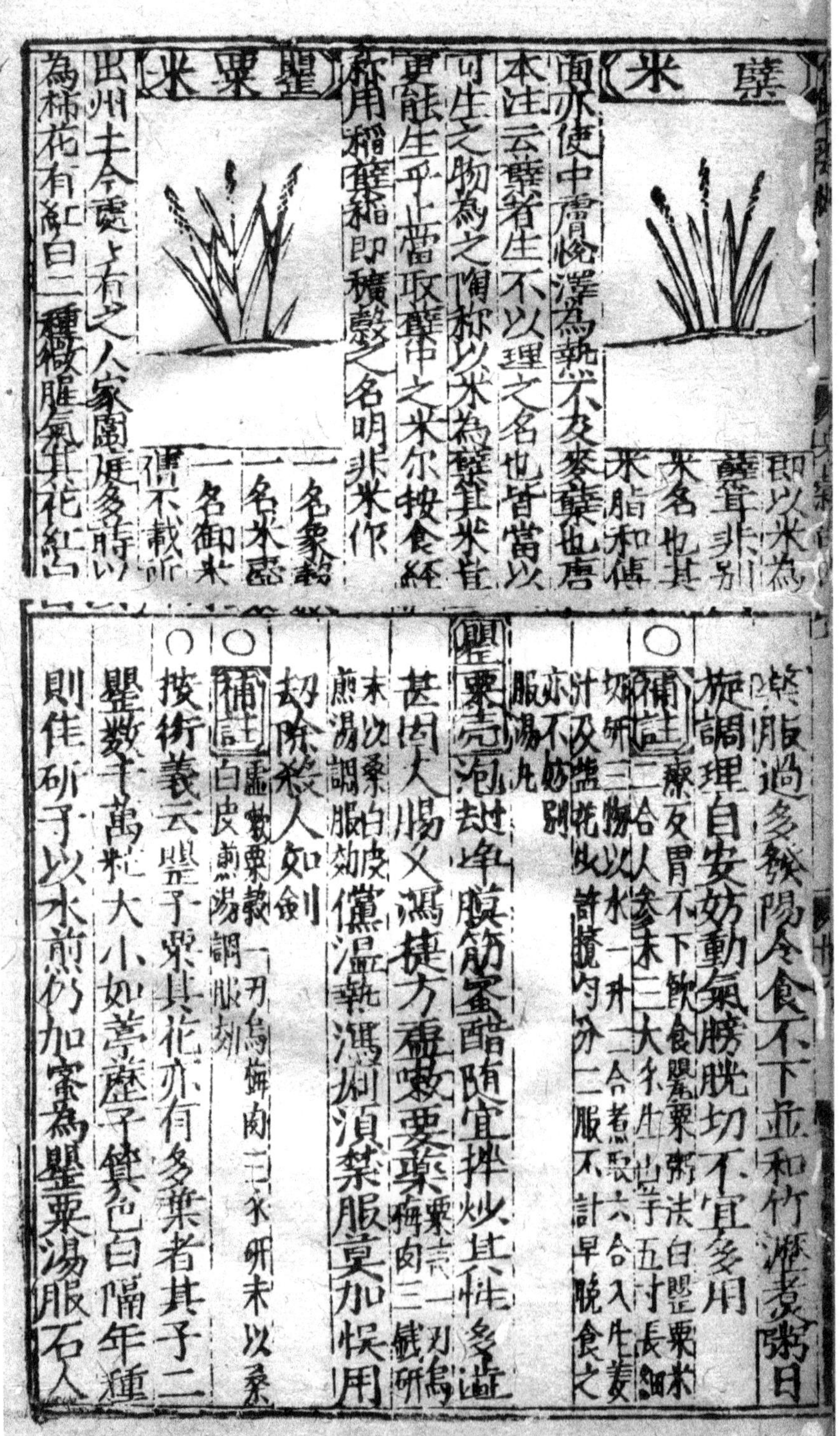

蘗米

即以米為蘗耳非別米名也其米脂和傳
而不使中膏悅澤為熱不及麥蘗也唐
本注云蘗者生不以理之名也皆當以
可生之物為之陶稱以米為蘗其米豈
更能生乎止當取蘗中之米尔按食經
亦用稻蘗稻即穬穀之名明非米作

罌粟米

一名象穀 一名米囊 一名御米 傳不載所
出州土今處處有之人家園庭多蒔以
為飾花有紅白二種微腥氣其花紅白

餘服過多發陽令食不下並和竹瀝煮粥日
旋調理自安妨動氣膀胱切不宜多用

○【補註】療反胃不下飲食罌粟粥法白罌粟米二合人參末三大錢生山芋五寸長細切研三物以水一升二合煮取六合入生薑汁及鹽花少許攪勻分二服不計早晚食之亦不妨別服湯丸

【罌粟殼】泡過去筋膜蜜醋隨宜拌炒其性多澀
甚固大腸久瀉捷方療嗽要藥罌粟殼一兩烏梅肉三錢研末以桑白皮煎湯調服效
儻濕熱瀉痢須禁服莫加悞用
劫除殺人如劍

○【補註】虛嗽罌粟殼一兩烏梅肉二三个研末以桑白皮煎湯調服効

○按衍義云罌子粟其花亦有多葉者其子一
罌數千萬粒大小如葶藶子其色白隔年種
則佳研子以水煎仍加蜜為罌粟湯服石人

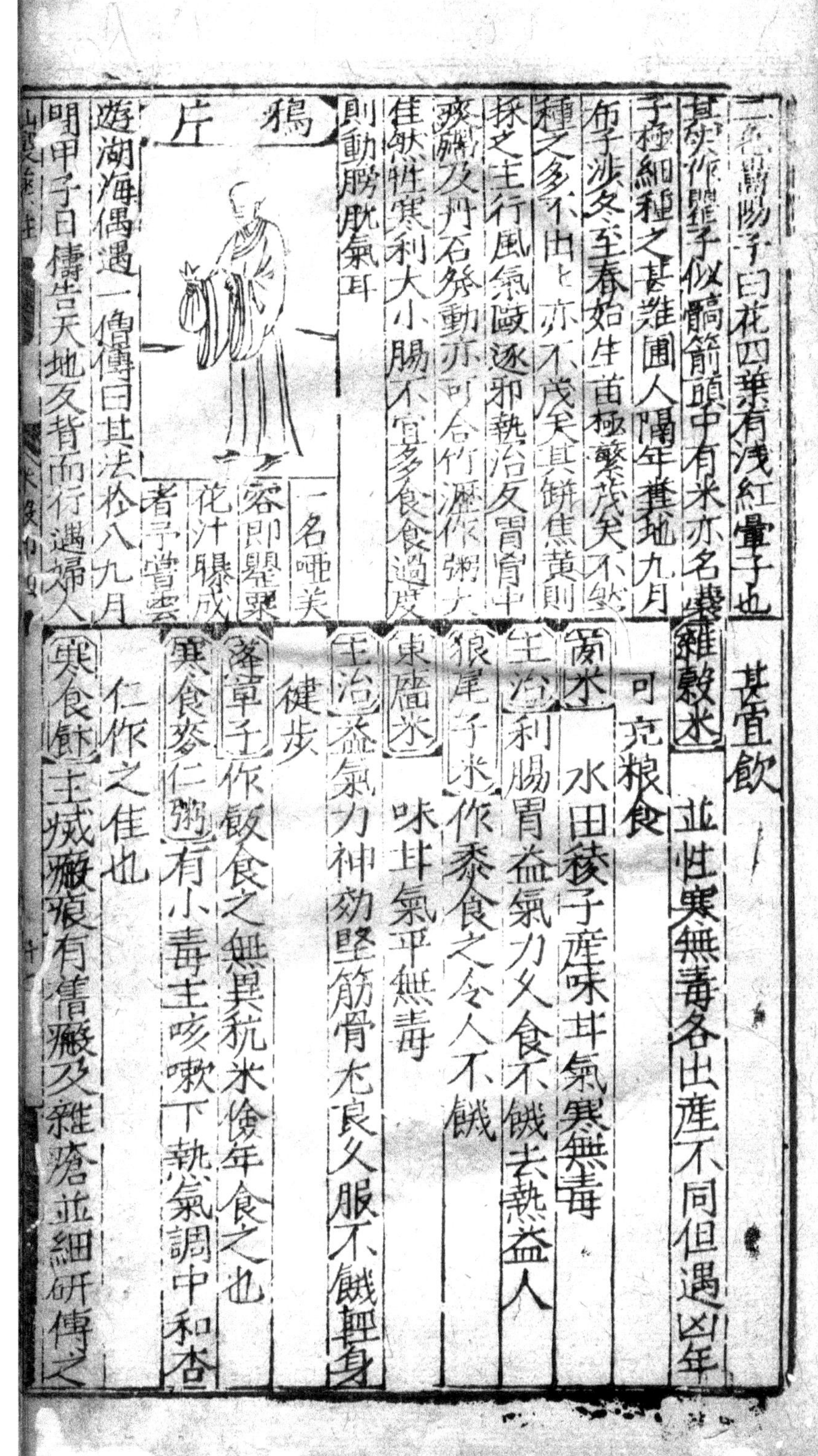

一名[illegible]子曰花四葉有淺紅暈子也其實作罌子似髇箭頭中有米亦名囊子極細種之甚難圃人隔年糞地九月布子涉冬至春始生苗極繁茂矣不然種之多不出出亦不茂矣其餅焦黃則採之主行風氣驅逐邪熱治反胃胸中痰滯及丹石發動亦可合竹瀝作粥大佳然性寒利大小腸不宜多食食過度則動膀胱氣耳

一名啞芙蓉即罌粟花汁釀成者予嘗雲遊湖海偶遇一僧傳曰其法於八九月明甲子日禱告天地及背而行遇婦人

甚宜飲

雜穀米 並性寒無毒各出產不同但遇凶年可充粮食

蜀米 水田稜子產味甘氣寒無毒

主治 利腸胃益氣力久食不饑去熱益人

狼尾子米 作黍食之令人不饑

東廧米 味甘氣平無毒

主治 益氣力神効堅筋骨尤良久服不饑輕身健步

蓬草子 作飯食之無異秔米儉年食之也

寒食麥仁粥 有小毒主咳嗽下熱氣調中和杏仁作之佳也

寒食飯 主滅瘢痕有舊瘢及雜瘡並細研傅之

虞々就地掘土用衣褁回拌子種之待
來年二三月間乘露摘花分紅白二色
用白布絞取汁日內晒曝令乾即成鴉
片白花白色紅花紅色其葉即緣色用
之入藥甚驗止痢醒酒壯陽

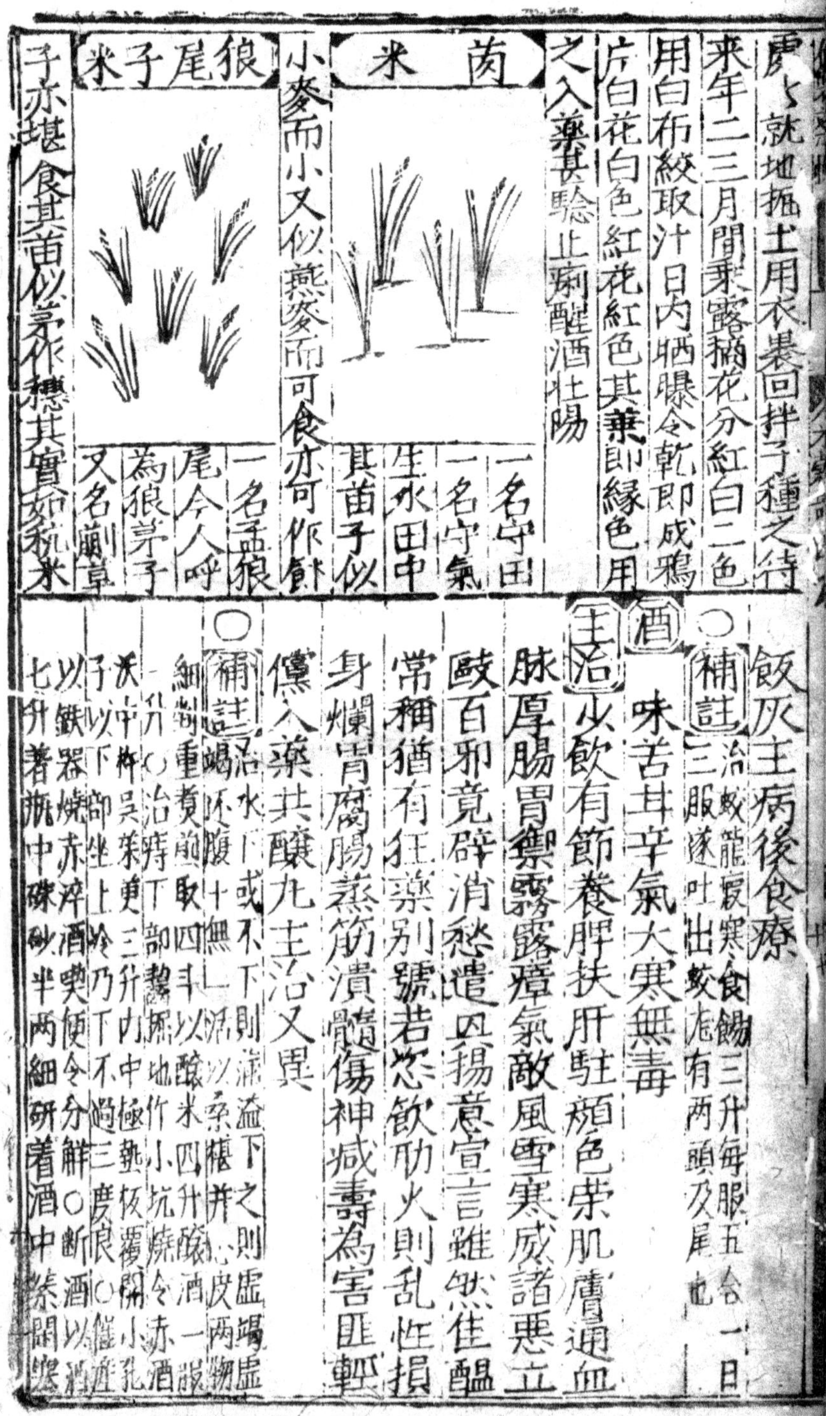

菌米

一名守田
一名守氣
生水田中
其苗子似
小麥而小又似燕麥而可食亦可作餅

狼尾子米

一名孟狼
尾今人呼
為狼茅子
又名蒯草
子亦堪食其苗似茅作穗其實如秈米

飯灰主病後食療

○補註 治蛟龍瘕寒食餳三升每服五合一日三服遂吐出蛟龍有兩頭及尾也

酒

味苦甘辛氣大寒無毒

主治 少飲有節養脾扶肝駐顏色榮肌膚通血
脉厚腸胃禦霧露瘴氣敵風雪寒威諸惡立
歐百邪竟辟消愁遣因錫意宣言雖然佳醞
常稱猶有狂藥別號若恣飲助火則乱性損
身爛胃腐腸蒸筋潰髓傷神減壽為害匪輕
儻入藥共釀九主治又異

○補註 治水下或不下則滿溢下之則虛竭虛竭反腹十無一活以桑根并白皮兩物
細剉重煑煎取四斗以釀米四升釀酒一服
一升○治痔下部蟄掘地作小坑燒令赤酒
沃中杵吳茱萸三升内中極熱板覆開小孔
子以下部坐上冷乃下不過三度良○催產
以鐵器燒赤淬酒與便令分解○斷酒以酒
七升著瓶中硃砂半兩細研著酒中紮閉塞

所作黍生澤地中又云似麥粒而小

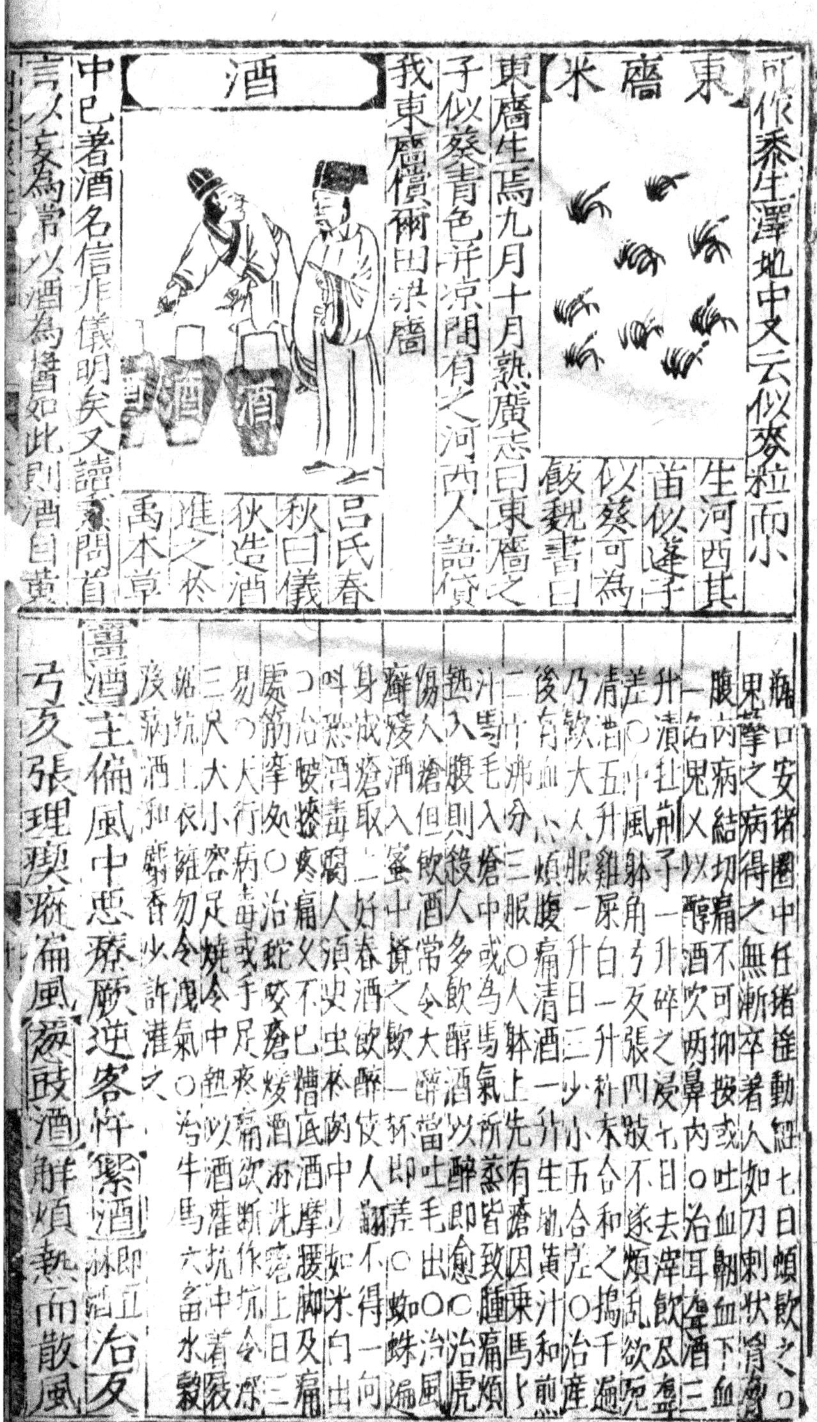

生河西其苗似蓬子似蔡可為飯魏書曰東廧生焉九月十月熟廣志曰東廧之子似葵青色并涼間有之河西人語儥我東廧儥爾田梁廧

呂氏春秋曰儀狄造酒進之於禹本草中巳著酒名信作儀明矣又讀素問首言以妄為常以酒為漿如此則酒自黃

瘑口安豬圈中任豬搖動經七日頓飲之○鬼擊之病得之無漸卒著人如刀刺狀胷脅腹內病結切痛不可抑按或吐血衄血下血一名鬼排以醇酒吹兩鼻內○治耳聾酒三升漬牡荊子一升碎之浸七日去滓飲盡差○治中風躰角弓反張四肢不遂煩亂欲死清酒五升雞屎白一升搗末合和之搗千遍乃飲大人服一升日三少小五合差○治產後有血心煩腹痛清酒一升生地黃汁和煎二十沸分三服○人躰上先有瘡因乘馬馬汁馬毛入瘡中或為馬氣所蒸皆致腫痛煩熱入腹則殺人多飲醇酒以醉即愈○治虎傷人瘡但飲酒常令大醉當吐毛出○治風癬疥酒入瓮中浸之飲一杯即差○蜘蛛遍身成瘡取上好春酒飲醉使人翻不得一向卧恐酒毒腐人須臾虫於肉中小如米白出○治蛟螫疼痛久不已糟底酒摩腰脚及痛處筋攣急○治蛇咬瘡姪酒淋洗瘡上日三易○大行病毒或手足疼痛欲斷作坑令深三尺大小容足燒令中熱以酒灌坑中著屐踞坑上衣壅勿令洩氣○治牛馬六畜水穀疫病酒和麝香少許灌之

薑酒主偏風中惡疰忤厥逆客忤**紫酒**即豆淋酒治角弓反張理癥瘕偏風**豉酒**解煩熱而散風

帝始非儀狄也陶隱居云大寒凝海惟
酒不氷明其性熱獨冠群物藥家多用
以行其勢人飲之使體弊神惛是其有
毒故也昔三人晨行觸霧一人健一人
病一人死健者飲酒病者食粥死者空
腹此酒勢辟惡勝於作食古方用酒有
醇酒春酒社壇餘胙酒糟下酒白酒清
酒好酒美酒葡萄酒秫黍酒秔酒蜜酒
有灰酒新熟無灰酒地黃酒今有糯酒
煮酒小豆麴酒香藥麴酒鹿頭酒羔兒
等酒今江浙湖南北又以糯米粉入衆
藥和合為麴曰餅子酒至於官務中亦
用四夷酒更別中国不可取以為法今
醫家所用酒正宜斟酌但飲家惟取其
味不顧入藥如何尔然久之未見不作

寒桑椹酒益五臟以明耳目狗肉汁釀酒曰
飲大補元陽葡萄肉浸酒時嘗甚消痰癖
牛膝乾地黃酒更妙漸滋陰衰
枸杞仙靈脾酒尤佳專扶陽痿又等
社壇餘胙酒亦有小能指納嬰兒口中可令速
語飴噴屋四壁堪逐蚊蚝
主治少許喫治小兒語遲辟蚊虫酒噴屋四角
糟筍中酒味鹹氣平無毒糟筍節中水也
主治主噦氣嘔逆大効磨癧瘍風痰奇捷小兒
乳和小乳飲之亦可单服
糟下酒味鹹氣煖多食微毒
主治開胃下食煖臟温中消宿食如神禦風寒
大効殺一切蔬菜毒

疾者當此物損益兼行可不慎歟惟糯米麴𥶡者為良能引經行藥勢最捷因茂語經不止称與附子同功味辛甘苦相殊治上中下分用辛者能散通行一身之表直至極高頂頭甘者能緩居中苦者能下淡則竟利小便而速下也昔漢賜丞相上樽酒糯為上稷為中粟為下若今入藥佐使專以糯米用清水白麪麴所造為正古人造麴未見入諸藥心和者如此則功力和厚皆勝餘酒今人又以蓼藥造者蓋止是醴尔非酒也書曰若作酒醴尔為麴糵酒則須用麴醴故糵蓋酒與醴其氣味甚相遠治療豈不殊也

甜糟　味鹹氣温無毒

主治　治撲損瘀傷行瘀止血能温中枯冷消食殺腥去草菜毒藏物不敗潤澤皮膚擦物能軟調臟腑神方止嘔噦捷妙亦毆蛇毒仍罨凍瘡三歲已下以物承甚磨風瘙煎煮魚菜取臘月者良以黃衣或粥成之

○按大寒凝海惟酒不冰因性熱多獨異群物丹溪亦曰酒乃濕中發熱近於相火醉後顫慄即此可知正所謂與寒非寒明是熱證然也性却喜升氣必隨輔痰鬱上膈溺溢下焦肺收賊邪金體火燥寒凉恣飲熱鬱于中肺氣得之尤火傷耗其始也病淺或嘔吐或自汗或瘡疥或鼻皻或瀉痢或心脾痛尚可散

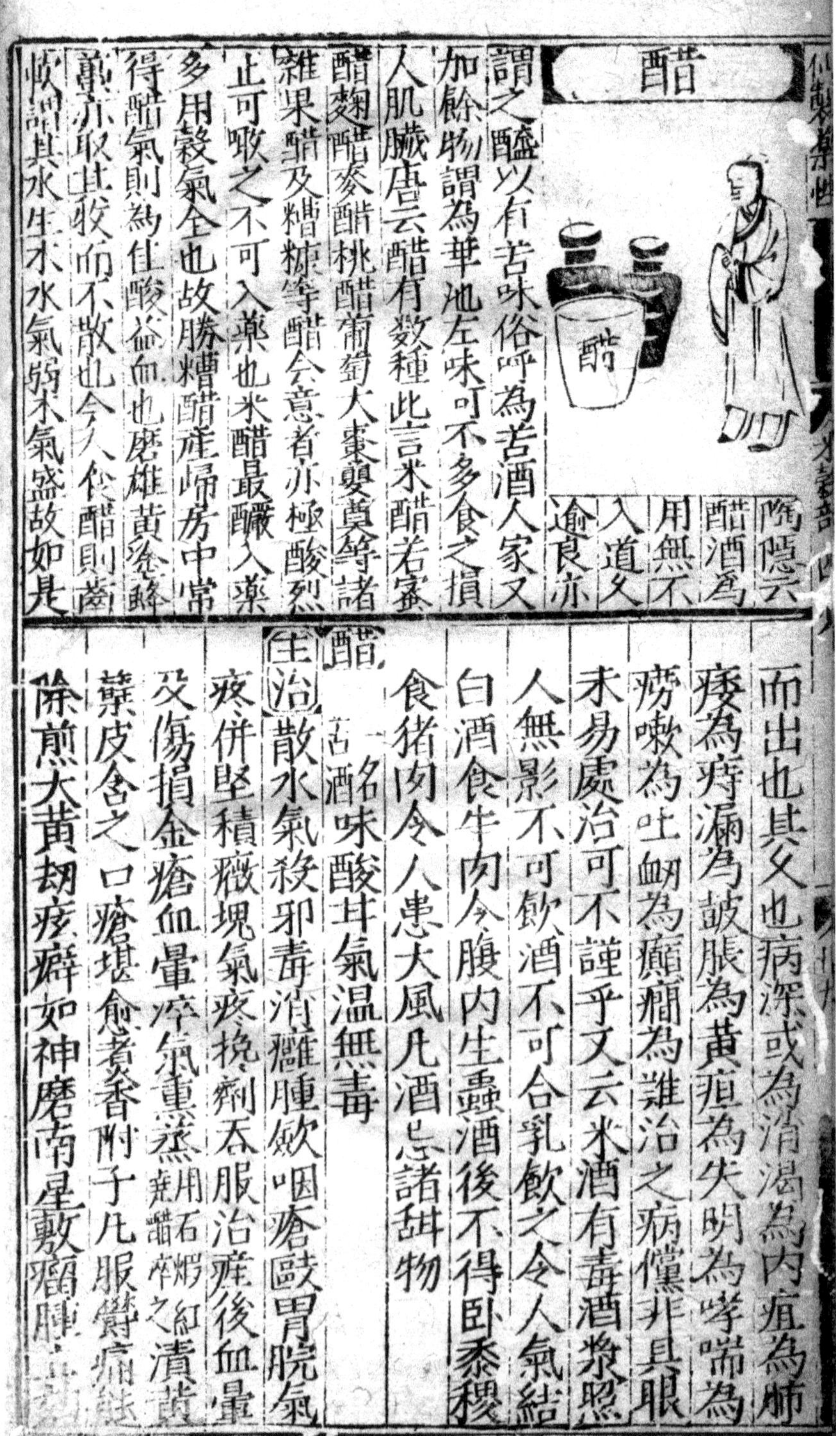

仙製藥性 穀部

醋

陶隱云醋酒為用無不入道久逾良亦謂之醯以有苦味俗呼為苦酒人家又加餘物謂為華池左味可不多食之損人肌臓唐云醋有數種此言米醋若蜜醋麴醋麥醋桃醋葡萄大棗蘡薁等諸雜果醋及糟糠等醋会意者亦極酸烈止可噉之不可入藥也米醋最釅入藥多用穀氣全也故勝糟醋產婦房中常得醋氣則為佳酸益血也磨雄黃塗蜂蠆亦取其效而不散也今人食醋則齒軟謂其水生木水氣弱木氣盛故如是

而出也其久也病深或為消渴為内疽為肺痿為痔漏為鼓脹為黃疸為失明為哮喘為癆嗽為吐衄為癲癇為難治之病儻非具眼未易處治可不謹乎又云米酒有毒酒漿照人無影不可飲酒不可合乳飲之令人氣結白酒食牛肉令腹内生蟲酒後不得卧黍穰食豬肉令人患大風凡酒忌諸甜物

醋 一名苦酒 味酸苦氣溫無毒

主治 散水氣殺邪毒消癰腫歛咽瘡毆胃脘氣疼併堅積癥塊氣疼挽劑吞服治産後血暈及傷損金瘡血暈卒氣熏蒸（用石煆紅投醋淬之）漬黃蘗皮含之口瘡堪愈煮香附子凡服鬱痛除煎大黃劫痃癖如神磨南星敷瘤腫

然皺皮消得此而故處故知其性收斂不負酸收之說

○按丹溪曰醋味酸調和魚肉蔬菜儘可適口但致疾以漸人所不知蓋酸收也其滯也苟遠而不用亦卻疾一端然食多齒軟者因水生木水氣弱木氣盛故如是尔齒屬骨水酸助肝木安得不然

飴糖

稠粘如粥故名飴糖係糯米或粟秫水浸炊飯用麥蘖穀蘖煎水浸前飯待飯爛濾汁入鍋煎煮而成入脾能補虛乏

又調雄黃細末蜂蜜蛇嚙可塗牛馬疫侵嘖之即愈切忌蛤肉同食造飲饌者須知惟入肝經宜為引使不利男子專益女人

○補遺 治轉筋以故綿釀醋浸甑中蒸及熱用裹病人脚冷則易勿停差止○治風赤腫白虎病以三年釅醋五升熱煎三五沸切葱白二三升煮一沸許濾出在帛熱裹當病上熨之若為度○治舌腫以酢和釜底墨厚傳舌下脫皮更傳須臾即消若洗決亡血汁覓知弥佳○蠼螋尿以酢和粉傳之○癧瘍風酢磨硫黃傳之止○主狐臭以三年釅酢和石灰傳之○治霍亂心腹脹痛煩滿短氣未得吐下飲好苦酒三升小老羸者可飲一二升○治身体手足卒腫大醋和蚯蚓屎傳之○蝎螫人以酢磨附子傳之○治卑脹疏黃發為癰以酢和豉研如膏傳之燥則易之○治百節蚰蜒并蟻入耳以苦酒注之起行即出○治癰已有膿當壞以苦酒和雀屎傳癰頭上如小豆大即穿○治耳聾以醇醋微火炙附子削令尖塞耳効○齒痛漱方大醋一升煮枸杞白皮一升取半升含之即差○治鼻血出不止以酢和胡粉半棗許服○治面多黯黷或似雀卵色者苦酒漬朮常以拭

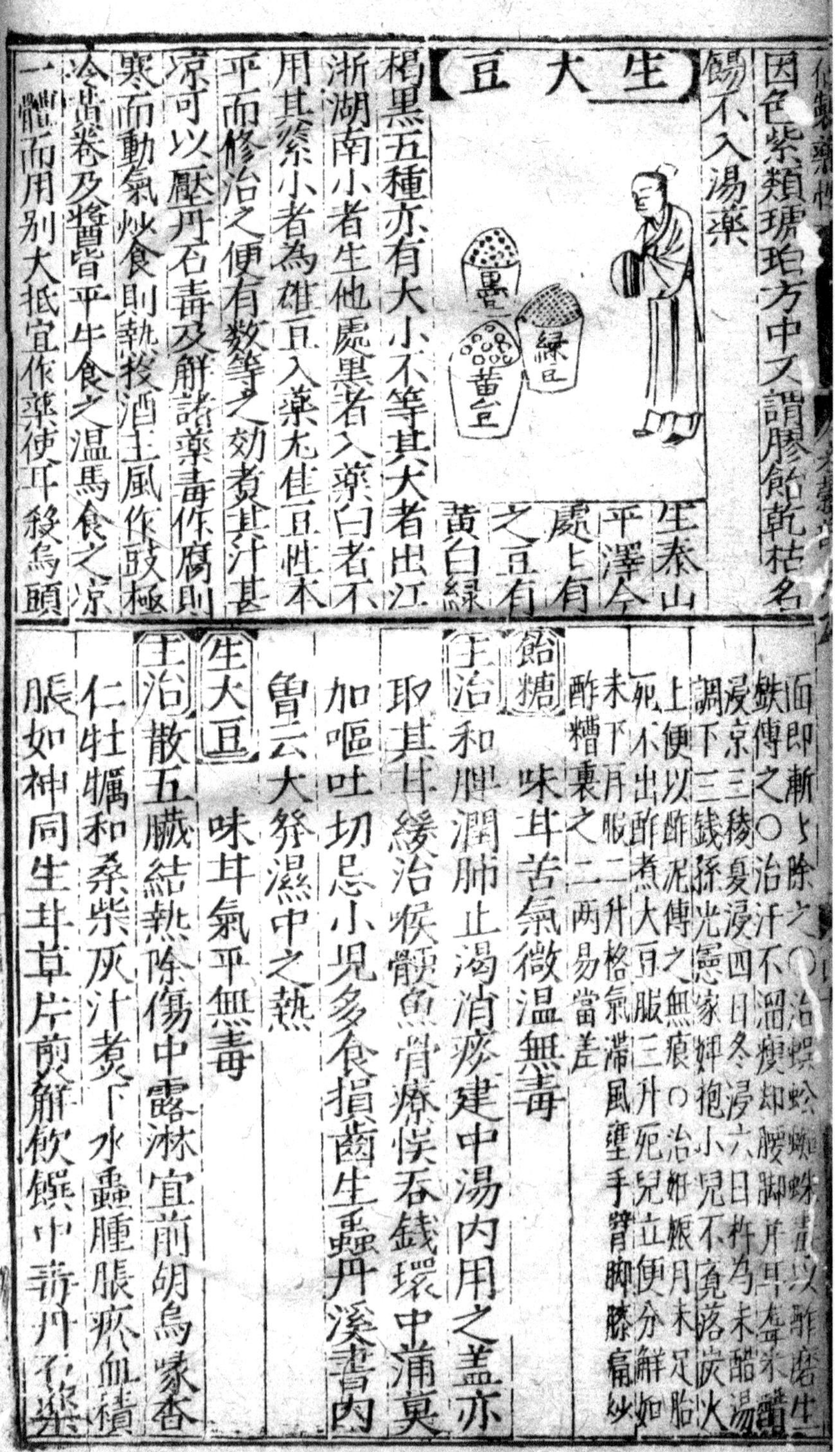

因色紫類瑪珀方中又謂膠飴乾枯名餳不入湯藥

生大豆

生泰山平澤今處處有之豆有黃白綠褐黑五種亦有大小不等其大者出江浙湖南小者生他處黑者入藥白者不用其粢小者為雄豆入藥尤佳豆性本平而修治之便有數等之効煮其汁甚涼可以壓丹石毒及解諸藥毒作腐則寒而動氣炒食則熱投酒主風作豉極冷黃卷及醬皆平牛食之溫馬食之涼一體而用別大抵宜作藥使耳殺烏頭

面即漸漸除之○治蜈蚣蜘蛛毒以醋磨生鐵傅之○治汗不溜瘦却腰脚并耳聾米醋浸京三稜夏浸四日冬浸六日杵為末醋湯調下三錢孫光憲家婢抱小兒不覺落炭火上便以醋泥傅之無痕○治姙娠月未足胎死不出醋煮大豆服三升死兒立便分解如未下再服二升格氣滯風壅手臂脚膝痛炒醋糟裹之二兩易當差

飴糖　味甘苦氣微溫無毒

主治　和脾潤肺止渴消痰建中湯內用之蓋亦取其甘緩治喉鯁魚骨療誤吞錢環中滿莫加嘔吐切忌小兒多食損齒生蟲丹溪書內曾云大發濕中之熱

生大豆　味甘氣平無毒

主治　散五臟結熱除傷中露淋宜前胡烏喙杏仁牡蠣和桑柴灰汁煮下水蠱腫脹瘀血積脹如神同生甘草片煎解飲饌中諸丹石藥

毒村勝仙方修製黃米可以辟穀度飢歲然多食令人体重乃則如故矣炒熟以棗肉同搗之為麨代粮又治產後百病血熱并中風疾瘓止痛背強口噤但煩熱瘲瘲苦渴身背腫劇嘔逆大豆五升急水淘淨先炙酒一斗熬豆令微煙出傾入酒瓶中沃之經一日已上服酒一升取差為度如素不飲酒即量多少服若口噤即加独活半斤微微捶碎同沃仍增酒至一斗二升暑月旋作恐易壞又可備為腐食之惡草龍胎人參沙參玄參丹參苦參

左元亮荒年法擇大豆麁細調勻必生熟挼之令有光煙氣徹豆則肉先下食一日以冷水頓服訖其魚肉菜菓不得

毒立效合飯搗猪瘫疽消腫婦人陰内腫亦可納之煎水飲殺鬼疰止疼脚膝筋攣疼勿吝服也

○補注上治頭項癱不得顧視煮大豆一升令變色内囊中炊之○治腰脅卒痛背痛大豆二升酒三升煮取二升頓服佳○從高墜下頭破腦出血中風口禁豆一升熬去腥勿使大熟杵末蒸之氣遍令甑下盆中以酒一升溫服一升覆取汗傅瘡上○治風毒攻心煩躁恍惚大豆半升淨淘以水二升煮取七合去滓食后服○中惡大豆二七枚雞子黃酒半升和頓服○大豆末理胃中熱去身腫除痺消穀止服大豆一升熬令熟杵末飲服之○治頭風頭痛大豆三升炒令无声先以水一斗一升瓶一隻盛九升清酒乘豆熱即投於酒中密泥封之七日溫服之○治脚気沖心煩悶乱不識人大豆一升水三升濃煮取汁頓服半升如未定可更服半升即定○治卒風不得語大豆煎汁如飴含之亦濃煮飲之佳○治腸痛如打豆半升熬令焦酒一升煮之令沸熟取醉○治口喎大豆熬三升炒令焦酒三升淋取汁頓服日一服○辟溫病以新布盛

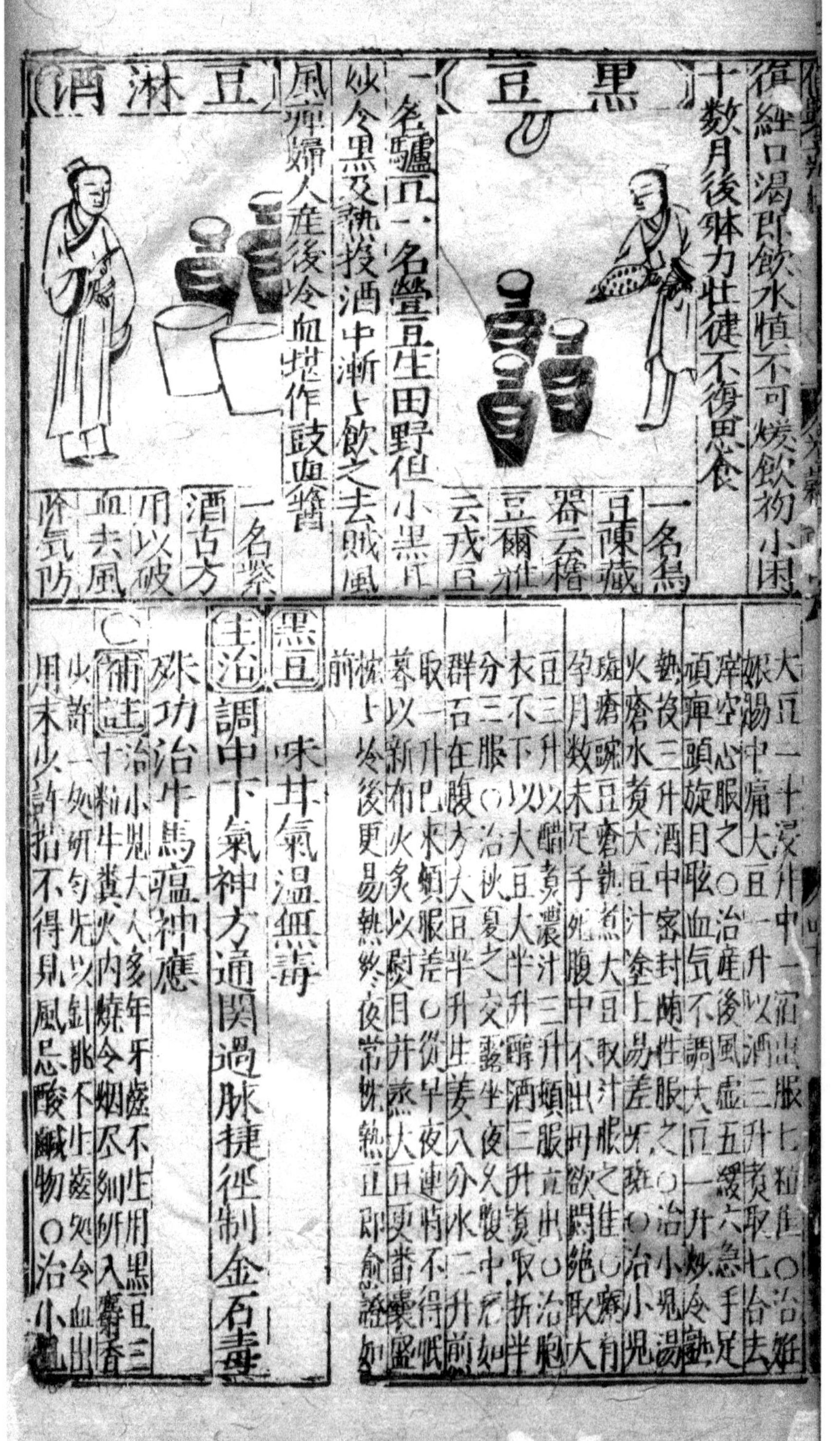

復絟口渴即飲水慎不可煖飲衂小困
十數月後骵力壯徤不復思食

黑豆

一名烏豆陳藏器云穭豆爾雅云戎豆
一名驢豆一名䝁豆生田野但小黑片
炒令黑及熱投酒中漸漸飲之去賊風
風痺婦人産後冷血擬作豉與醬

豆淋酒

一名紫酒古方用以破血去風除氣防

大豆一升汲井中一宿出服七粒住○治姙
娠湯中痛大豆一升以酒三升煮取七合去
滓空心服之○治産後風虛五緩六急手足
頑痺頭旋目眩血氣不調大豆一升炒令熟
熱投三升酒中密封隨性服之○治小兒湯
火瘡水煮大豆汁塗上易差亦無瘢○治小兒
痘瘡豌豆瘡熟煮大豆取汁服之佳○瘡有
孕月數未足子死腹中不出母欲悶絶取大
豆三升以醋煮濃汁三升頓服立出○治胞
衣不下以大豆大半升醇酒三升煮取折半
分三服○治秋夏之交露坐夜久腹中痞如
群石在腹方大豆半升生薑八分水二升煎
取一升已來頓服差○從早夜連悄不得眠
募以新布火炙以熨目并蒸大豆更番囊盛
枕之冷後更易熱終夜常枕熱豆即愈證如
前

黑豆 味甘氣溫無毒

主治 調中下氣神方通關過脉捷徑制金石毒
殊功治牛馬瘟神應

○術註 治小兒大人多年牙齒不生用黑豆三十粒牛糞火内燒令烟尽細研入麝香
少許一処研勻先以針挑不生齒処令血出
用末少許揩不得見風忌酸鹹物○治小兒

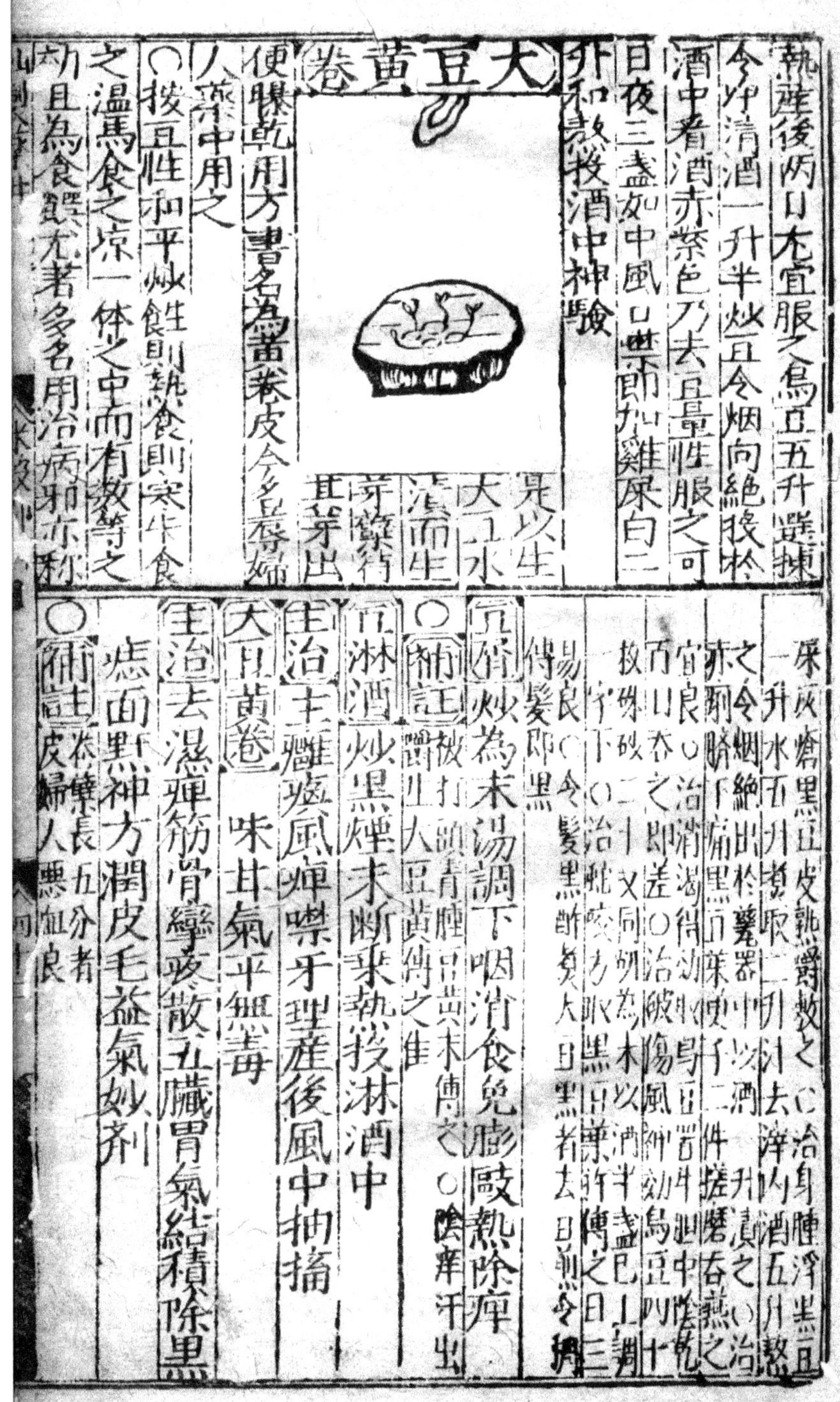

熱產後兩日尤宜服之烏豆五升選揀令淨清酒一升半炒豆令烟向絕投於酒中看酒赤紫色乃去豆量性服之可日夜三盞如中風口噤即加雞屎白二升和熬投酒中神驗

大豆黃卷

是以生大豆水漬而生芽蘖得其芽出便曝乾用方書名為黃卷皮今多是婦人藥中用之

○按豆性和平炒食則熱生食則寒作食之溫焉食之涼一体之中而有数等之劝且為食饌尤著多名用治病者亦然

一屎灰熬黑豆皮熟爵敉之○治身腫浮黑豆一升水五升煮取二升汁去滓入酒五升熬之令烟絕出於甆器中以酒一升漬之○治赤痢臍下痛黑豆葉使子二件搓磨吞熱之宜良○治消渴得効以烏豆置牛胆中陰乾百日吞之即差○治破傷風神効烏豆四十枚炒砂二十文同炒為末以酒半盞已上調一字下○治蚘咬取黑豆葉杵傅之日三易良○令髮黑醋煮大豆黑者去豆煎令稠傅髮即黑

〔炮〕炒為末湯調下咽消食免膨脹熱除痒

○〔附註〕被打頭青腫豆黃末傅之○陰痒汗出嚼生大豆黃傅之佳

〔淋酒〕炒黑煙未斷乘熱投淋酒中

〔主治〕主癰瘍風痺噤牙理產後風中抽搐

〔大豆黃卷〕味甘氣平無毒

〔主治〕去濕痺筋骨攣疼散五臟胃氣結積除黑痣面䵟神方潤皮毛益氣妙剤

○〔附註〕卷蘗長五分者皮婦人惡血良

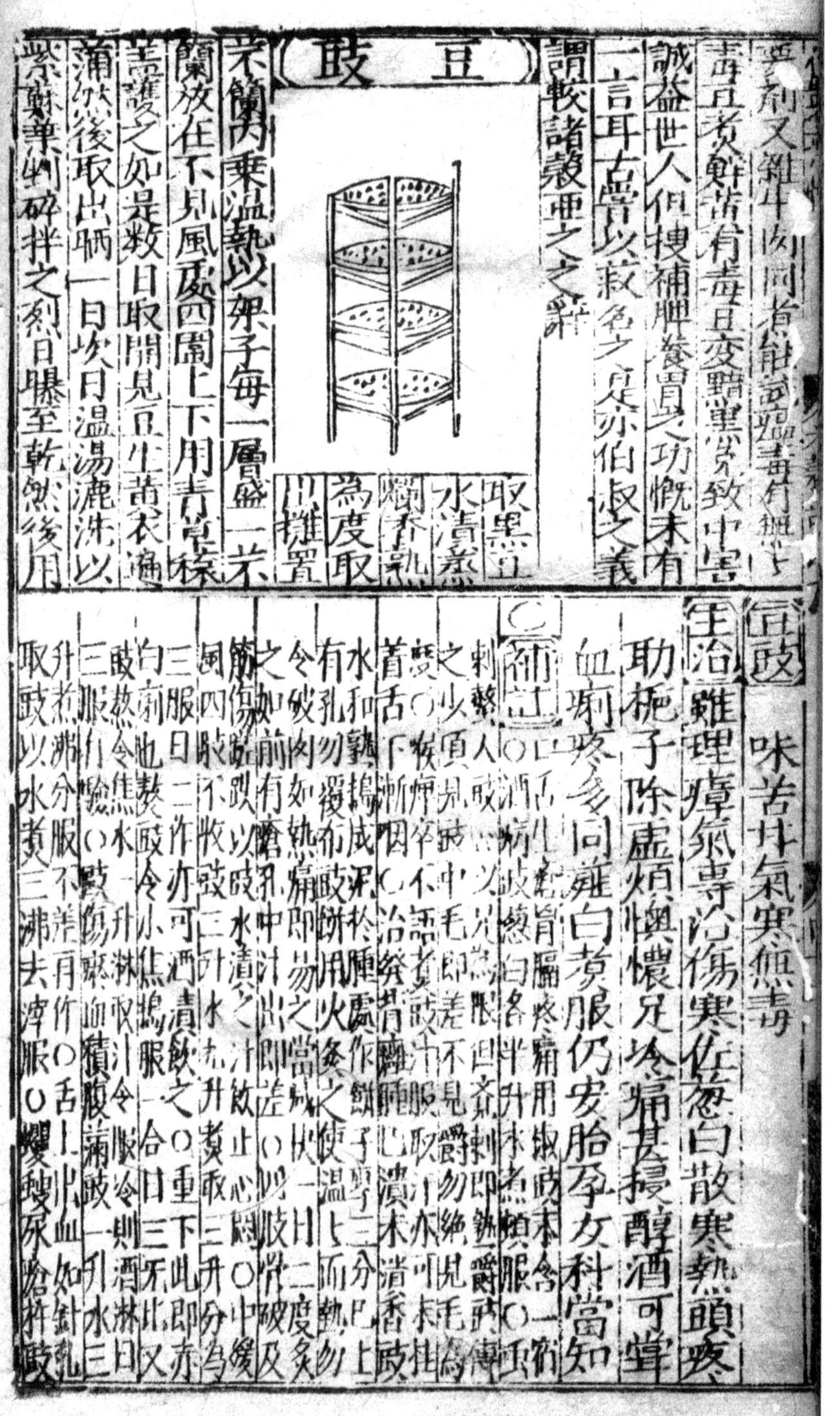

要劑又雜牛肉同煮能益毒有損
毒豆煮鯽魚有毒豆變黯黑致中害
誠益世人但從補脾養胃之功概未有
一言耳古賢以寂多之是亦伯夷之義
謂較諸穀更之之辭

豆豉

於簟內乘溫熱以架子每一層盛一箔
簟放在不見風處四圍上下用青蒿穰
蓋護之如是數日取開見豆生黃衣遍
滿然後取出晒一日次日溫湯漉洗以
紫蘇葉剉碎拌之烈日曝至乾然後用

【豆豉】味苦甘氣寒無毒

【主治】雜理瘴氣專治傷寒佐葱白散寒熱頭疼
助梔子除虛煩懊憹足冷痛甚擣醇酒可嘗
血痢疼參同薤白煮服仍安胎孕女科當知

【附方】〇口舌生瘡胸膈疼痛用豉末含一宿
〇瀉痢豉薤白各半升水煮熟服〇一切
刺螫人豉心嚼爛敷但齊刺即熟嚼敷傳
之〇小兒丹毒豉炒中毛即差不見爵勿絕見毛為
毒〇發痒痛卒不語者豉汁服取汁水可未拄
舌下漸漸因〇治發背癰腫以漬木消香豉
水和熟擣成泥於腫處作餅子厚三分已上
有孔勿覆孔上布豉餅用艾灸之使溫溫而熱勿
令破肉如熱痛即易之當減一日二度灸
之如前有瘡孔中汁出即差〇斷陰莖破及
筋傷跌以豉水漬之汁飲止心悶〇中緩
風四肢不收豉三升水九升煮取三升分為
三服日二作亦可酒漬飲之〇重下此即赤
白痢也熬豉令小焦擣服一合日三〇不止又
豉熬令焦水一升淋取汁令服冷則酒淋日
三服有驗〇蠱毒吐血積服滿豉一升水三
升煮沸分服不差再作〇舌上出血如鍼孔
取豉以水煮三沸去滓服〇嬰兒陰腫搗豉

磁罐收貯所用好者出自江西錢塘香美而濃取中心者弥善江南人作豆豉自有一種刀豆甚佳古今方書用豉治病最多葛洪肘後方云療傷寒有數種庸人不能分別今取一藥兼療若初覺頭痛肉熱脉洪起一二日便作如此加減葱豉湯葱白一虎口豉一升綿裹以水三升煑取一升頓服取汗若不汗更作加葛根三兩水五升煑取二升分兩服必得汗即差不汗更作加麻黄三兩去節諸名醫方皆用服之徃〻便差又陝府豉汁甚勝於常豉以大豆為黄蒸每一斗加塩四升椒四兩春三日夏兩日冬五日即成半熟加生姜五兩既潔且清勝埋於馬糞中黄蒸以將豉心代

傅之○傷寒汗出不解已三四日胷中悶豉一升塩一合水四升煎服當吐○瘴瘧疫救豉和白卜浸酒常服○傷寒熱病后攻目生瞖燒豉二七枚末以管吹之○傷寒服藥捨心煩熱以豉一撮梔子十四枚擘水煎服○頭風痛以豉湯洗之避風即差○墮胎血下悶煩滿豉一升水三升三沸煑末鹿角服方寸○風毒脚膝攣急骨節痛豉心五升九蒸九曝以酒一斗浸一宿空心飲之○小兒寒熱悪氣中人以濕豉為丸如雞子大以摩腮上及手足心六七次又摩心臍上旋〻祝之了破豉丸看有細毛棄道中即差○小兒丹毒破作瘡黄水出焦炒豉令烟絶為末油調傅之○小兒頭生悪瘡以黄泥裹豉煨熟冷后取出豆豉為末以蓴菜油傅之差○蟲毒下血不止用豉大蒜等分一処杵匀丸如梧子大每服塩湯下三十丸血痢亦治○傷寒后毒氣攻手足及身体虚腫豉酒方豉五合微炒以酒一升半同煎五七沸任性熱服之療悪瘡熬豉為末敷之○安胎豉汁服之妙○蝦蟇小者有毒主人小便秘澁臍下憋疼痛至死者以生豉一合投新汲水半椀浸令水濃頓飲之愈

〔豆腐〕性寒亦動正氣食多積聚蘿蔔能消解善

○按藥性論云豆豉得醯良殺六畜毒味苦甘主下血痢如刺者豉一升水漬纔令相淹煎一二沸絞汁頓服不差可再服又傷寒暴痢腹痛者豉一升薤白一握切以水三升先煮薤内豉再煮湯色黑去豉分為二服不差再服熬末能止汗主除煩躁治時疾熱病發汗又治陰莖上瘡痛爛豉一分蚯蚓濕泥二分水研和塗上乾易禁熱食酒菜蒜又寒熱風胸中瘡生者可搗為丸服良陳藏器云蒲州豉味鹹無毒主解煩熱熱毒寒熱虛勞調中發汗通關節殺腥氣傷寒鼻塞作法與諸豉不同其味烈陝州又有豉汁經年不敗大除煩熱入藥並

豆腐毒

【豆麪】可代米粮乃豆炒和火棗肉同搗

【豆黃】製黃末合煉豬膏為丸

【主治】主濕痺膝痛治五臟虛氣胃氣結積堪除精氣虛劣能益令人肥健潤澤肌膚

【炒熟豆】嬰兒勿食多食恐壅氣咽喉窒塞難醫

【豆醬】味鹹酸氣冷無毒

【主治】主除熱良方止煩滿妙藥殺百藥熱湯火毒尤良祛魚肉菜蔬蕈毒最驗治蛇蟲咬神効敷醫藥毒絕許

【(　)補註】治飛蛾入耳醬汁灌入即出又擊銅器於耳傍○湯火燒灼未成瘡豆醬汁傅之○治指掌痛以醬清和蜜任多少溫傅之良○○姙娠不得豆醬合雀肉令兒面黑

○按衍義云醬者聖人以謂不得即不食意欲五

不如今之豉心為其無鹽故也孟詵云殺能治久盜汗患者以一升微炒令香清酒三升漬滿三日取汁令煖任人服之不差更作三兩劑即止

豆醬

陶隱居云醬多以豆作純麥者少今此當是豆者亦以久𩀨者彌良又有肉醬魚醬皆呼為醢不入藥用唐本注云主火毒殺百藥發小兒無辜小麥醬不如豆又榆仁醬亦辛美殺諸虫利大小便心腹惡氣不宜多食又蕪荑醬功力强於榆仁醬多食落髮鱣鯔兒及鱧魚醬皆不可多食為陳久故也

味和五臟悅而受之此亦安樂之一端

赤小豆 使　味辛甘酸氣溫而平陰中之陽無毒

主治 外科稱要劑脚氣為捷方散癰腫末調雞子清箍下水氣末入通草湯服小兒急黃爛瘡取汁洗之不過三度去人酒醉燥熱煎汁飲下只消一甌和桑白皮煎治溫痺延手足脹火同活鯉魚煮療脚氣入臍腹突高但專利水逐津久服令人枯燥

○**補註** 産后不能食煩滿赤小豆三七枚燒作屑篩冷水頓服○辟瘟病取小豆新布囊盛置井中三日出舉家服男十枚女二十枚○治腸痔大便常血小豆二升苦酒五升煮豆熟出乾復入法酒中候酒尽為末酒服方寸○舌上忽出血如簪孔小豆一升杵碎水三升和攪取汁飲○卒下血小豆一升搗碎水絞汁飲○産后心悶目不開赤小豆杵末東流水服方寸○熱毒下血或食熱物發動赤小豆杵末水調下○婦人乳腫不得[illegible]

赤小豆

穭與大豆同條蘇恭分之今注淮間尤多

種蒔主水氣脚氣方最急用其法用此豆五合葫一頭生薑一分並碎破商陸根一條切同水煑豆爛湯適寒溫去葫等細嚼豆空心食之旋旋啜汁令盡腫立消便止○療水腫從脚起入腹則殺人亦用赤小豆一斗煑令極爛取汁四五升溫漬膝以下若已入腹但服小豆勿雜食亦愈昔有人患脚氣用此豆絹袋置足下朝夕轉展踐踏之其疾遂愈亦主丹毒以赤小豆末和雞子白如泥塗之逐手即消也其遍体者亦遍塗之

小豆莽草等分為末苦酒和傅○治水穀痢小豆一合和蠟三兩頓服愈○理脚腫痛喘上入腹殺人豆一升水五升煑令極熟去豆適寒溫浸脚令即重煖之○小兒火丹熱毒少遶腰即損人投急將赤小豆末和雞子白傅之乾即易○治雞瘡方赤小豆汁塗之效出若是女二七枚佳○治疽初作赤小豆末醋傅之亦消○下乳汁煑赤小豆取汁飲即下○理甘腫赤小豆三合慢火炒熟為末煖葱一莖細剉煖酒調一錢服男子女人熱淋血淋並療

【赤豆粉】治熱毒排膿補血治解油衣沾綴神方

【赤豆葉】名藿 止小便數煩極驗去煩熱明目尤靈

○【補註】治渴小便利復非淋小豆藿一把擣取汁頓服○主小便數用小豆葉一斤於豉汁中煑調和作羹食之煑粥亦佳

【腐婢】即小豆花味辛氣平無毒

【主治】主痎瘧寒熱如神治邪氣泄痢奇應陰不起仙方止消渴大效病酒頭痛立除明目氣

又消腫毒欲作癰疽者以水和塗便可消散毒氣今人往往用之有効

腐婢

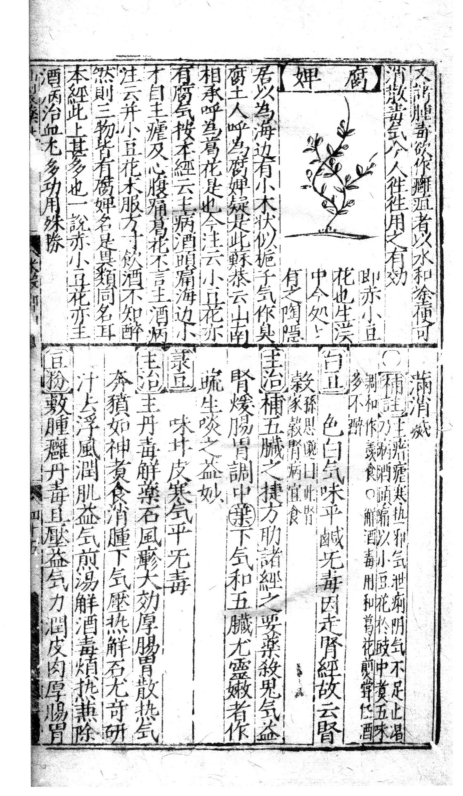

即赤小豆花也生漢中今処処有之陶隱居以為海边有小木狀似梔子氣作臭腐土人呼為腐婢疑是此蘇恭云山南相承呼為葛花是也今注云小豆花亦有腐氣按本經云主病酒頭痛海边小木自主瘧及心腹痛葛花不言主酒病注云并小豆花末服方寸匕飲酒不知醉然則三物皆有腐婢名是異類同名耳本經此上甚多也一說赤小豆花亦主酒病治血毛多功用殊勝

滿消渇

○〔補註〕主痔瘧寒熱邪氣泄痢陰氣不足止渇乃病酒頭痛以小豆花於豉中煑五味調和作羹食○解酒毒用和葛花煎嘗任酒多不醉

〔白豆〕色白氣味平鹹無毒因走腎經故云腎穀 孫思邈曰此腎家穀腎病宜食

〔主治〕補五臟之捷方助諸經之要藥殺鬼氣益腎爍腸胃調中〔葉〕下氣和五臟尤靈嫩者作蔬生啖之益妙、

〔菉豆〕味甘皮寒氣平無毒

〔主治〕主丹毒解藥石風癮大効厚腸胃散熱氣奔豚如神煑食消腫下氣壓熱解石尤奇研汁去浮風潤肌益氣煎湯解酒毒煩熱熱除

〔豆粉〕敷腫癰丹毒且壓益氣力潤皮肉厚腸胃

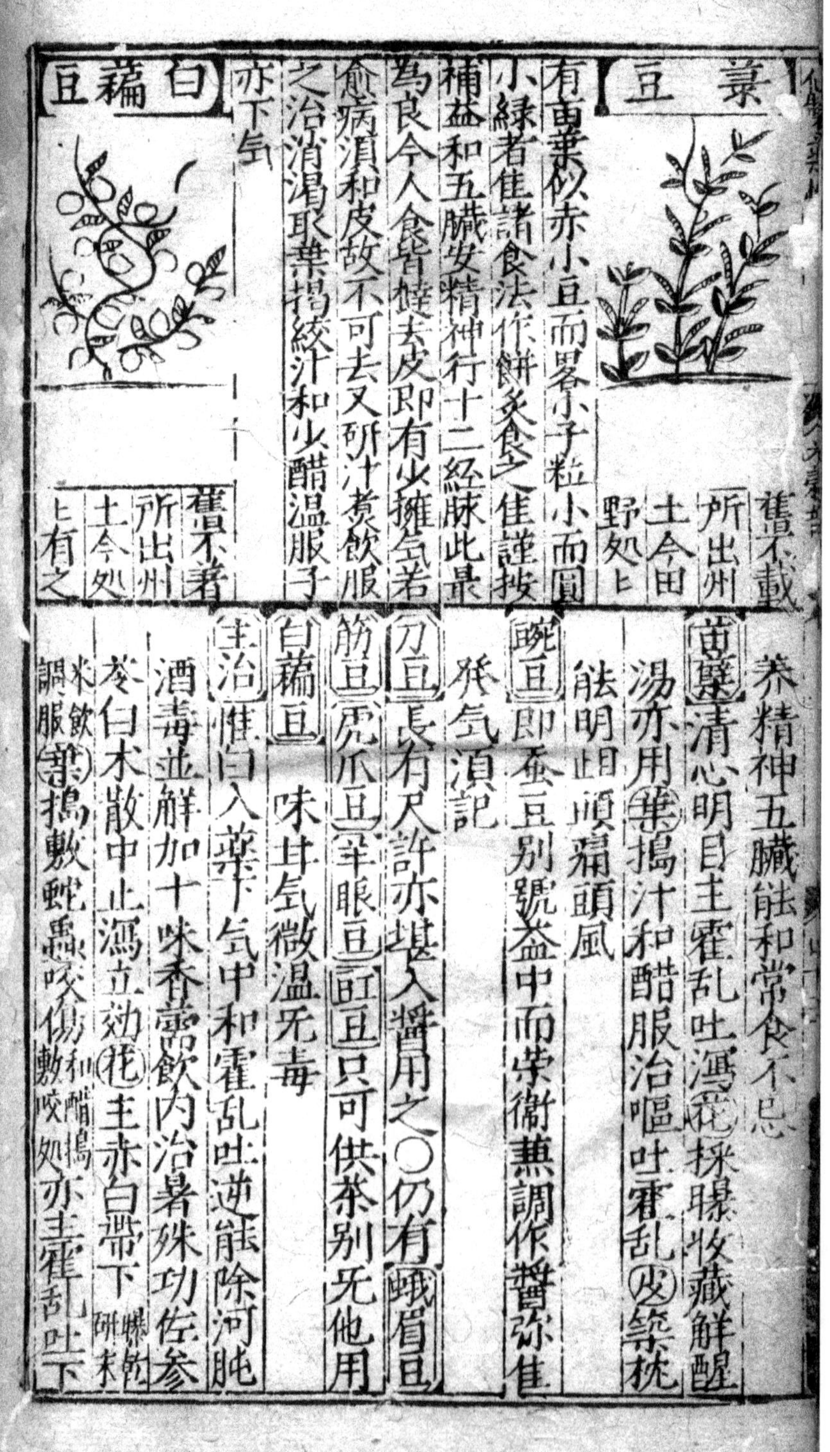

菉豆

舊不載所出州土今田野処〻

有靣葉似赤小豆而畧小子粒小而圓小緑者佳諸食法作餅炙食之佳謹按補益和五臟安精神行十二經脉此最為良今人食皆挼去皮即有少擁気若愈病湏和皮故不可去又研汁煮飲服之治消渴取葉搗絞汁和少醋温服子亦下気

養精神五臟能和常食不忌

（苗蘗）清心明目主霍乱吐瀉（花）採曝收藏解酲湯亦用（葉）搗汁和醋服治嘔吐霍乱（皮）築枕能明目止頭偏頭風

（豌豆）即蚕豆别號益中而栄衛兼調作醬亦佳發気湏記

（刀豆）長有尺許亦堪入醬用之〇仍有（蛾眉豆）（筋豆）虎爪豆（羊眼豆）（豇豆）只可供茶别无他用

白藊豆

舊不著所出州土今処〻有之

（白藊豆）味甘気微温无毒

（主治）惟白入藥下気中和霍乱吐逆能除河豚酒毒並解加十味香薷飲内治暑殊功佐参苓白术散中止瀉立効（花）主赤白帯下曝乾研末米飲調服（葉）搗敷蛇蟲咬傷和醋搗敷咬処亦主霍乱吐下

人家多種於籬援間蔓延而上大葉細花上有紫白二色莖生花下其莢亦有黑白二種白者溫而黑者小冷入藥宜用黑色者亦名鵲豆以其黑間而有白道如鵲羽耳皆於豆脊有白路白者治霍乱轉筋

○補註　霍乱吐痢不止末和醋服之下気○主解一切草木毒生嚼及煎湯服取効○

花　亦主女子赤白下乾末米飲和服

葉　主吐痢後轉筋生擣研以少酢浸取汁飲之立効

胡豆子　味甘無毒　苗以豆生田野間徃ヒ有之

主治　主消渴勿與鹽煮食之

小麥

麥者心之穀也病宜食之舊不著所出州土今処ヒ有之諸処皆種蓋秋種冬生春秀夏实具四时中和之気故為五穀之貴也北地霜雪多而毒少南方霜雪少而毒多北麥麵可以常餐南麥麵

小麥　臣　味甘带皮気寒折皮気熱麵熱而麩凉无毒又云有小毒

主治　養心気肝気止漏紅唾紅通淋利小便除熱解煩渴殺腸中蚘蟲神効主口渴咽乾良

方

○補註　煩热少睡多渴用小麥作飲水淘食之○酒黃取小麥三升杵和少水取汁服○消渴口乾小麥用炊作飯及煑粥食之○黃疸皮膚眼睛似金色小便赤取小麥杵汁服○金瘡腹腸出不去内之小麥五升水九升煎取四升去滓綿濾使極冷令人含噀之瘡腸漸ヒ入令噀其背不宜多人見不欲傍

只堪暫用一說北地高燥麥不受濕故
麵可常食南方地卑麥受濕重作麵多
食則中其毒造飲饌者不可不知入藥
煎湯務宜完用

麥黃

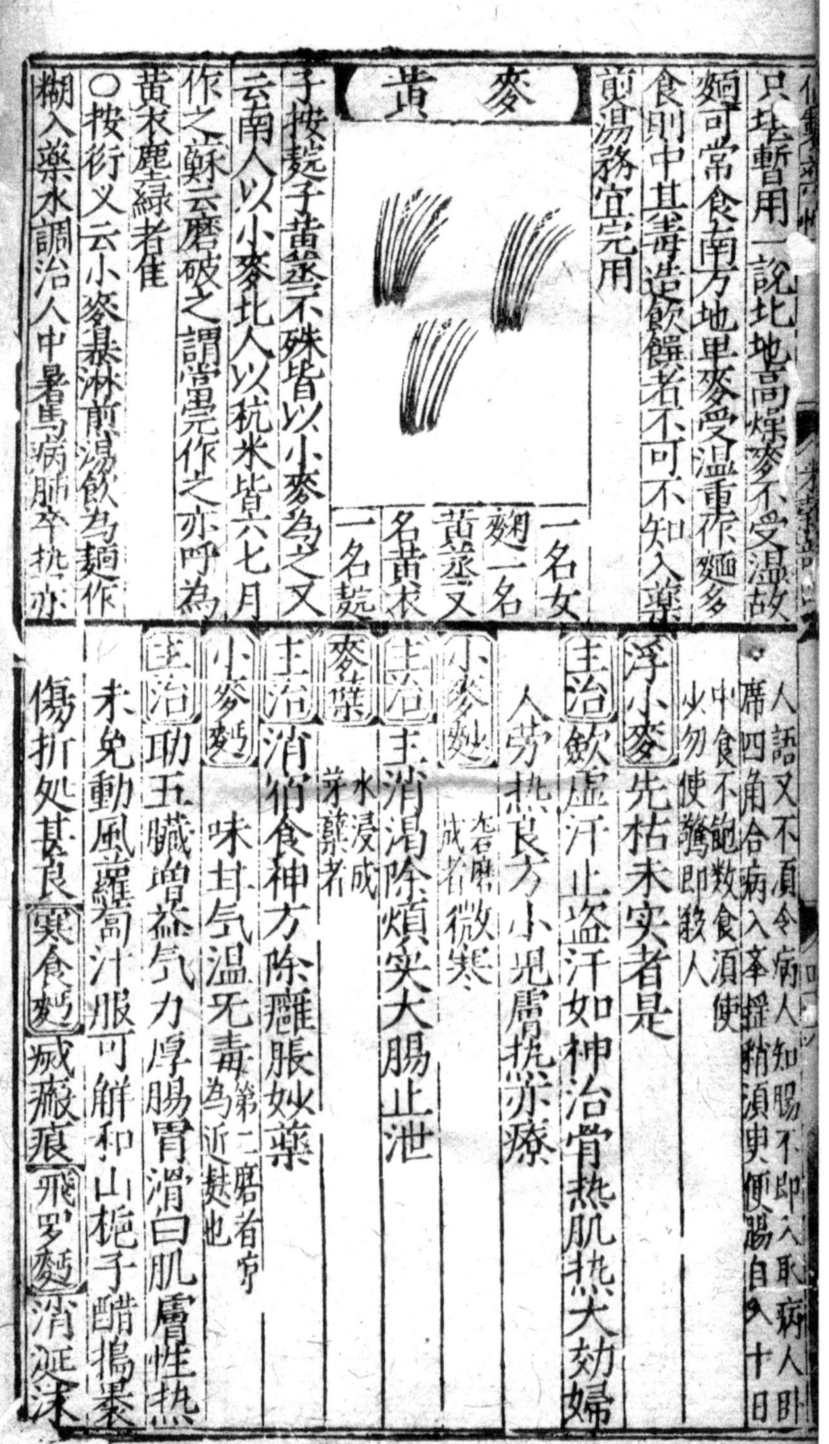

一名女麴一名黃蒸又名黃衣一名麩
予按麩子黃蒸不殊皆以小麥為之又
云南人以小麥北人以秔米皆六七月
作之蘇恭云磨破之謂黃蒸完作之亦呼為
黃衣塵綠者佳
〇按衍義云小麥暴淋煎湯飲為麵作
糊入藥水調治人中暑馬病肺卒熱亦

人語又不須令病人知腸不即入取病人卧
席四角合病人卒蹬稍須臾便腸自入十日
中食不飽數食須使少勿使驚即殺人
浮小麥 先枯未實者是
主治 斂虛汗止盜汗如神治骨熱肌熱大効婦
人勞熱良方小兒膚熱亦療
小麥麩 磨麥成者微寒
主治 主消渴除煩實大腸止泄
麥蘖 水浸成芽蘖者
主治 消宿食神方除癥脹妙藥
小麥麪 味甘氣溫無毒第二磨者方為近麩也
主治 助五臟增益氣力厚腸胃滑白肌膚性熱
未免動風蘿蔔汁服可解和山梔子醋搗罨
傷折處甚良 寒食麪 滅瘢痕 飛羅麪 消涎沫

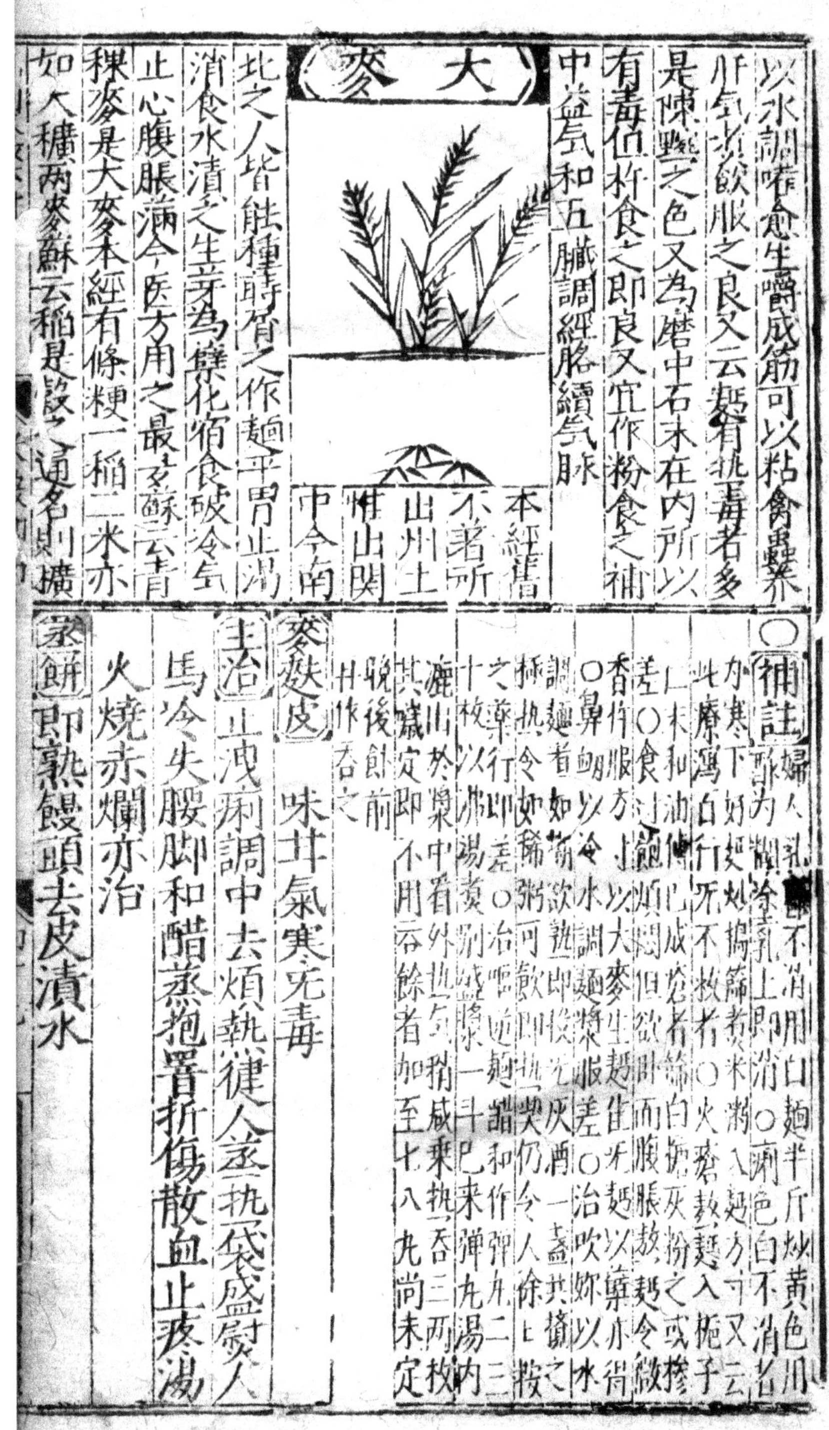

以水調啗愈生嚼成筋可以粘禽蟲杀肝氣滋飲服之良又云麪有執毒者多是陳黦之色又為磨中石末在內所以有毒但杵食之即良又宜作粉食之補中益氣和五臟調經脈續氣脉

大麥

本經舊不著所出州土惟出関中今南北之人皆能種蒔之作麯平胃止渴消食水漬之生芽為糵化宿食破冷氣止心腹脹滿今医方用之最多蘇云青稞麥是大麥本經有條粳一稻一米亦如大穬兩麥蘇云稲是𥝧之通名則穬

〇【補註】婦人乳[illegible]不消用白麪半斤炒黄色用酢為糊塗乳上即消〇痢色白不消者為寒下好麪炒搗篩煮米粥入麪方寸匕又云此療瀉白行死不救者〇火瘡麩麪入梔子人末和油傅已成瘡者篩白麵灰粉之或摻差〇食過飽煩悶但欲卧而腹脹熬麪令微香搗服方寸匕以大麥生麪佳牙麪以糵亦得〇鼻衄以冷水調麪將漿服差〇治吹嬭以冰調麪者如稀粥飲熱即投乳灰酒一盞共攪之揉熱令如稀粥可飲即熱喫仍令人徐上按之藥行即差〇治咽喉麪諸和作彈丸二三十枚以沸湯煮別盛漿一斗已來彈丸湯內漉出於漿中看外熱氣稍減乘熱吞三兩枚其症定即不用吞餘者加至七八丸尚未定晚後飲前卄作吞之

【麥麩皮】味甘氣寒无毒

【主治】止洩痢調中去煩熱健人遂熱袋盛熨人馬冷失腰腳和醋蒸抱罯折傷散血止疼湯火燒赤爛亦治

【麥餅】即熟饅頭去皮漬水

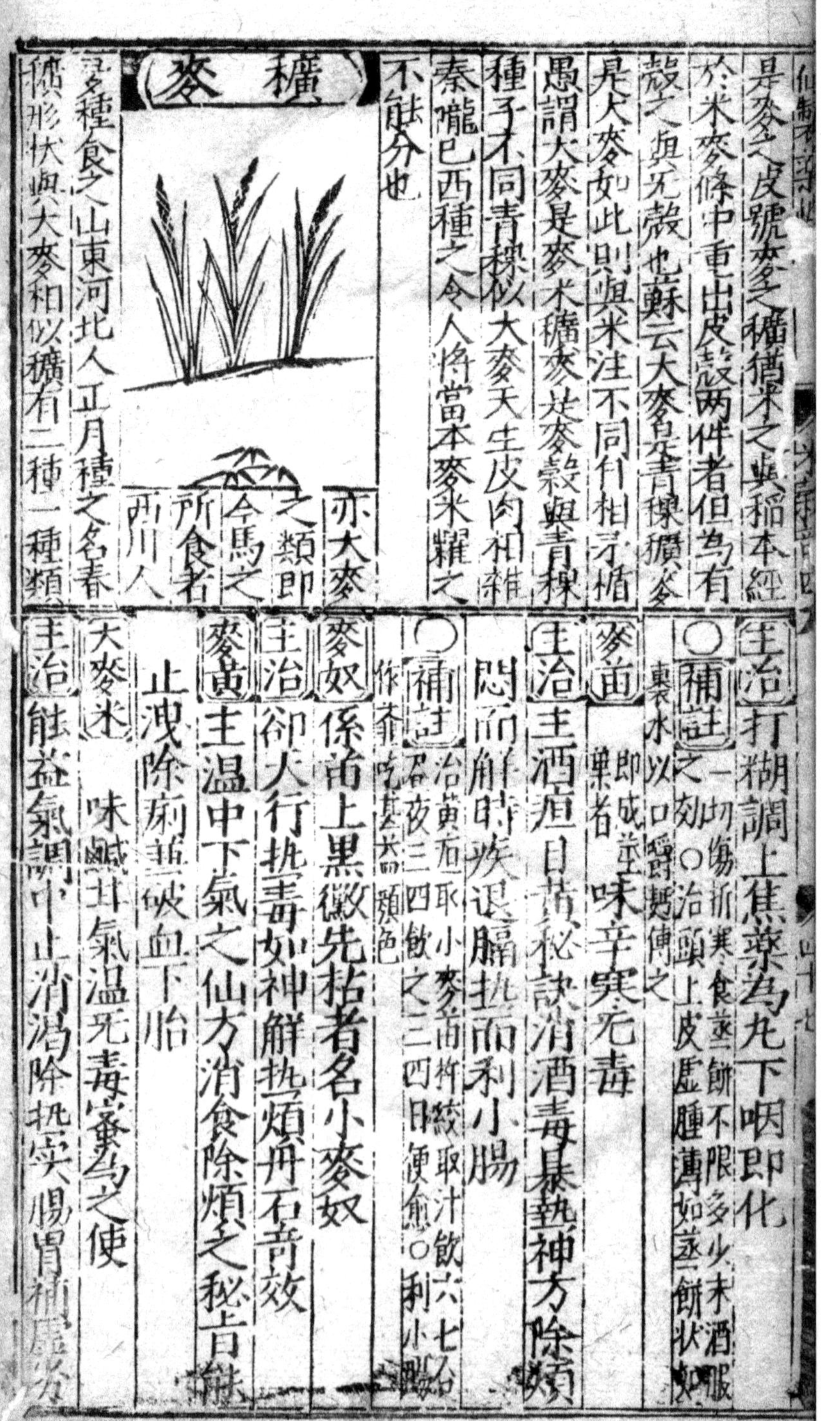

是麥之皮號麥之穭穬米之與稻本經於米麥條中重出皮殼兩件者但為有殼之與無殼也蘇頌云大麥是青稞穬麥是大麥如此則與米注不同什相矛楯愚謂大麥是麥米穬麥是麥穀與青稞種子不同青稞似大麥天生皮肉相離秦隴巴西種之今人將當本麥米糶之不能分也

穬麥

亦大麥之類即今馬之所食者西川人多種食之山東河北人正月種之名春穬形狀與大麥相似穬有二種一種類

【主治】打糊調上焦藥為丸下咽即化

〇【補註】一切傷折寒食蒸餅不限多少末酒服之効〇治頭上皮虛腫薄如蒸餅狀如裹水以口嚼麪傅之

【麥苗】即成苗巢者　味辛寒无毒

【主治】主酒疸目黃祕訣消酒毒暴熱神方除煩悶而解時疾退黃熱而利小腸

〇【補註】治黃疸取小麥苗杵絞取汁飲六七合晝夜三四飲之三四日便愈〇利小腸作虀吃甚益顏色

【麥奴】係苗上黑黴先枯者名小麥奴

【主治】卻天行熱毒如神解熱煩丹石奇效

【麥黃】主溫中下氣之仙方消食除煩之秘旨餘止泄除痢並破血下胎

【大麥米】味鹹甘氣溫無毒蜜為之使

【主治】能益氣調中止消渴除熱實腸胃補虛劣

大麥一種類小麥而大粒色青黃作麵脆硬食多脹人京東西河北近京又呼為黃顆關中又有一種青顆比近道者粒微小色微青專以飼馬未見入藥用○按麥者接絕續乏之穀也方夏之初舊穀已絕新穀未登民於斯時正乃乏食一麥之熟接續無憂故春秋於他穀不書至無麥禾則書之可見聖人於五穀中亦惟重麥與禾也非因民命所係安足以動筆耶

壯血脉悅顏容合沒石子針砂染皓鬚變黑

○【補註】蠼螋尿瘡嚼大麥以傅之日三上○麥芒入目煑大麥汁洗之○大麥久食之頭髮不白和針沙沒石子等染髮黑色

【大麥麵】味平無毒勝小麥無燥熱

【主治】平胃止渴尤靈消食療脹絕妙

○【補註】患噎病食不能下將此麵作稀糊令嚥之既滑膩容易下咽以助胃氣中朝廷作麨以賜臣下作糵造餳

【大麥糵】使　味甘鹹氣溫無毒

【主治】補脾胃消化宿食破癥瘕積結冷氣止心腹之脹滿止霍亂之嘔逆催生落胎消痰下氣上焦滯血能行秘結膨脹立治胃氣虛者宜食切戒久食消腎

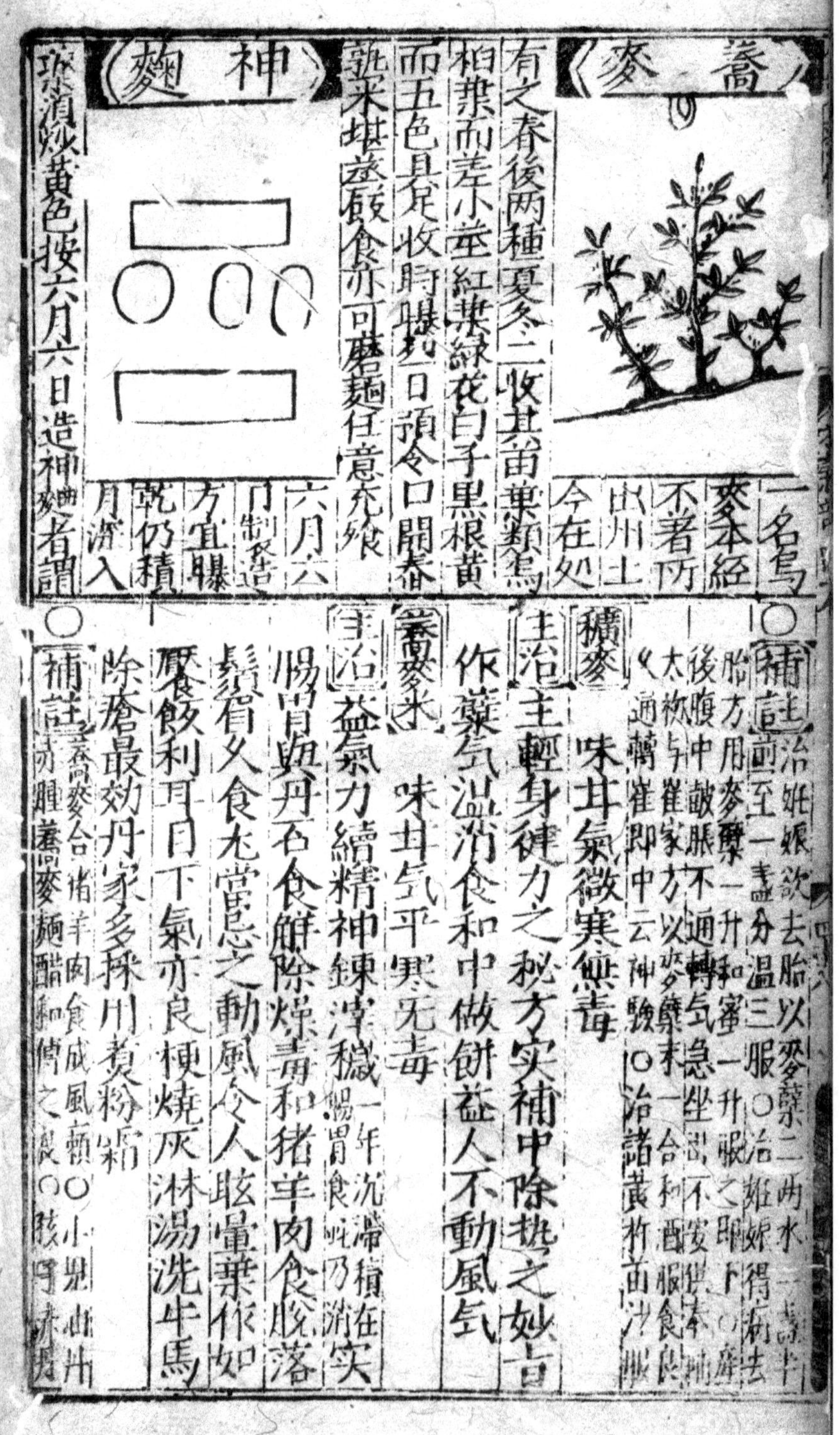

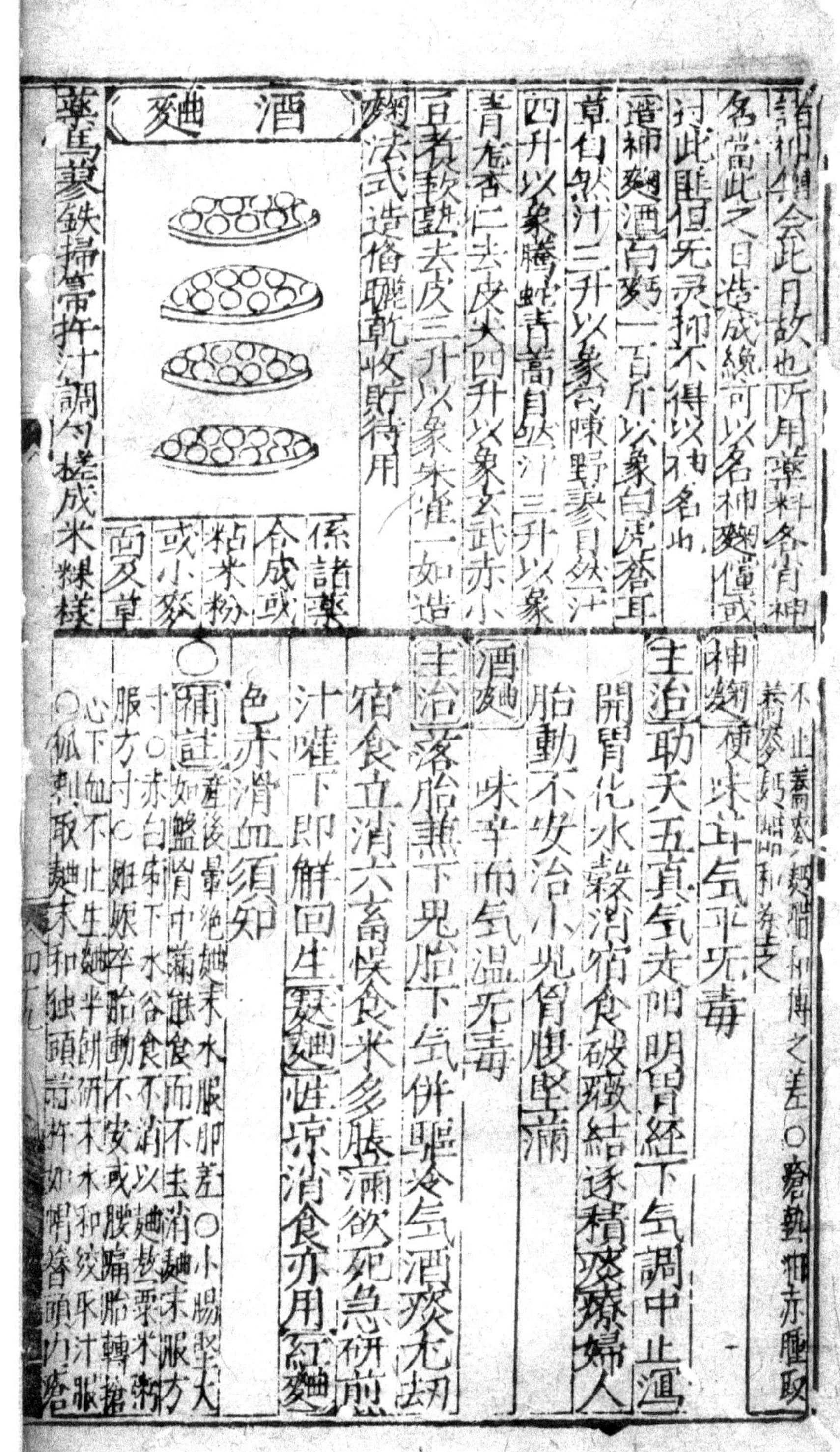
諸神集會此日故也所用藥料各有神
名當此之日造成總可以名神麯儻或
過此日但无灵抑不得以神名也
造神麯法白麪一百斤以象白虎蒼耳
草自然汁三升以象青龍野蓼自然汁
四升以象螣蛇青蒿自然汁三升以象
青龍杏仁去皮尖四升以象玄武赤小
豆煮熟去皮三升以象朱雀一如造
麯法式造備曬乾收貯待用

酒麯

係諸藥合成或粘米粉或小麥面及草

藥馬蓼鉄掃帚杵汁調勻搓成米粿樣

不止蕎麥麪炒焦油和傅之差○瘡熱油赤腫敗

神麯　味甘氣平無毒

主治　助天五真氣走胃明胃經下氣調中止瀉
開胃化水穀消宿食破癥結逐積痰療婦人
胎動不安治小兒胸腹堅滿

酒麯　味辛而氣温無毒

主治　落胎煮下兒胎下氣併驅冷氣酒痰无切
宿食立消六畜誤食米多脹滿欲死急研煎
汁灌下即解回生　紅麯　性涼消食亦用紅麯
色赤消血須知

○補遺　産後暈絶麯末水服即差○小腸堅大如盤胸中滿麯食而不去消麯末服方
寸○赤白痢下水谷食不消以麯熬粟米粥
服方寸○妊娠卒胎動不安或腰痛胎轉搶
心下血不止生麯半餅研末和絞取汁服
○狐刺取麯末和独頭蒜杵如帽簪頭内瘡

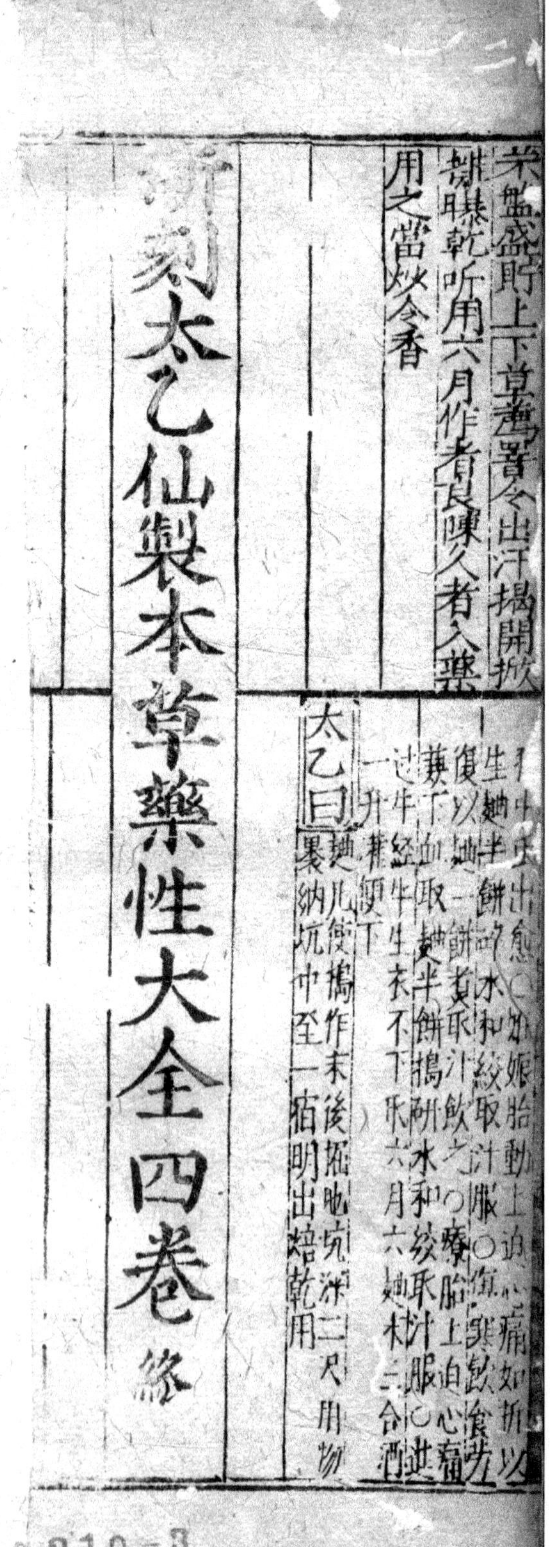

米盤盛貯上下草罨署令出汗揭開掀曝乾听用六月作者良陳久者入藥用之當炒令香

子中惡出急○姙娠胎動上迫心痛如折以生麯半餅以水和絞取汁服○治飲食過度以麯一餅煮取汁飲之○療胎上迫心痛藥下血取麯半餅擣以水和絞取汁服○治過牛經牛生衣不下取六月六麯末二合酒一升灌須下

太乙曰　麯凡修擣作末後掘地坑深二尺用物裹納坑中至一宿明出焙乾用

新刻太乙仙製本草藥性大全四卷　終

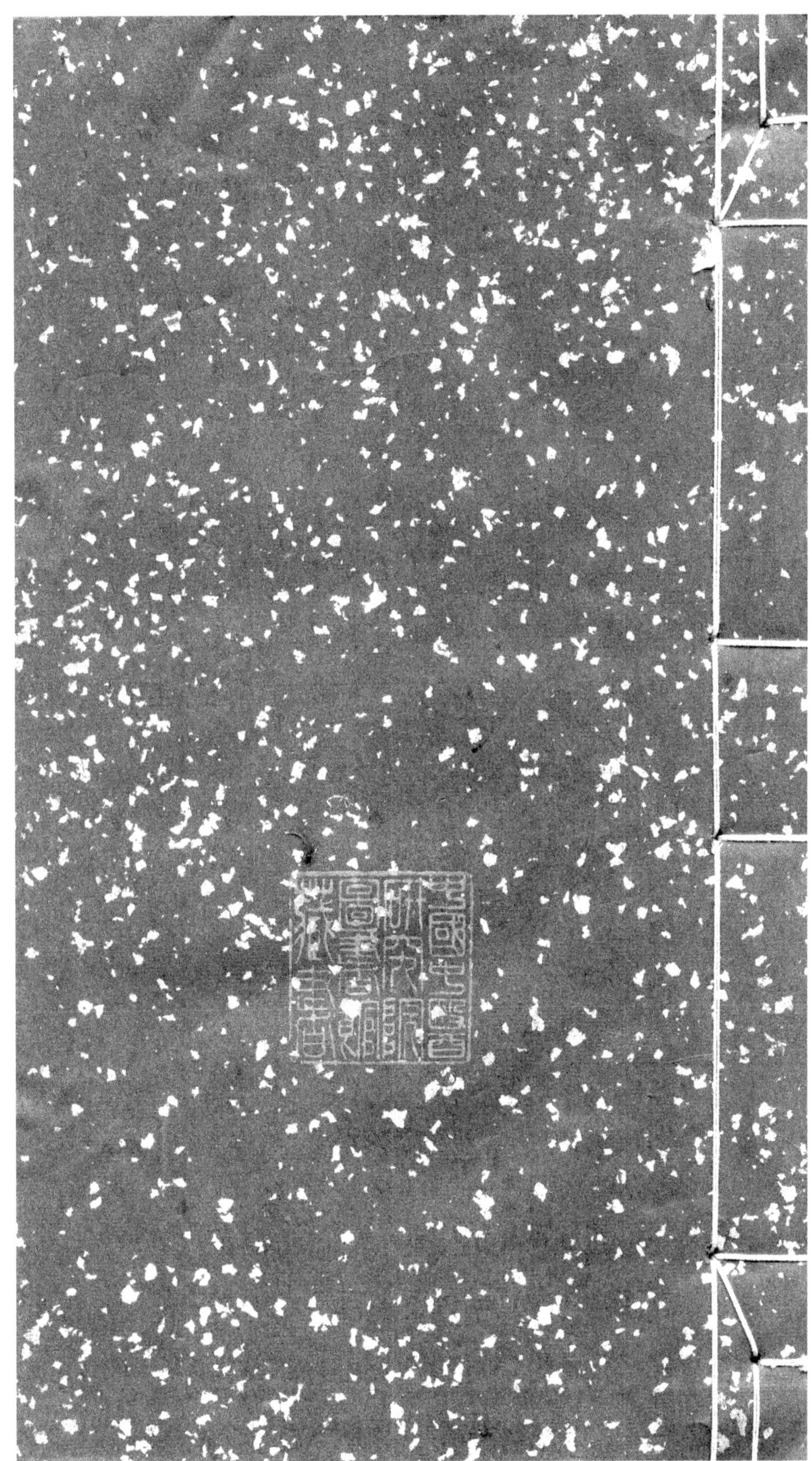

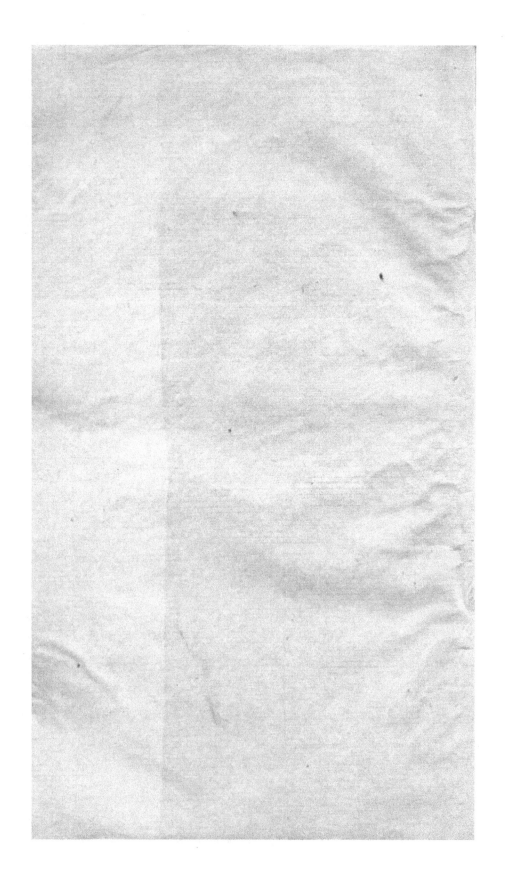

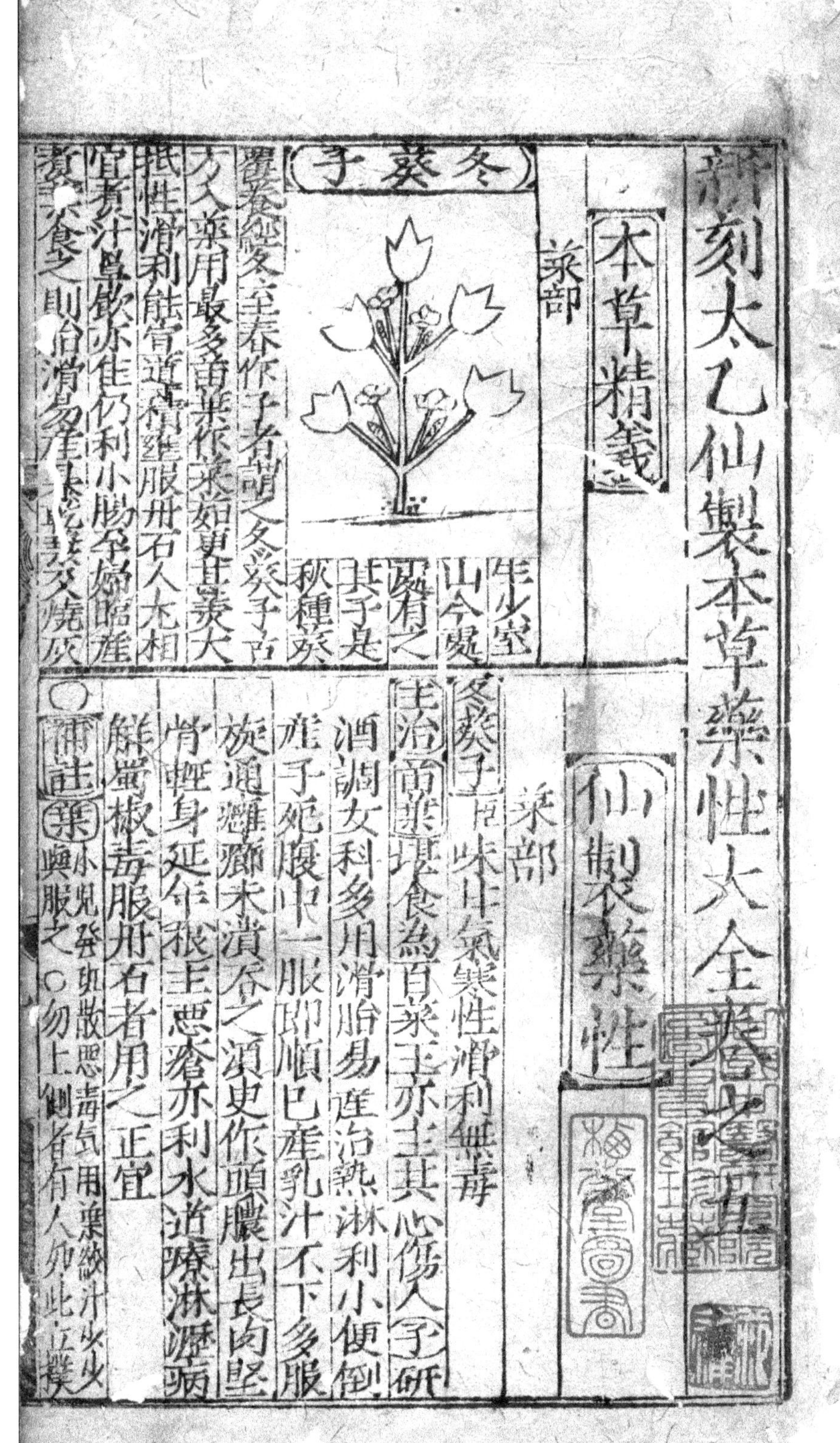

新刻太乙仙製本草藥性大全卷之五

本草精義

菜部

生少室山今處處有之其子是秋種葵

覆養經冬至春作子者謂之冬葵子古方入藥用最多苗葉作菜茹更甘美大抵性滑利能宣導積壅服丹石人尤相宜煮汁單飲亦佳仍利小腸孕婦臨產煮葉食之則胎滑易產[illegible]葵莖交燒灰

仙製藥性

菜部

冬葵子　味甘氣寒性滑利無毒

主治　前藥　堪食為百菜主亦主其心傷人子研酒調女科多用滑胎易產治熱淋利小便倒產子死腹中一服即順已產乳汁不下多服旋通癰癤未潰吞之須臾作頭膿出長肉堅骨輕身延年根主惡瘡亦利水道療淋瀝病鮮嚼椒毒服丹石者用之正宜

〇補註　藥　小兒吞錢散惡毒氣用葉絞汁少少與服之〇勿上側者有人犯此立斃

同米末主金瘡根主黑痣小丸各錢煮汁飲之立出

黄蜀葵花

近道處處有之春生苗葉與蜀葵頗相似葉尖狹多刻缺夏末開花淺黄六七月採之陰乾用

○按衍義云黄蜀葵花與蜀葵別種非為蜀葵中黄者也葉心下有紫檀色摘之則為數處就日乾之不爾即浥爛矣家為要藥子臨産時取四十九粒研爛用温水調服良久差

児剉中又細剉以水煎服一盞食之能滑小腸女人産時煮一頓食令児易生天行病后食一頓便失自吞錢不出煮汁冷飲之即出先蒜勿食○諸瘻先以泔清温洗綿拭水用微火煖貼之瘡引膿不过二三百葉膿盡即肉生忌魚蒜○天行斑瘡須臾遍身皆戴白漿此恶毒気但煮葵菜以蒜虀噉之則止

根 消渇利以根五斤切用水五升煮取三升宿不食平旦一服○口吻瘡經年根燒灰傅之○小児䓇瘡燥根末傅之○如乳及糯用逆子為

子 小児死腹中取子為末酒服方寸匕若口噤不開格口灌之藥下即活妊娠卒下血取子水煮分三服差○妊娠患淋取子水煮分二服先子用根一把○大便不通十日至一月用子三升水四升煮取一升去滓服○卒関格大小便不通支滿欲死取二升水四升煮一升頓服内以猪肪如鶏子一丸則弥佳○一切癰腫无頭以子一粒新汲水吞下須臾即破如要兩処破服兩粒要破処逐粒○倒生手足冷口禁以子炒令黄為末酒服二錢匕則順○離瘡毒熱内攻未出膿者水吞三五枚遂作竅膿出

黄蜀葵花 氣味本經俱不載

主治 催生産衣靈驗金瘡更驗小便淋瀝用之

蜀葵

一名菺葟　蜀地郭云似葵華如槿華戎蜀

蓋其所自出因以名○花有五色紅黃赤白功用不同小花者名錦葵一名戎葵功用更強黃葵子主淋澀亦令婦人易產又有終葵大莖小葉紫黃色吳人呼為繁露即下品落葵尒雅所謂終葵繁露者是也一名承露俗呼為胡燕脂子可婦人塗面及作口脂又有兔葵似葵而葉小狀若藜有毛汋而啖之甚滑尒雅所謂莃菟葵是也亦名天葵葉主淋瀝熱結者有功效故並載之

亦通惡水治膿傅之即安○子炒研調酒亦催產捷方

○補註　蜀花陰乾以手焙乾為末井花水下三錢如無子以根細切煎汁令濃待冷服

蜀葵　味甘氣寒陰中之陽無毒

主治根　主客熱而利小便治惡瘡而散膿血理帶下如神去惡汁有驗○葉燒灰以傅金瘡煮食主丹石發熱搗爛而貼火瘡炙煑與小兒食治熱毒下痢大人丹痢搗汁服之誠恐發痛即燬飲之久食鈍人性○露花冷無毒治小兒毒風癮疹○子冷無毒能催生墮胎療淋澀水腫一切瘡疥癰毒更兼瘢疵士曆花有五色治亦不同○紅葵花治赤帶赤痢如神血燥發治○白葵花驅白帶白痢速效氣燥亦驅嬈

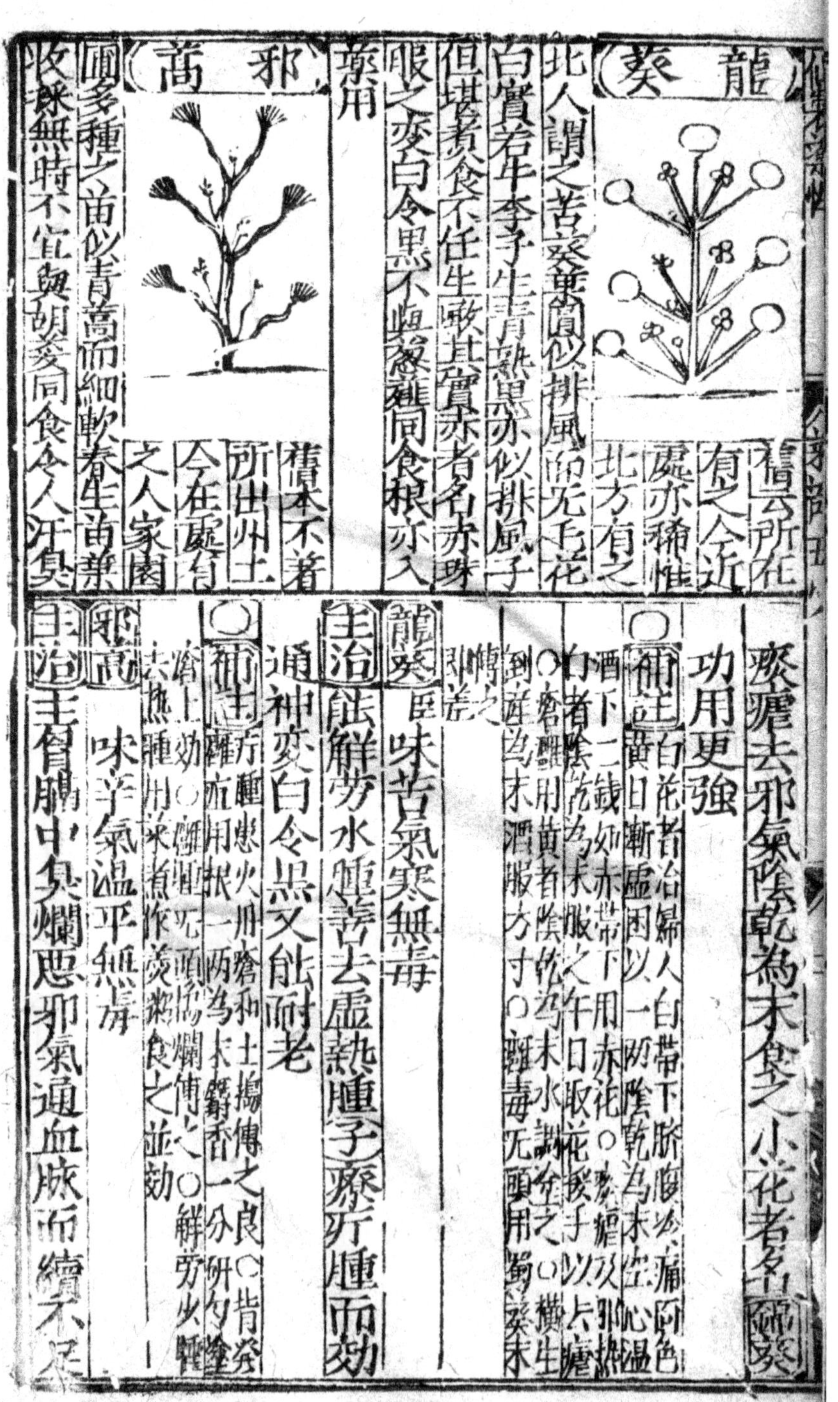

龍葵

舊云所在有之今近處亦稀惟北方有之

北人謂之苦葵葉圓似排風而無毛花白實若牛李子生青熟黑亦似排風子但堪煮食不任生啖其實赤者名赤珠服之變白令黑不與葱薤同食根亦入藥用

邪蒿

積本不著所出州土今在處有之人家園圃多種之苗似青蒿而細軟春生苗葉收採無時不宜與胡荽同食令人汗臭

療癧去邪氣陰乾為末食之小花者名[illegible]功用更強

○補注 白花者治婦人白帶下臍腹冷痛面色黃日漸虛困以一兩陰乾為末空心溫酒下二錢如赤帶下用赤花○療瘰癧及邪熱白者陰乾為末服之午日取花接子以去瘧○療癰用黃者陰乾為末水調塗之○横生倒產為末酒服方寸○癰毒無頭用蜀葵末傅之即差

龍葵 臣 味苦氣寒無毒

主治 能解勞水腫善去虛熱腫子療疔腫而効通神變白令黑又能耐老

○補注 疔腫患火用磨和土搗傅之良○背瘡癰疽用根一兩為末麝香一分研勻塗瘡上効○癰疽無頭搗爛傅之○解勞少睡去熱腫用菜煮作羹粥食之並効

邪蒿 味辛氣溫平無毒

主治 主胷膈中臭爛惡邪氣通血脈而續不足

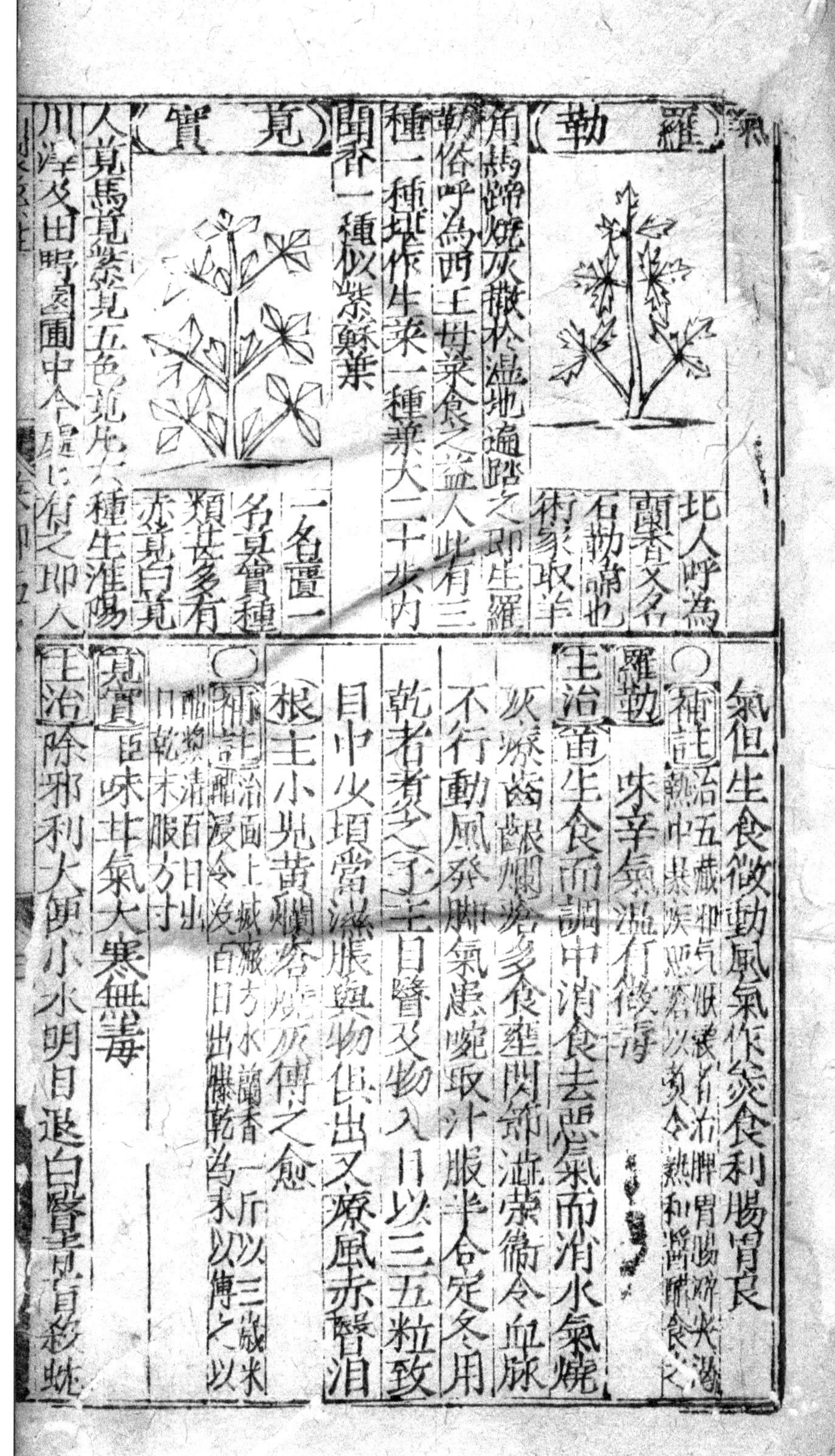

氣

羅勒

北人呼為蘭香又名石勒諱也術家取羊角馬蹄燒灰撒於濕地遍踏之即生羅勒俗呼為西王母菜食之益人此有三種一種堪作生菜一種葉大二十步内聞香一種似紫蘇葉

莧實

一名蕢一名莫實種類甚多有赤莧白莧人莧馬莧紫莧五色莧凡六種生淮陽川澤及田野園圃中今處處有之即人

氣但生食微動風氣作炙食利腸胃良

（補註）治五藏邪氣厭穢者治脾胃腸澼大渴熱中暴疾惡瘡以葉合熱和醬醋食之

羅勒　味辛氣溫有微毒

主治　宜生食而調中消食去惡氣而消水氣燒灰擦齒齦爛瘡多食壅閉節澀榮衛令血脈不行動風發腳氣患噦取汁服半合定冬用乾者煮之（子）主目瞖及物入目以三五粒致目中少頃當濕脹與物俱出又療風赤瞖淚

（根）主小兒黃爛瘡燒灰傅之愈

（補註）治面上瘢痕方水蘭香一斤以三歲米醋浸令沒百日出曬乾為末以傅之以醋漿清百日出日乾末服方寸

莧實　臣　味甘氣大寒無毒

主治　除邪利大便小水明目退白瞖青盲殺蚘

莧花也經云細莧亦同葉如藍是也入
藥者人白二莧俱大寒亦謂之糠莧亦
謂之胡莧亦謂之細莧其實一也但人
莧小而白莧大耳其子霜後方熟實細
而黑主翳目黑花肝風客熱等紫莧莖
葉通紫吳人用染爪者諸莧中此无
毒不寒兼主氣痢赤莧亦謂之花莧莖
葉深赤爾雅所謂蕢赤莧是也根莖亦
可糟藏食之甚美然性微寒故主血痢
五色莧今亦稀有細莧俗謂之野莧猪
好食之又名猪莧子九月霜後採之

馬莧

一名馬齒莧一名五行草今田野園圃處

虫去寒熱益精氣藥忌與鱉同食又入血分
通經逐瘀血殊功下胎孕最捷孕婦臨産食之
食易産通九竅補氣能除熱多食冷中損腹
久服輕身不飢
○補註 蜈蚣螫人取紫莧搗絞汁飲一升滓以水和塗瘡上又射工毒中人令寒熱發瘡偏在一処有異於常者取赤莧合莖葉搗絞取汁飲一升日再差
○按衍義云莧實入藥亦稀苗又謂之人莧人
多食之莖高而葉紅黄二色者謂之紅人莧
可淹菜用又食療云莧菜食之動氣令人煩
悶冷中損腹不可與鼈肉同食生鼈癥又取
鼈甲如豆片大者以莧菜封裹之置於土坑
内上以土蓋之一宿盡變成鼈兒也又五月
五日採莧菜和馬齒莧為末等分調與妊娠

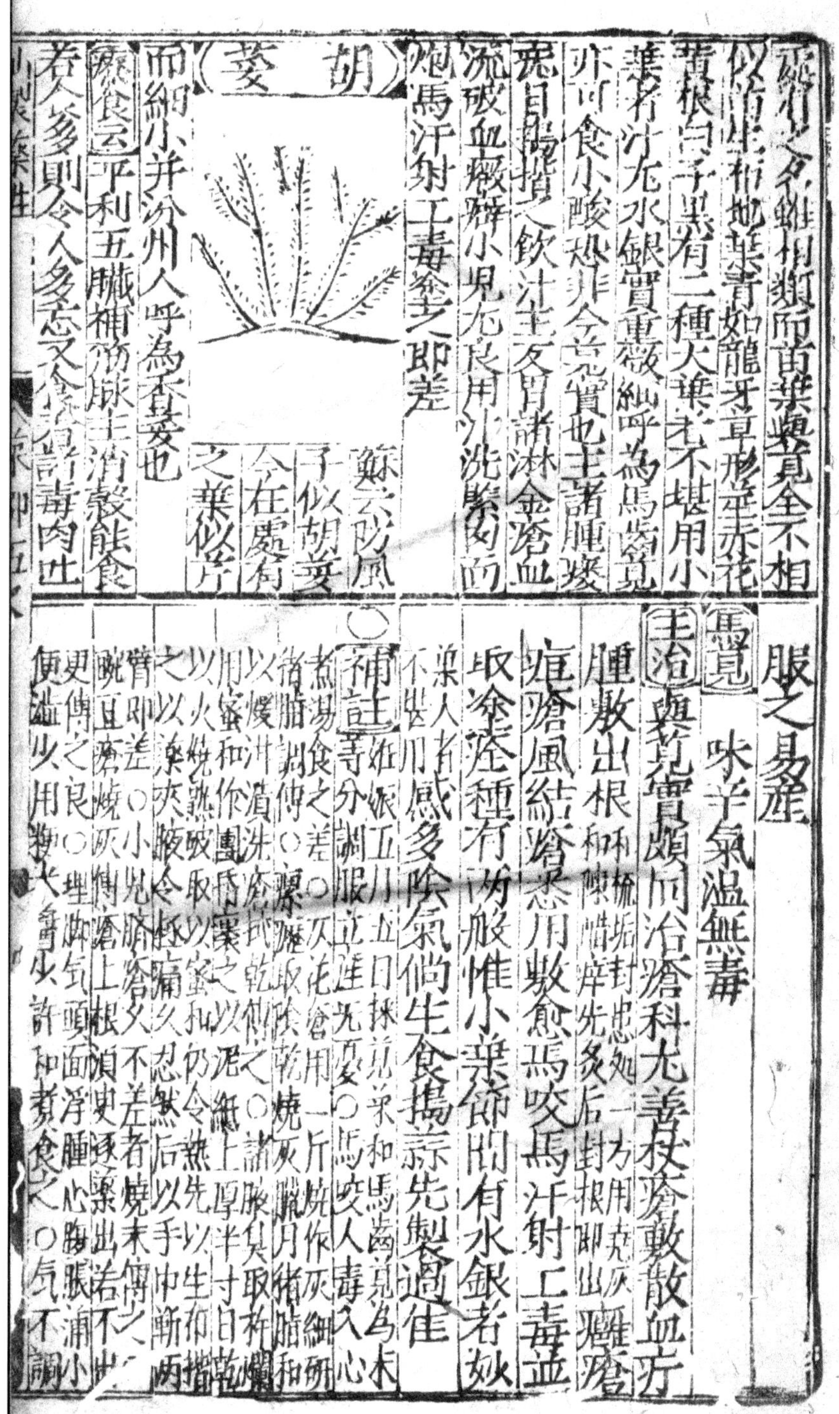

蘇頌云今蜀中亦有類而苗葉與馬莧全不相似所生布地葉青如龍牙草形莖赤花黃根白子黑有二種大葉者不堪用小葉者汁尤水銀實重微紫呼為馬齒莧亦可食小酸恐非今之莧實也主諸腫瘻疣目搗揩之飲汁主反胃諸淋金瘡血流破血癥癖小兒尤良用汁洗緊唇面皰馬汗射工毒塗之即差

（胡荾）

蘇云防風子似胡荾今在處有之葉似芹而細小并汾州人呼為香荾也

食療云平利五臟補筋脉主消穀能食若人多則令人多忘又發[illegible]許毒肉出

服之易產

馬莧　味辛氣溫無毒

主治　與莧實頗同治瘡科尤善杖瘡敷散血疔腫敷出根和梳垢封患処一方用壳灰和陳醋搽先灸后封根即出癰瘡疽瘡風結瘡悉用敷愈焉咬馬汗射工毒並取塗痊種有分般惟小葉節間有水銀者妙染人者不堪用感多陰氣倘生食搗蒜先製過佳

○補註　姙娠五月五日採莧菜和馬齒莧烏木等分調服立產兒下衣○馬咬人毒入心煮湯食之差○又花倉用一斤燒作灰細研豬脂調傅○凛瘡取陰乾燒灰臘月豬脂和以煖泔清洗瘡拭乾傅之○諸腋臭取杵爛用蜜和作團紙裹之以泥紙上厚半寸日乾以火燒熟破取以蜜和仍令熱先以生布揩之以藥夾腋下令極痛久忍然后以手巾斷兩臂即差○小兒臍瘡久不差者燒末傅之晚豆瘡燒灰傅瘡上根須更逐藥出若不出更傅之良○埋脚気頭面浮腫心胸脹滿小便澁少用嫩莧多少許和煮食之○気不調

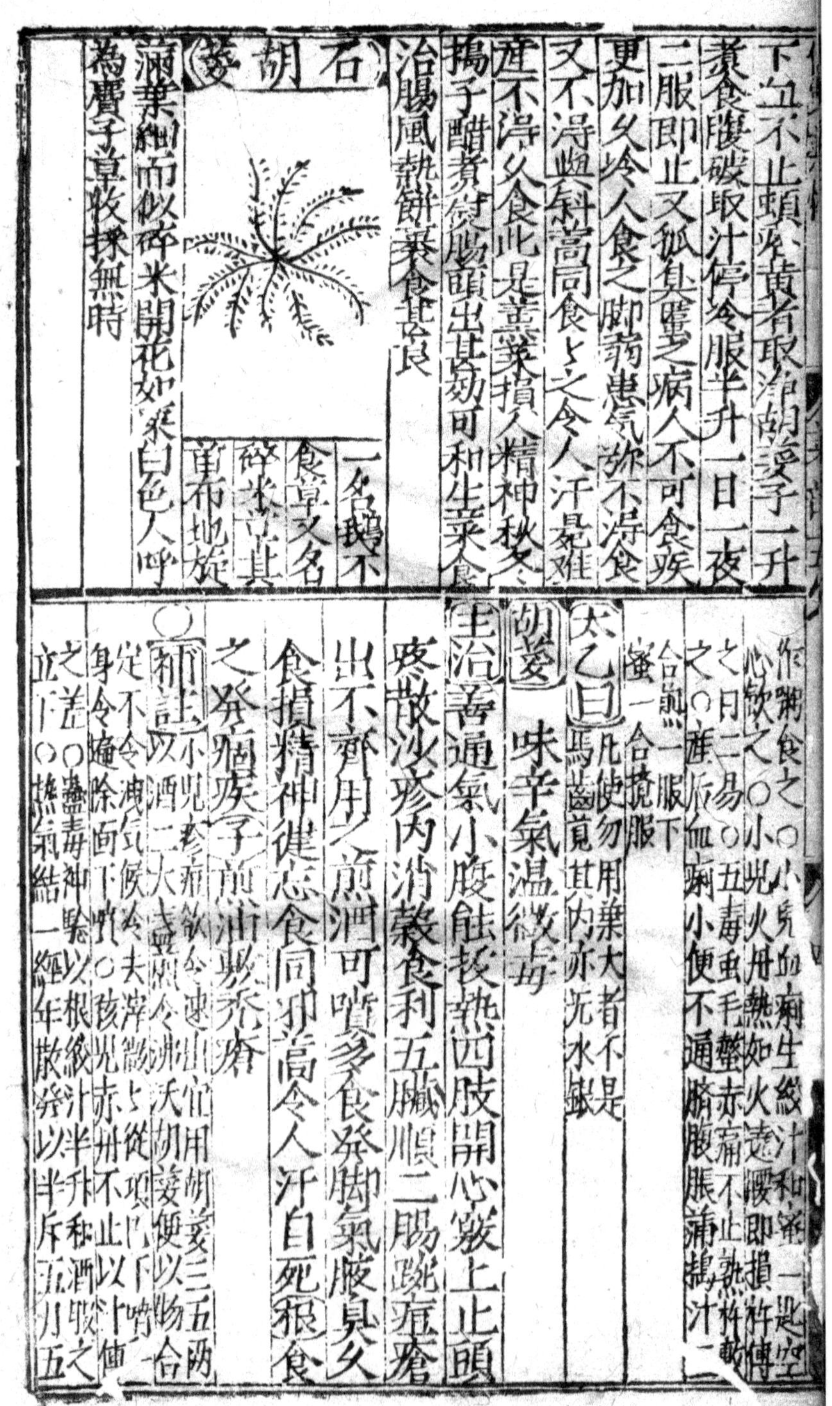

下血不止頻瘀黄者取胡荽子一升煮食腹破取汁停冷服半升一日一夜二服即止又狐臭䘌之病人不可食疾更加久冷人食之脚弱患氣彌不得食又不得與斜蒿同食々之令人汗臭難差不得久食此是葷菜損人精神秋冬擣子醋煮熨腸頭出甚効可和生菜食治腸風熱餅裹食甚良

石胡荽

一名鵝不食草又名碎米莎其草布地旋滿葉細而似碎米開花如粟白色人呼為䕡子草收採無時

作粥食之○小兒血痢生絞汁和蜜一匙空心飲之○小兒火丹熱如火遶腰即損杵傅之日二易○五毒蟲毛螫赤痛不止熟杵敷之○產後血痢小便不通臍腹脹滿擣汁一合煎一服下蜜一合攪服

太乙曰 凡使勿用葉大者不是馬齒莧其內亦充水銀

胡荽 味辛氣溫微毒

主治 善通氣小腹飩拔熱四肢開心竅上止頭疼散沙疹肉消穀食利五臟順二腸蹺瘡瘡出不爽用煎酒可噴多食發腳氣腋臭久食損精神健忘食同邪蒿令人汗自死(根)食之發痼疾(子)煎油點發齊

○**補註** 小兒疹痘欲令速出宜用胡荽三五兩以酒二大盞煎令沸沃胡荽便以物合定不令洩氣候冷去滓微々從項以下噴一身令遍除面不噴○孩兒赤丹不止以汁傅之差○蠱毒神驗以根絞汁半升和酒服之立下○熱氣結一經年散發以半斤五月五

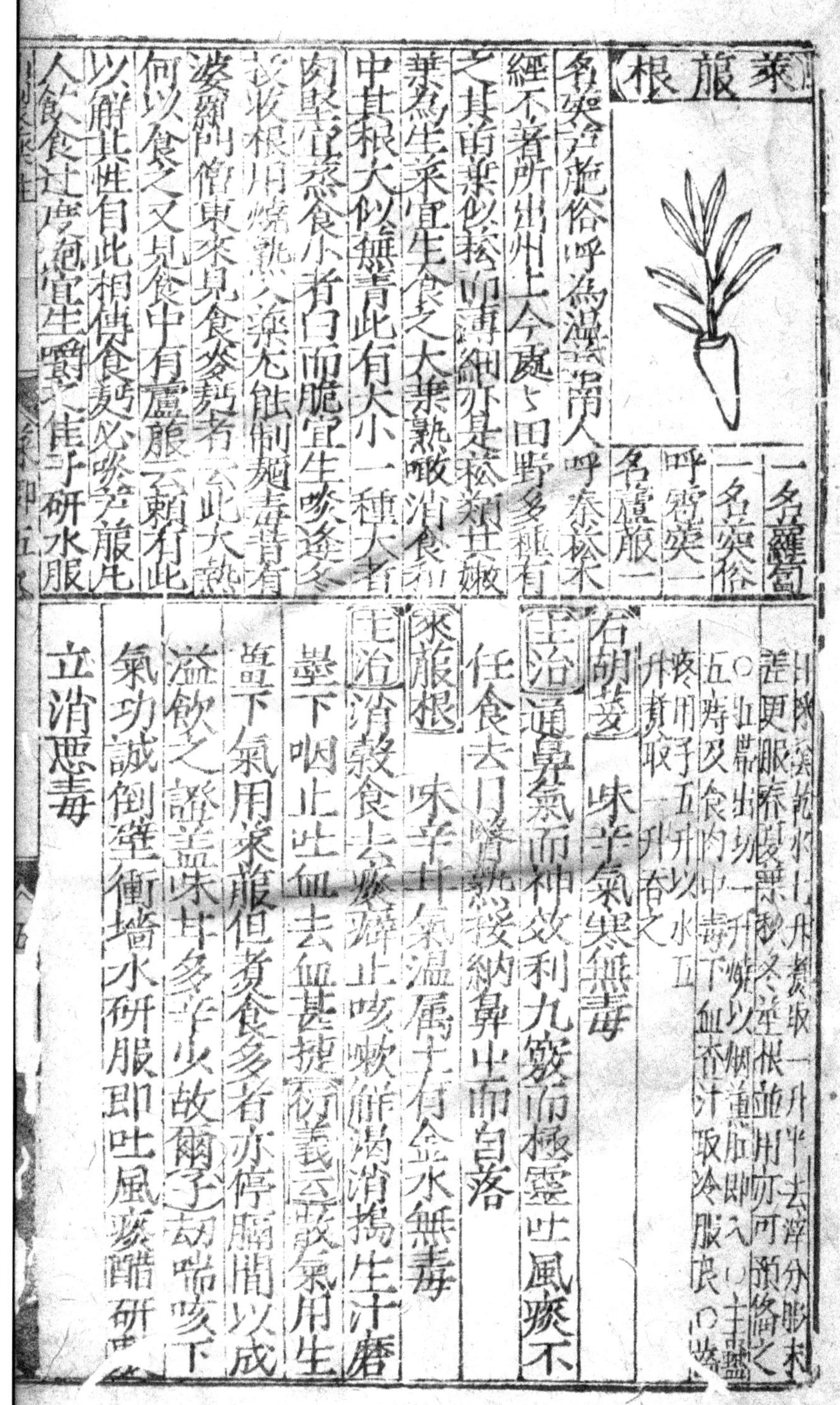

萊菔根

一名蘿蔔　一名葖菘　呼雹葖一名蘆菔一名葖今俗呼為溫菘南人呼秦菘本經不著所出州土今處處田野多種有之其苗葉似菘而薄細亦是菘類甘嫩葉為生菜宜生食之大葉熟啖消食和中其根大似蕪菁此有大小二種大者肉堅宜蒸食小者白而脆宜生啖逐冬收根用燒熟入藥尤能制麵毒昔有婆羅門僧東來見食麥麪者云此大熱何以食之又見食中有蘆菔云賴有此以解其性自此相傳食麪必啖蘆菔凡人飲食過度飽宜生嚼咽之子研水服

用蘿蔔乾水七升煮取一升半去滓分服主諸更服療喉痺秋冬採根並用亦可預備之○止鼻衄切一升搗以傾藥服即入口主鹽五痔及食肉中毒下血杏汁取冷服良口瘡痰用子五升以水五升煮取一升吞之

石胡荽　味辛氣寒無毒

主治　通鼻氣而神效利九竅而極靈吐風痰不任食去目瞖熱殺毒納鼻中而自落

萊菔根　味辛甘氣溫屬土有金水無毒

主治　消穀食去痰癖止咳嗽解渴消搗生汁磨墨下咽止吐血去血甚捷衍義云散氣用生薑下氣用萊菔但煮食多者亦停膈間以成溢飲之證蓋味甘多辛少故爾子主治喘咳下氣功誠倒壁衝墻水研服即吐風痰醋研消腫立消惡毒

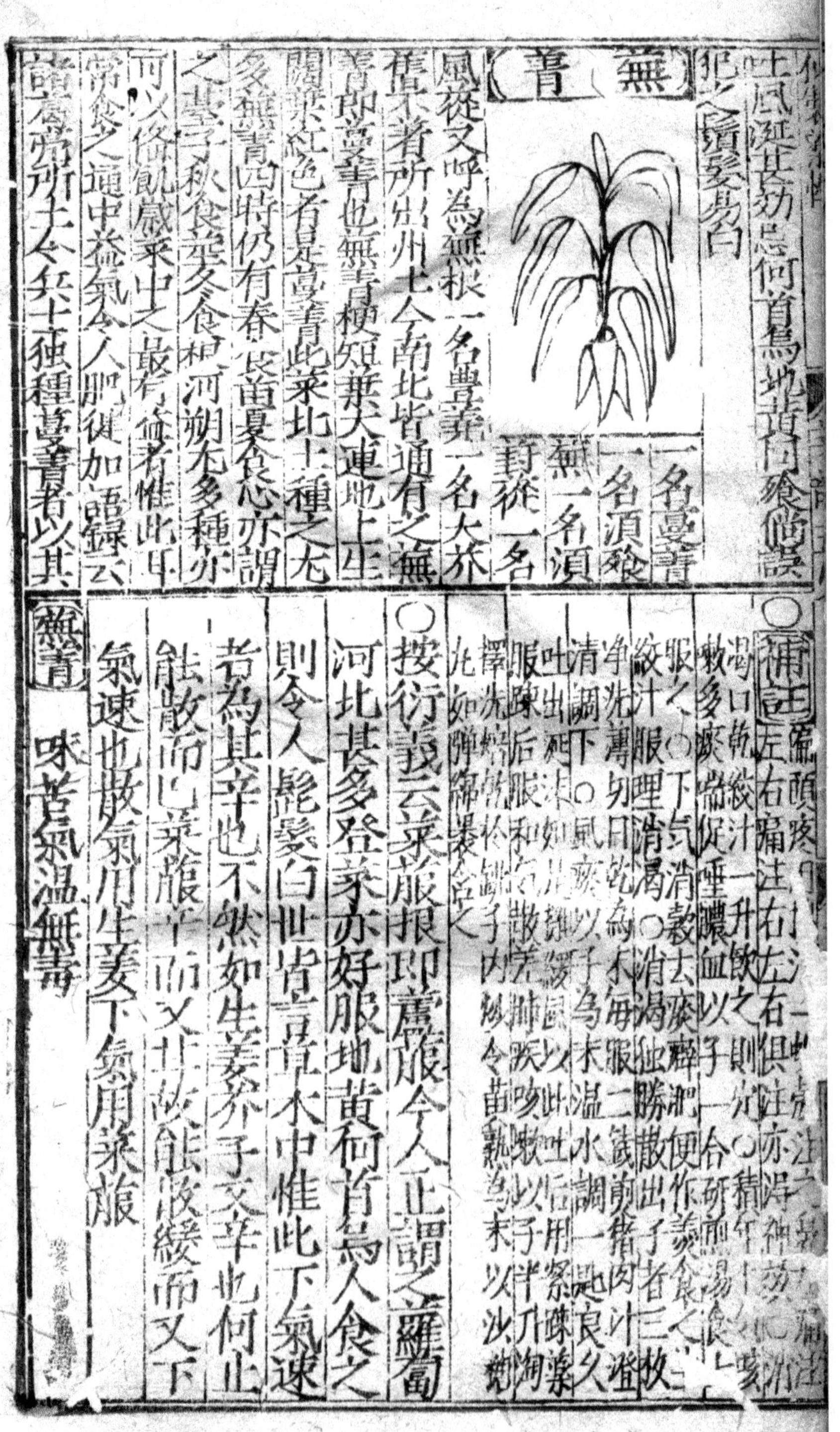

吐風涎其効忌何首烏地黃同食偽誤
犯之鬚髮易白

蕪菁

一名蔓菁
一名須薞
蕪一名須
葑蓯一名

風蓯又呼為蕪根一名豐蕘一名大芥
舊本著所出州土今南北皆通有之蕪
菁即蔓菁也蕪菁梗短葉大連地上生
闊葉紅色者是蔓菁此菜北土種之尤
多蕪菁四時仍有春食苗夏食心亦謂
之臺子秋食莖冬食根河朔尤多種亦
可以備飢歲菜中之最有益者惟此耳
常食之通中益氣令人肥健加語錄云
諸葛亮所止令兵士獨種蔓菁者以其

○偏頭疼[illegible]一[illegible]注一[illegible]偏注
○補遺左右偏注右左右俱注亦得神効[illegible]
渴口乾絞汁一升飲之則充○積年[illegible]
嗽多痰涎治促唾膿血以子一合研煎湯[illegible]
服之○下氣消穀去痰癖肥健作羹食之[illegible]
絞汁服理消渴○消渴強勝散出子者三枚
淨洗蔓菁切日乾為末每服二錢煎豬肉汁澄
清調下○風疹以子為末溫水調一匙良久
吐出效法如此鍊風以此吐後用緊疎藥
服疎后服和氣散瘥肺疾咳嗽以子半斤洞
擇洗蒸熟於鍋子內炒令黃熟為末以沙糖
丸如彈綿裹含化之
○按衍義云菜菔根即蘆菔今人止謂之蘿蔔
河北甚多登菜亦好服地黃何首烏人食之
則令人髭髮白世皆言草木中惟此下氣速
者為其辛也不然如生薑芥子又辛也何止
能散而已菜菔辛而又甘故能散緩而又下
氣速也故散氣用生薑下氣用菜菔

蕪菁

味苦氣溫無毒

纔出甲可生噉一也葉舒可煑食二也久居則隨以滋長三也棄不令惜四也回即易尋而採之五也冬有根可斸食六也比諸蔬屬其利不亦博乎劉禹錫曰亂矣三蜀江陵之人今呼蔓菁為諸葛菜是也其實夏秋熟時採之仙方亦单服用水煑三过令苦味盡曝乾搗篩水服二錢日三以增服可以辟穀又治發黃下小腸藥用之又主目青盲崔元亮海上方云但蔓菁子不限多少搗十得九愈蔓菁子六升一物蒸之看氣遍合甑下以釜中熱湯淋之乃暴令乾返淋如是三遍即取杵篩為末食上清粥服二寸匕日再瘥而膏亦有用者又療乳癰瘡實熱者取根葉搗碎去土不用水洗

主治宜常噉食易至健肥益氣通中下氣消穀

子主黃疸利水又治霍亂除彪去目暗青盲消癥瘕積聚九蒸九曝為粉食之斷穀長生研細入面脂中搗絞轉潤壓油繞面膏內黑點回明蜘蛛咬傷搗末酒服故蔓菁園中無蜘蛛是其相畏也根治熱毒風腫消渴亦可鮮除但食之多令人脹滿

○補遺根卒腫毒痛取根大者削去皮搗如泥治酒毒二沸急覺出傅腫處裹日三易○一切熱腫毒取生根一握入鹽花少入和搗傅腫上日三易○犬咬人重發治之服汁佳○男子陰腫如斗大核痛人所不能治者搗根傅之即差○豌豆瘡用根搗汁瘡上三食子瘭疽著手足肩背累累如米起頭根出色白刮之汁出復發熱以子熬搗帛裹傅之爛止○頭禿子味酢和傅之三○黃疸皮膚眼睛如金色小便赤用生子為末熟水調下方寸匕日三即差○血熱面皺取子爛研入常用面脂中良○常服明目潤

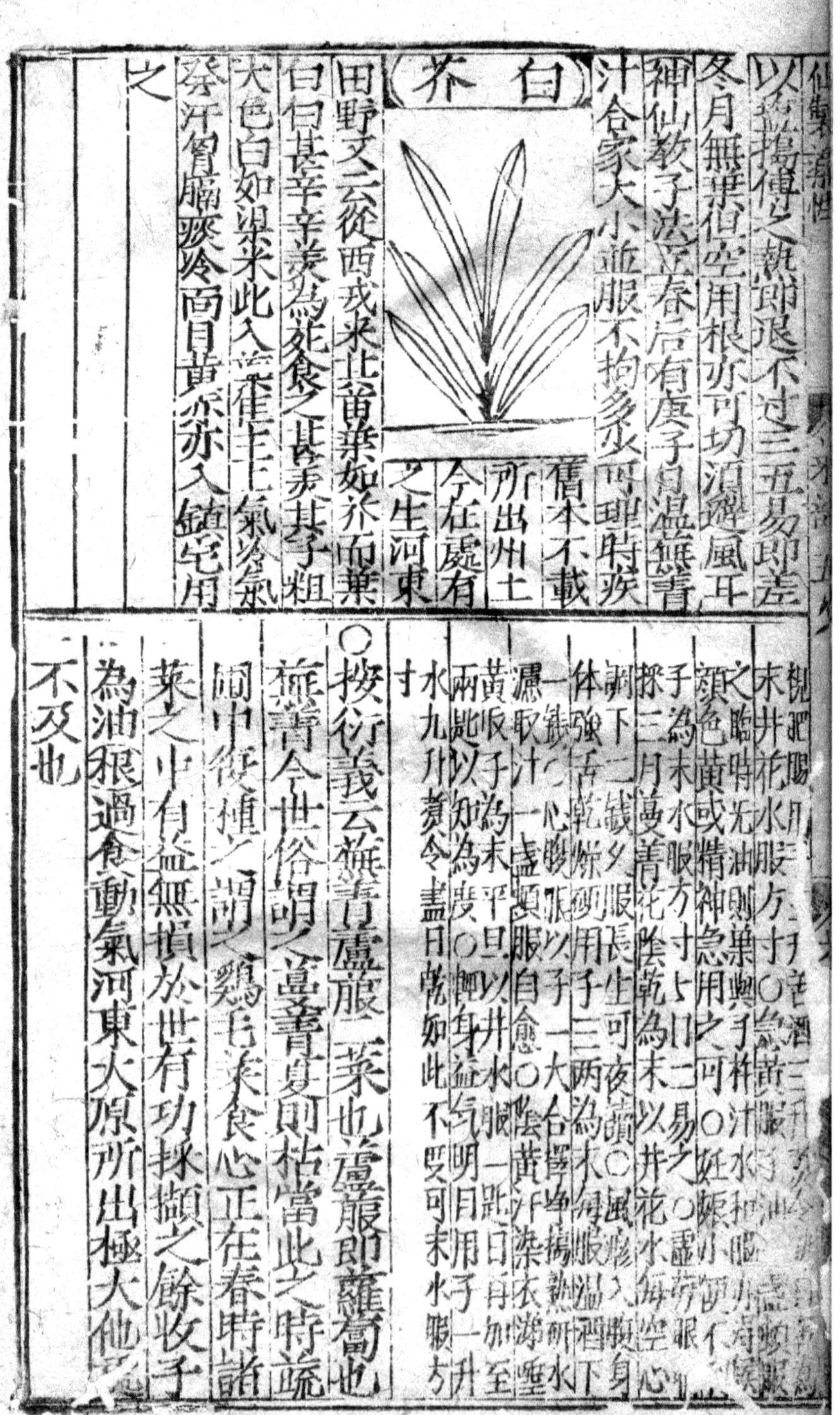

以䕶擣傅之熱即退不過三五易即差
冬月無葉但空用根亦可切須避風耳
神仙教子法立春后有庚子日温蕪菁
汁合家大小並服不拘多少可理時疾

白芥

舊本不載
所出州土
今在處有
之生河東

田野又云從西戎來比蕪菁葉如芥而葉
白白甚辛辛羨為菹食之甚美其子粗
大色白如梁米此入太陰肺經上氣冷氣
發汗胸膈痰冷面目黃赤亦入鎮宅用
之

[illegible]肥腸月三[illegible]酒三升[illegible]
末井花水服方寸匕○治黃[illegible]
之臨時先油煎葉與子杵汁水和服[illegible]
顏色黃或精神急用之可○妊娠小便不[illegible]
子為末水服方寸匕日二易之○蓋芥服
採三月蔓菁花陰乾為末以井花水每空心
剃下二錢匕服長生可夜讀○風疹入腹身
体強舌乾燥須用子三兩為末每服温酒下
一錢匕○心腹脹以子一大合擣熟研水
濾取汁一盞頓服自愈○陰黃汗染衣涕唾
黃服子為末平旦以井水服一匙日再加至
兩匙以知為度○輕身益氣明目用子一升
水九升煮令盡日乾如此不要可末水服方
寸

○按衍義云蕪菁蘆菔一菜也蘆菔即蘿蔔也
蕪菁今世俗謂之蔓菁夏則枯當此之時蔬
圃中復種之謂之雞毛菜食心正在春時諸
菜之中有益無損於世有功採擷之餘收子
為油根過食動氣河東太原所出極大他處
不及也

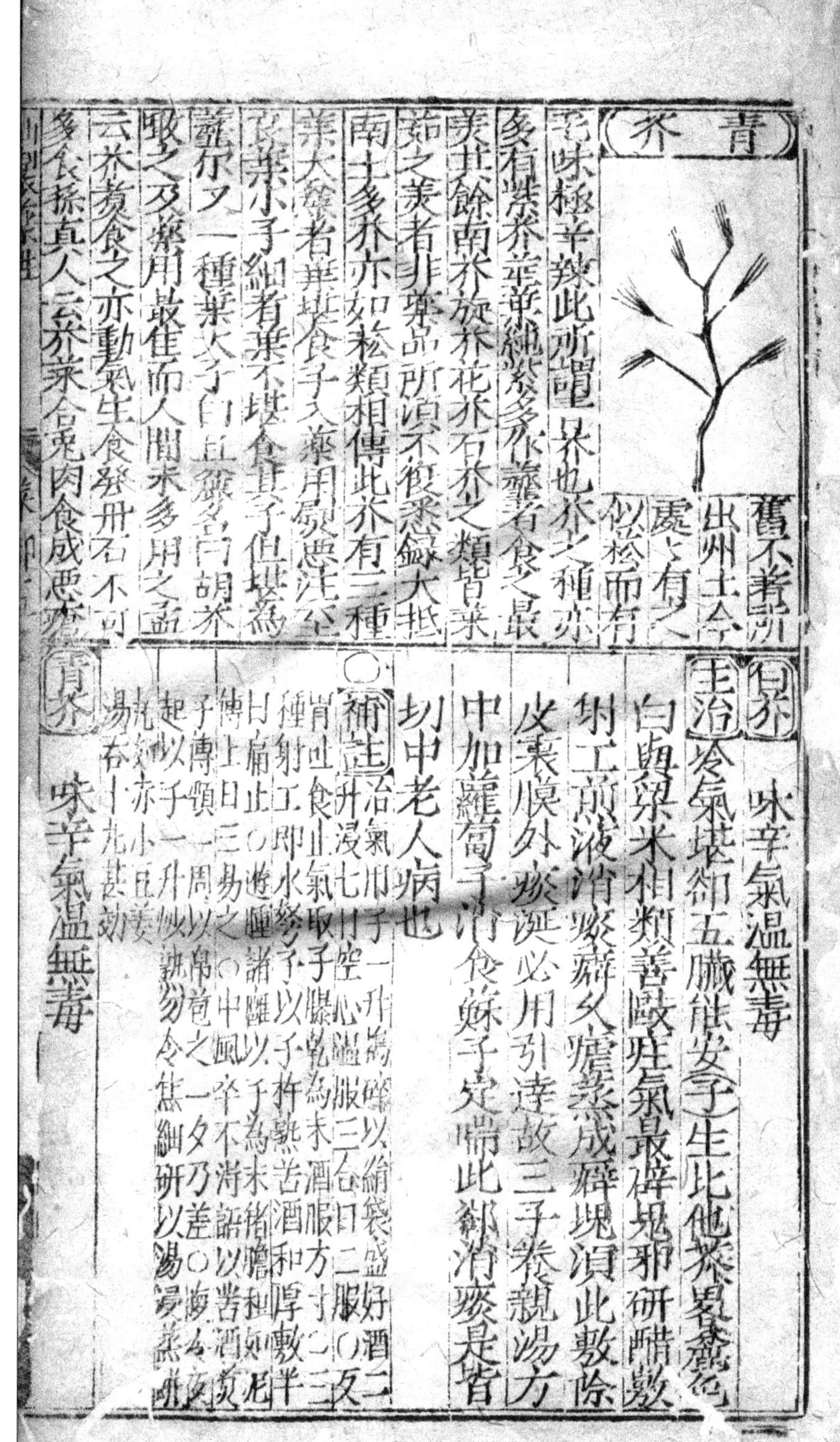

青芥

舊不著所出州土今處處有之似菘而有毛味極辛辣此所謂青芥也芥之種亦多有紫芥莖葉純紫多作虀者食之最美其餘南芥旋芥花芥石芥之類皆菜茹之美者非藥品所須不復悉錄大抵南土多芥亦如菘類相傳此芥有二種葉大粗者葉堪食子入藥用最良注云子葉小子細者葉不堪食其子但堪為虀芥又一種葉大子白且麄名曰胡芥啖之及藥用最佳而人間未多用之孟云芥葉食之亦動氣生食發丹石不可多食孫真人云芥菜合兔肉食成惡瘡

白芥　味辛氣溫無毒

主治　冷氣堪卻五臟能安（子）生北他蕃畧蠻名白與粟米相類善驅疰氣最辟鬼邪研醋敷射工煎湯消痰癖久瘧蒸成癖塊須此敷除皮裏膜外痰涎必用引達故三子養親湯方中加蘿蔔子消食蘇子定喘此劑消痰是皆切中老人病也

○補註　治氣用子一升搗碎以絹袋盛好酒二升浸七日空心溫服三合日二服○又胃逆食止氣取子曝乾為末酒服方寸匕二三種射工即水弩子以子杵熟苦酒和厚敷半日痛止○遊腫諸腫以子為末豬膽和如泥傅上日三易之○中風卒不消語以苦酒煮子傅頸一周以帛苞之一夕乃差○腳氣起以子一升炒熟為令焦細研以湯浸蒸餅丸如赤小豆姜湯吞十丸甚効

青芥　味辛氣溫無毒

菘菜

尔雅云菘葵菜吳人呼楚菘廣南人呼秦

菘此菘臺不毒嘗毒宜食之舊本不著所出州土今南北皆有之與蕪菁相類梗長葉不光者為蕪菁梗短葉濶厚而肥痺者為菘舊說菘不生北土人有將子北土種之初一年半為蕪菁二年菘種都絕菘南人之種蕪菁而今京都種菘都類南種俱肥厚並不及耳楊州以種菘葉圓而大或若箄啖之無滓絕勝他土者此所謂白菘也又有牛肚菘葉最大厚味甘疑今楊州菘近之紫菘葉薄細味小苦北土無有菘比蕪菁有小

【主治】生食發用不發毒煮食動風氣動風令兒肉同餐成惡瘡尤驗亦堪主療嘗載本經刊竅明耳目溫中歸鼻除邪氣止欬子細青色作醬甚香撲損瘀血冷疼生姜研貼癧痺風毒腫痛酸醋和敷酒調末下咽心脾痛覓止又【紫芥】【花芥】【石芥】種却多般惟採取作菹依虀不復分別

○【補註】乏注風毒疼痛用子為末雞子白調傳○婦人中風口噤舌本縮用子一升細研以醋煎傳頷頰下立効○耳聾用子杵碎以人乳調綿裹塞耳差○瘰有五種不過此方以千搗碎用水及蜜和塗傳喉上下乾易之○小兒紫脣搗馬芥子汁令先揩脣血出傳之口上塗馬芥卽刺芥也

【菘菜】味甘氣溫無毒

【主治】主通利腸胃之壅藥除胸中煩熱之捷方

毒不可多食若过度生姜可解其菘有三種有牛肚菘葉最大厚味甘紫菘葉薄細味少苦白菘似蔓菁也陳藏器云去魚腥動氣發病姜蘇制其毒葉大多毛者是蕭炳云北人至南方不勝土地之宜遂病足木宜忌菘菜

苦菜

一名[illegible]草
一名選一
名遊冬一
名苦識人

呼為小苦蕒生益州川谷山陵道傍四方皆有之在北道則冬方凋斃南方則冬夏常青此月令小滿節後所謂苦菜秀者是也田圃云苦菜生於寒秋經冬歷春得夏乃成葉似苦苣而細更狹其綠色差淡折之白乳汁出常常點瘊子

消食下氣為最治瘖止熱尤良多食發皮膚風瘙痒能解酒渴治嗽去邪熱氣

○補註　酒醉不醒用子二合細研井花水一盞調為二服○發背杵汁一升日用服以差止○通利腸胃除胸中煩熱解酒渴用菜二斤煮作羹啜之止渴作齏菹食亦得○溫病菜如粟米酒服方寸七日三碎五年溫○小兒赤遊行於上下至心即死杵菜傅上

○按衍義云菘菜張仲景傷寒論凡用甘草皆禁菘菜者是此菘菜也葉如蕪菁綠色差淡其味微苦葉嫩稍闊不益中虛人食之覺冷

苦菜　味苦氣寒無毒

主治　主五臟邪氣而厭穀胃痺治腸澼渴熱與中疾惡瘡去中熱極戀安心神最良久服益氣聰明耳目少卧輕身耐老耐飢寒高氣不老

○補註　小兒閃癖揭葉傅之良○去暑熱日黃秘結用之煮汁服良

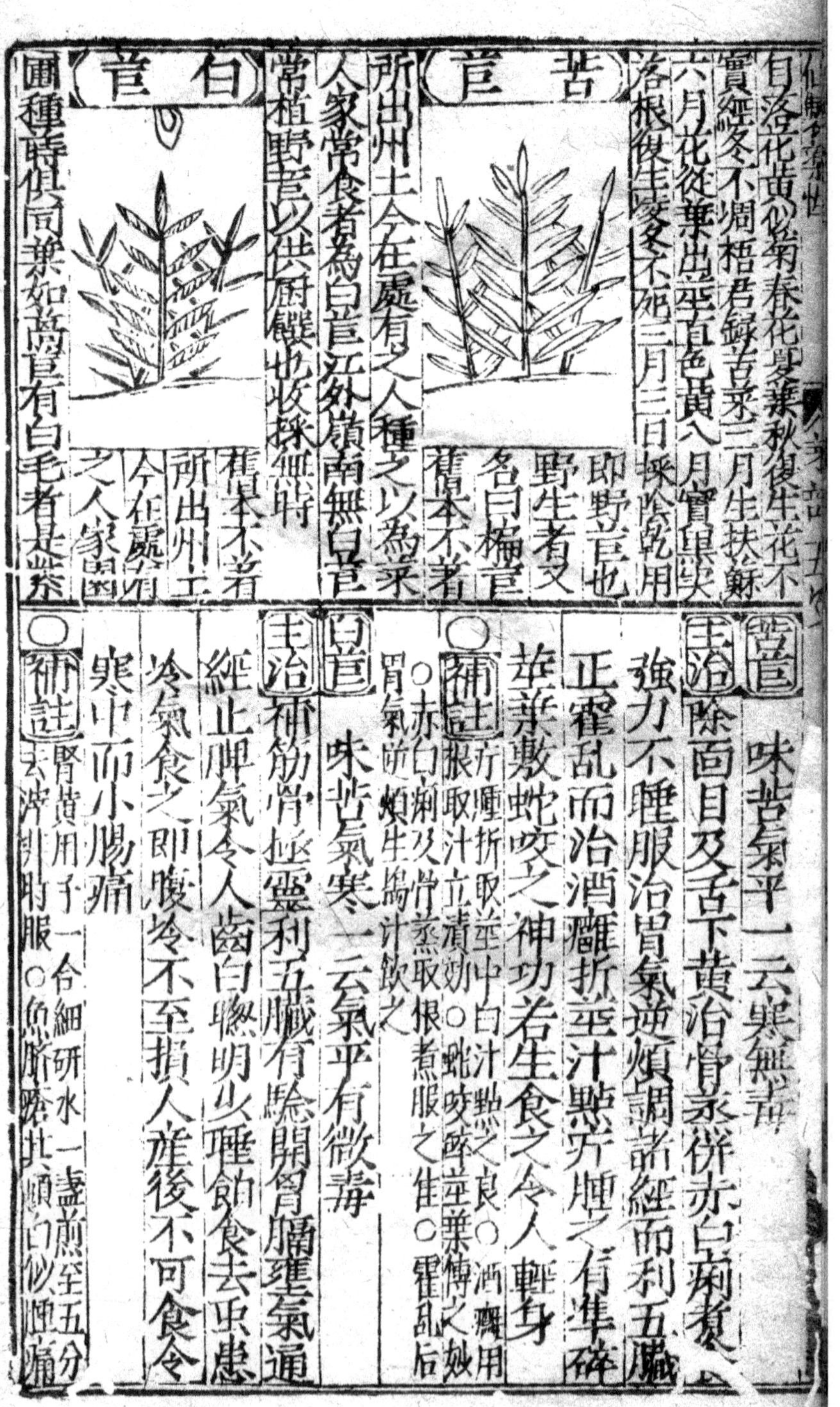

自洛花黄似菊春花夏葉秋復生花不
實經冬不凋梧君錄苦菜三月生扶蘇
六月花從葉出莖直色黄八月實黒實
洛根復生冬不死三月三日採陰乾用
即野苣也
野生者又
名曰褊苣
舊本不著

苦苣

所出州土今在處有之人種之以為菜
人家常食者為白苣江外嶺南無白苣
常植野苣以供厨饌也收採無時
舊本不著
所出州土
今在處有
之人家園

白苣

圃種時俱同葉如萵苣有白毛者是菜

苦苣 味苦氣平一云寒無毒

主治 除面目及舌下黄治骨蒸併赤白痢者久
強力不睡服治胃氣逆煩調諸經而利五臟
正霍乱而治酒癰折莖汁點疔腫之有準碎
莖葉敷蛇咬之神功若生食之令人輕身

〇補註 疔腫折取莖中白汁點之良〇酒癰用
根取汁立潰效〇蛇咬研莖葉傅之妙
〇赤白痢及骨蒸取根煮服之佳〇霍乱后
胃氣逆煩生搗汁飲之

白苣 味苦氣寒一云氣平有微毒

主治 補筋骨延靈利五臟有驗開胃膈壅氣通
經止脾氣令人齒白聰明少睡飲食去虫患
冷氣食之即腹冷不至損人産後不可食令
寒中而小腸痛

〇補註 腎黄用子一合細研水一盞煎至五分
去滓非時服〇魚臍瘡其頭白似膿痛

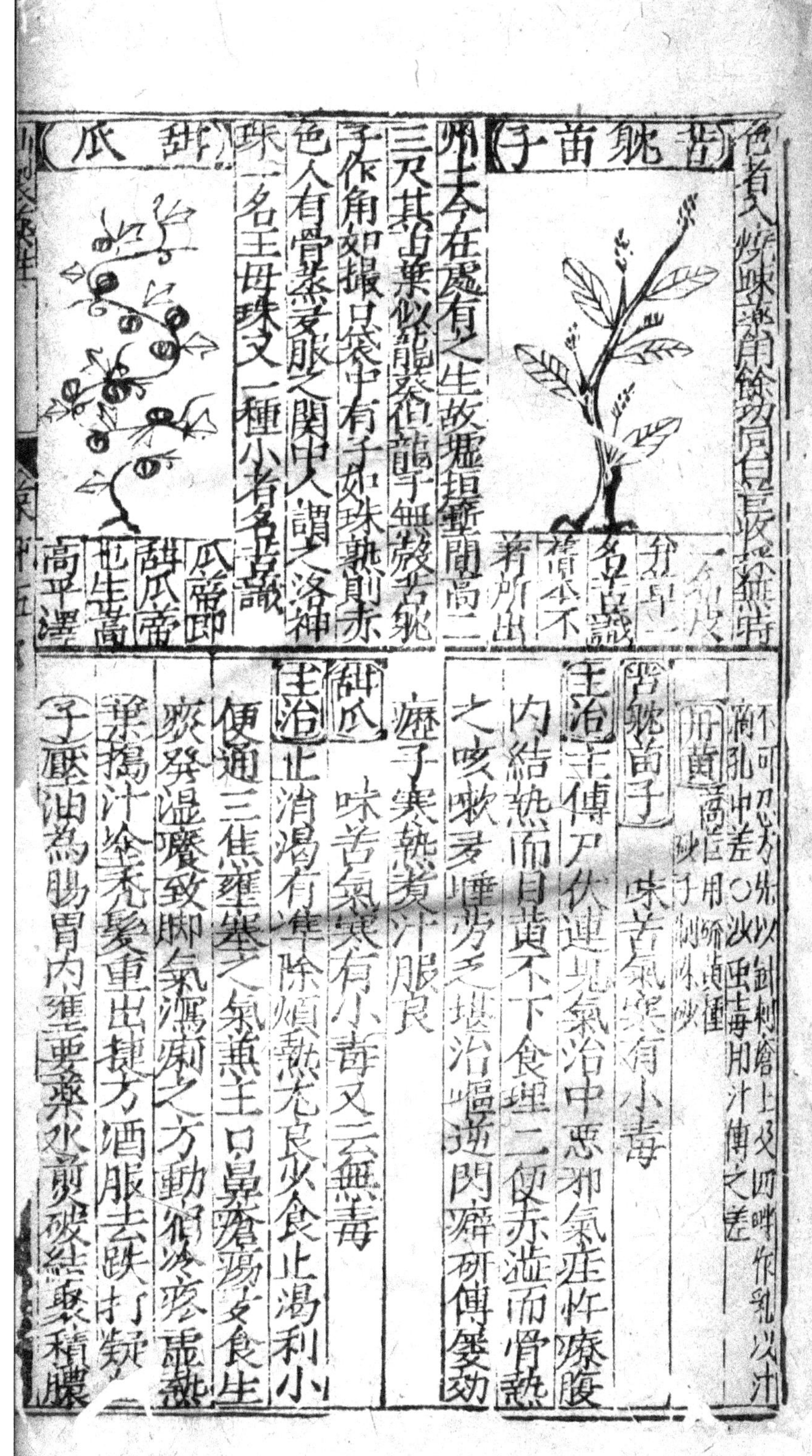

色者入肺味苦前餘功同白鮮皮大熱時

苦耽苗子

一名□皮　弁早一　名苦識　精今不　着所出

州土今在處有之生故墟垣塹間高二三尺其苗葉似龍葵但龍子無殼苦耽子作角如撮口袋中有子如珠熟則赤色人有骨蒸多服之關中人謂之洛神珠一名王母珠又一種小者名苦識

甜瓜

瓜蒂即甜瓜蒂也生嵩高平澤

不可忍者先以針刺瘡上及四畔作孔以汁滴孔中差○汝瘡毒用汁傅之差

[illegible]

苦耽苗子　味苦氣寒有小毒

主治　主傳尸伏連鬼氣治中惡邪氣疰忤瘀腹內結熱而目黃不下食理二便赤澁而骨熱之咳嗽多睡勞乏堪治嘔逆閉癖研傅疊劲

癧子寒熱煮汁服良

甜瓜　味苦氣寒有小毒又云無毒

主治　止消渴有準除煩熱尤良少食止渴利小便通三焦壅塞之氣兼主口鼻瘡瘍多食生瘀發濕癢致脚氣瀉痢之方動宿冷瘀癥熱葉搗汁塗禿髮重出捷方酒服去跌打疑子壓油為腸胃內壅要藥水煎破結聚積膿

今處處有之亦園圃所種舊說瓜有青白二種入藥當用青瓜蒂其蒂落在蔓蔓者為美御藥炎燥有風處吹乾俗呼苦丁香堪為湧吐劑七月採陰乾方書所用多入吹鼻及吐膈散中先亦止鼻中息肉齆鼻等藥三無髮搗汁塗之即生花主心痛欬逆肉主煩渴除熱多食則動痼疾又有越瓜色正白生越中胡瓜黃色亦謂之黃瓜別無功用食之亦不益人故可略之

食療云瓜蒂主身面四肢浮腫殺蠱去鼻中瘜肉療黃疸及暴急黃取瓜蒂丁香各七枚小豆七粒為末吹黑豆許於鼻中少時黃水出差其子熟補中宜人瓜有毒止渴益氣除煩熱利小便通

莖主鼻齆為因花治心痛咳逆

〇補註 甜瓜子止月經太過為末去油水調服〇口臭杵乾仔為末蜜和丸每旦洗漱含一丸如棗核大亦用傅齒〇治熱去煩取去皮食後啖之煮皮作羹亦佳

瓜蒂 味苦氣寒有毒

主治 消身面浮腫水氣逐咽喉窒塞風痰身懸急黃同丁赤豆母丁香赤小豆研吹鼻中只一遭竟來黃水鼻內瘜肉和羊脂油搗敷患處日三吹久旋消餘逐胸中寒除頭偏痛殺蠱毒鬼疰止飽逆氣衝又同黍米丁香研成瓜蒂十二枚黍米四十九粒丁香一枚為末含水搐一字吸下治久不聞香臭亦驗但性急多損胃氣凡胃弱切忌煎嘗雖有當吐之病必以人參蘆代

〇補註 時氣三日外忽覺心滿堅硬脚手心熱變黃不治殺人以七枚杵末如大豆許

三焦經渠氣多食令人陰下濕痒生瘡動宿冷病癥癖人不可食之若食之飽脹入水自消多食令人惙惙虛弱脚手無力并生搗汁生髮多食中打損折傷末酒服去瘀血治小兒斑龍魚河魨云瓜有兩鼻者殺人沉水者殺人食多腹脹可食鹽花成水

○拔衍義云瓜蒂即此甜瓜蒂也去瓜皮用蒂約半寸許曝極乾不限多少為細末量疾每用一二錢匕膩粉一錢匕以水半合調勻嚥之治風涎暴作氣塞倒卧服之良久涎自出或吞見有涎用諸藥行化不下但如此服涎即出或服藥良久涎未出含沙糖一塊下咽即涎出此物甚不損人全勝石碌硇砂輩

吹鼻中令黄水出或末水調服吐黄水一二升差○遍身如金色蒂四十九枚六月六日收者丁香四十九個用甘鍋燒烟盡為度研末小兒用半字吹鼻及揩牙大人用一字吹鼻內立差○大人小兒久患風癇纏喉風痰數遍身風疹急中涎潮昏小兒服一字瓜蒂不拘多少研末壯年一字十五已下老怯半字早晨井花水下一食頃含沙糖一塊良久涎如水出涎盡食粥一兩日如吐多用甚即效射香湯一盞即止矣麝細研溫水調下○急黄心上堅硬渴欲得水氣息喘麤脹黄但有一頸疾祖當則以一小合赤小豆二合為末煖漿水九合服方寸一枚久當吐不生再服立分亦滅之若必鼻中兩三黑豆許黄水出○黄疸目黄不除用瓜蒂研細末如豆許内鼻中令病人深吸取鼻中黄水出立差

太乙曰　凡使勿用白瓜蒂要採青綠色瓜待瓜氣足其瓜蒂自然落在蔓莖上採得未用時使劑匕葉裹於東簷有風處掛令吹乾用瓜子凡使勿用瓜子實恐誤採得后便於日中曝令內外乾便於用馬尾篩篩成粉末了用其藥不出油其效力短若要出油土杵作膏用三重紙裹用重物壓之取无油后為用

胡瓜葉　味苦氣平有小毒

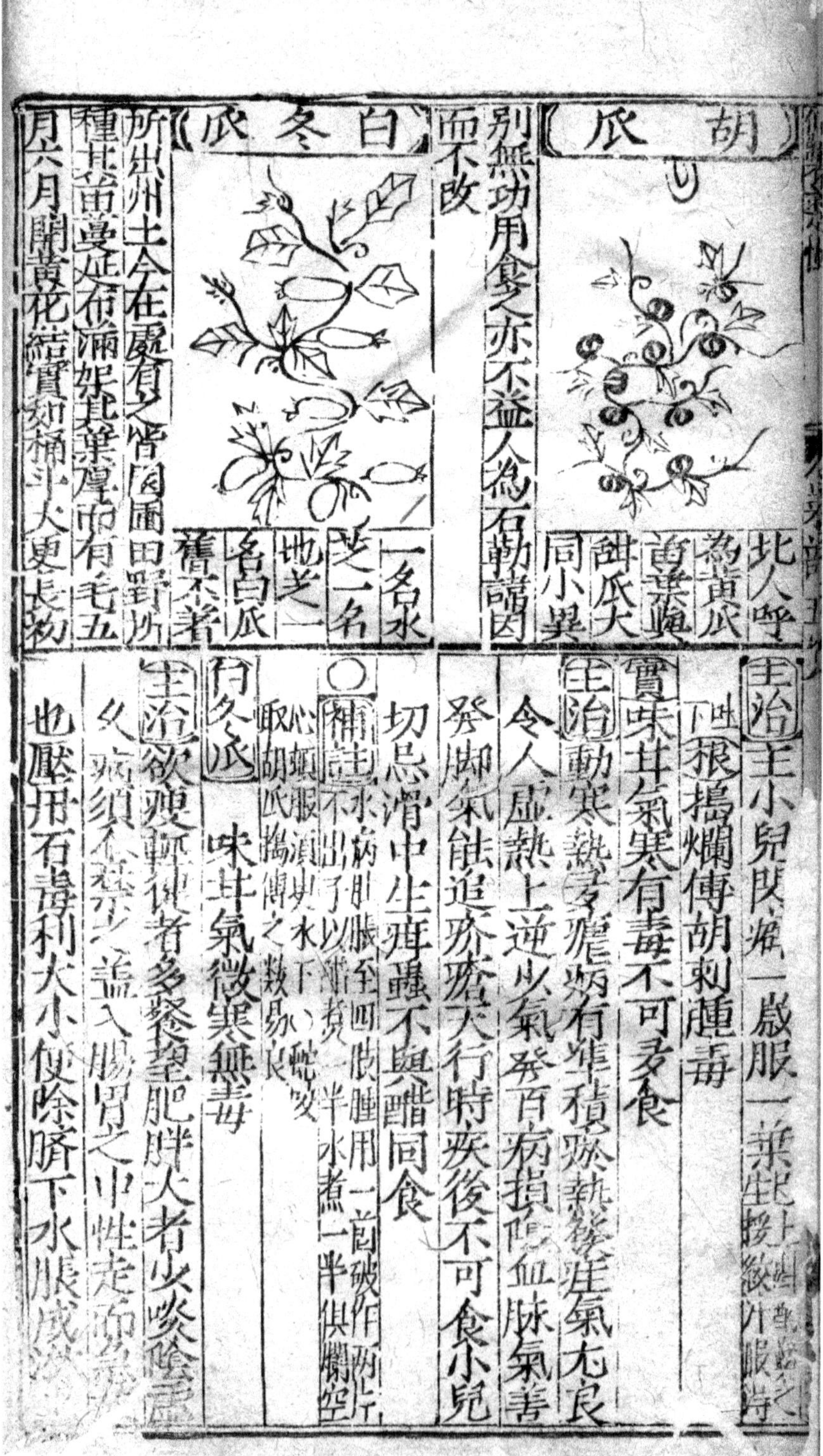

胡瓜

北人呼為黄瓜避諱今甜瓜大同小異別無功用食之亦不益人為石勒諱因而不改

主治 主小兒閃癖一歲服一葉生挼絞汁服得吐下

根 搗爛傳胡刺瘡毒

實 味甘氣寒有毒不可多食

主治 動寒熱多瘧病有嵒積瘀熱發注氣尤良令人虛熱上逆少氣發百病損陰血脉氣善發脚氣能追疥瘡天行時疾後不可食小兒切忌滑中生疳蟲不與醋同食

○補註 水病肚脹至四肢腫用一箇破作兩片不出子以醋煮一半水煮一半俱爛空心頓服須臾水下○又蛇咬取胡瓜搗傳之數易良

白冬瓜

一名水芝一名地芝一名白瓜舊不著所出州土今在處有之皆園圃田野所種其苗蔓延布滿架其葉厚而有毛五月六月開黄花結實初桶斗大更長初

白冬瓜 味甘氣微寒無毒

主治 欲瘦輕健者多餐煮肥胖人者少喫陰虛久病須忌之益入腸胃之中性走而急也壓用石毒利大小便除臍下水脹成渴

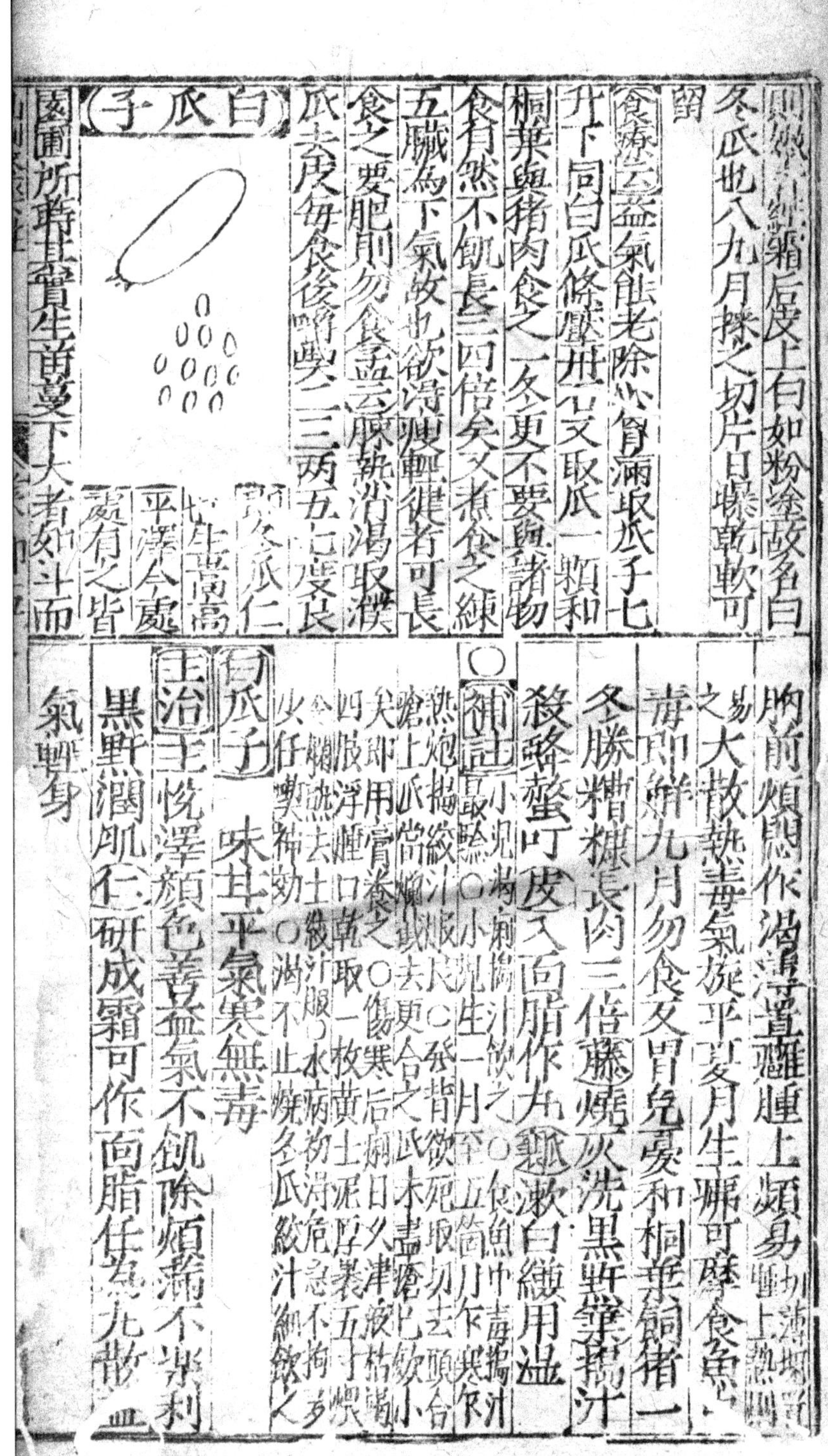

則然若紵霜後皮上白如粉塗故名白冬瓜也八九月採之切片日曝乾軟可留

食療云益氣能老除心胸滿取瓜子七升下同白瓜條壓研令爻取瓜一顆和桐葉與豬肉食之一冬更不要與諸物食有然不飢長三四倍矣又煮食之練五臟爲下氣故也欲得瘦輕健者可長食之要肥則勿食孟云膝熱消渴取濮瓜去皮每食後喫二三兩五七度良

白瓜子

冬瓜仁七月生當高平澤今處處有之皆園圃所蒔其實生苗蔓下大者如斗而

胸前煩悶作渴消置癰腫上頻易切薄片置上熱則易之大散熱毒氣旋平安月生瓣可爲食魚毒即鮮九月勿食又胃兒憂和桐葉飼豬一冬勝糟糠長肉三倍藤燒灰洗黑䵟并擣汁發斑瘡叮皮又面脂作丸瓜漱白繃用益

○補註 小兒渴痢搗汁飲之○食魚中毒搗汁最驗○小兒生一月至五個月乍寒乍熱熟炮搗絞汁服良○發背欲死取切去頭合瘡上瓜當爛截去更合之瓜未盡瘡已斂小矢即用膏養之○傷寒后痢日久津液枯竭四肢浮腫口乾取一枚黃土泥厚裹五寸煨令爛熟去土絞汁服○水病初得危急不拘多少任喫神效○渴不止燒冬瓜絞汁細飲之

白瓜子 味甘平氣寒無毒

主治 主悅澤顏色益氣不飢除煩滿不樂利黑䵟潤肌仁研成霜可作面脂任意丸散益氣輕身

更長皮厚而有毛初生正青綠經霜則白如粉其中肉及子亦白故謂之白瓜人家多藏蓄彌年作菜果入藥須霜後合取置之經年破出核洗燥乃擂取仁用之亦堪單作服餌又有末作湯飲又作面藥並令人顏色光澤宗懍荊楚歲時記云七月採瓜犀以為面脂犀瓣也瓣亦可作澡豆其肉主三消渴疾解積熱利大小腸壓丹石毒

越瓜

即梢瓜另名色白味甘寒無異頭尾相似

大者尺餘越人當果食之小者藏之為瓜不可多食動氣令人虛弱不能行小

〇補註 補肝明目治男子五勞七傷少氣白瓜子七升絹袋盛絞沸湯中三遍以酢五升漬一宿暴乾搗篩酒服方寸匕日三服差〇多年損傷不差熬瓜子末溫酒服之〇金瘡藥方取仁七升以絹袋盛之投三沸湯中須臾出曝乾如此三度止又與清苦酒漬經一宿曝乾為末日服之方寸匕令人肥悅明目延年不老又取子三五升退去皮搗為丸空心日服三十丸令人白淨如玉

越瓜 味甘氣寒無毒

主治 主利益腸胃止渴宜洩熱氣尤良善解酒毒去熱煩渴止易小便來長灰傅陰莖熱瘡

但冷利又發諸瘡冷中小兒夏月勿食

〇補註 陰痒久陰痒熱瘡為末傅之良〇越瓜醃久食益腸胃和飲作酢并淹[illegible]之良

黃瓜 亦不宜食多積瘀熱成瘡動氣發熱作瘧發氣生瘡虫忌醋和之慎勿犯也

西瓜 即者性溫不寒解夏中暑熱消靈有天生

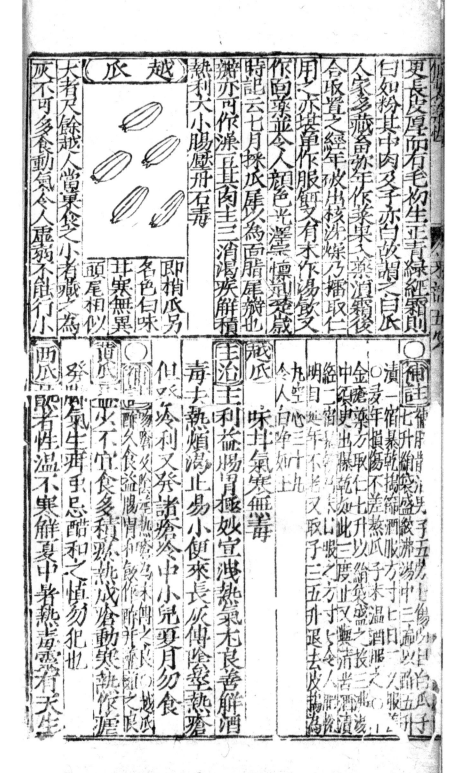

冬夏月不可與食又發諸瘡令人虛弱冷小腸令人臍下為癥瘕痛不止又天行病後不可食又不得與荳乳酪及酢同飡又空心食令人心痛

瓠　匏

舊本不載所出州土今在處有之類同單

而有上下之殊人家田野園圃俱種植之其苗葉與白冬瓜相類蔓生狀類冬瓜而葉細毛小而薄開花色白而結實有大小故彼此而名長大類冬瓜者曰瓠圓矮似西瓜者曰匏胡芦腰細頭銳瓢子柄直底圓先後不一收採无時苦瓠唐本注云瓠與冬瓜匏瓠全

白虎湯之號仍療喉痺更止消渴

【絲瓜】性冷解毒亦治血痢瘡腳癰多取燒灰敷之即效瓠甚淩小葉枯者為宜

瓠瓜匏瓠味苦氣寒有毒味甜者性冷無毒

【主治】長大類冬瓜者瓠瓜稱圓矮似西瓜者匏與【葫蘆】腰細頭銳瓢子柄直底圓為菜性甜者獨佳治病分甜苦兩用苦能下水令吐消面目四肢腫浮甜可利水通淋除心肺煩熱消渴滴汁鼻內太退急黃水煎滴入即來黃水皮煮熟解開鬱小兒閃澼【瓠瓜】煮漬陰起療小便閉難

○【附方】齒齗或痛用葫芦半升水煮去滓含漱吐之莖葉亦可用○鼠瘻用瓠花曬乾為末傅○眼睛七月七日取瓠瓠白絞汁一合和醋古錢七文微火煎之減半以沫內內眼目中神驗○甜瓠患腰腳腫氣或虛腫者食之大不差○黃疸以瓠子白瓤子熬令

非類例今此論性都是苦瓠甊尒陶謂瓠中苦者大誤矣瓠中苦者不入藥用冬瓜自依前說瓠甊與瓠甊又須辨之此有三物苗葉相似而形實有異瓠味皆甜時有苦者而似越瓜長者尺餘頭尾相似其瓠甊形狀大小非一上夏便熟秋末並枯瓠甊夏末始實秋中方熟取其為器經霜乃堪啖瓠所主療不入方用而甘瓠甊與瓠子啖之俱勝冬瓜陶言不及乃是未悉此等元種各別非甘變而為苦也

茄子

一名落蘇

舊本不載

所出州土

今處處有

黃搗汁一升服半錢匕日一服十日愈用瓠瓠存吐者當詳之

【苦瓠】味苦氣寒有毒

【主治】除煩止渴解熱開聲治石淋而吐蚘蟲利小腸而潤心肝主水氣面目四肢消氣痰脚氣虛脹惡瘡虛冷者不可食過食令人吐

○【補注】中蠱毒吐血或下血皆如爛肝者用一枚水煎服立吐即愈○黃如苦葫蘆瓠如大棗大人以童便二合浸之二兩食頃取兩棗許分內兩鼻中少時人深吸氣及黃水出良○年患脚痛又有人患脚趺痛漸上至膝不可踐主大水病面及身通脹滿用苦瓠白實捻如大豆粒以麪裹煮一夜空心服七枚至午吐出水一斗二日水自出不止大瘦乃差二年內忌口味也

【茄子】味甘氣寒無毒

【主治】主寒熱去五種勞若食多發痼疾易生

疥動大便【老裂茄】用之燒灰拊敷乳成癰

之今亦然段成式云茄者連莖之名字當平也及今呼若茄水茄白茄惟北土多有入藥多用黄茄其餘惟可作菜茄耳又有一種苦茄小株有刺亦入藥江南有一種藤茄作蔓生皮薄似葫芦亦不聞中藥江南方有

蕨菜

舊本圖經不著今在處有之深谷多生

莖梗高一二三尺葉如老蕨根如紫草如是之蕨故以蕨名三月採莖可作茹食五六月採根净洗杵爛洗粉可作果食荒年亦可充飢四皓食之而壽夷齊食

脚瘡可漬亦追風溫曾載方書煮淳酒蚤晚頻吞俾脚膝屈伸復舊（帝）用燒灰存性口勿瘡疥敷差川溪云茄稿上故並用治瘡毒惡獲奇効者並以緩火意也

○【補註】治撲損肌膚青腫方茄子留花種通黄極大者勿作片如一指厚新瓦上焙乾為末欲卧酒調二錢匕一夜消盡无痕迹也○治腸風下血用茄枝根蒂燒存性為末每日一二服用紅酒錢匕○療大風熱痰取大黄老茄子不計多少以新瓶盛貯埋之土中經一年盡化為水取出入苦參末同丸如梧子食已及欲卧時酒下三十粒効○又治墜撲内損散敗血止痛及惡瘡發背等重陽日採取茄子百枚去蒂四破切之消石十二两碎搗以不津瓶器大小約可盛納茄子者於器中先鋪茄子一重乃下消石一重覆之如此令盡然後以紙三數重密上封之安置净處上下以新甎襯覆勿犯地氣至正月後取出去紙兩重日中曝之逐日如此至二三月度已爛即開瓶傾出濾去滓別入新器中以薄綿蓋頭又暴自至成膏乃可用内損酒調半匙[illegible]之日再[illegible]血[illegible]痛止[illegible]愈

之而天亦非良物

○按搜神記曰郗鑒鎮丹徒二月出獵甲士折一枝食之覺心中淡淡成疾後吐一小蛇懸屋前漸乾成蕨遂明此物不可生食今山間多用作茹或以醋淹食之亦不可不鑒此也

【葱】

本經不著所出州土今處處有

之葱有數種入藥用山葱胡葱食品用凍葱漢葱山葱生山中細茎大葉食之香美於常葱一名茖古百切葱爾雅所謂茖山葱是也胡葱類食葱而根茎皆細白又云茎葉微短如金燈者是也舊

矣○諸[illegible]先酒飲半[illegible]又[illegible]四向塗之當覺冷如水雪[illegible]其有假本任膚腠者亦可內消若[illegible]歛此動塗之○腰脚風血積冷筋急拘攣[illegible]痛者取五十斤細切淨洗以水五斗煮[illegible]汁濾去滓重入小鐺器中煎至一斗即入粟粉同煎令稀稠得所取搜和更入麝香味少粉同丸如梧子每日淋米酒送下三十丸近暮再服一月乃差

【蕨菜】味甘氣寒性滑利無毒

【主治】寒能去暴熱甘以利小便氣壅經絡者旋歐毒延筋骨者易去但衰陽事落髮仍痿脚膝昏眸切勿過啖甚非良物根挖造粉堪以代粮雖充啼飢不能生肉花留年遠能治脫肛研細敷之即時收浩

【薇】較蕨差大味略苦有芒亦潤大腸調中[illegible]浮腫利水夷齊日採久食不飢武王誡之不

別有條云生蜀郡山谷似大蒜而小形圓皮赤稍長而銳凍葱冬夏常有但分莖栽蒔而無子氣味最佳亦入藥用一名冬葱又有一種樓葱亦冬葱類也江東人呼龍用葱言其莖有八角故云爾淋莖間多種之漢葱莖實硬而味薄冬即葉枯凡葱皆能殺魚肉毒每用食品中調和五味同蜜松果咬易致殺人若服常山亦須戒忌凡資治療務取白根入足陽明胃經及手太陰肺臟

【食療云】葉溫白平主傷寒壯氣熱出汗中風面目浮腫骨節頭疼損髮鬚葱白及鬚平通氣主傷寒頭痛又治瘡中有風水腫疼取青葉乾姜黃蘗相和煮作湯浸洗之立愈冬月食不宜多只可和食而死

○【補註】食療云然補五藏不足氣壅經絡筋骨間毒氣令人脚弱不能行消陽事令□昏鼻中髮髮落不可食又冷氣人食之多瘦脹宿夫叔齊採薇而食恐歲非微也今永道江居民多以蒸淹而食之

【葱】味辛氣溫味薄氣厚升也陽也无毒

【主治】出汗疎通骨節掃目殴逐肝邪理霍乱筋轉雜當治傷寒頭痛如破殺魚肉毒通大小腸散面目腫浮止心腹急痛去喉痺愈金瘡安妊娠塞衄血脚氣貧肫氣連鬚煎可除蛇傷蚯蚓傷和塩署即解功專發散食多神昏病屬氣虛尤勿沾口葉煎湯入乾姜黃蘗其剂洗瘡疥去風水腫痛如花同吳茱萸水煎亦治心脾胃痛甚實補不足溫中益精葱汁

五味用之止中人五藏閉絶虚人患氣者多食發氣為通和關節出汗之故也少食則得可作湯飲不得多食恐損氣上中人五臟閉絶切不得与蜜相和食之促人氣殺人又止血衂利小便

平温又主淋血

○補註 腸痔大便常血取葱白三五斤煑作湯盆中坐立差○中惡煞心黄刺劈中一出良○大小腸不通搗葱白以醋和封小腹上○腦骨破及骨折葱白細研和蜜厚封損處○急氣淋陰腎腫泥葱半斤煨過爛搗貼臍上○小便淋澁或有血以赤根樓葱近根切一寸許安臍中上以艾灸七壯○警金瘡出血不止取葱炙令熱挼取汁傳瘡上即止○胎動不安以銀器煑葱白羨服之○霍乱後煩燥卧不安葱白二十莖大棗二十枚水煎取服○理眼暗補不足葱實大人半升与末每服取一匙頭水煑濾取汁葺末煑粥食良又又搗葱實蜜和如梧子大食後飲湯三二二十丸如○赤白痢以葱白一握細切食末煑粥空心食○傷寒已熱骨節碎痛出汗中風面目浮腫喉咽不通安胎婦目除肝邪氣安中利五臟益目睛殺百藥葉作羨粥作虀食之良○水病兩足腫取葱葉及莖煑令爛漬之三五度佳○打撲損傷葱新折者入煻灰火煨令熱剝皮擘開其間有涕便將罯損處仍多煨取續續易熱者○蚯蚓蠱成疥青葱葉一莖去小尖頭以蚯蚓一條入葱葉中紫[illegible]兩頭勿令漏氣但搖動即化為水點咬處差○鼻衂血以葱白一握搗汁

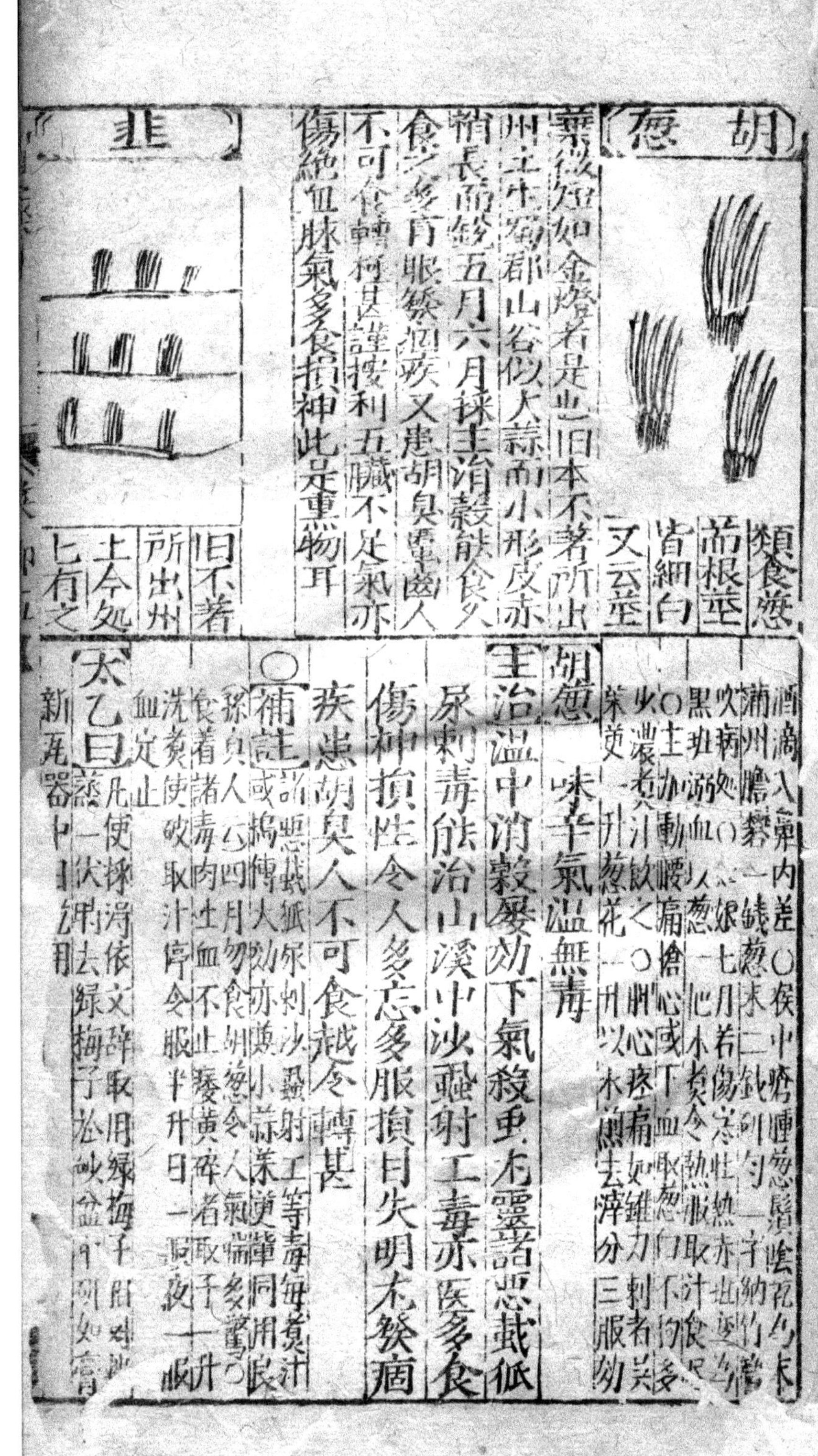

胡葱

類食葱而根莖皆細白又云莖

葉微短如金燈者是也旧本不著所出州土生蜀郡山谷似大蒜而小形皮赤稍長而銳五月六月採主消穀能食久食之多昏眼發痼疾又患胡臭𧏾齒人不可食轉極甚謹按利五臟不足氣亦傷絕血脉氣多食損神此是熏物耳

韭

旧不著所出州土今処処有之

酒滴入鼻内差○瘊中瘡腫葱鬚嗟花各少卞蒲州膽礬一錢葱末二錢研勻一字納竹管吹病処○小娘七月若傷寒壯熱赤出逆多黑斑溺血○人葱一把水煑令熱服取汁食兵○主折動腰痛搶心或下血取葱白不拘多少火濃煑汁飲之○胸心疼痛如錐刀刺者與茱萸一升葱花一升以水煎去滓分三服効

胡葱　味辛氣溫無毒

主治溫中消穀屡効下氣殺虫不靈諸惡蛓低尿刺毒能治山溪中沙蝨射工毒亦医多食傷神損性令人多忘多服損目失明不發痼疾患胡臭人不可食越令轉甚

○補註　諸惡蛓𧊅尿刺沙蝨射工等毒每煑汁或搗傅大効亦與小蒜茱萸韭同用良孫真人云四月勿食胡葱令人氣喘多驚○食着諸毒肉生血不止痿黃瘁者取子一升洗煑使破取汁停冷服半升日一夜一服血定止

太乙曰　凡使採得依文辭取用緑梅子附對蒸一伏時去緑梅子於鍋盆中列如膏新瓦器中□□用

謹按許慎說文解字云韭名一種而久者故圃人種蒔一歲久刈不乏故以韭名字奋因之亦合九數雖充菜品最利病人春食則香夏食則臭而三四割之其根不傷至冬壅培之先春而復生信乎一種而久者也在菜中此物最溫而益人宜常食之易稽覽圖云政道得則陰物變爲陽節康成注云若蔥變爲韭是也然則蔥冷而韭溫可驗矣又有一種山韭形性亦相似但根白葉如燈心苗爾雅所謂藿韭六坊山韭韓詩云六月食鬱及薁皆謂此也山中往往有之而人多不識耳韭子得桑螵蛸龍骨主漏精

韭黃未出糞土極嫩作菹悅口每爲祭

韭 味辛微酸氣溫性急稟金有火[illegible]無毒

主治 溫中下氣歸心益陽煖膝胻和臟腑[illegible]腹痃癖痼冷止莖管白濁精道又[illegible]如泥加鹽少許蛇犬傷毒作厚餅頻換立安刑杖打血凝滯[illegible]酒拍即散同鯽魚鮓煮食斷卒下痢同[illegible]肉炒食生寸白蟲食同蜜糖殺人誠驗病後食發困酒後食昏神久食過多兩目易瞎

○補註 百蟲入耳搗汁灌之即差○卒上氣喘息便欲絕止水穀痢作羹搗韭絞汁飲一升食[illegible]燥炒任食之○漆瘡[illegible]用生葉研傅之食医心鏡○喉腫不下食以韭一把搗熬傅之冷即易之○卒刺手水腫痛以韭及鹽[illegible]置上以火炙熱徹即差○卒中惡搗汁灌鼻中

根汁 絞出湯劑可加消胃脘瘀血殊功下骨鯁結氣捷效開中風音失消中惡腹脹

瀉所令飲不益人甚能滯氣消渴引飲无治渴令食韭苗其渴遂止法要日喫三五兩或炒或作羹无入鹽極致但喫得十斤即住過清明勿食入醬者无効

薤

生魯山平澤今處處有之似韭而葉濶多白花實人家種者有赤白二種白者薤辛不葷五臟補赤者無苦花味療瘡生肌其葉類韭稍濶而光故古云薤露之言以光滑難貯之義皆春分時之至冬而葉枯爾雅云䪥与薤同蝸畜烏外切又云葝目盈切山薤〻〻葉亦与家

〇補註五般瘡癬以根炒存性旋搗末以猪油調傅三度差〇小兒患黃搗根汁滴鼻中如大豆許〇卒心忽下宮勿以火炙之急人但痛齒臨指甲際而壓其病則活取韭搗汁吹鼻孔冬月用韭根取汁灌口中〇小兒腹脹韭根搗汁和猪脂煎服一合〇小兒初生以韭根搗汁灌之即吐出惡水令無病〇胸痹心中急痛如錐刺不得俯仰自汗出或痛徹背上不治或至死可取生韭或根五斤洗搗汁灌少許即吐胸中惡血〇益陽止泄血膿腹冷痛並煮食之葉及根生搗絞汁服解藥毒療狂狗咬人欲發者亦殺諸蛇虺蠍惡虫毒取根搗和醬汁灌馬鼻蠱顙又搗根汁多服

子 止精滑遺溺較根葉尤靈

〇補註治虛勞脊損夢中泄精用韭子二兩微炒為散食前酒下二錢〇虛勞尿精新韭子二升十月霜後採好酒八合漬一宿明旦日色好童子向南搗一万杵平旦溫酒服方寸匕日再服立差〇男女夢与人交精便泄出此內虛陽氣感発熬韭子搗末酒漬[illegible]服〇治腰脚韭子一升揀擇蒸兩炊久[illegible]乾曝去黑皮炒令黃搗成粉安息香[illegible]水煮一二百沸訖緩火炒令赤色二[illegible]搗為[illegible]亦得每日空心服以酒下

薤相類而根長葉差大僅若鹿葱体性亦与家葱同然今少用薤雖辛而不葷五臟故道家長餌之兼補虛最宜人凡用薤葱皆去青留白云白冷而青熱也故斷赤下方取薤白同黃蘗煮服之言其性冷而解毒也唐崔甯獨行方主霍乱乾嘔不息取薤一虎口以水三升煮取半頓服不过三作即已又卒得胷痛差而復發者取薤根斤搗絞汁飲之差諸瘡中風寒水腫生杵傅之鯁骨在咽者食佳作羹粥食之煠作齏葅炒食並得

食療云輕身耐老療金瘡生肌肉生搗薤白以火封之更以火就炙令熱氣徹瘡中乾則易之白色者最好雖有辛氣

十丸以[illegible]三五丸[illegible]

藥用○取子生吞三十粒空心鹽湯下止[illegible]泄精及溺白大効

薤 味辛苦氣温無毒

主治千金書名治肺喘急亦取滑泄而然為歸骨菜之入陽明手腑頗利病者但少煮當除寒熱調中去水散結而耐寒止冷瀉肥健身主女婦帶下久來治老幼洩痢後重諸瘡中風寒水腫生搗熟塗上立差又療湯火金瘡和蜜搗敷即愈新正宜食辟癘毆邪牛乳同餐作瘕成瘕生啖引涕唾多食防熱侵骨鯁在喉煮食即下

○**補註**主救死或先病或常居寢卧奄忽而絶皆是中惡薤汁鼻中灌○虎犬咬人杵汁傅又飲一升日三差○手指赤隨月生瘡以生薤一把苦酒中煮沸熟出以傅之即愈○食[illegible]肉[illegible]此並有毒杵汁服二三升○亦

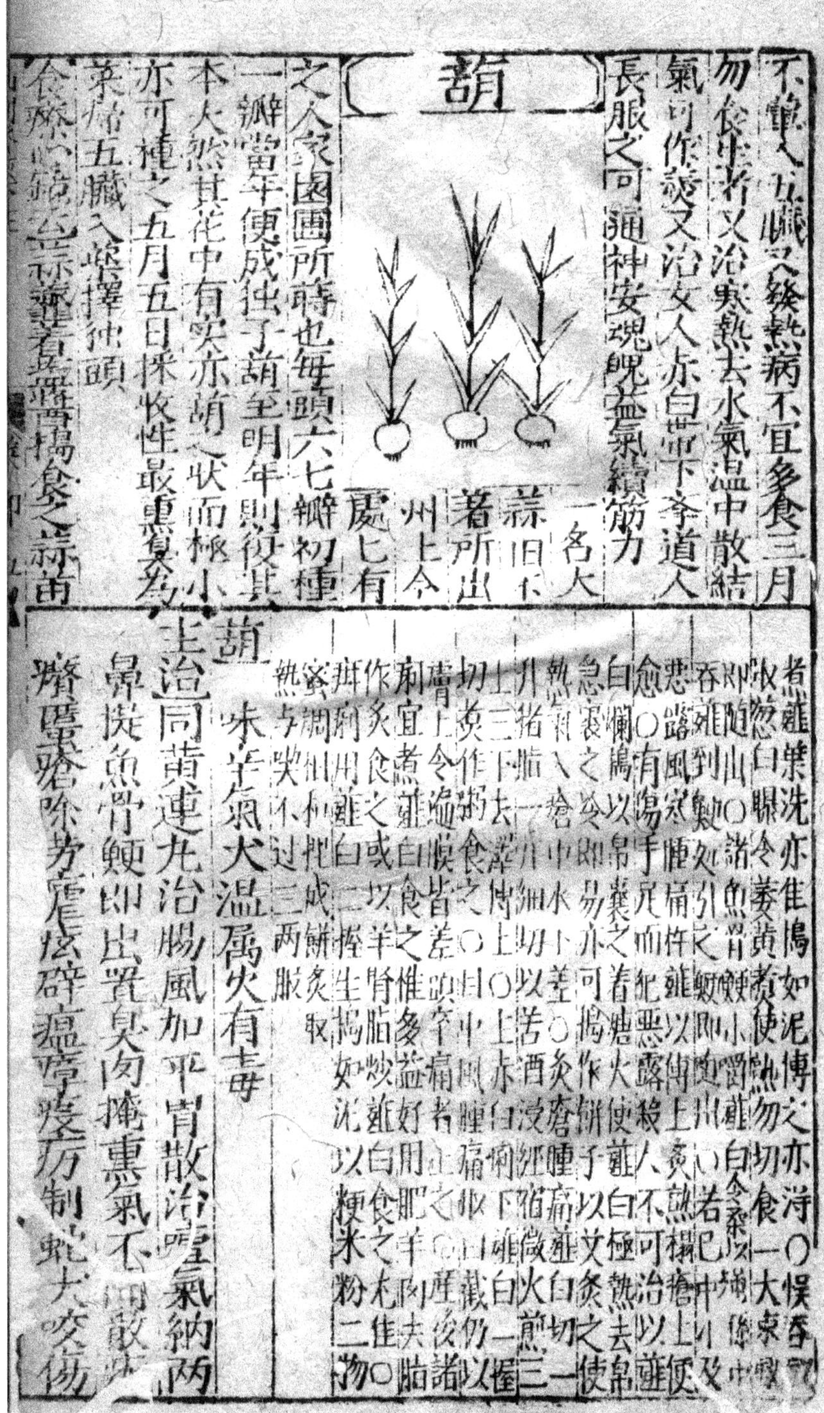

不能人五臟又發熱病不宜多食三月勿食生者又治寒熱去水氣溫中散結氣可作齏又治女人赤白帶下李道人長服之可通神安魂魄益氣續筋力

葫

一名大蒜舊不著所出州土今處處有之人家園圃所蒔也每頭六七瓣初種一瓣當年便成獨子葫至明年則復其本大然其花中有實亦葫之狀而極小亦可種之五月五日採收性最熏臭爲菜痛五臟入藥擇獨頭

食療云鷄合蒜並著良醬擣食之蒜苗煮蒜葉洗亦佳搗如泥傅之亦汗○候杏附服蔥白縣令姜黃煮使熱勿切食一大東即隨山○諸魚骨鯁小斷蒜白令系以線吞蒜到鯁處引之鯁即隨出○若已中患露風冷腫痛杵蒜以傅上炙熱稍瘡上使愈○有瘍手足面犯惡露發人不可治以蒜白爛搗以帛裹之着瘡火使蒜白極熱去帛急裹之炎即易亦可搗作餅子以艾灸之使熱氣入瘡中水下差○灸瘡腫痛蒜白切一片豬脂一斤細切以苦酒浸經宿微火煎三上三下去滓傅上○上赤白痢下蒜白一握切煮作粥食之○目中風腫痛取白截仍以青上令遍膜皆差頭痛者止之○產後諸刺宜煮蒜白食之惟多益好用肥羊肉去脂作炙食之或以羊腎脂炒蒜白食之尤佳拼刺用蒜白二握生搗如泥以粳米粉二物○瓷調和捏成餅炙取熱與喫不過三兩服

葫　味辛氣大溫屬火有毒

主治同葫連丸治腸風加平胃散治噎氣納兩鼻搐魚骨鯁即出貫臭肉掩熏氣不聞散蛛癬暈瘡除勞瘧痃癖瘟疼瘙瘡制蛇犬咬傷

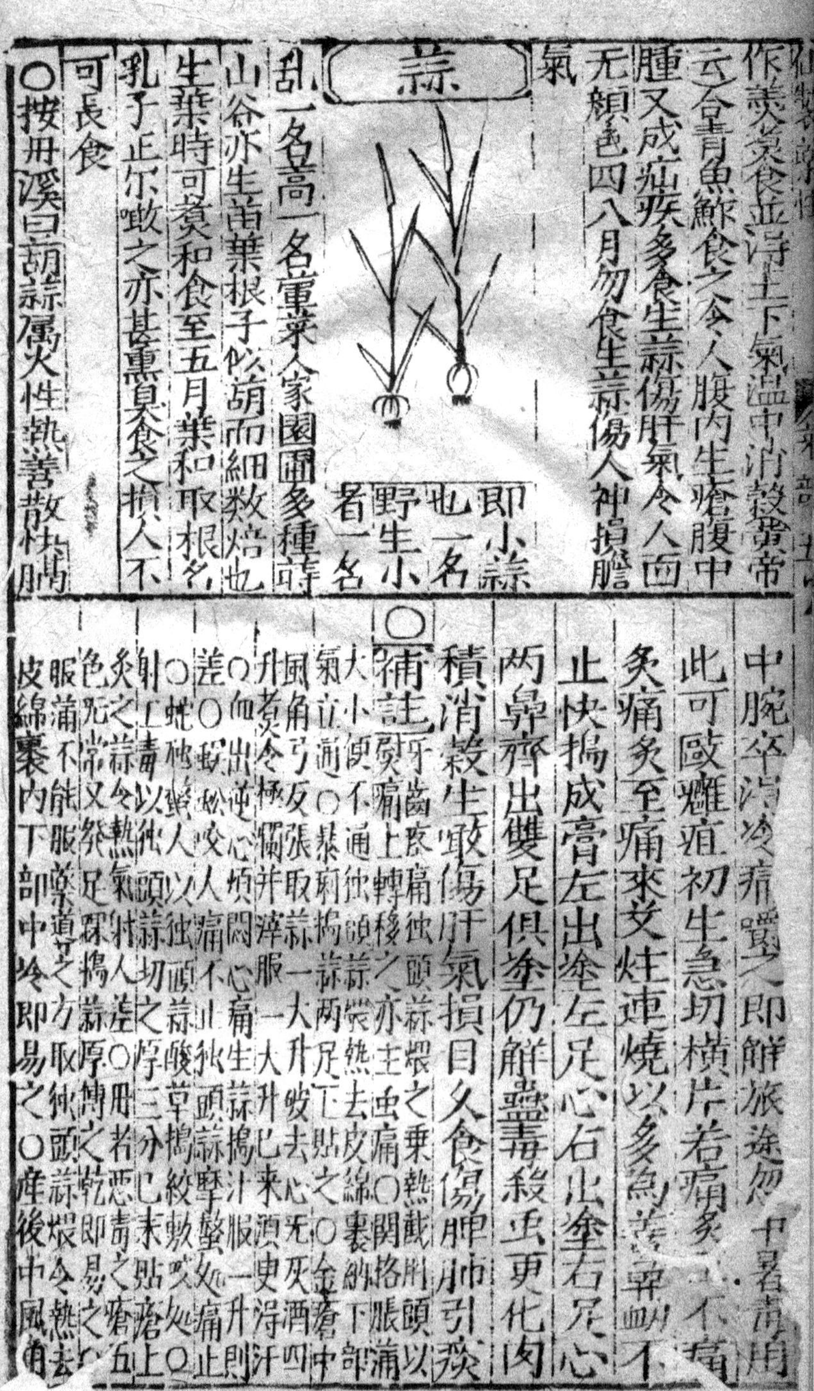

作羹炙食並得上下氣溫中消穀黄帝云合青魚鮓食之令人腹內生瘡腹中腫又成瘕疾多食生蒜傷肝氣令人面无顏色四八月勿食生蒜傷人神損膽氣

蒜

即小蒜也一名野生小者一名亂一名蒿一名葷菜人家園圃多種時山谷亦生苗葉根子似葫而細數倍也生藥時可煑和食至五月葉枯取根名乳子正尔噉之亦甚熏臭食之損人不可長食

○按丹溪曰葫蒜屬火性熱善散快膈中脘卒消冷痛覺之即解旅途勿亡中暑毒用此可殹癰疽初生急切横片若痛灸之不痛灸痛灸至痛來支灶連燒以多為善癬血不止快搗成膏左出塗左足心右出塗右足心两鼻齊出雙足俱塗仍解蠱毒殺虫更化肉積消穀生痰傷肝氣損目久食傷脾肺引痰

○補註牙齒疼痛獨頭蒜煨之乘熱截用頭以熨痛上轉移之亦主虫痛○關格脹滿大小便不通獨頭蒜燒熱去皮綿裹納下部氣立通○暴痢搗蒜兩足下貼之○金瘡中風角弓反張取蒜一大升破去心无灰酒四升煑令極爛并滓服一大升已來須臾得汗○血出逆心煩悶心痛生蒜搗汁服一升則差○蛇蠍蚣咬人痛不止獨頭蒜擘盤處痛止○蜘蛛咬人以獨頭蒜酸草搗絞敷咬處○射工毒以獨頭蒜切之厚三分已來貼瘡上灸之蒜令熱氣射人差○丹若惡毒之瘡五色无常又發足踝搗蒜厚傅之乾即易之服蒲不能服藥導之方取獨頭蒜煨令熱去皮綿裹內下部中冷即易之○産後中風角

故人每食之多用子暑月其傷脾傷氣之禍積久節見化肉之功不足言也有志養生者宜自知警

〔荏　菜〕

舊本不著所出州土今在處有

之荏狀如蘇高大白色不甚其子研之雜米作糜甚肥美下氣補益東人呼為⿱艹魚音魚以其蘇字但除禾邊故也笮其子作油日煎之即今油帛及和漆所用者但服食斷穀亦用之名為重油荏葉人常生食其子故不及蘇也江東以荏子為油北土以大麻為油此二油俱甚油物若其和漆荏者兒為強爾又有大荏

亏交衰不語大蒜三十瓣以水三升煮取一升粉口灌之差○小兒白禿瘡凡頭上團卜然白色以蒜揩白如早朝使之○患暴下血以葫五七枚去梗皮量多少入豆豉搗為[illegible]可丸即丸梧子大以米飲下五六十丸無不愈者

〖蒜〗味辛氣溫有毒

〖主治〗主歸脾腎善治鷄瘕去溪毒惡蟲沙蝨卻霍亂吐瀉轉筋破蠱毒疔腫除邪痺毒氣理胃溫中消穀化食

○〖補註〗蛇咬瘡取蒜去皮一升搗以小便一升煮三四沸通人即入漬損處從旦至暮初咬未醒以蒜飲之六七易又蒜一升去皮以乳二升煮使用空腹頓服之隨後飲壓之明日又前進服○一切冷毒風氣又獨頭者一枚和雄黃杏仁研為丸空腹飲下三丸靜坐少時患鬼氣者當毛出即差○芳瘡冷風痃癖溫疫氣傅風拍冷痛蛇蟲傷惡瘡疥溪毒沙蝨並搗貼之熟醋浸之經年者良奇瘡腫號叫卧不得人不別者取獨頭蒜兩顆細搗以油麻和厚傅瘡上乾即易之

形似野荏高大葉大小荏一倍不堪食人收其子以充油絹帛與大麻子同其小荏子欲熟人採其角食之甚香美大荏葉不堪食

紫蘇

旧不著所出州土今處處有之葉下紫色

而氣甚香夏採莖葉秋採實其莖并葉通心經益脾胃煮飲尤勝與橘皮相宜氣方中多用之實主上氣欬逆研汁煮粥尤佳長食令人肥健若欲宣通風毒則單用莖去節大良謹按爾雅謂蘇為桂荏蓋以其味辛而形類荏乃名之然而蘇有數種有水蘇白蘇魚蘇山魚

【荏子】味辛氣溫無毒

【主治】調元氣潤心肺而有集長肌肉悅顏色尤良能消宿食而止上氣治咳嗽亦去狐臭若遇蛇咬傳之尤良【子】主咳嗽下氣補骨溫中最效

【補註】蛇咬用葉搗傅之〇男子陽腫生搗和醋傅之女人綿裹内三四易〇蚍中人以葉搗爛猪脂和傅縛上

【紫蘇】味辛氣微溫無毒

【主治】主寒熱下氣治霍乱轉筋補中更強益氣尤甚發表解肌療傷風寒甚捷開胃下食治作脹滿易差脚氣難除口臭亦辟【梗】下諸氣畧緩體稍虛者宜用【子】研敺痰降氣定喘潤心肺止欬逆益五臟以調中消五膈破痰

蘇節見花類乃名別條見下白蘇方莖圓葉不紫亦甚香實亦入藥似茵陳大葉而香吳人以煮魚者一名魚蘇生山石間者名山魚

水蘇

一名雞蘇
一名勞祖
一名芥祖
一名芥苴

一名臭水蘇青白蘇生九真池澤今處處有之多生水岸傍苗似旋復兩葉相當大香馥青齊間呼為水蘇江左名為薺薴吳会謂之雞蘇南人多以作菜主諸氣疾及腳腫江北甚多而人不取食又江左人謂雞蘇水蘇是兩種〔陳藏器〕謂薺薴自是一物非水蘇水蘇葉有鴈

補虛勞而肥健利大小二便卻霍亂嘔吐

〇〔補註〕失血紫蘇不限多少大鍋內水煎令乾後去滓熬膏以赤豆炒熟杵為末調煎為丸如梧子大酒下三十丸至五十丸常服差〇食蟹中毒紫蘇煮汁飲之二升以子汁飲之亦治凡蟹未經霜者多毒〇腳氣及風寒溫痺四肢攣急腳腫不可踐地用紫蘇二兩杵碎水二升研取汁以蘇子汁煮粳米二合作粥和蔥豉椒姜食之〇治風順氣利腸以紫蘇子一升微炒杵以生絹袋盛內以三斗清酒中浸三宿少少飲之〇夢失精以子一升熬杵為末酒服方寸匕日再服〇上氣欬逆冷氣腰腳中溫風結氣將子研汁煮粥良長服令人肥白身香和高良姜橘皮等分蜜丸空心下十丸下一切宿冷氣及腳溫風來可生食與一切魚肉作羹良〇休息痢大小便頻數乾末米飲調服效又雞瘕冷病眾醫不差褚澄診曰此病非冷非熱當是食白瀹雞子過多所致令取蘇一升煮服吐一物如升涎裹之能動開看是雞雛羽翅爪距具足能行澄曰此未盡更服所餘藥又吐得如前者雞十三頭而病差一說乃是用蒜煮服之

〔水蘇〕味辛氣微溫無毒

齒香靈氣辛香靈葉上有毛稍長而氣
臭主冷水洩痢可為生菜除胃間酸水
亦可搗傅蟻瘻亦有石上生者名石香
葇紫花細葉高一二尺味辛溫无毒主
風血冷氣并瘡疥痔漏下血並煮汁服
山中人多用之

假蘇

一名荊芥
一名姜芥
一名析蓂
一名鼠蓂

生漢中川澤今処処有之葉似落藜而
細初生香辛可噉人取作生菜古方稀
用近世医家治頭風虛勞瘡疥婦人血
風等為要藥並取花實成穗者曝乾入
藥亦多單用効甚速又以一物治産後

【主治】主下氣殺穀消口臭去毒除飲久而又盡
辟惡氣而大効久服通神明耐老輕身煮汁
治吐血衄血血崩
〇【補註】治吐血及下血并婦人漏下雞蘇莖葉
煎取汁飲之〇療聾爛搗生葉綿包塞
耳〇鼻衄血不止生雞蘇五合香豉二合合
杵研末如棗核大內鼻中止〇卒漏血欲死
煮一升服之〇頭風目眩者以清酒煮汁一
升服産後中風服之弥佳可燒收灰汁及以
煮汁洗頭令髮香白胃不生又收訖釀酒及
漬酒常服之佳
【衍義曰】水蘇氣味与紫蘇不同辛而不和然一
如蘇但面不紫及周圍槎牙如雞齒香姒
【假蘇】即荊芥也　味辛苦氣溫氣味俱薄浮而升陽
也無毒
【主治】主寒熱破結聚氣祛鼠瘻瘰癧瘡瘍取花
實成穗能清頭目上行發表汗解利諸邪通
血脉傳送五臟下瘀血除濕痹散瘡瘍搗和

血崩□□□風縮欲死者取乾荊芥穗□□□以末二錢童子小便一酒盞調熟服立差口噤者挑齒閉者灌鼻中皆効近世名医用之無不如神云醫官陳巽処江左人謂假蘇荊芥实兩物假蘇葉銳圓多野生以香氣似蘇故名之蘇恭以本經一名姜芥姜荊声近便為荊芥非也又有胡荊芥俗呼新羅荊芥石荊芥体性相近入藥亦同荊芥本功外夫荊芥□勞治主疔腫出汗除風冷煮汁服之杵和酢傅疔腫産後中風濃服差醋敷風腫疔瘡研調酒理中風強直仍治産後血暈杵末挽入童便

○補註　産後中風眼反折四肢搐搦下藥可立待其効如聖散荊芥穗了為末酒服二錢匕効○一切風口眼偏斜青荊芥一斤青薄荷一斤同處炒砂盆內研生絹絞汁于瓷器中看厚薄煎成膏餘滓三分去一分滓不用將二分滓日乾為末以膏和為丸如梧子大每服二十丸早至暮可二服忌動風物○治疔腫取一掬以水五升煮取二升冷分二服主通利血脉傳送五藏不足気能發汗除冷風又搗末和醋封毒腫○利五藏消食下気醒酒作菜生熟食并煎茶治頭風并出汗及汁煎治暴傷寒

薄荷

一名薄荷　又云胡菝　蔺又名鷄蘇　旧不著

薄荷　使　味辛苦氣温氣味俱薄浮而升陽也無毒入手厥陰包絡及手太陰肺經

主治　下氣令脹滿消涨發汗開節通利清六陽會首驅諸熱生風退骨蒸解勞乏吸血止痢去頭風治中風失音吐痰善引諸藥入榮衛

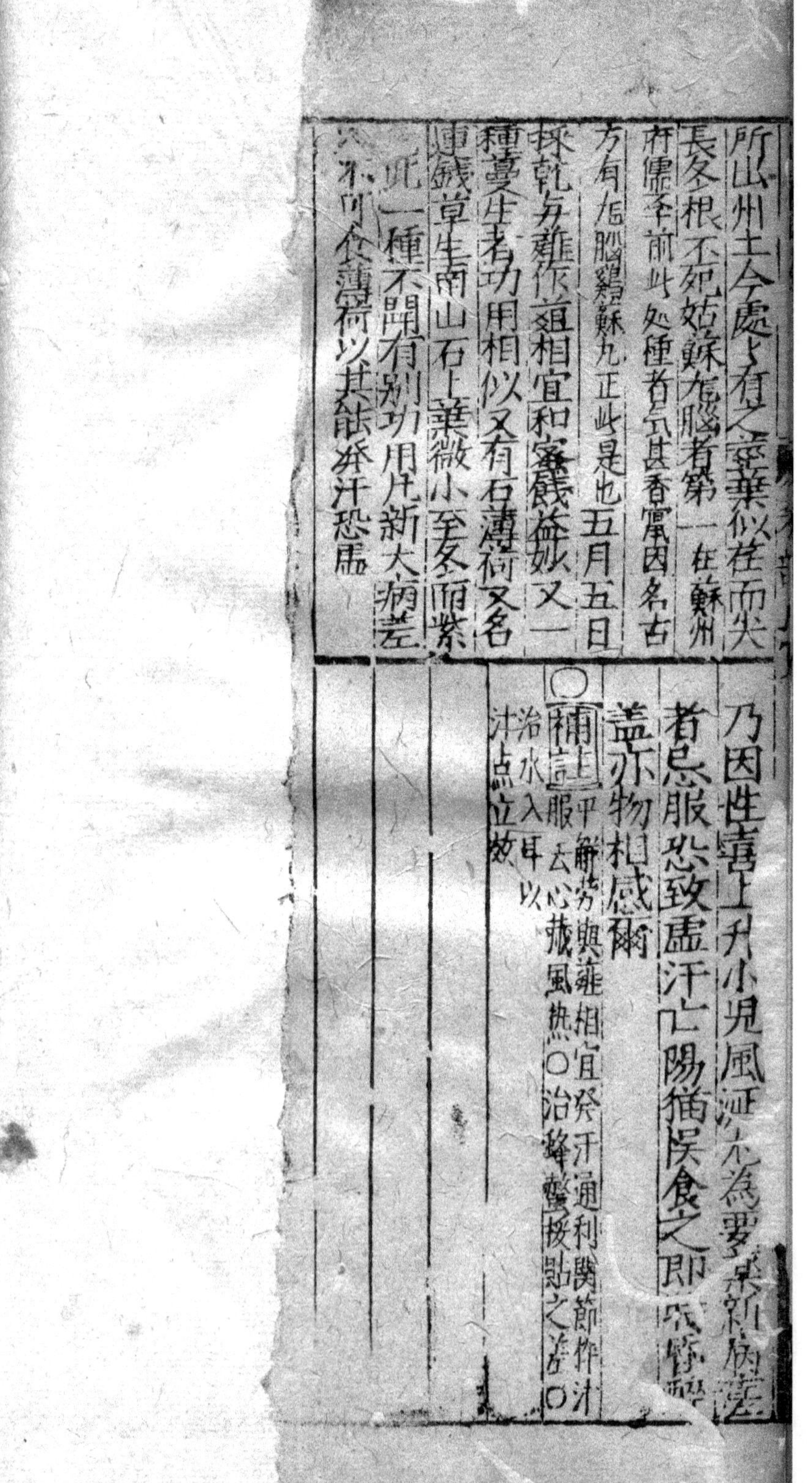

所出州土今處處有之葉似荏而尖長冬根不死姑蘇龍腦者第一在蘇州府儒學前此處種者氣甚香窜因名古方有龍腦雞蘇九正此是也五月五日採乾勿離作菹相宜和蜜餞益妙又一種蔓生者功用相似又有石薄荷又名連錢草生南山石上葉微小至冬而紫此一種不聞有别功用凡新大病差人不可食薄荷以其能發汗恐虚

乃因性善上升小兒風涎以之為要[illegible]新病差者忌服恐致虚汗亡陽猫[illegible]食之即[illegible]醉蓋亦物相感爾

〇補遺平解勞與薤相宜發汗通利關節擣汁服去心藏風熱〇治蜂螫挼貼之妙〇治水入耳以汁点立效

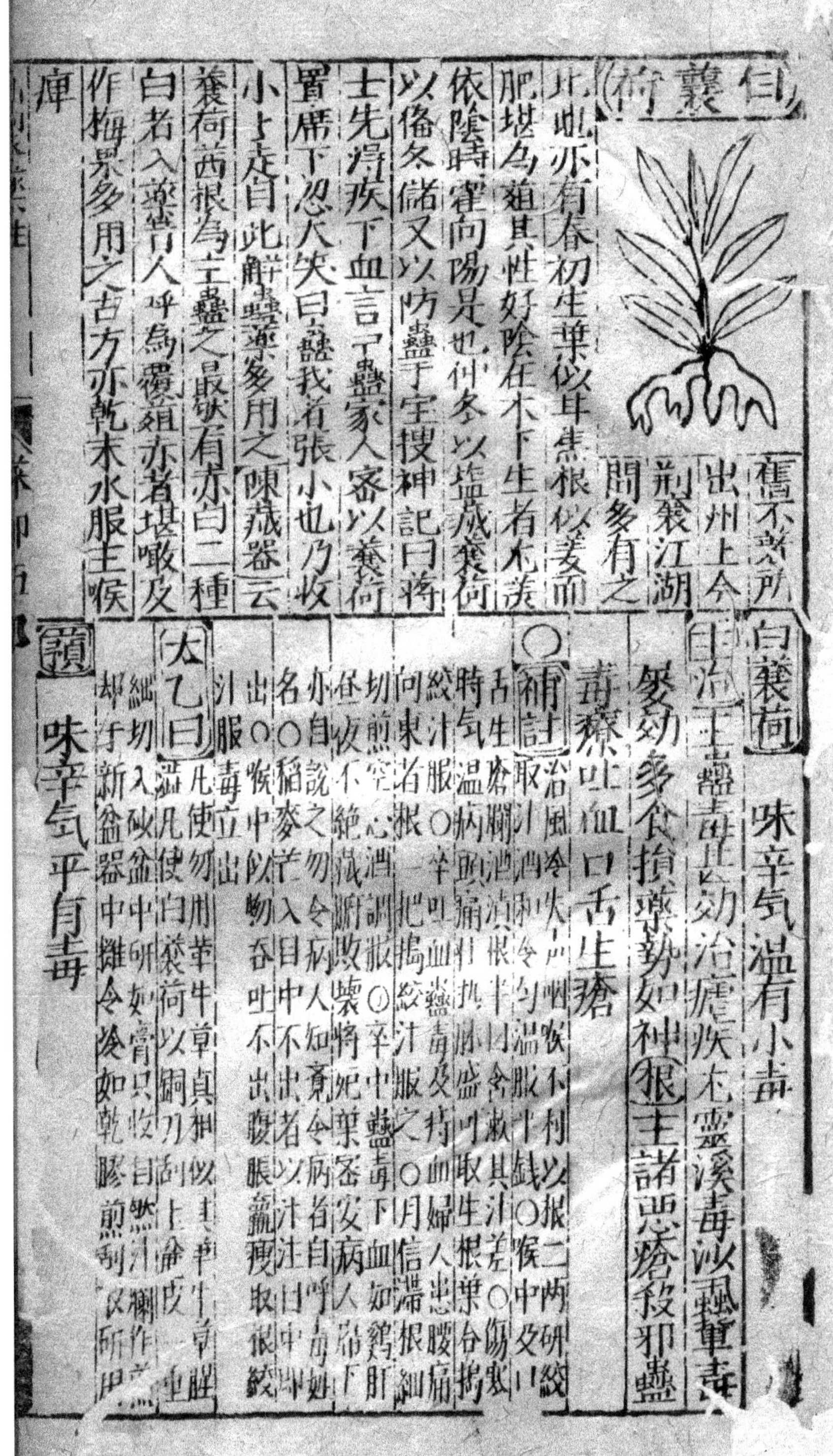

白蘘荷

舊不著所出州土今荊襄江湖間多有之

此也亦有春初生葉似甘蕉根似姜而肥堪為菹其性好陰在木下生者尤美依陰時灌向陽是也仲冬以鹽藏蘘荷以備冬儲又以防蠱干寶搜神記曰蔣士先得疾下血言中蠱家人密以蘘荷置席下忽大笑曰蠱我者張小也乃收小小走自此解蠱藥多用之陳藏器云蘘荷茜根為主蠱之最要有赤白二種白者入藥赤者人呼為覆菹亦著堪啖及作梅果多用之古方亦乾末水服主喉痺

白蘘荷

味辛氣溫有小毒

主治主蠱毒其功治瘧疾尤靈溪毒沙蝨蛇毒多効多食損藥勢如神　根主諸惡瘡殺邪蠱毒療吐血口舌生瘡

○補註　治風冷失音咽喉不利以根二兩研絞取汁酒和令勻溫服半錢○喉中及口舌生瘡爛酒漬根半日含漱其汁差○傷寒時氣溫病頭痛壯熱脈盛以取生根葉合搗絞汁服○辛吐血蠱毒及痔血婦人患腰痛向東者根一把搗絞汁服之○月信澀根細切煎空心酒調服○辛中蠱毒下血如鷄肝晝夜不絕臟腑敗壞將死葉密安病人席下亦自說之勿令病人知覺令病者自呼蠱姓名○稻麥芒入目中不出者以汁注目中即出○喉中似物吞吐不出腹脹羸瘦取根絞汁服毒立出

太乙曰　凡使勿用革牛草真相似其革牛草腥澀　凡使白蘘荷以銅刀刮上粗皮一重細切入砂盆中研如膏只收自然汁欄作一處却于新瓷器中攤令冷如乾膠煎劑改所用

藏　味辛氣平有毒

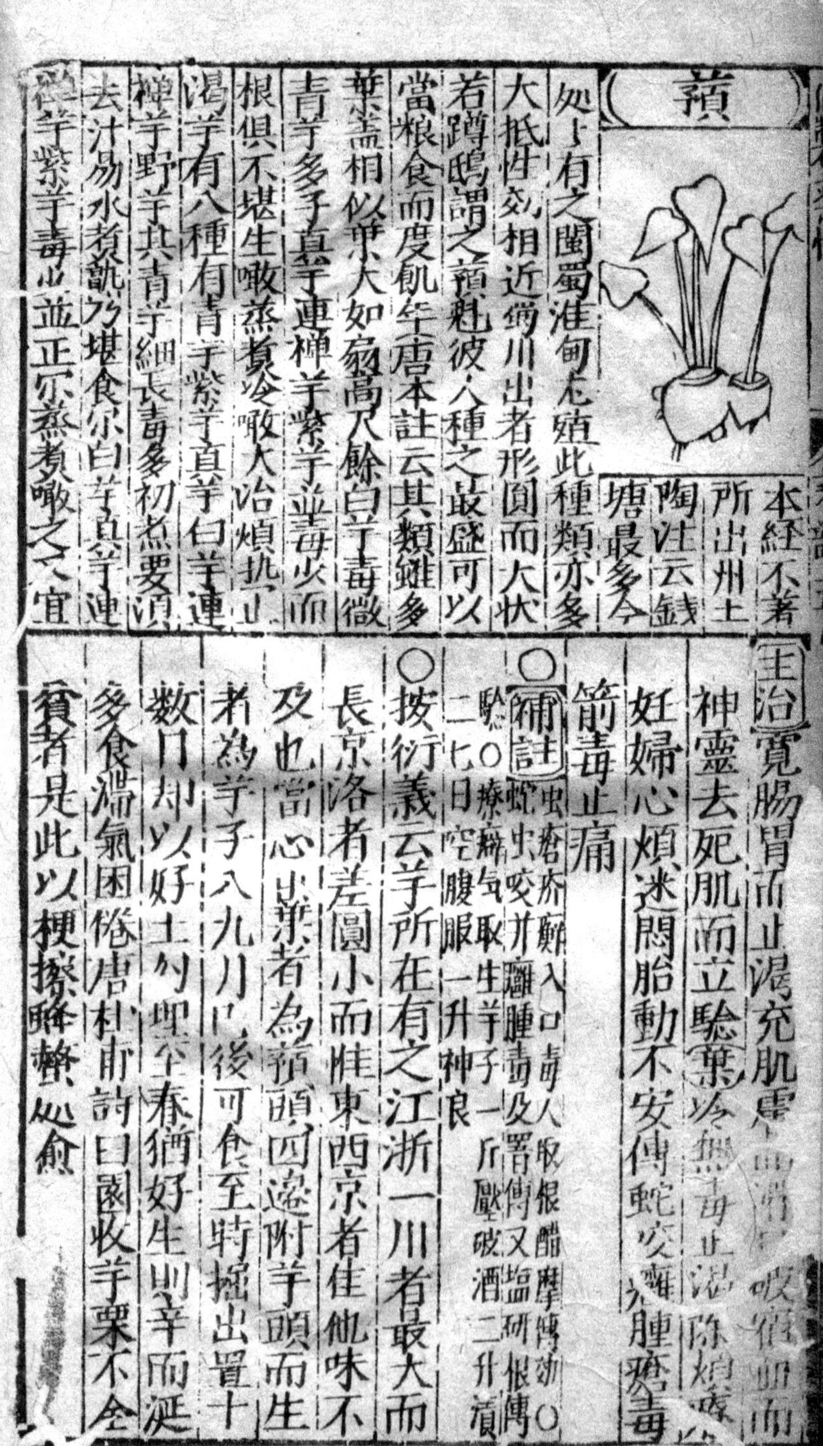

蕷

本經不著所出州土陶注云錢塘最多今処処有之閩蜀淮甸尤殖此種類亦多大抵性効相近蜀川出者形圓而大狀若蹲鴟謂之蕷魁彼人種之最盛可以當粮食而度飢年唐本註云其類雖多葉蓋相似莖小大如扇高尺餘白芋毒微青芋多子真芋連禪芋紫芋並毒少而根俱不堪生噉蒸煮冷噉大治煩熱止渴芋有八種有青芋紫芋真芋白芋連禪芋野芋其青芋細長毒多初煮要須去汁易水煮熟乃堪食爾白芋真芋連禪芋紫芋毒少並正爾蒸煮噉之又宜

【主治】寬腸胃而止渴充肌膚而滑中破宿血而神靈去死肌而立驗【葉】冷無毒止瀉除煩療妊婦心煩迷悶胎動不安傅蛇咬癰[illegible]腫瘡毒箭毒止痛

○【補註】虫瘡疥癬入口毒人取根醋摩傅効○蛇虫咬并癰腫毒及署傅又塩研根傅驗○療癖氣取生芋子一斤壓破酒二升漬二七日空腹服一升神良

○按衍義云芋所在有之江浙一川者最大而長京洛者差圓小而惟東西京者佳他味不及也當心出苗者為蕷頭四邊附芋頭而生者為芋子八九月已後可食至時掘出置十數日却以好土匀埋至春猶好生則辛而涎多食滯氣困脾唐杜甫詩曰園收芋栗不全貧者是此以粳擦騂癥必愈

嗽療欬止渴具真白蓮粹三芋並同作羹大能蹲鴟之饒蓋謂此也野芋大毒不堪啖也孟云芋白色者无味紫色者破气煮汁啖之止渴十月後晒乾收之冬月食不發病他時月不可食又和鯽魚鱧魚作臛良久食令人虛劳無力又煮汁洗膩衣白如玉亦可浴去身上浮風慎風半日野芋生溪澗非人所種者取根醋摩傅蟲瘡疥癬入口毒人姜芋辛辣以生姜煮又換水煮方可食和魚煮甚下气調中補虛梨貼癰毒止痛

烏蘋

一名藉姑

一名茨菰

一名槎牙

一名水萍

烏蘋　味苦甘气微寒無毒

主治　主消渴痺热除災熱氣煩益气温中消風祛下頃用石而有半退黄疸以何難治産後血悶攻心救欲死胎衣不下蟲所傅蛇咬又下石淋

〇補註　治難産并胎衣不下擣汁服一升効〇蚘咬採桑研傅之良〇腸風痔瘺崩中帶下瘡癤煮以生姜御宗之佳

〇按衍義云烏蘋今人謂之勃臍皮厚色黑肉哽白者謂之猪勃臍皮薄澤色淡紫肉軟者謂之芋勃臍王二月人採食之此二等藥罕用荒歲人多採以充飢

香靈　音宗　味辛气微温無毒

主治　霍亂中脘攻痛治傷暑小便澁熱散水腫

舊本不著所出州土今在處有之二月生葉似蘭細小而薄其莖梗葉俱青綠生水田中其葉有椏為牙切狀如澤瀉不正似羊蹄根黃似芋子而小煮之亦可噉疑其有烏者根極相似細而美葉亦異狀如鳧葦呼為鳧茨恐此也又云烏蘋今鳧茨也苗似龍鬚而細正青色根黑如指大皮厚有毛又有一種皮薄無毛者亦同用中人並食之亦以作粉食之厚人腸胃不飢服丹石人尤宜蓋其能解毒耳

香薷

一名香菜　一名香茸

舊不著所出州土今

有徹上徹下之功肺得之清化行而自下也去口臭有降濁回清之妙脾得之鬱火降氣不上焉解熱除煩調中温胃

○補註　水病洪腫氣脹不消食飲者五十斤銼用温者亦得細剉入釜中水浸之出香薷上數寸煑使氣尽去滓清澄之漸微火煎令可丸○霍乱轉筋煑汁服之無不差○口臭用一把以一斗煑取三升稍稍含之○上心煩去熱取煎湯作羹煑粥及生食並得○小兒白秃髮不生汁出瘮瘡濃煑陳汁水許脂和胡粉傅上○舌上忽出血如箸孔者煎汁服一升日二服

太乙曰　凡採得去根留葉細剉暴乾勿令犯火服至十兩一生不得食白山桃也

石香薷　味辛香氣温無毒

主治　調中温胃止霍亂吐瀉心腹脹滿服之立消脚腹絞痛用之即效腸鳴服之大有神功

處處有之所在皆種但北土差少色白
蘇而更細小十月中採曝乾用

石香葇

處處在出岩石縫中生苗葉更細而辛香
彌甚用之尤佳彼人謂之石香葇二月
八月採莖苗花實俱用

一名石蘇
生蜀郡陵
榮資簡州
及南中諸

水蘄

一名水英
一名楚葵
舊本不載
所出州土

今在處有之生南海川澤水中葉似芎
藭花白色而無實根亦白色又云生黑

○按衍義云石香葇處處有之不必出岩石縫
中但山中臨水附崖處或有之九月十月尚
有花

【水蘄】味甘氣平無毒

【主治】能益氣養精令肥健嗜食止煩渴殺諸石
藥毒保血脉退五腫急黃利大小二腸亦利
口齒止赤沃帶下仍止崩中小兒身暴熱可
毆大人酒後熱能解勿和醋食損齒須防八
月食之患蛟龍瘕其時龍帶精入芹中故也

○【補註】三月八月勿食芹菜恐病蛟龍瘕發則
似癲面色青黃小腹脹狀如懷妊也○此病
春秋二時龍帶精入芹菜中人誤食之為病
食時手青肚滿痛不可忍作蛟龍病服硬餳
三二升日二度吐出如蜥蜴三二便差○十二
小兒霍乱吐痢芹葉細切煮熟汁飲不拘多
少立止○去小兒暴熱大人酒後熱毒鼻塞
身熱利大小腸莖葉搗汁服

滑地名白水靳食之不如高田者宜人餘田中皆諸虫子在其葉下視之不見食之爲患高田者名白田芹二月三月作英時可作葅及熟爚食芹花味苦主脉溢芹有兩種荻芹取根白色赤芹取莖葉並堪作葅及生啖

馬芹子

一云荖牟新旧本不著所出州土今処々有之生水澤傍苗似鬼針菾蕎等開花青白色結子黄黑色似防風子而細大子入藥用食療云黄黑者味苦主氣冷氣瘕癖生瘡結核聚氣下瘀血葉主霍亂与香茂同功

馬芹子 味甘辛氣溫無毒

主治 主心腹脹滿能下氣消食善理卒心氣以食令人渇睡調和五味而後用之香似橘皮而無苦味

○補註 卒心気痛子炒爲末食之令人渇睡○蛇咬生杵傅之其毒即出矣又乾末和油煎成摩結核上三五度便差

芸薹 味辛氣溫又云氣凉無毒

主治 主游風丹腫破癥瘕結血損陽氣而發瘡治血風及瘀血患口齒疼痛用之立愈生腹中諸虫服之即疼病腰脚不宜多食胡臭人多食沉連

○補註 血病産婦食之立破○赤遊風瘮搗葉傅之○頭白將子壓油搽之能令髮黑

○按衍義云芸薹不甚香經冬根不死辟[illegible]

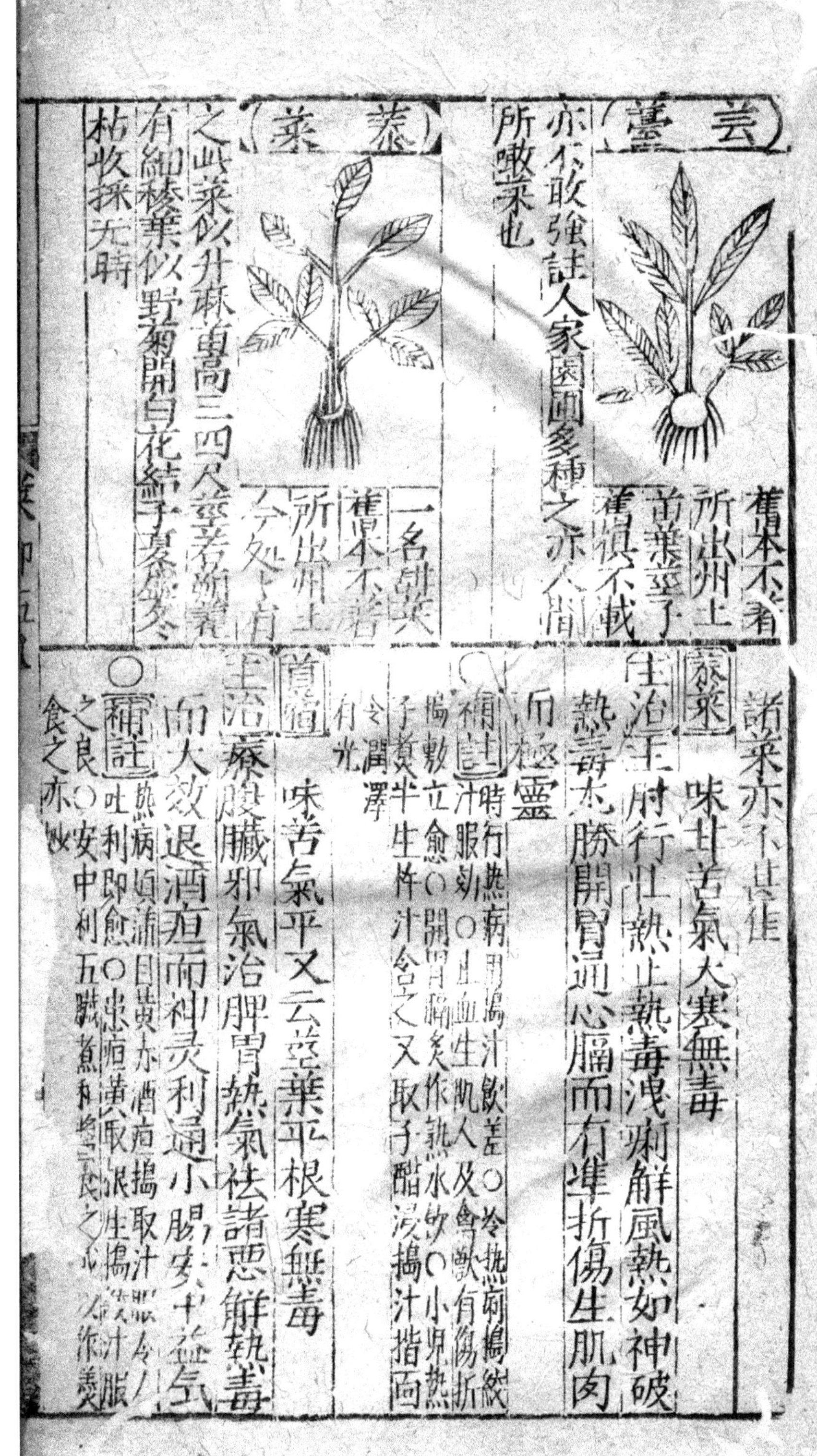

芸薹

舊本不著所出州土苗葉莖子舊說不載今人間亦不敢強註人家園圃多種之亦人間所啖菜也

菾菜

一名甜菜舊本不著所出州土今處處有之此菜似升麻苗高三四尺莖若蒴藋有細稜葉似野菊開白花結子夏盛冬枯收採无時

諸菜亦不甚佳

【芸薹】味甘苦氣大寒無毒

【主治】主肝行壯熱止熱毒洩痢解風熱如神破熱毒太勝開胃通心膈而有準折傷生肌肉而極靈

○【補註】時行熱病用搗汁飲差○冷熱痢搗絞汁服効○止血生肌人及禽獸有傷折搗敷立愈○開胃膈炙作熱水飲○小兒熱子煮半生作汁合之又取子醋浸搗汁指面令潤澤有光

【菾菜】味苦氣平又云莖葉平根寒無毒

【主治】療腹臟邪氣治脾胃熱氣祛諸惡解熱毒而大效退酒疸而神灵利通小腸安中益氣

○【補註】熱病煩渴目黃赤酒疸搗取汁服令人吐利即愈○患疸漬取汁服生搗絞汁服之良○安中利五臟煮和羹食良之亦作羹食之亦似

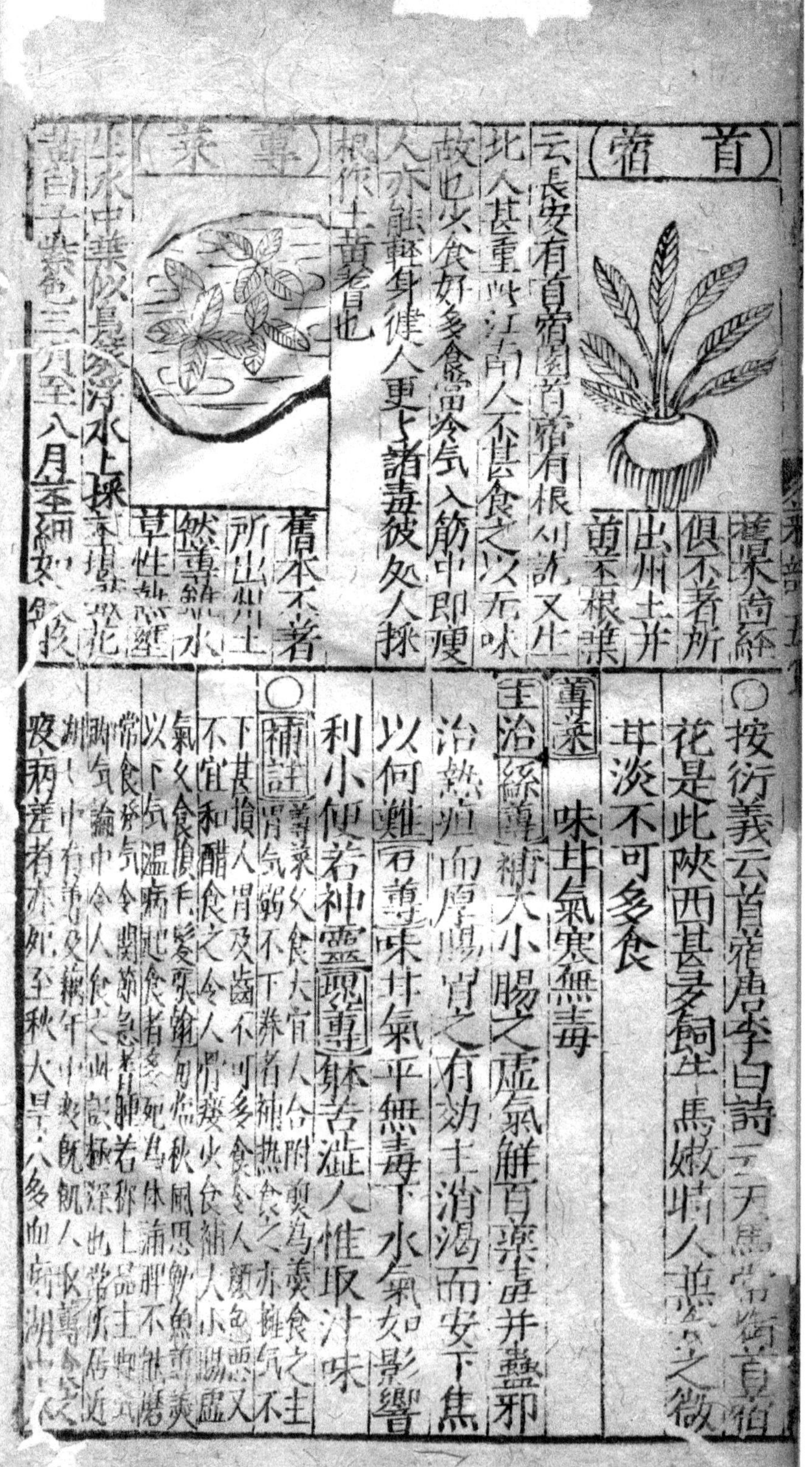

首蓿

舊本圖經俱不著所出州土并苗葉根葉

云長安有首蓿園首蓿有根刈訖又生北人甚重此江南人不甚食之以无味故也少食好多食當冷气入筋中即瘦人亦能輕身健人更上諸毒彼處人採根作土黃耆也

蓴菜

舊本不著所出州土然蓴絲水草性[illegible]經[illegible]

生水中葉似鳧葵浮水上採莖堪噉花黃白子紫色三月至八月莖細如釵股

○按衍義云首蓿唐李白詩云天馬常銜首蓿花是此陝西甚多飼牛馬嫩時人兼食之微苦淡不可多食

蓴菜 味甘氣寒無毒

主治 絲蓴 補大小腸之虛氣解百藥毒并蠱邪治熱疸而厚腸胃之有効主消渴而安下焦以何離

石蓴 味甘氣平無毒下水氣如影響利小便若神

靈驗 蓴 本苦澁人惟取汁味

○補註 蓴菜久食大宜人合附子為羹食之主胃氣弱不下食者補熱食之亦[illegible]氣不下其損人胃及齒不可多食令人顏色惡又不宜和醋食之令人骨痿少食補大小腸虛氣久食損毛髮[illegible]秋風思鱠魚蓴羹以下氣溫病起食者多死為体滑脾不能磨常食發氣令關節急嗜睡若稱上品主[illegible]腳氣論中令人食之此誤極深也[illegible]湖中有蓴及藕年中[illegible]既飢人取蓴[illegible]沒兩差者亦如至秋大旱人多血痢湖中[illegible]

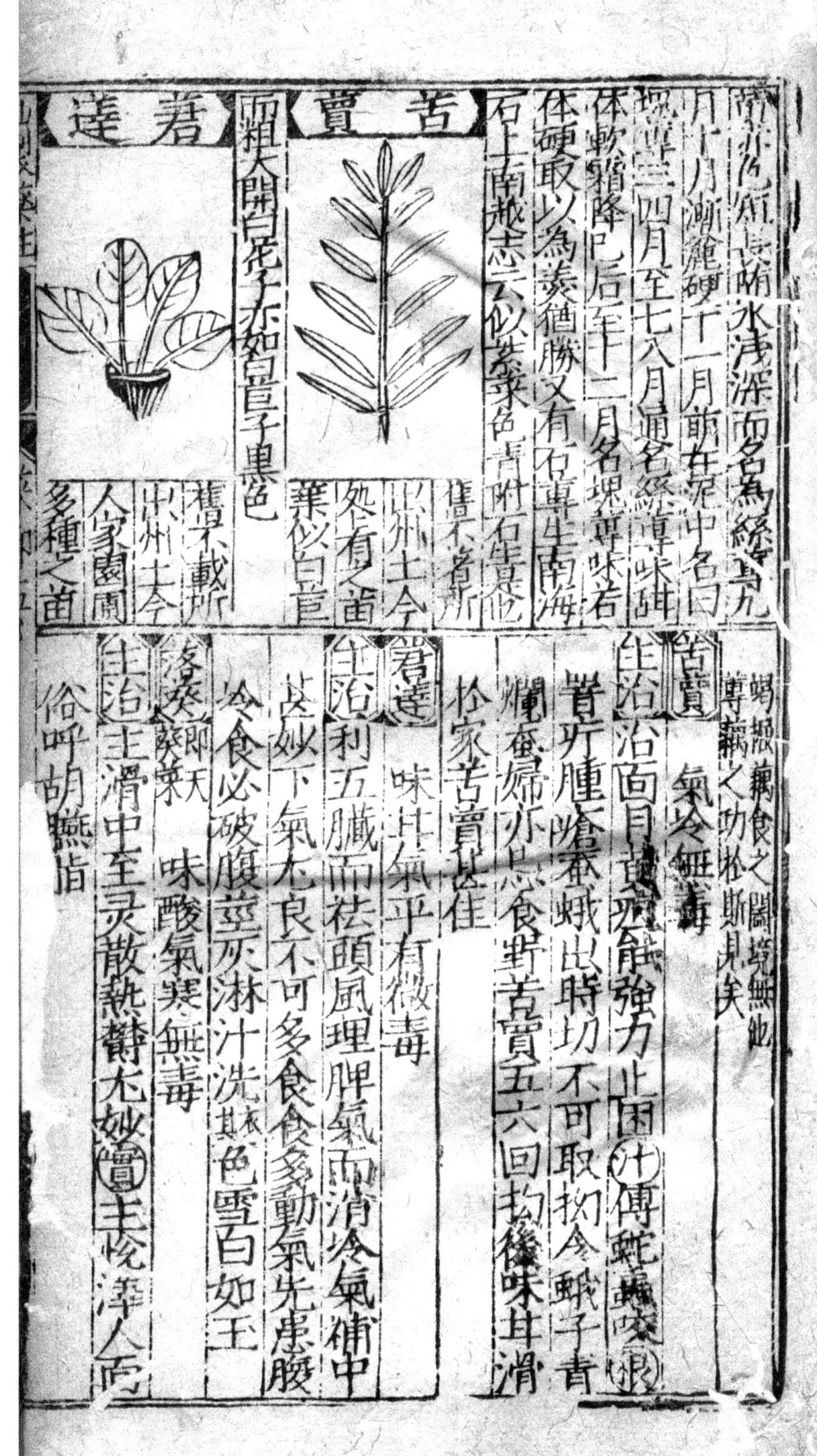

蘭州名紙長於水淺深而名爲綠蕈光
月七八月漸麄硬十一月前在泥中名曰
蕅蕈三四月至七八月通名綠蕈味甜
体軟稍降已后至十二月名塊蕈味若
体硬最以為美猶勝又有石蕈生南海
石上南越志云似紫菜色青附石生莖也

苦蕒

舊不著所出州土今處處有之苗葉似白苣

莙薘

而粗大開白花子亦如莧子黑色

舊不載所出州土今人家園圃多種之苗

蝎蝦蕅食之闘境無他
蕁蕅之功於斯見矣

苦蕒　氣冷無毒

主治　治面目黃強力止困　汁傅蛇蟲咬良
背疔腫潰瘡蚕蛾出時切不可取拗令蛾子青
爛蚕婦亦忌食此苦蕒五六回拗後味甘滑
於家苦蕒甚佳

莙薘　味甘氣平有微毒

主治　利五臟而祛頭風理脾氣而滑冷氣補中
其妙下氣尤良不可多食食多動氣先患腰
冷食必破腹莖灰淋汁洗衣其色雪白如玉

落葵（即天葵繁）　味酸氣寒無毒

主治　主滑中至靈散熱鬱尤妙　實　主悅澤人面
俗呼胡燕脂

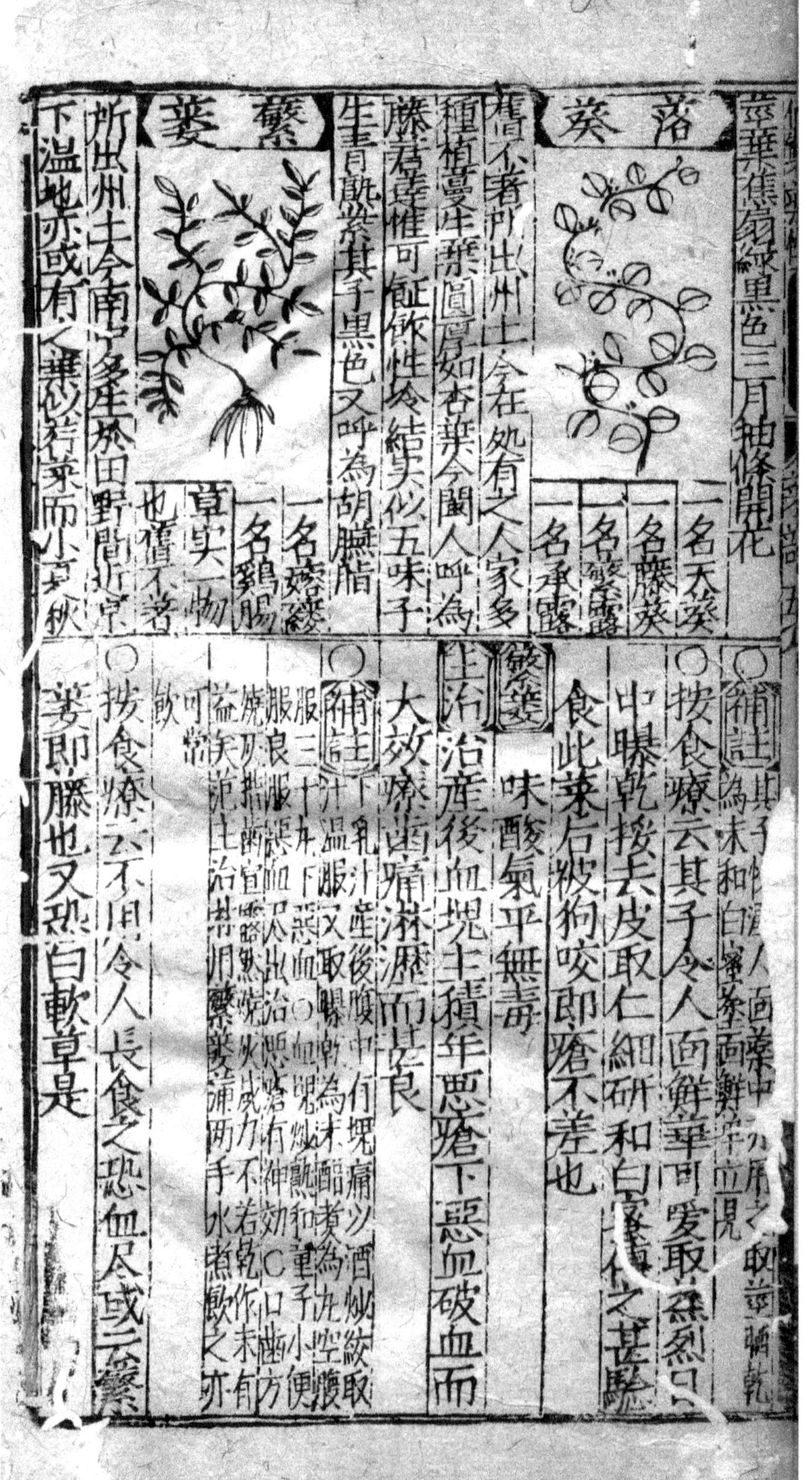

莖葉蕉纔綠黑色三月紬條開花

落葵

一名天葵　一名藤葵　一名蘩露　一名承露

舊不著所出州土今在處有之人家多種植蔓生葉圓厚如杏葉今閩人呼為藤葵時惟可飯飯性冷結實似五味子生青熟紫其子黑色又呼為胡臙脂

蘩蔞

一名蔜蔞　一名鷄腸　草實一物也舊不著

所出州土今南方多產於田野間近京下濕地亦或有之葉似荇菜而小夏秋

○補註　其子悅澤人面藥中亦用之取子蒸過曬乾為末和白蜜塗面鮮華立見

○按食療云其子令人面鮮華可愛取子蒸烈日中曝乾挼去皮取仁細研和白蜜傅之甚驗

食此菜后被狗咬即瘡不差也

蘩蔞　味酸氣平無毒

主治　治產後血塊主積年惡瘡下惡血破血而大效療齒痛淋瀝而甚良

○附註　下乳汁產後腹中有塊痛以酒炒絞取汁溫服又取曝乾為末醋煮為丸空腹服三十丸下惡血○血閉炒熟和童子小便服良服惡血尽出治惡治有神効○口齒方燒灰揩齒宜暗黙焼灰甚力不若乾作末有益矣范汪治淋用蘩蔞滿兩手水煮飲之亦可常飲

○按食療云不用令人長食之恐血尽或云蘩蔞即藤也又恐白軟草是

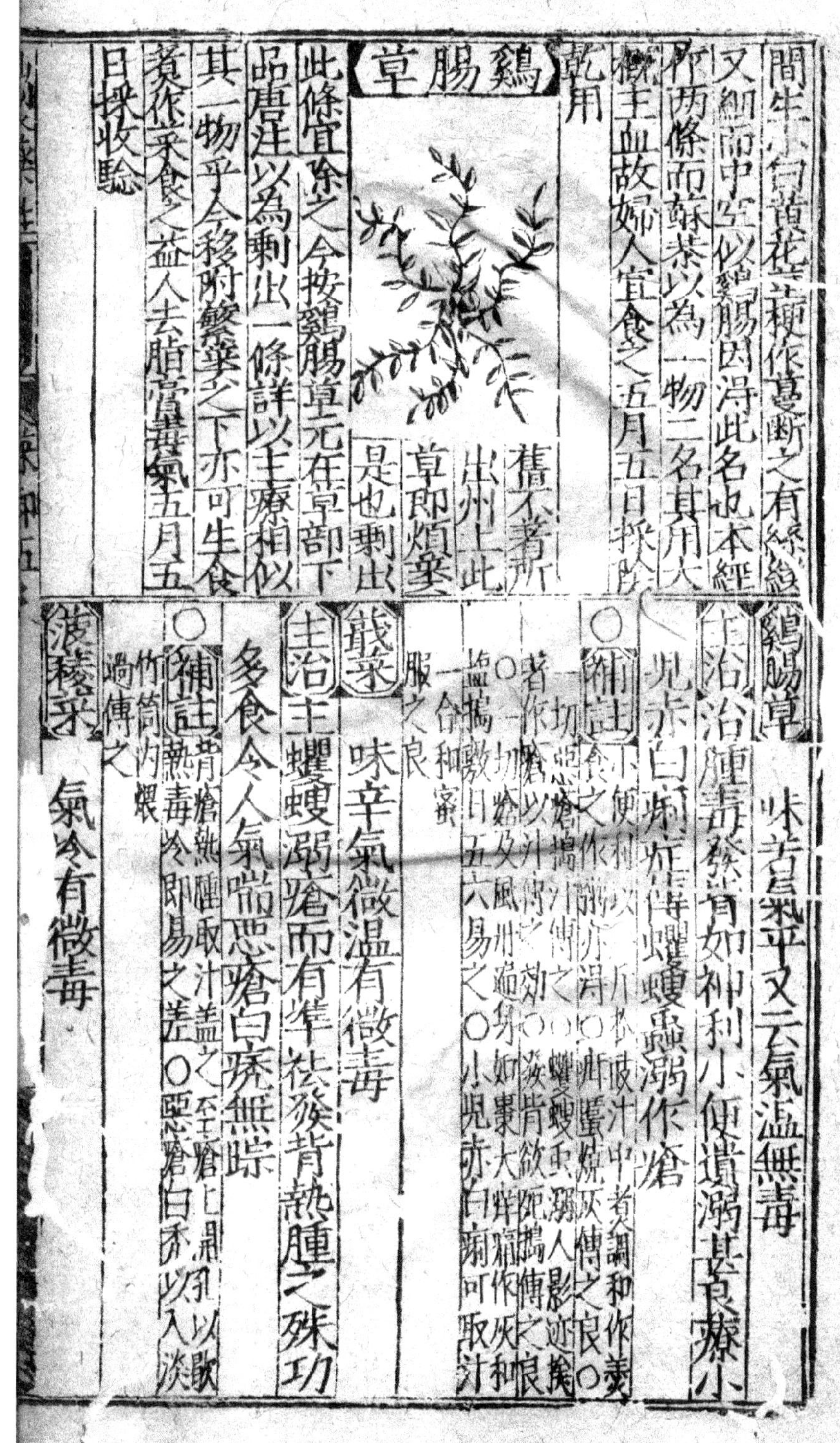
間生小白黃花其梗作蔓斷之有絲縷又細而中空似雞腸因得此名也本經作兩條而蘇恭以為一物二名其用大概主血故婦人宜食之五月五日採陰乾用

雞腸草

舊不著所出州土此草即煩婁是也剩出此條宜除之今按雞腸草元在草部下品唐注以為剩出一條詳以主療相似其一物乎今移附繁蔞之下亦可生食煮作菜食之益人去脂膏毒氣五月五日採收驗

雞腸草　味苦氣平又云氣溫無毒

主治　治腫毒發背如神利小便遺溺甚良療小兒赤白痢疳蟲蝕蠼螋尿瘡作瘡

○補註　小便利以一斤擣取汁中煮調和作羹食之作粥亦得○此鹽燒灰傅之良○一切惡瘡擣汁傅之○蠼螋尿溺人影迹瘡著作瘡以汁傅之効○發背欲死擣傅之良○一切瘡及風丹遍身如棗大痒痛作灰和塩擣敷日五六易之○小兒赤白痢可取汁一合和蜜服之良

蕺菜　味辛氣微溫有微毒

主治　主蠼螋溺瘡而有準祛發背熱腫之殊功多食令人氣喘惡瘡白禿無蹤

○補註　背瘡熱腫取汁蓋之至瘡上開孔以歇熱毒冷即易之差○惡瘡白禿以入淡竹筒內煨過傅之

菠薐菜　氣冷有微毒

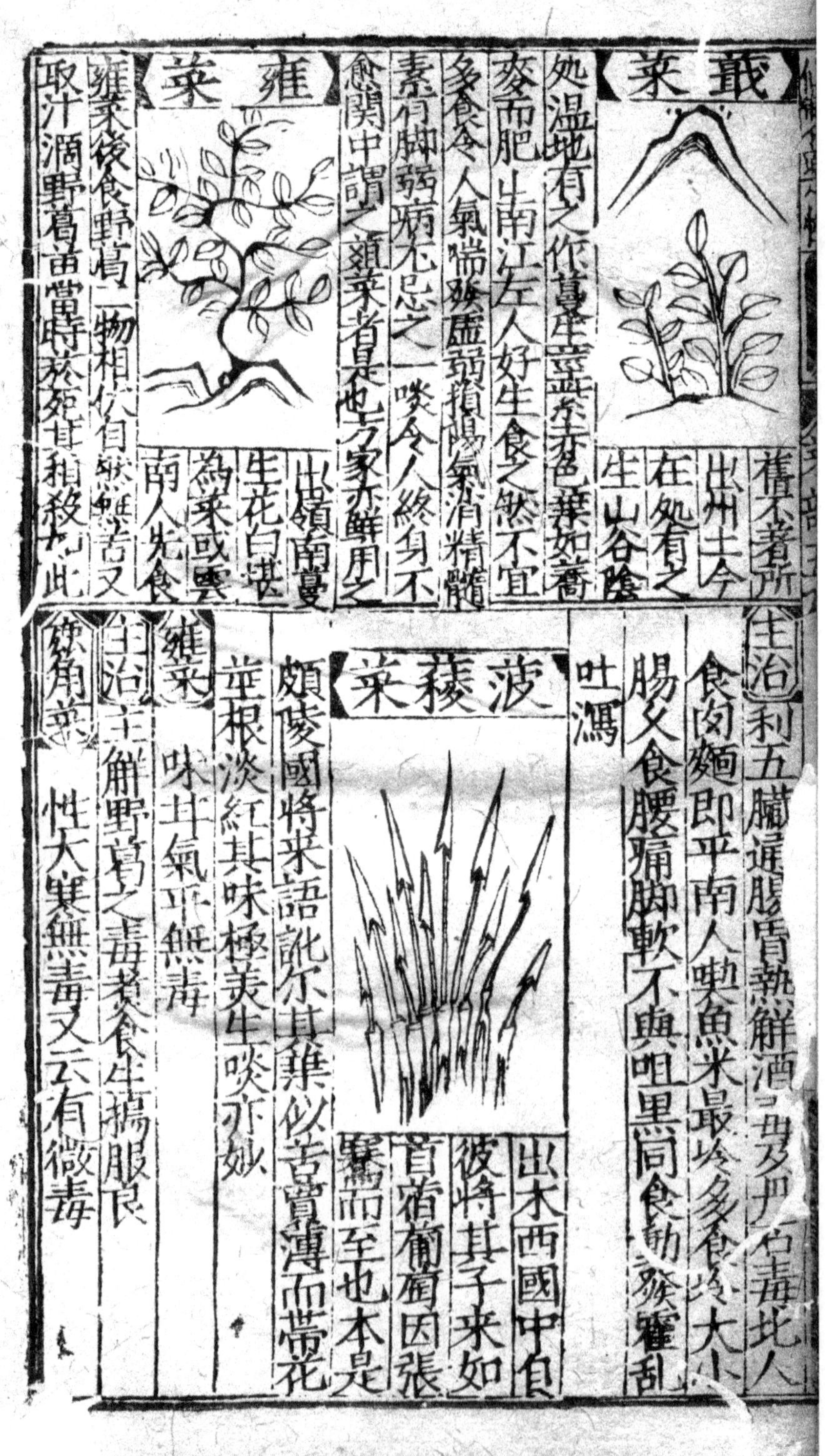

蕺菜

舊不著所出州土今在處有之生山谷陰

處濕地有之作蔓莖紫赤色葉如蕎麥而肥山南江左人好生食之然不宜多食令人氣喘發虛弱損陽氣消精髓素有脚弱病尤忌之一啖令人終身不愈關中謂之葅菜者是也方家亦鮮用之

蕹菜

出嶺南蔓生花白堪為菜或云南人先食

蕹菜後食野葛二物相伏自然無苦又取汁滴野葛苗當時菸死其相殺如此

【主治】利五臟通腸胃熱解酒毒服丹石毒北人食肉麵即平南人嗜魚米最冷多食令大小腸冷食腰痛脚軟不與咀黑同食動發霍亂吐瀉

菠薐菜

出木西國中自彼將其子來如苜蓿葡萄因張騫而至也本是

頗陵國將來語訛尔其葉似苦蕒薄而帶花莖根淡紅其味極美生啖亦妙

【蕹菜】味甘氣平無毒

【主治】主解野葛之毒煮食生搗服良

【菠薐菜】性大寒無毒又云有微毒

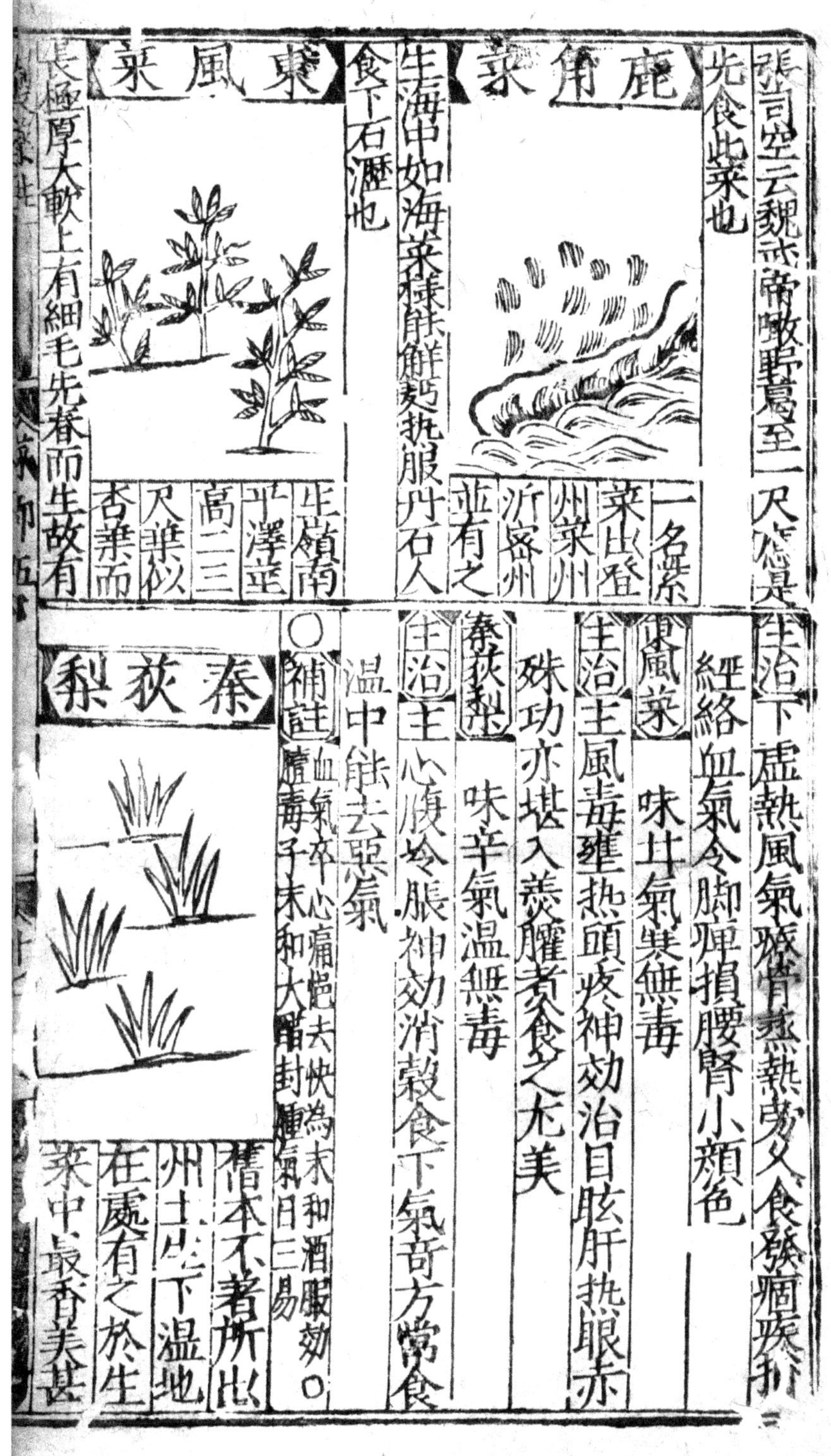

張司空云魏武帝啖野葛至一尺應是先食此菜也

鹿角菜

一名紫菜出登州萊州沂密州並有之

生海中如海菜樣髯鮮𩞄熱服丹石人食下石瀝也

東風菜

生嶺南平澤莖高二三尺葉似杏葉而長極厚大軟上有細毛先春而生故有

主治下虛熱風氣療骨蒸熱勞久食發痼疾損經絡血氣令脚痺損腰腎少顏色

東風菜　味甘氣寒無毒

主治主風毒壅熱頭疼神効治目眩肝熱眼赤殊功亦堪入羹臛煮食之尤美

秦荻梨　味辛氣温無毒

主治主心腹冷脹神効消穀食下氣奇方常食温中能去惡氣

○補註　血氣卒心痛悶去快為末和酒服効○膿毒子末和大酯封腫氣日三易

秦荻梨

舊本不著所出州土生下温地在處有之於生菜中最香美甚

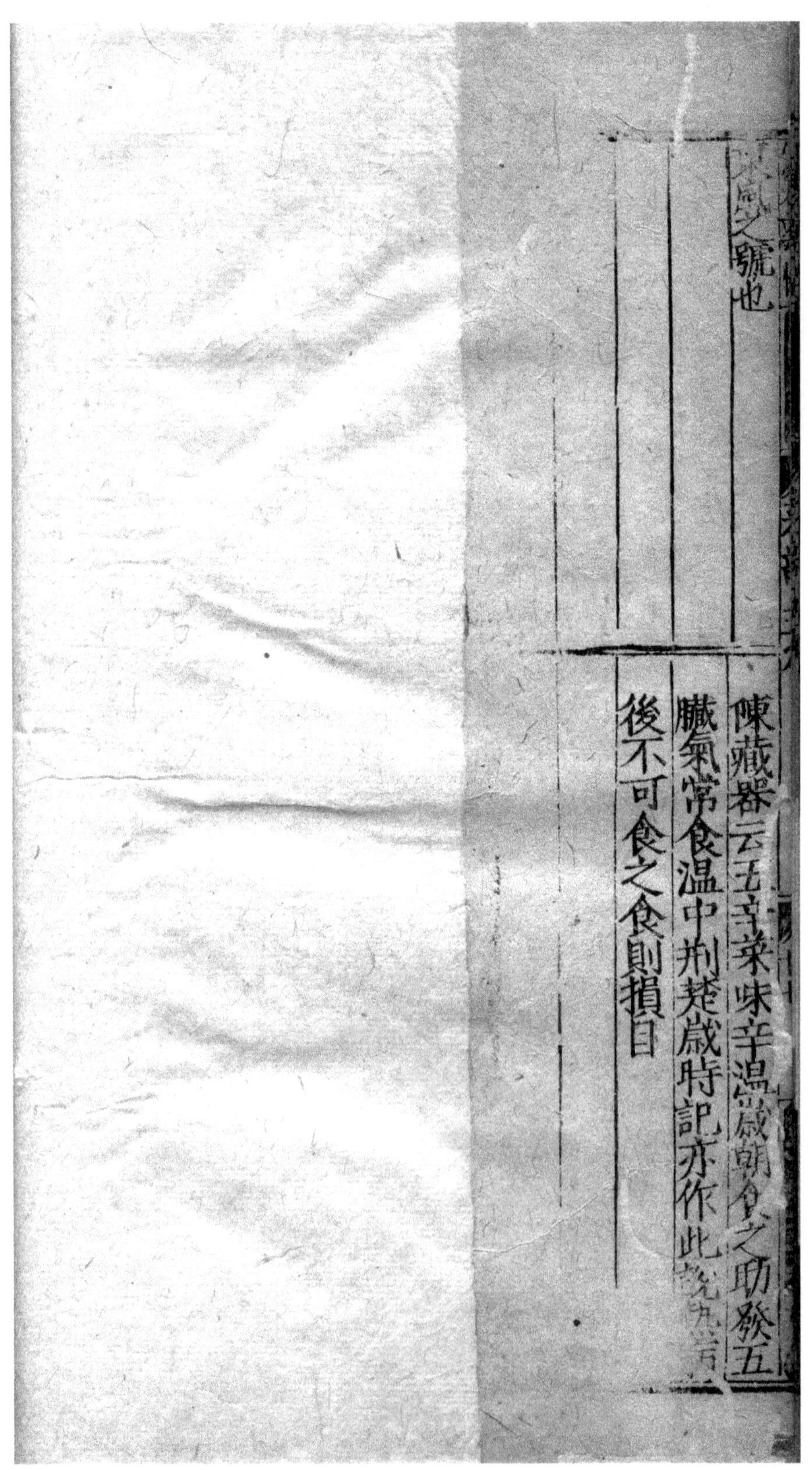

宋國之號也

陳藏器云五辛菜味辛温歲朝食之助發五臟氣常食温中荆楚歲時記亦作此說九言後不可食之食則損目

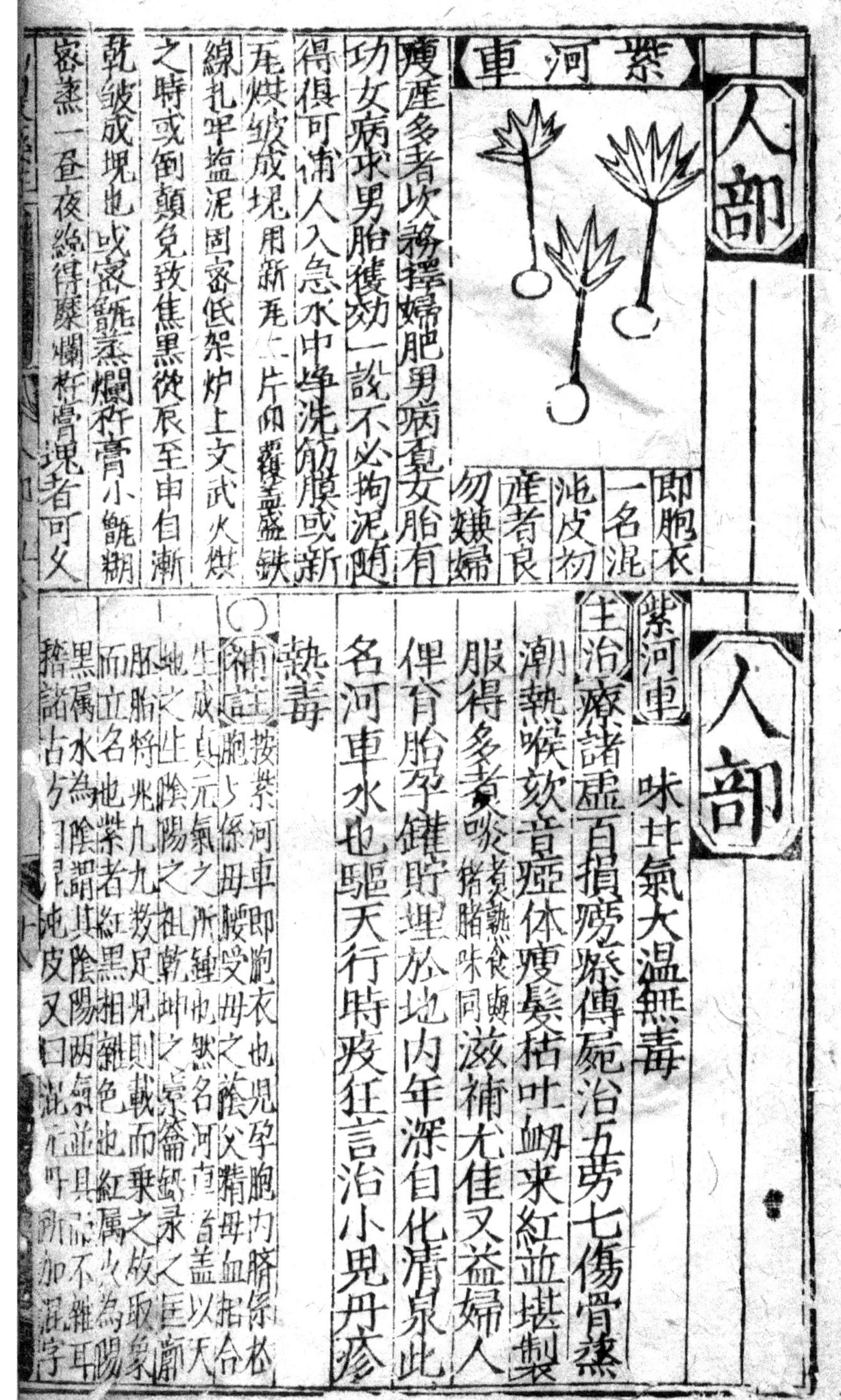

人部

即胞衣一名混沌皮初産者良勿嫌婦瘦産多者收務擇婦肥男病覓女胎有功女病求男胎獲効一說不必拘泥隨得俱可俻人入急水中浄洗筋膜或新瓦烘皱成塊用新瓦二片仰覆盖盛鉄線扎牢塩泥固密低架炉上文武火烘之時或倒顛免致焦黑從辰至申自漸乾皱成塊也或瓷甑蒸爛杵膏小甑糊密蒸一晝夜總得糜爛杵膏塊者可久

人部

紫河車　味甘氣大溫無毒

主治　療諸虛百損癆瘵傳屍治五勞七傷骨蒸潮熱喉欬音瘂体瘦髮枯吐衂來紅並堪製服得多者效（煮熟食與豬脂味同）滋補尤佳又益婦人俾育胎孕鑵貯埋於地内年深自化清泉此名河車水也驅天行時疫狂言治小兒丹疹熱毒

補註　按紫河車即胞衣也兒孕胞内臍係於胞々係母腰受母之蔭父精母血相合生成真元氣之所鍾也然名河車者蓋以天地之先陰陽之祖乾坤之橐籥鉛汞之匡廓胚胎將兆九九數足兒則載而乘之故取象而立名紫者紅黑相雜色也紅屬火為陽黑屬水為陰謂其陰陽兩氣並具而不雜耳稽諸古方因以混沌皮又曰混元衣所加混字

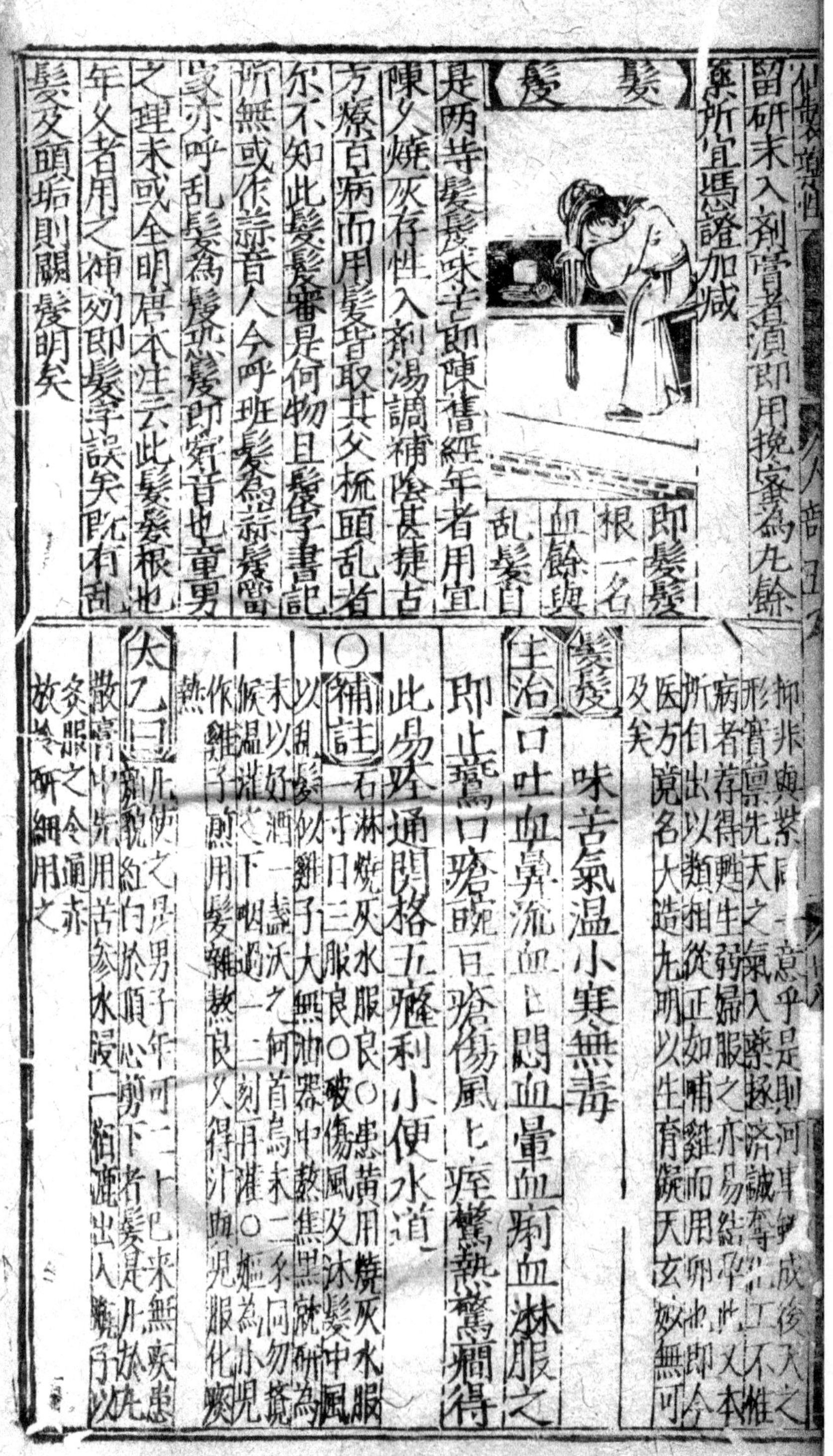

仙製藥性　人部

留研末入劑嘗者須即用挽蜜爲丸餘

藥所宜憑證加減

髮髲

即髮髲根一名血餘與乱髮自

是两等髮髲味苦即陳舊經年者用宜

陳久燒灰存性入劑湯調補陰甚捷古

方療百病而用髮皆取其父梳頭乱者

尔不知此髮髲番是何物且髲字書記

所無或作蒜音人今呼班髮爲蒜髲當

豫亦呼乱髮爲髲恐髲即剃音也童男

之理未或全明唐本注云此髮髲根也

年久者用之神效即髲字誤矣既有乱

髮及頭垢則髲明矣

抑非與紫河一意乎是則河車鈞成後天之

形質禀先天之氣入藥拯濟誠奪[illegible]工不惟

病者存得甦生弱婦服之亦易結孕此又本

所自出以類相從正如哺雞而用卵也即今

医方覧名大造丸明以生育凝天玄妙無可

及矣

髮髲　味苦氣温小寒無毒

主治　口吐血鼻流血止悶血暈血痢血淋服之

即止驚口瘡啞百瘡傷風上痓驚熱驚癇得

此易堅通関格五癃利小便水道

○補註　一石淋燒灰水服良○患黄用燒灰水服

一寸日三服良○破傷風及沐髮中風

以亂髮如雞子大無油器中熬焦黑就研為

末以好酒一盞沃之何首烏末二系同勿撓

候温灌之下咽過一二刻再灌○瘟為小兒

作雞子煎用髮雜熬良久得汁血兒服化痰

熱

太乙曰　凡使之是男子年可二十已來無疾患

顏貌紅白於頂心剪下者髮是凡於丸

散膏中先用苦参水浸一宿漉出入瓶子以

炙服之令通赤

放冷研細用之

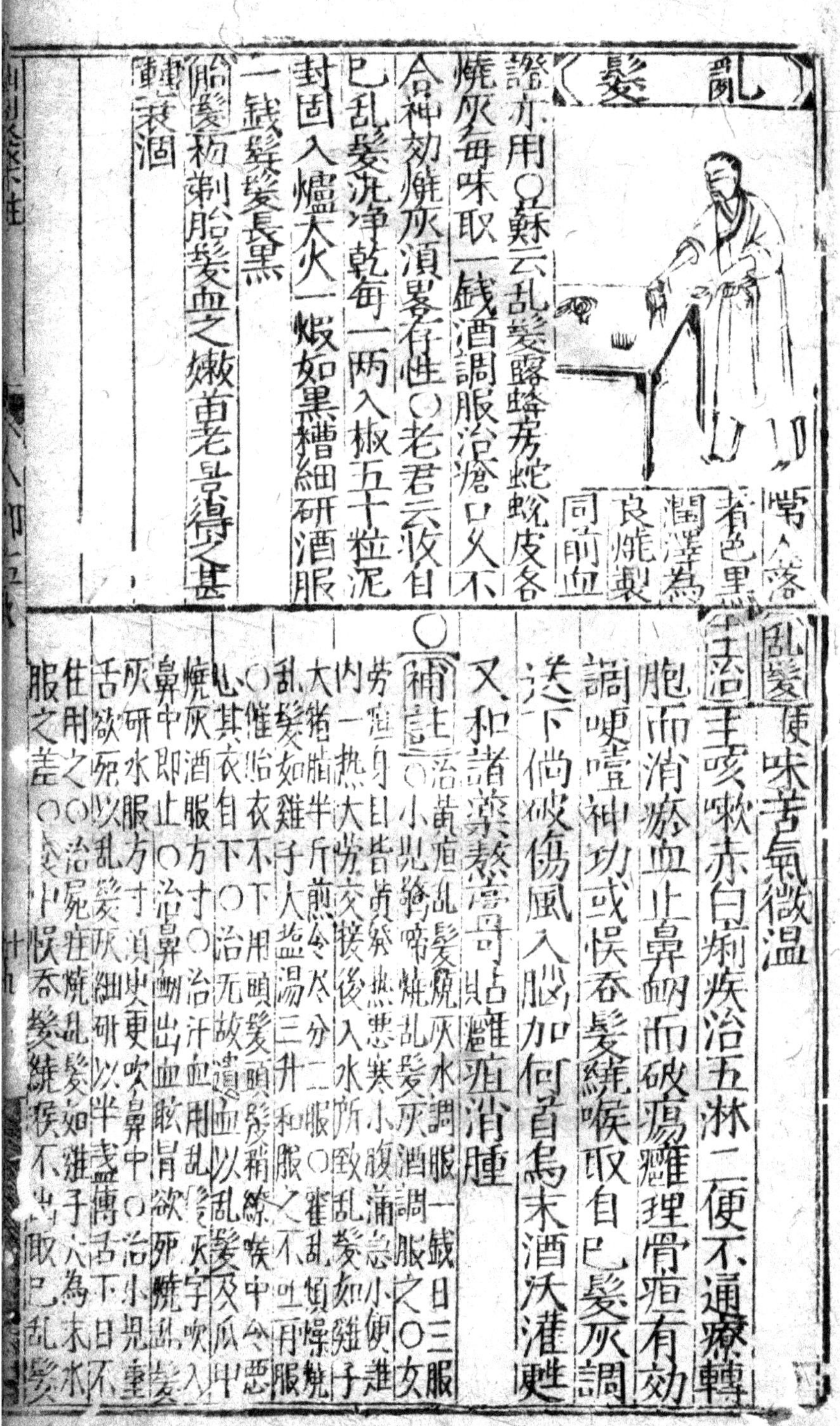

亂髪

常人落者色黑潤澤為良燒製同前血

證亦用○丹蘇云乱髪露蜂房蛇蜕皮各燒灰每味取一錢酒調服治瘡口久不合神効燒灰須罨存性○老君云收自巳乱髪洗净乾每一两入椒五十粒泥封固入爐大火一煅如黑糟細研酒服一錢鬚髪長黑

胎髪　初剃胎髪血之嫩苗老者得之甚補衰涸

乱髪　便味苦氣微温

主治　主咳嗽赤白痢疾治五淋二便不通療轉胞而消瘀血止鼻衂而破瘍癰理骨疽有効調哽噎神功或悮吞髪繞喉取自巳髪灰調送下倘破傷風入腦加何首烏末酒沃灌甦又和諸藥熬膏可貼癰疽消腫

○補遺　○治黄疸乱髪燒灰水調服一錢日三服○小児驚啼燒乱髪灰酒調服之○女劳疸身目皆黄發熱悪寒小腹滿急小便難内一熱大劳交接後入水所致乱髪如雞子大猪脂半斤煎令尽分二服○霍乱煩燥燒乱髪如雞子大盐湯三升和服之不吐再服○催生治衣不下用頭髪頭髪稍繚喉中令悪心○其衣自下○治无故遺血以乱髪及爪甲燒灰酒服方寸○治汗血用乱髪灰字吹入鼻中即止○治鼻衂出血眩冒欲死燒乱髪灰研水服方寸匕更吹鼻中○治小児重舌欲死以乱髪灰細研以半錢傅舌下日不住用之○治屍疰燒乱髪如雞子大為末水服之差○咽中悮吞髪繞喉不出取巳乱髪

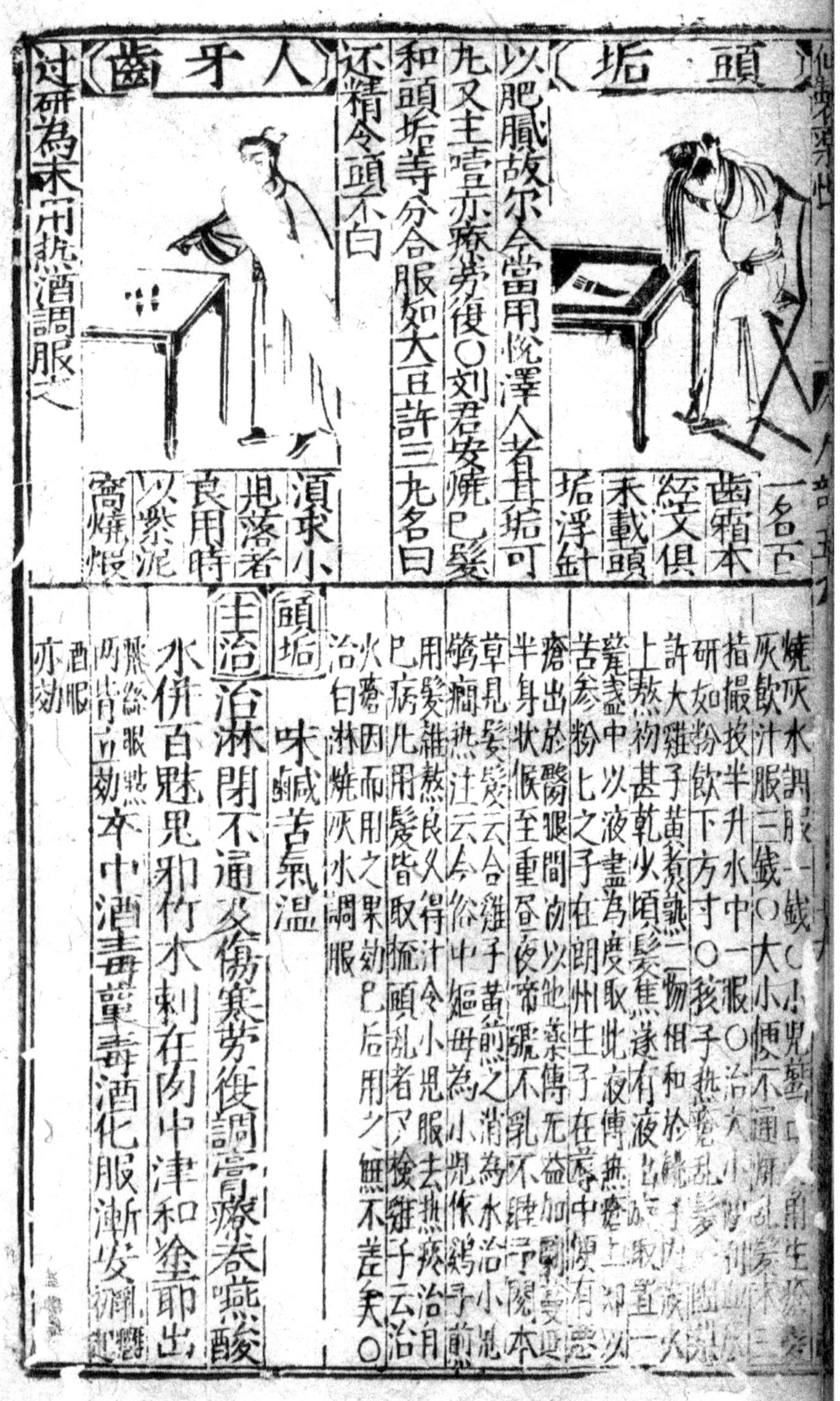

頭垢

以肥膩故尔今當用悅澤人者其垢可丸又主噎亦療勞復○刘君安燒巳髮和頭垢等分合服如大豆許三丸名曰还精令頭不白

一名百齒霜本經文俱未載頭垢浮針

人牙齒

須求小児落者良用時以紫泥固燒煅过研為末用熱酒調服之

燒灰水調服一錢○小兒驚[illegible]角生疾[illegible]灰飲汁服三錢○大小便不通[illegible]乱髮末[illegible]指撮投半升水中一服○治大小[illegible]研如粉飲下方寸○孩子熱瘡乱髮[illegible]許大雞子黃煮熟二物相和於銚子內[illegible]上熬初甚乾少頃髮焦遂有液出[illegible]取置一[illegible]甕盞中以液盡為度取此液傅熱瘡上即以苦參粉匕之子在朗州生子在褥中便有瘡瘡出於臀髀間初以他藥傅无益加劇蔓延半身狀候至重晝夜啼號不乳不睡予閱本草見髮髲云合雞子黃煎之消為水治小兒驚熱注云今俗中嫗母為小兒作雞子煎用髮雜熬良久得汁令小兒服去熱痰治自巳病凡用髮皆取梳頭乱者又撿雞子云治火瘡因而用之果効巳后用之無不差矣○治白淋燒灰水調服

頭垢　味鹹苦氣温

主治　治淋閉不通及傷寒勞復調膏療吞蟶酸水并百魅鬼邪竹木刺在肉中津和塗即出[illegible]肉骨立効卒中酒毒葷毒酒化服漸安[illegible]酒服亦効

人乳汁

一名蟠桃酒釋婦体盛及初産者汁濃取乳飯間竟結塊者乃勝如常口吮易圖近功多得曬乾塊備近用欲使流行經絡務加醇酒調吞

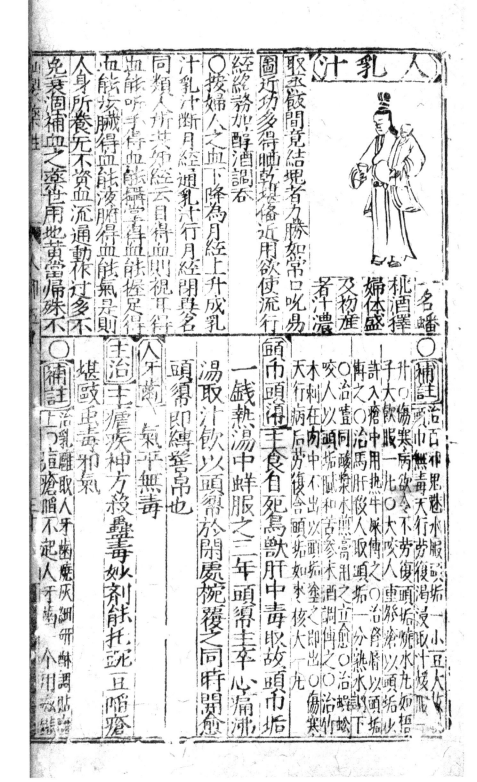

○按婦人之血下降為月經上升成乳汁乳汁斷月經通乳汁行月經閉異名同類人所共知經云目得血則視耳得血能聽手得血能攝掌得血能握足得血能步臟得血能液腑得血能氣是則人身所養无不資血流通動作过多不免衰涸補血之藥世用地黄當歸殊不

○補註 治百邪鬼魅水服頭垢一小豆大女頭巾無毒天行勞復渴浸取汁煖服一升○傷寒病欲令不勞復頭垢燒水丸如梧子大飲服一丸○犬咬人重發塗以頭垢少許入瘡中用熱牛屎傅之○治脅膂以頭垢傅之○治馬肝毒人取頭垢一分熟水調下○治蠱同酸漿木煎膏用之立愈○治蜈蚣咬人以頭垢膩和苦參末酒調傅之○治竹木刺在肉中不出以頭垢塗之即出○傷寒天行病后勞復含頭垢如棗核大一丸

頭巾頭須 主食自死鳥獸肝中毒取故頭巾垢一錢熱湯中絆服之三年頭須主卒心痛沸湯取汁飲以頭須於閉處梳覆之同時開愈

頭須即縛髻帛也

人牙齒 氣平無毒

主治 主瘧疾神方殺蠱毒妙劑能托痘且陷瘡堪敺惡毒邪氣

○補註 治乳癰取人牙齒燒灰細研酥調貼上○痘瘡陷不起人牙齒一个用炙焦

矧草木之流乃得天地之偏氣用治血病力固有餘用補血衰力猶未及何如人乳頻服以類相從如燈添油豈見光亮匪但血補無虧且病因血而成者亦由之調養滋達而自愈也然血屬陰其性極冷凡臟寒者又宜慎之

衍義云人乳汁治目之功多何也人心生血肝藏血眼受血則能視蓋水入於經則其血乃成又曰上則為乳汁下則為月水故知乳汁則血也用以點眼豈有不相宜者血為陰故其性冷臟寒人如乳餅酪之類不可多食雖曰牛羊乳然亦不出乎陰陽造化爾西戎更以馳馬凡為酥酪老人患口瘡不能食飲人熱乳良

盛貯固濟大火煆令赤候冷入[illegible]酒調服

【人牙齒】氣溫和黑虱共研出箭頭及惡刺破癰疽腫毒

【人髭鬚】剪下燒灰敷癰瘡亦愈治諸病如神

○【補注】唐李勣遇疾醫診之云得髭灰服之方止○太宗遂自剪髭燒灰賜服之復令傅癰瘡立愈故白樂天云剪鬚燒藥賜功臣○仁宗皇帝賜呂夷簡古人有言髭可治疾今朕剪髭與之合藥表朕意

【人乳汁】味甘氣平寒無毒

【主治】四物湯挽其補精血四君子入同益元陽肌瘦皮黃毛髮焦槁者速覓筋攣骨痿腸胃秘澀者當求健四肢榮五臟明眼目悅顏容安養神魂滑利關格

○【補注】療目赤痛多淚解獨肝牛肉毒合濃豉汁服之神效又取和雀屎去目赤胬肉

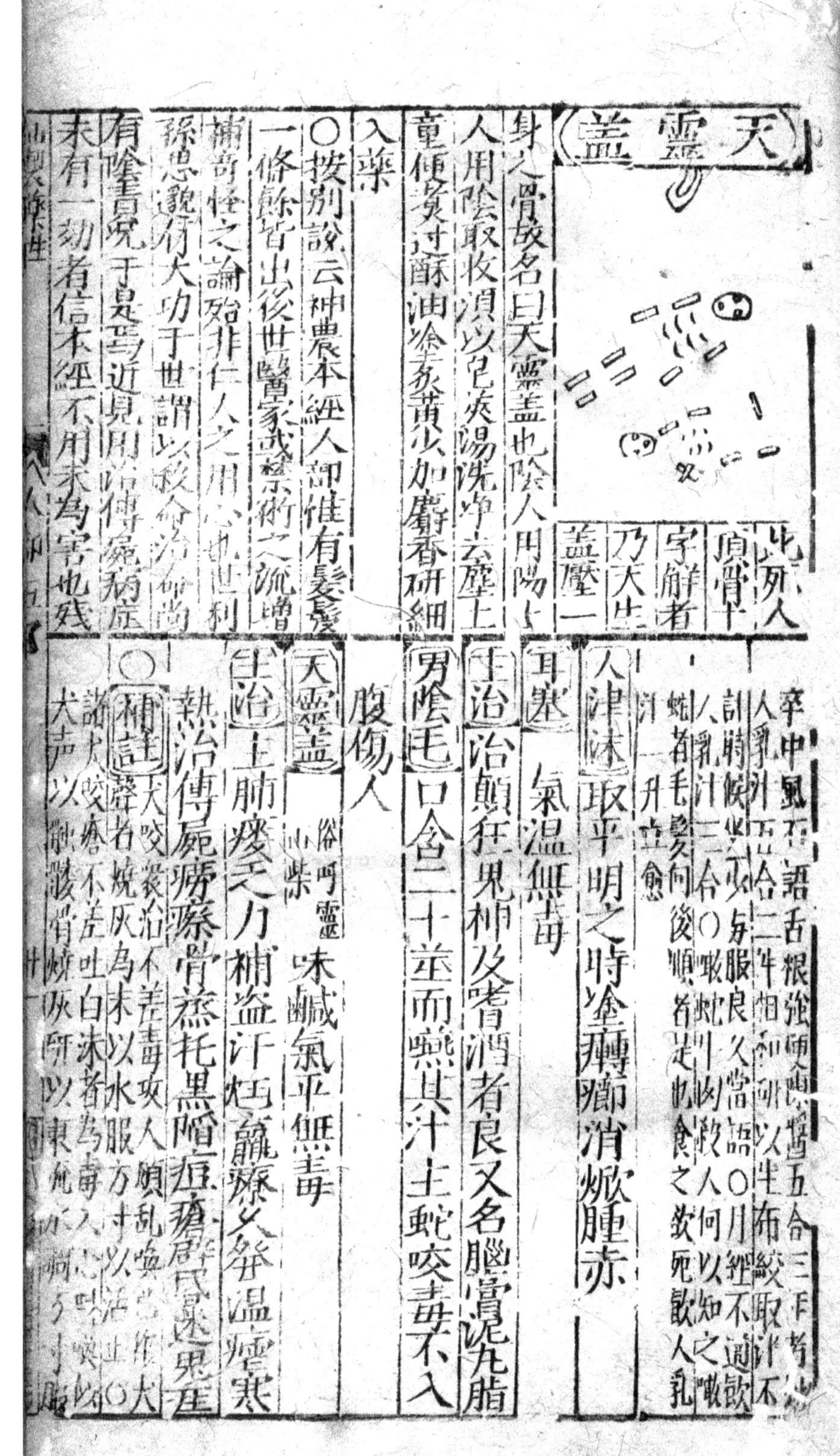

也列人頂骨十字解者乃大生蓋壓一

天靈蓋

身之骨故名曰天靈蓋也陰人用陽上人用陰取收須以乞痰湯洗淨去塵土童便炙过酥油塗炙黄少加麝香研細入藥

○按別說云神農本經人部惟有髮髲一條餘皆出後世醫家或禁術之流增補奇怪之論殆非仁人之用心也世利孫思邈稱大功于世謂以殺命治命尚有陰責況于是焉近見用治傳屍病庭未有一効者信本經不用未為害也戕

卒中風不語舌根強硬陳醬五合三年者妙人乳汁五合二件相和研以生布絞取汁不計時候少少與服良久當語○月經不通飲人乳汁三合○蚰蜒入耳以殺人何以知之嗽蚰者毛髮向後順者是也食之欲死飲人乳汁一升立愈

人津沫　取平明之時塗癬瘡消癥腫赤

耳塞　氣溫無毒

主治　治顛狂鬼神及嗜酒者良又名腦膏泥丸脂

男陰毛　口含二十莖而嚥其汁主蛇咬毒不入腹傷人

天靈蓋　俗呼靈山柴　味鹹氣平無毒

主治　主肺痿乏力補盜汗虛羸瘵久發溫瘧寒熱治傳屍癆瘵骨蒸托黑陷痘瘡辟尸氣迷鬼疰

○補註　犬咬瘡久不差毒攻人煩亂嗅之作犬聲者燒灰為末以水服方寸匕以活止○諸犬咬瘡不差吐白沫者為毒入心叫喚似犬声以獸髑髏骨燒灰研以東流水調方寸匕服

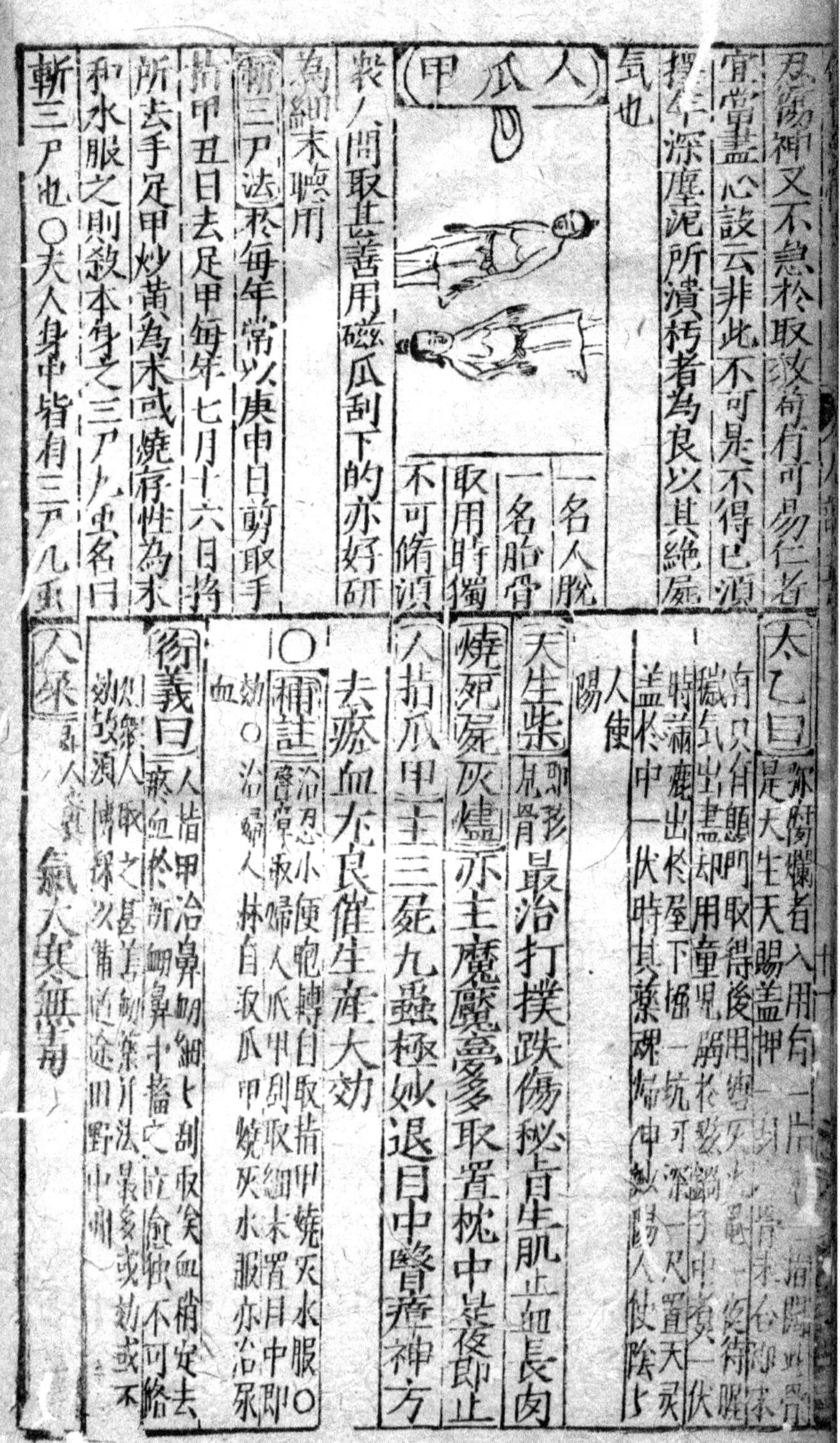

君傷神又不急於取汝倘有可易仁者宜常盡心詳云非此不可是不得已須擇年深塵泥所漬朽者為良以其絕屍氣也

人爪甲

一名人脫　一名胎骨　取用時獨不可脩須裝人間取其善用磁瓜刮下的亦好研為細末聽用

〔術〕斬三尸法於每年常以庚申日翦取手指甲丑日去足甲每年七月十六日將所去手足甲炒黃為末或燒存性為末和水服之則殺本身之三尸九蟲名曰斬三尸也○夫人身中皆有三尸九蟲

〔太乙曰〕亦傷爛者入用俞一片一指闊頭骨是天生天賜蓋押一封背未合卸蒙有只有顖門取得後用鍾灰於盡一夜待醒職氣出盡却用童兒尿於髮鋼內浸一伏時滿塵出於地下掘一坑可深一尺置天靈蓋於中一伏時其藥魂歸神中陽人使陰乃人使陽

天生柴　頭形尾骨　最治打撲跌傷秘旨生肌止血長肉

燒死屍灰燼　亦主魔魘多取置枕中是夜即止

人指爪甲　主三屍九蟲極妙退目中瞖瘴神方

去瘀血尤良催生產大効

○〔補註〕治忍小便胞轉自取指甲燒灰水服○尊貴人取婦人爪甲刮取細末置目中即效○治婦人淋自取爪甲燒灰水服亦治尿血

〔衍義曰〕人指甲治鼻衄細細刮取俟血稍定去瘀血於所衄鼻中搐之立愈衄不可除此衆人取之甚善細藥汗法最多或効或不効故須博採以備道途田野中用

〔人尿〕一名人溺　氣大寒無毒

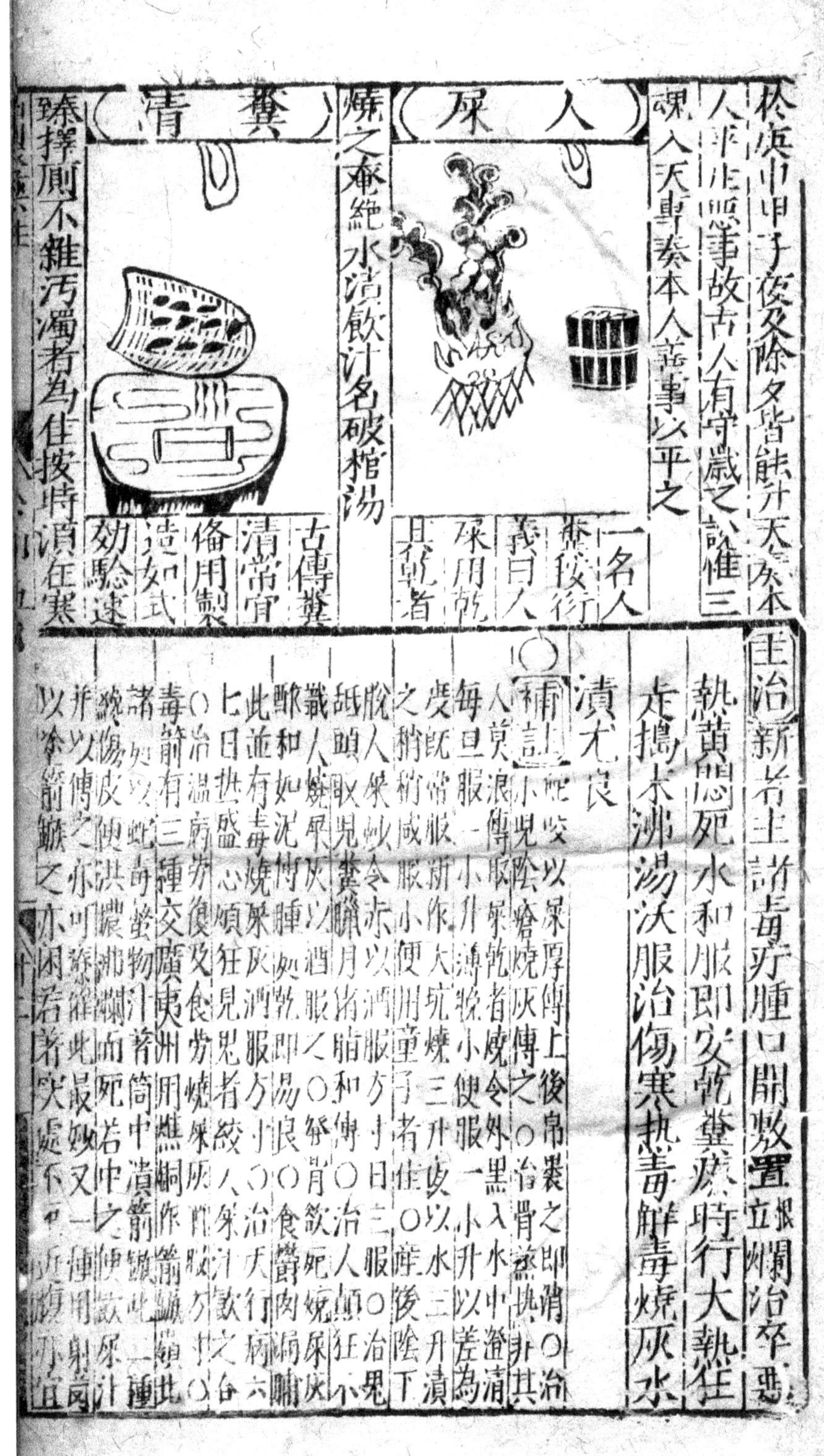

於庚申甲子夜及除夕皆能升天奏本
人非作惡事故古人有守歲之說惟三
魂入天專奏本人善事以平之

人屎

一名人糞後行
義曰人屎用乾
月乾者

燒之奄絕水漬飲汁名破棺湯

清糞

古傳糞清常實備用製造如式効驗速

臻擇廁不雜汚濁者為佳按時漬在寒

主治　新者主諸毒瘡腫口開數置立根爛治卒惡熱黃悶死水和服即效乾糞燒時行大熱狂走搗末沸湯沃服治傷寒熱毒解毒燒灰水漬末良

○補遺　蛇咬以屎厚傅上後帛裹之即消○治小兒陰瘡燒灰傅之○治骨蒸熱非其人莫浪傳服屎乾者燒令外黑入水中澄清每旦服一小升薄晚小便服一小升以差為度既常服新作大坑燒三升炭以水三升漬之稍稍減服小便用童子者佳○産後陰下脫人屎炒令赤以酒服方寸日三服○治鬼舐頭取兒糞臘月豬脂和傅○治人顛狂不識人燒屎灰以酒服之○發背欲死燒屎灰酢和如泥傅腫處乾即易良○食鬱肉漏脯此並有毒燒屎灰酒服方寸○治天行病六七日熱盛心煩狂見鬼者絞人屎汁飲之○合○治溫病勞復及食勞燒屎灰酒服方寸○毒箭有三種交廣夷州用燋銅作箭鏃嶺北諸處以蛇毒螫物汁著筒中漬箭鏃此一種纔傷皮便洪膿沸爛而死若中之便飲屎汁并以傅之亦可療唯此最妙又一種用射罔以塗箭鏃之亦困若著宍處不可一斤瘡小宜

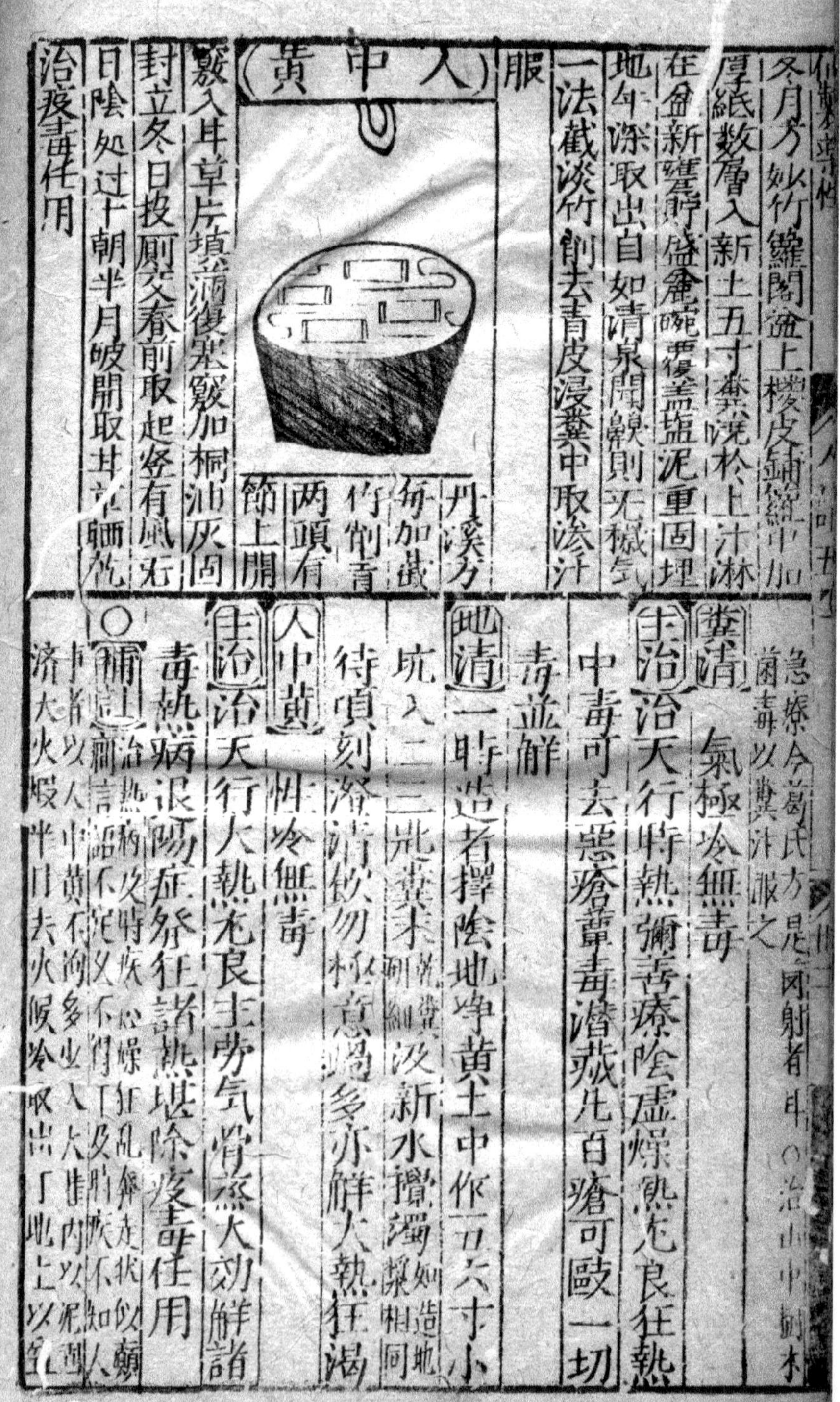

仙製藥性

冬月方以竹籮閣盛上樓皮鋪紙中加
厚紙數層入新土五寸糞澆於上汁淋
在盆新甕貯盛瓷碗覆蓋鹽泥重固埋
地年深取出自如清泉開甑則无穢氣
一法截淡竹刮去青皮浸糞中取滲汁
服

丹溪方每加截竹制青兩頭有節上開
竅入甘草片填滿復塞竅加桐油灰固
封立冬日投厠坑春前取起停有風石
日陰処过十朝半月破開取甘草曬乾
治疫毒任用

急療今葛氏方是冈射者耳○治山中樹木
菌毒以糞汁服之

【糞清】氣極冷無毒

【主治】治天行時熱癇譫療陰虛燥熱尤良狂熱
中毒可去惡瘡蕈毒潛蒸光百瘡可毆一切
毒並解

【地清】一時造者掘陰地淨黄土中作一五六寸小
坑入二三兆糞末（攪發細細）汲新水攪濁（如造地漿相同）
待頃刻澄清飲勿枉意過多亦解大熱狂渴

【人中黄】性冷無毒

【主治】治天行大熱尤良主勞氣骨蒸大効解諸
毒熱病退陽症發狂諸熱堪除疫毒任用

○【補遺】（治熱病及時疾心燥狂亂奔走狀似顛）
狂言語不定久不得汗及時疾不知人
者以人中黄不拘多少入大甕内以泥固
濟大火煅半日去火候冷取出丁地上以碗

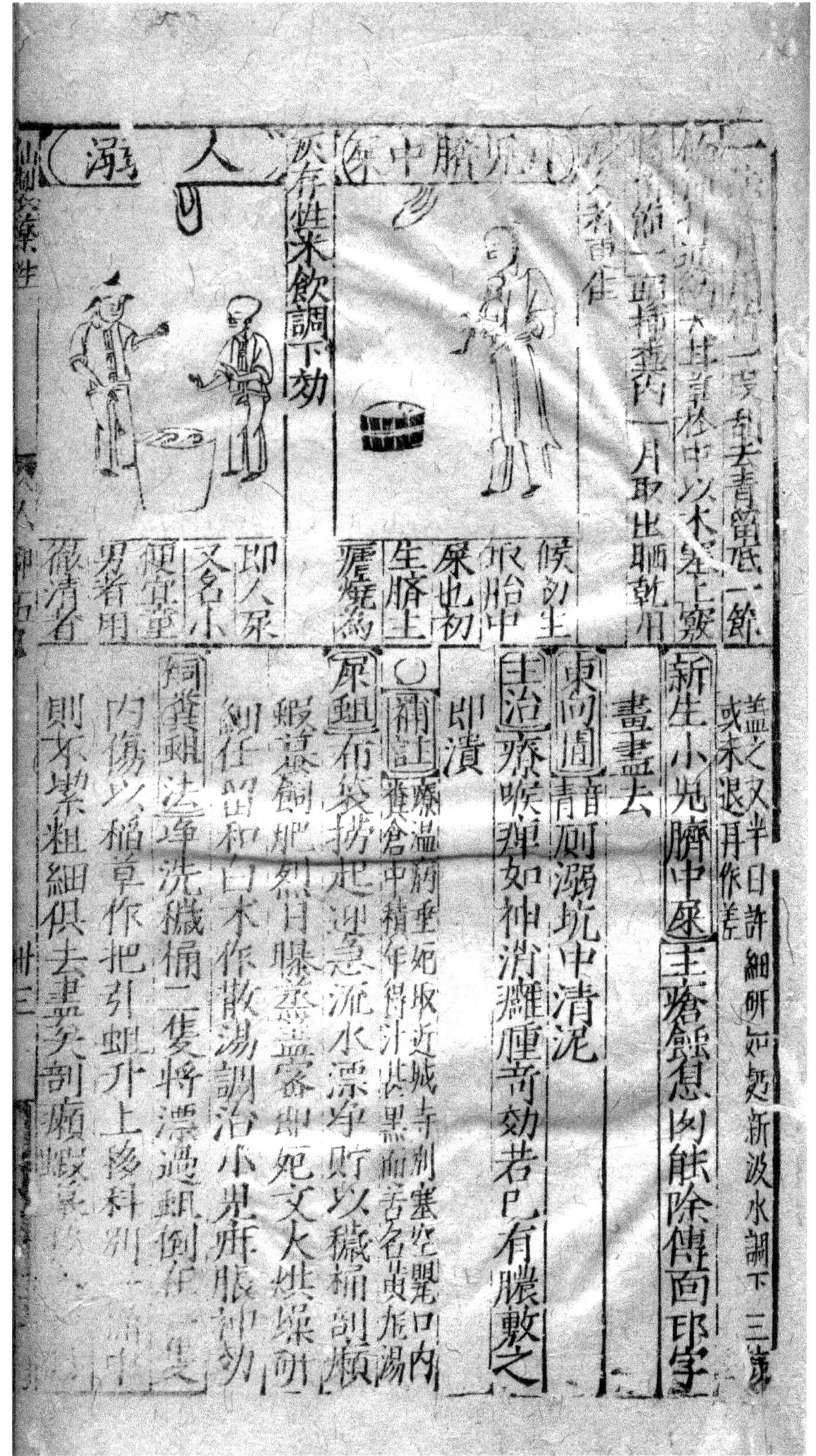

一度刮去青留底一節
大甘草於中以木塞上竅
節一頭插糞內一月取出晒乾用
者佳

候初生
收胎中
屎也初
生臍上
履燒為

即人尿
又名小
便童
男者用
澂清者

盖之又半日許細研如麪新汲水調下三歳
或未退再作差

新生小兒臍中屎 主瘡疥息肉鼻除僻面印字

畫盡去

東向圊 音青 厠溺坑中清泥

主治 療喉痺如神消癰腫奇効若已有膿敷之

即潰

補註 療温病垂死取近城寺刹塞空甕口內灌倉中積年得汁其黑而苦名黄龍湯

屎蛆 布袋撈起迎急流水漂淨貯以𥴩桶剖癩蝦蟇飼肥烈日曝蒸盡叫死文大烘燥研細任留和白木作散湯調治小兒疳脹神効

飼糞蛆法 淨洗𥴩桶一隻將漂過蛆倒在一隻

内傷以稲草作把引蛆升上務料别

則不槩粗細俱去盡矣剖癩蝦

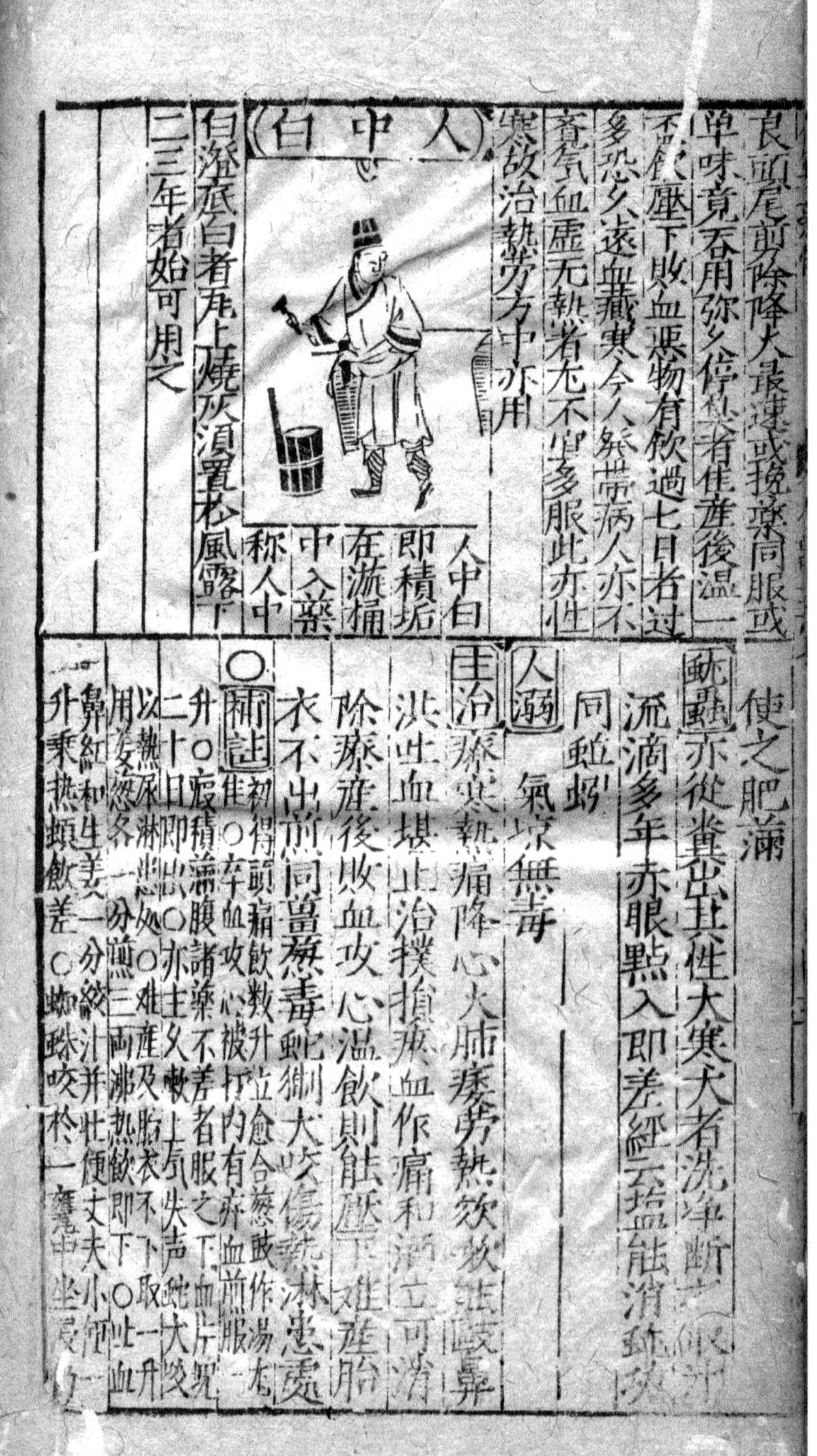
良頭尾剪除降火最速或挽藥同服或單味竟吞用弥以停凝者佳產後溫一盃飲壓下敗血惡物有欲過七日者過多恐久遠血藏寒令人發帶病人亦不宜氣血虛无熱者尤不宜多服此亦性寒故治熱劳方中亦用

人中白即積垢在溺桶中入藥称人中白澄底白者瓦上燒灰須置於風露下二三年者始可用之

使之肥滿

【鼢鼠】亦從糞出其性大寒犬者洗淨斷(取汁)流滴多年赤眼點入即差經云鹽能消毒故同蚯蚓

【人溺】氣涼無毒

【主治】寒熱痛降心火肺痿勞熱欬嗽皮膚鼻洪吐血堪止治撲損瘀血作痛和酒立可消除瘀產後敗血攻心溫飲則能壓下難產胎衣不出煎同薑蔥毒蛇猘犬咬傷熱淋患處

○【補註】初得頭痛飲數升立愈合蔥豉作湯一右升○瘕積滿腹諸藥不差者服之下血片兒二十日即出○亦主久嗽上氣失声能大陵以熱尿淋患處○難產及胎衣不下取一升用姜葱各一分煎三兩沸熱飲即下○吐血鼻紅和生姜一分絞汁并壯健丈夫小便一升乘熱頓飲差○蜘蛛咬於一甕中坐浸

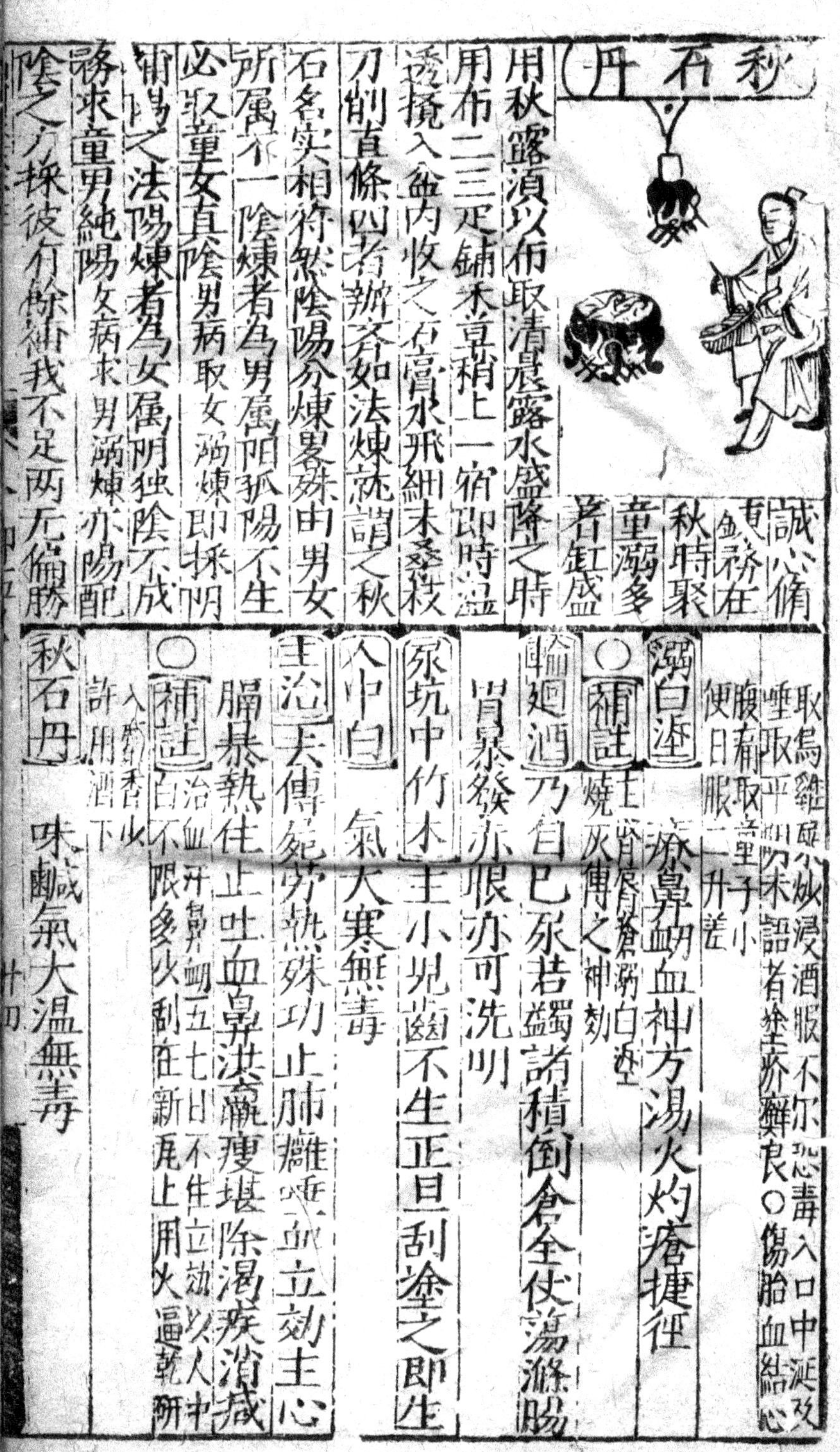

秋石丹

誠心脩煉務在秋時聚童溺多著缸盛

用秋露須以布取清晨露水盛降之時用布二三疋鋪禾草梢上一宿即時溼透攪入盆內收之石膏水飛細末黍粒刀削直條四者辦齊如法煉就謂之秋石名實相符然陰陽分煉畧殊由男女所屬不一陰煉者為男屬陽孤陽不生必取童女真陰男病取女溺煉即採陰補陽之法陽煉者為女屬陰獨陰不成務求童男純陽女病求男溺煉亦陽配陰之方採彼有餘補我不足兩無偏勝

取烏雞屎炒浸酒服不尔恐毒入口中涎及唾取平明未語者塗疥癬良〇傷胎血結心腹痛取童子小便日服二升差

溺白垽　療鼻衄血神方湯火灼瘡捷徑

〇補註　燒灰傳之神効　主[illegible]瘡溺白垽

輪廻酒　乃自已尿苦鹹諸積倒倉全仗蕩滌腸胃暴發赤眼亦可洗明

尿坑中竹木　主小兒顖不生正旦刮塗之即生

人中白　氣大寒無毒

主治　夫傳屍勞熱殊功止肺癰唾血立効主心膈暴熱住止吐血鼻洪羸瘦堪除渴疾消減

〇補註　治血汗鼻衄五七日不住立効以人中白不限多少刮在新瓦上用火逼乾研入麝香少許用酒下

秋石丹　味鹹氣大溫無毒

綫得生成内經云一陰一陽之謂道偏陰偏陽之謂疾実竊此意宗或作散服或為丸吞古方以棗肉搗丸温酒送下

【煉秋石法】每溺一缸投石羔末七錢桑條攪混二次过半刻許其精英漸沉于底清液自浮於上候其澄定將液傾流再以別溺涌投如前投末混攪傾上留底俱勿差違待溺撿完清液傾盡方入秋露水一桶于内亦以桑條攪之水靜即傾如此數度滓穢洗滌鹹味減除製畢重紙封面灰滲晒乾成塊堅凝囫圇取出其英精之輕清者自浮結面上覆白○原石羔末併餘滓之重濁者並沉聚底下質緇而黯面者當用[illegible]刮[illegible]制度如斯灵性完具入藥極済試弥丹

【主治】滋腎水返本還元養丹田歸根復命安和五臟潤澤三焦消咳逆稠痰退骨蒸邪熱積塊軟堅堪用鼓脹代塩可嘗明目清心延年益壽

【婦人月水】解藥箭毒者塗之神効中傷幾死者服即回生

○【補註】治馬血入瘡中或被藥箭所傷將欲[illegible]爛以婦人月經血塗之○治剝馬被骨刺破毒欲死以月經血塗之立効○交州夷人以焦銅為鏃毒藥鏃鋒上中之即死月水汁解之

【月經衣】治陰陽易及女勞復如神傅虎狼傷霍[illegible]癰瘡許捷

○【補註】治丈夫熱病差後交接復發急卵痛入陽中絞痛欲死女人月經片灸為灰熱水調服方寸○治勞病取室女經片熱水調服効○治勞瘵舌上生胎厚將盡者取童女經片燒灰熱水調服方寸○治陰陽易

更若復入鍾則封文火煅煉半刻許鍾內其汁卻變溫終不及曬者優也古方以棗肉爲丸如棗子大每服五七丸漸至十五丸空心溫酒鹽湯下久服臍下常如火煖諸般冷疾皆愈久年衰勞虛憊甚者服之皆壯盛其藥未嘗近火收或時復養火三五日力效大也

○按秋石行務取童溺煉之求丸淫慾外侵真元內守故也抱石蓋欲易濁清而精英即結纔秋露資薰蒸而邪穢不容古人立名實本此義然制煉分陰陽爲二採補使男女俱同此又妙合內經之道周易所加丹字亦乃仙成故人部中每稱乳汁河車併斯三者俱爲接命之至寶也奈何世醫未得真授四時

傷寒吃燒婦人月經衣熱水服方寸○治霍亂困篤取童女月經衣和血燒灰酒服方寸○治聚血並熱箭鏃在骨喉燒婦人月經衣酒服

【浣裩汁】亦爲醫藥解毒箭併治傷寒女勞復當求陰陽易亦效

○【補註】扶南國舊有奇術能令刀斫不入惟以月水塗刀便死此是污穢壞神氣也人合藥所以忌觸之此甚一種放從厭穢之例

【婦人裩襠】煎下惟對陰處燒灰得童男女者力強治陰陽易諸效甚燒灰存性研末湯調女患陰易用男男患陽易用女

○【補註】陰陽易病者人患時病起後合陰陽便即着是服補[illegible]甚於本病其候小便赤澀寒熱甚[illegible]便通利不爾多死陰二七壯又婦人裩上襠[illegible]不出腹[illegible]立下取本婦人者更佳

【人精】千湯火灼金瘡靈效去面黶亦滅瘢痕去面上黶以人精和鷹屎白傅之自愈

○【補註】白蜜亦得○治金瘡血出不止以精塗

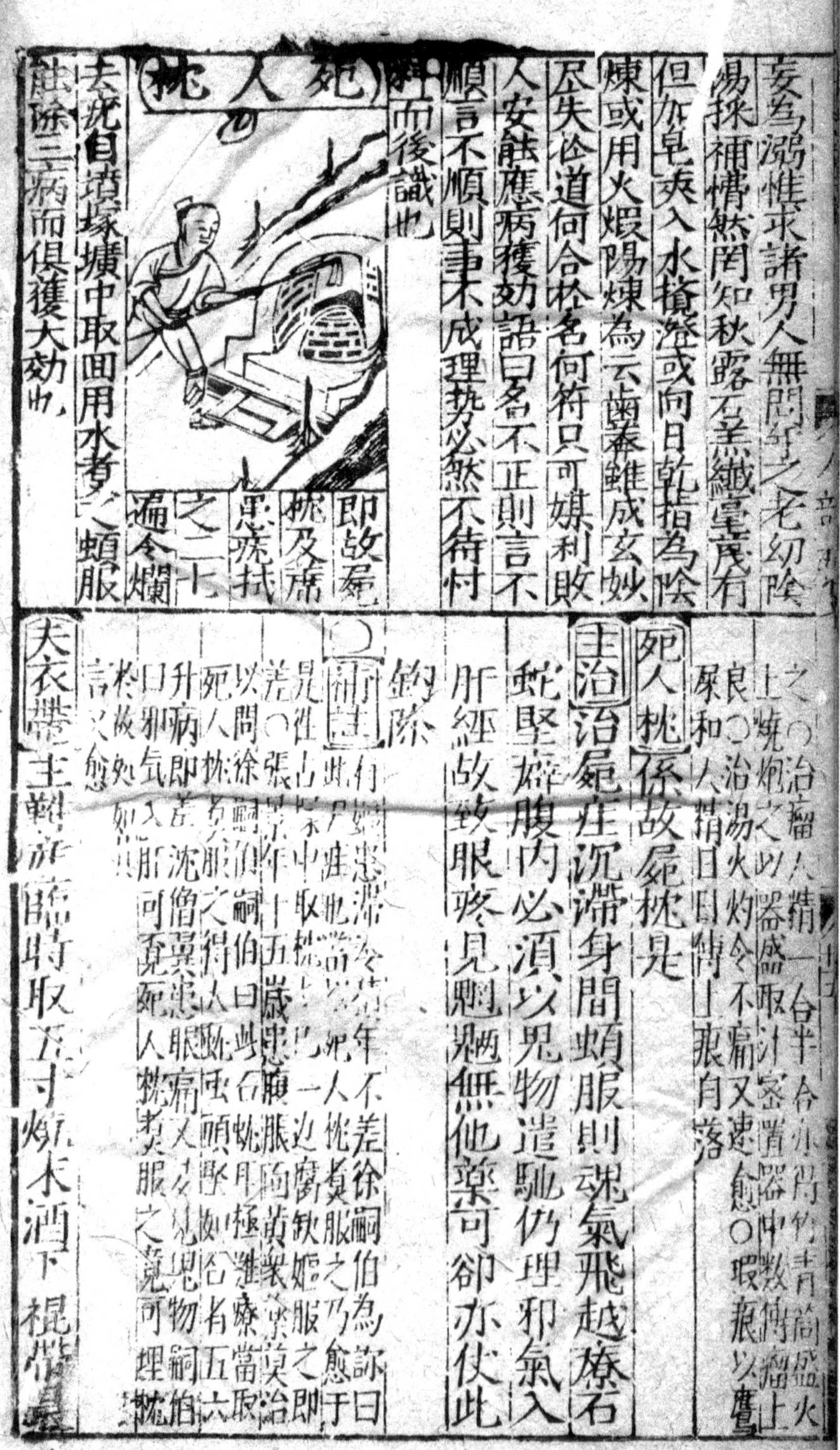

妄為溺惟求諸男人無問少老幼陰陽採補情慾罔知秋露石業纖毫蔑有但假皂莢入水撈澄或向日乾指為陰煉或用火煅陽煉為云齒牽雖成玄妙尽失治道何合於名何符只可嫁利敗人安能應病獲効語曰名不正則言不順言不順則事不成理勢必然不待村辯而後識也

即故屍枕及席拭之二七遍令爛去死自遺塚壙中取回用水煮之蛔服能除三病而俱獲大効也

之○治瘤人精一合半合小竹青筒盛火上燒炮之以器盛取汁密置器中數傅瘤上良○治湯火灼令不痛又速愈○瘢痕以鷹屎和人精日日傅之痕自落

死人枕 係故屍枕是

主治 治屍疰沉滯身間蛔服則魂氣飛越療石蚘堅癖腹內必須以見物遣馳仍理邪氣入肝經故致眼疼見魍魎無他藥可卻亦仗此鉤除

附註 有婦患滯冷積年不差徐嗣伯為診曰此尸疰也當以死人枕煮服之乃愈于是往古冢中取枕枕已一邊腐缺嫗服之即差○張景年十五歲患腹脹面黃衆藥莫治以問徐嗣伯曰此石蚘耳極難療當取死人枕煮服之得大蚘虫頭堅如石者五六升病即差○沈僧翼患眼痛又多見鬼物嗣伯曰邪氣入肝可覓死人枕煮服之竟可埋枕於故處如其言又愈

夫衣帶 主難產臨時取五寸燒末酒下 褌帶鼻

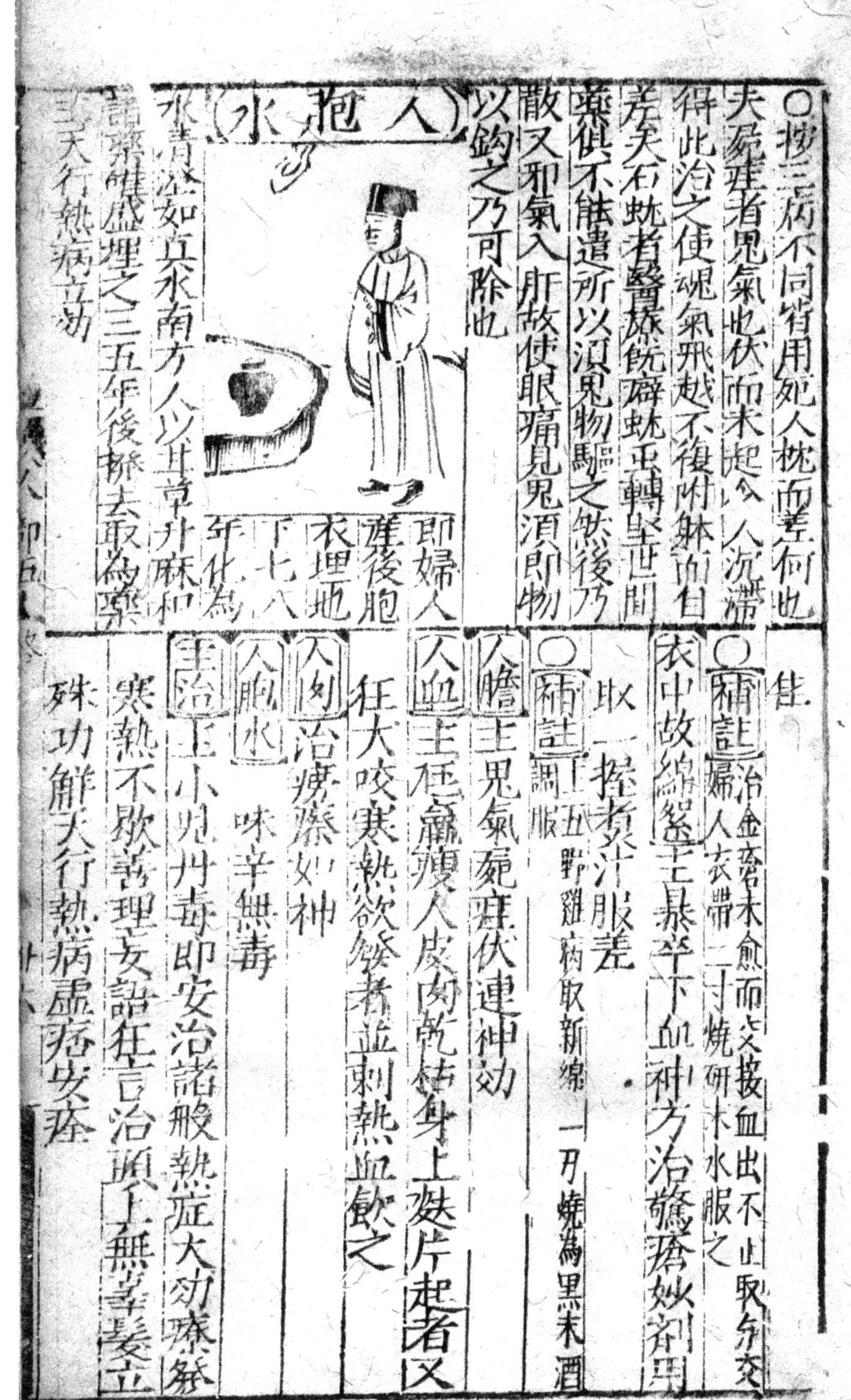

○按三病不同皆用死人枕而差何也
夫𤸇疰者鬼氣也伏而未起故令人沉滯
得此治之使魂氣飛越不復附體故自
差矣石蚘者醫療既癖蚘虫轉堅世間
藥俱不能遣所以須鬼物驅之然後乃
散又邪氣入肝故使眼痛見鬼須即物
以鈎之乃可除也

（人胞水）

即婦人產後胞衣埋地下七八年化為水清澄如泉水南方人以甘草升麻和諸藥貯瓶埋之三五年後掘去取為藥治天行熱病立効

佳。

○補註 治金瘡未愈而交接血出不止取所交婦人衣帶二寸燒研末水服之

衣中故綿絮 主暴卒下血神方治癰瘡妙劑用取一握煮汁服差

○補註 主五野雞病取新綿一刃燒為黑末酒調服

人膽 主鬼氣𤸇疰伏連神効

人血 主狂癲癲瘦人皮肉乾枯身上麩片起者又狂犬咬寒熱欲發者並刺熱血飲之

人肉 治瘵疾如神

人胞水 味辛無毒

主治 主小兒丹毒即安治諸般熱症大効療發寒熱不歇譫理妄語狂言治頭上無毛髮立殊功解天行熱病虛痞安痊

00210-3